english grammar

ingilizce

dilbilgisi

Bahire Şerif

FONO açıköğretim kurumu

ISBN 975-471-010-4

2001

Baskı ve Cilt: **ACAR MATBAACILIK A.Ş.**
Tel: (0212) 422 18 34 (Pbx)
Fax: (0212) 422 18 04

ÖNSÖZ

İngilizce dilbilgisinde bütün önemli konuları kapsayan bu kitapta dilbilgisi kuralları çok kolay anlaşılır açıklıkta verildikten sonra çok sayıda örnek cümleler Türkçe karşılıklarıyle sıralanarak, İngilizceyi gerek okulda gerekse kendi kendine öğrenmekte olanlara bu dili kolaylıkla öğrenme olanağı sağlanmıştır.

Bu yönüyle olağan dilbilgisi kitaplarından ayrılan bu kitap bütün fiil zamanlarını hem şematik hem çekim halinde vermek, zamanları geniş açıklamalar ve bol örneklerle ayrıntılı olarak göstererek fiiller konusunu çok geniş kapsamlı olarak öğretmekte, diğer konuları da aynı şekilde açık ve geniş olarak, bol örneklerle vermekte ve bu yönüyle, sadece belli konuda bilgi alındıktan sonra bırakılacak klasik bir dilbilgisi kitabı değil, İngilizceyi öğrenenlerin devamlı olarak izley ecekleri bir öğretim kitabı niteliği kazanmaktadır.

İngilizce bilgileri oldukça ileri düzeyde olanlara olduğu kadar yeni başlayanlara da öğrenmek istediklerini kolay ve öğretici bir şekilde verecek olan bu dilbilgisi kitabı İngilizce öğretmenlerinin de yararlanacakları ve öğrencilerini yararlandırabilecekleri bir kaynaktır.

BAHİRE ŞERİF

CONTENTS - İÇİNDEKİLER

8

İngilizcede sekiz sözbölüğü vardır. İngilizce sözcüklerin her biri bu sekiz türden birine aittir. Ancak, çeşitli anlam ve kullanılışı olan bir sözcük bu gruplardan birden fazlasına girebilir. Bu bakımdan birçok sözcük için sekiz gruptan şu gruba aittir demek mümkün değildir. Sadece o kullanılışıyla hangi gruba ait olduğu söylenebilir. Aynı sözcük başka bir anlamda kullanılışıyla diğer bir grup içinde yer alabilir.

Örneğin **fast** sözcüğü,

> "oruç" anlamında isim
> "oruç tutmak" anlamında fiil
> "hızlı" anlamında sıfat
> "hızlı, hızlı olarak" anlamında zarf

olarak kullanılabilir. Birçok sözcük için de durum aynıdır. Bu bakımdan bir sözcüğü öğrenirken onun anlamlarını ve bu anlamlardayken hangi grupta olduğunu da bellemek gerekir.

Sözünü ettiğimiz sekiz sözbölüğü şunlardır: Parantez içinde verilen örnek sözcüklerden bazılarının yukarıda sözünü ettiğimiz gibi birden fazla grup içinde olabileceğini hatırdan çıkarmayınız.

1. **NOUNS** - isimler **(table, beauty, Helen, army)**

2. **ADJECTIVES** - sıfatlar **(good, white, this, every, what, some, my)**

3. **PRONOUNS** - zamirler **(you, he, this, each, himself, many, which)**

4. **VERBS** - fiiller **(go, learn, have, write)**

5. **ADVERBS** - zarflar **(quickly, badly, now, here)**

6. **PREPOSITIONS** - edatlar **(in, on, under, across, since)**

7. **CONJUNCTIONS** - bağlaçlar **(and, or, so, but)**

8. **INTERJECTIONS** - ünlemler **(Hey! Oh! Heaven!)**

NOUNS-İSİMLER

ismin tanımı

Varlıklara ad olan sözcüklere isim denir. İsimler, insan, hayvan eşya gibi varlıkları ve soyut kavramları adlandıran sözcüklerdir.

tree (ağaç)	**Mary**
book (kitap)	**Ankara**
house (ev)	**England**
dog (köpek)	**Mrs Miller**
man (adam)	**Ahmet**
student (öğrenci)	**Turkey**
crowd (kalabalık)	**beauty** (güzellik)
group (grup)	**happiness** (mutluluk)
team (takım)	**courage** (cesaret)
army (ordu)	**whiteness** (beyazlık)
class (sınıf)	**health** (sağlık)
flock (sürü)	**poverty** (yoksulluk)

sözcükleri birer isimdir. Bunlar tanımda belirttiğimiz şeyleri adlandırmaktadırlar.

---

isimlerin türleri

İngilizcede isimler genel olarak Türkçede olduğu gibidirler. Bunların türlerini ve özelliklerini sırayla görelim:

İngilizcede isimler aşağıda gördüğümüz dört gruptan birine girerler.

1. **common nouns** /'komın naunz/ — cins isimler
2. **proper nouns** /'propı naunz/ — özel isimler
3. **abstract nouns** /'ebstrekt naunz/ — soyut isimler
4. **collective nouns** /kı'lektiv naunz/ — topluluk isimleri

14

Bu grupları teker teker ele alıp inceleyelim :

1. common nouns - cins isimler

Tanımdaki örneklerin ilk bölümünde bulunan **tree, house, man, dog** gibi sözcükler **common nouns** sınıfındandırlar. Bunlar gösterdikleri varlıkların tümüne aittirler. Örneğin, **tree** (ağaç) sözcüğü tüm ağaç cinsinin ismidir; **student** (öğrenci) sözcüğü tüm öğrenciler için kullanılan bir isimdir.

table (masa)	**radio** (radyo)
girl (kız)	**cat** (kedi)
horse (at)	**shop** (dükkân)
teacher (öğretmen)	**father** (baba)

sözcükleri isimlendirdikleri türün hepsine isim olan ve hepsi tarafından paylaşılan isimlerdir. Bunlar birer **common noun** - cins isimdir.

2. proper nouns - özel isimler

Yukarıda gördüğümüz ve bir türün hepsine ait olan isimlere karşın, sadece bir tek şeye ait olan ve yalnız onu belirten isimler vardır. Bunlara **proper nouns** - özel isimler denir. Çoğunlukla şahıs, yer gibi varlıklara ait olan bu özel isimler **Mary, Almanya, Paris, Konya, Mr Brown** gibi bir tek şahıs veya yere ait olan, sadece onu gösteren sözcüklerdir.

Tom	Himalaya
Miss Smith	Berlin
Selma	Mr Green
İstanbul	İspanya
New York	London

Özel isimlerin baş harfleri daima büyük harfle yazılır.

3. abstract nouns - soyut isimler

Elle tutulup gözle görülen ve yukarıda gördüğümüz tür isimlerle isimlendirilen varlıklardan başka, birer kavram, nitelik, durum gösteren isimler vardır ki bunlar **abstract nouns** - soyut isimler türünü oluştururlar.

goodness (iyilik)
length (uzunluk)
belief (inanç)
beauty (güzellik)
fear (korku)

joy (sevinç)
poverty (yoksulluk)
charm (cazibe)
hope (ümit)
hunger (açlık)

4. collective nouns - topluluk isimleri

Aynı cinsten birçok varlığı topluca adlandıran, onları bir bütün olarak belirten sözcüklere **collective nouns** - topluluk isimleri denir. Örneğin, **forest** (orman), **crowd** (kalabalık), **audience** (dinleyiciler), **cattle** (sürü) gibi isimler ağaç, insan, hayvan topluluklarını bir bütün olarak adlandırırlar.

committee (kurul)
class (sınıf)

group (grup)
family (aile)

compound nouns - birleşik isimler

Dört grupta topladığımız isimlerin bazıları birleşerek **compound nouns** birleşik isimler meydana getirirler. Bunların bazıları birleşik, bazıları ise aralarında (-) işareti ile yazılırlar.

teapot (çaydanlık)
bedroom (yatak odası)
civil servant (memur)
newspaper (gazete)
bookseller (kitapçı)

armchair (koltuk)
maid-servant (kadın hizmetçi)
childcare (çocuk bakımı)
shoemaker (ayakkabıcı)
housewife (ev hanımı)

İsimlerin dört türünü ve bazı isimlerin birleşerek meydana getirdikleri birleşik isimleri gördükten sonra İngilizce isimlerde dişilik, erkeklik, cinsiyetsizlik durumlarını belirleyen (**gender** /'cendı/ - cins) konusunu, bundan sonra isimlerin nasıl çoğul hale getirileceğini açıklayan (**plural** /plıu:rıl/ - çoğul) konusunu, daha sonra da isimlerin cümle içindeki halini açıklayan (**case** /keys/ - hal) konularını inceleyerek isim konusunu tamamlayacağız.

GENDER /'cendı/ - CİNS

İngilizcede isimlerin dişi, erkek veya cinsiyetsiz oluşları Almanca, Fransızca dillerinde olduğu gibi gramer bakımından değil gerçek anlamları ile saptanır.

1. eril (erkek) cins

Man (adam), **father** (baba), **policeman** (polis), **boy** (erkek çocuk) gibi gerçekten erkek varlıkları gösteren isimler **masculine gender** /meskyulin cendı/- eril cins'tir.

2. dişil (dişi) cins

Woman (kadın), **mother** (anne), **girl** (kız), **aunt** (teyze) gibi dişi cins varlıkları gösteren isimler **feminine gender** /feminin cendı/ - dişil cins'tir.

3. cinsiyetsiz

Table (masa), **book** (kitap), **car** (otomobil), **ship** (gemi) gibi cansız varlıkları gösteren isimler **neuter gender** /'nyu:tı cendı/ - cinsiyetsiz cins'tir.

4. ortak cins

Teacher (öğretmen), **child** (çocuk), **parent** (ebeveyn), **friend** (arkadaş) gibi her iki cinsten olabilecek varlıkları gösteren isimler **common gender** /komın cendı/ - ortak cins'tir.

eril isimlerin dişil şekilleri

Bazı eril isimler, sonlarına ekler getirilerek dişil şekline sokulurlar.

actor (aktör)	actress (aktris)
host (erkek ev sahibi)	hostess (kadın ev sahibi)
waiter (erkek garson)	waitress (kadın garson)
conductor (biletçi)	conductress (kadın biletçi)
hero (erkek kahraman)	heroine (kadın kahraman)

Bazı isimlerin eril ve dişil şekilleri vardır.

prince (prens)	princess (prenses)
bull (boğa)	cow (inek)
cock (horoz)	hen (tavuk)
boy (erkek çocuk)	girl (kız çocuk)
uncle (amca, dayı)	aunt (hala, teyze)
brother (erkek kardeş)	sister (kız kardeş)
son (oğul)	daughter (kız evlat)
husband (eş, koca)	wife (eş, karı)
father (baba)	mother (anne)
man (adam)	woman (kadın)
lord (lord)	lady (leydi)
nephew (erkek yeğen)	niece (kız yeğen)
master (efendi)	mistress (hanım)
bachelor (bekâr erkek)	spinster (bekâr kadın)
widower (dul erkek)	widow (dul kadın)

Bazı isimlere dişilik gösteren **she, girl, woman** gibi sözcükler eklenerek dişil cins isimler yapılır.

friend (arkadaş)	girl-friend (kız arkadaş)
goat (keçi)	she-goat (dişi keçi)
salesman (erkek satıcı)	saleswoman (kadın satıcı)
spokesman (erkek sözcü)	spokeswoman (kadın sözcü)
chairman (erkek başkan)	chairwoman (kadın başkan)

PLURALS - ÇOĞUL

İngilizcede isimlerin çoğul halleri aşağıda sıralandığı gibi yapılır:

1. Genel olarak bir ismin çoğul şekli sözcük sonuna eklenen **(s)** ile yapılır. Bu **(s)** Türkçedeki (-ler, -lar) eklerinin görevini yapar.

cat kedi)   **cats** (kediler)
door (kapı)   **doors** (kapılar)
tree (ağaç)   **trees** (ağaçlar)
umbrella (şemsiye)   **umbrellas** (şemsiyeler)
bird (kuş)   **birds** (kuşlar)

2. Sonu **o, ss, sh, ch, x** ile biten isimler çoğul yapılırken çoğul eki olarak **(es)** eklenir.

watch (saat)   **watches** (saatler)
box (kutu)   **boxes** (kutular)
brush (fırça)   **brushes** (fırçalar)
glass (bardak)   **glasses** (bardaklar)
church (kilise)   **churches** (kiliseler)
fox (tilki)   **foxes** (tilkiler)
kiss (öpücük)   **kisses** (öpücükler)
tomato (domates)   **tomatoes** (domatesler)
negro (zenci)   **negroes** (zenciler)
cargo (kargo)   **cargoes** (kargolar)

İngilizceye yabancı dilden gelmiş sonu **o** ile biten isimler **(es)** değil **(s)** eklenerek çoğul yapılırlar.

piano (piyano)   **pianos** (piyanolar)
dynamo (dinamo)   **dynamos** (dinamolar)
photo (fotoğraf)   **photos** (fotoğraflar)
kilo (kilo)   **kilos** (kilolar)

Ayrıca, İngilizce sözcüklerden olduğu halde sonu **o** ile biten bazı isimler de sadece **(s)** ile çoğul yapılırlar. Bunlar **o** harfinin önünde sesli bir harf olan isimlerdir.

portfolio (evrak çantası)　　**portfolios** (evrak çantaları)
studio (stüdyo)　　　　　　　**studios** (stüdyolar)
radio (radyo)　　　　　　　　**radios** (radyolar)

3. Sessiz bir harfi izleyen **y** ile biten isimler çoğul yapılırken **y** kalkar, bunun yerine **(ies)** getirilir.

baby (bebek)　　　　　**babies** (bebekler)
city (şehir)　　　　　　**cities** (şehirler)
lady (hanım)　　　　　**ladies** (hanımlar)
fly (sinek)　　　　　　**flies** (sinekler)
army (ordu)　　　　　　**armies** (ordular)
story (hikâye)　　　　　**stories** (hikâyeler)
country (ülke)　　　　　**countries** (ülkeler)

Fakat sözcük sonundaki **y** harfinden önce sesli bir harf varsa çoğul yapmak için sadece **(s)** eklenir.

toy (oyuncak)　　　　　**toys** (oyuncaklar)
boy (erkek çocuk)　　　**boys** (erkek çocuklar)
donkey (eşek)　　　　　**donkeys** (eşekler)
day (gün)　　　　　　　**days** (günler)
key (anahtar)　　　　　**keys** (anahtarlar)

4. Sonu **f** veya **fe** ile biten isimler çoğul yapılırken bu harfler kalkar, yerlerine **(ves)** konulur.

wife (karı)　　　　　　**wives** (karılar)
life (hayat)　　　　　　**lives** (hayatlar)
knife (bıçak)　　　　　**knives** (bıçaklar)
wolf (kurt)　　　　　　**wolves** (kurtlar)
calf (buzağı)　　　　　**calves** (buzağılar)
sheaf (demet)　　　　**sheaves** (demetler)
self (kişi)　　　　　　**selves** (kişiler)
half (yarım)　　　　　**halves** (yarımlar)
shelf (raf)　　　　　　**shelves** (raflar)
leaf (yaprak)　　　　　**leaves** (yapraklar)
loaf (somun)　　　　　**loaves** (somunlar)
thief (hırsız)　　　　　**thieves** (hırsızlar)

Yukarıdaki isimler dışında kalan ve sonu **f, fe** ile biten sözcükler sonlarına **(s)** alarak çoğul olurlar.

belief (inanç)	**beliefs** (inançlar)
cliff (kayalık)	**cliffs** (kayalıklar)
roof (dam)	**roofs** (damlar)
proof (kanıt)	**proofs** (kanıtlar)
chief (şef)	**chiefs** (şefler)
grief (keder)	**griefs** (kederler)
handkerchief (mendil)	**handkerchiefs** (mendiller)

Bu tür isimlerden birkaç tanesi her iki şekilde de, yani istenirse **ves** getirilerek, istenirse **(s)** ilavesiyle çoğul yapılırlar.

scarf (atkı)	**scarves** (atkılar)
	scarfs (atkılar)
wharf (rıhtım)	**wharves** (rıhtımlar)
	wharfs (rıhtımlar)
dwarf (cüce)	**dwarves** (cüceler)
	dwarfs (cüceler)
turf (çimen)	**turves** (çimenler)
	turfs (çimenler)

5. Birkaç isim, içlerindeki sesli harfler değişmek suretiyle çoğul olurlar.

man (adam)	**men** (adamlar)
woman (kadın)	**women** (kadınlar)
foot (ayak)	**feet** (ayaklar)
goose (kaz)	**geese** (kazlar)
louse (bit)	**lice** (bitler)
mouse (fare)	**mice** (fareler)
tooth (diş)	**teeth** (dişler)

Bu gruba yakın iki isim daha vardır. Onlar sonlarına **(en)** alarak çoğul olurlar.

child (çocuk)	**children** (çocuklar)
ox (öküz)	**oxen** (öküzler)

6. Birkaç balık ve hayvan isminin tekil hali çoğul anlam da verir.

sheep (koyun)	sheep (koyunlar)
fish (balık)	fish (balıklar)
swine (domuz)	swine (domuzlar)
trout (alabalık)	trout (alabalıklar)
deer (geyik)	deer (geyikler)
aircraft (uçak)	aircraft (uçaklar)

7. Aşağıdaki isimler daima tekil haldedirler. Çoğul şekle sokulmazlar.

advice (öğüt)	knowledge (bilgi)
baggage (bagaj)	furniture (mobilya)
information (bilgi)	news (haber)
luggage (bagaj)	rubbish (çöp)

8. Çoğul görünümlü birkaç isim hem tekil hem çoğul anlamda kullanılabilir.

barracks (kışla)	barracks (kışlalar)
gallows (darağacı)	gallows (darağaçları)
series (sıra, dizi)	gallows (diziler)
species (tür)	species (türler)
means (olanak)	means (olanaklar)
works (atölye)	works (atölyeler)

9. Çoğul görünümlü bazı isimler tekil bir anlam taşırlar, cümle içinde tekil bir isim gibi kullanılırlar.

news (haber)	summons (celp, çağrı)
billiards (bilardo)	ashes (kül)

10. Tekil görünümlü birkaç isim çoğul anlam taşırlar.

cattle (sığırlar)	gentry (orta sınıf insanlar)
people (insanlar, halk)	police (polisler)

11. İki parçadan meydana gelen bazı giyim eşyaları ile el aletleri daima çoğul halde bulunurlar. Cümle içinde çoğul bir isim olarak kullanılırlar.

trousers (pantalon)	pyjamas (pijama)
drawers (don)	pants (pantalon)
clothes (giysi)	spectacles (gözlük)
glasses (gözlük)	scissors (makas)
pincers (kerpeten)	bellows (körük)
tongs (maşa)	

Bunun dışında da bazı isimler sadece çoğul halde bulunurlar.

eaves (saçak)	headquarters (karargâh)
measles (kızamık)	mumps (kabakulak)
riches (servet)	savings (tasarruf)
sweepings (süprüntü)	belongings (özel eşya)
regards (saygı)	sands (kumsal)
surroundings (çevre)	

12. Bazı isimlerin iki çoğul şekli vardır. Bunlar arasındaki anlam farkları aşağıda belirtilmiştir.

brother (erkek kardeş)	brothers (erkek kardeşler)
	brethren (erkek kardeşler)
	(Kilisenin kullandığı şekil)
cloth (kumaş bez)	cloths (bezler)
	clothes (giysi)
penny (peni)	pennies (peniler-madeni paralar)
	pence (peniler-peni olarak fiyatı söylenirken)

13. Latince ve Yunanca asıllı isimlerin çoğulları kendi kurallarına göre yapılır.

radius (yarıçap)	radii (yarıçaplar)
bacillus (basil)	bacilli (basiller)
erratum (yanlışlık)	errata (yanlışlıklar)
memorandum (muhtıra, not)	memoranda (notlar)
agendum (gündem)	agenda (gündemler)
terminus (son durak)	termini (son duraklar)
analysis (analiz)	analyses (analizler)

crisis (kriz)	crises (krizler)
datum (veri)	data (veriler)
parenthesis (parantez)	parentheses (parantezler)
basis (temel)	bases (temeller)
thesis (tez)	theses (tezler)

14. Sonu **ics** ile biten bazı isimler çoğul görünümdedirler ve çoğul fiille kullanılırlar.

mathematics (matematik)	physics (fizik)
acoustics (akustik)	politics (politika)
hysterics (isteri)	ethics (törebilim)

Ancak bu isimler bir bilim dalı olarak kullanıldığında tekil fiille kullanılırlar.

15. **Compound nouns** - birleşik isimler çoğul yapılacağı zaman genel olarak son sözcük çoğul hale getirilir.

bookcase (kitaplık)	bookcases (kitaplıklar)
schoolroom (dershane)	schoolrooms (dershaneler)
tooth brush (diş fırçası)	tooth brushes (diş fırçaları)
maid servant (kadın hizmetçi)	maid servants (kadın hizmetçiler)
armchair (koltuk)	armchairs (koltuklar)
horseman (binici)	horsemen (biniciler)

Birleşik isimde ilk sözcükler **man** veya **woman** ise her iki isim de çoğul yapılır.

manservant (erkek uşak)	menservants (erkek uşaklar)
woman doctor (kadın doktor)	women doctors (kadın doktorlar)

Edat ve zarfla yapılmış birleşik isimlerde ilk isimler çoğul yapılır.

mother-in-law (kaynana)	mothers-in-law (kaynanalar)
passer-by (gelip geçen)	passers-by (gelip geçenler)
father-in-law (kayınpeder)	fathers-in-law (kayın pederler)
looker-on (seyirci)	lookers-on (seyirciler)

Sonu **ful** ile biten isimlerin çoğulu **ful** sonuna **(s)** ilave edilerek yapılır.

handful (avuç dolusu)   **handfuls** (avuç doluları)
armful (kucak dolusu)   **armfuls** (kucak doluları)

CASES OF NOUNS - İSİMLERİN HALLERİ

İsimlerin -i ve -e halleri

Türkçede isimler **-i** ve **-e** hallerinde oldukları zaman sonlarına **-i, -e** gibi takılar alırlar. Örneğin (Ahmet televizyonu açtı. Onlar maça gittiler. Öğretmen öğrenciye bir kitap verdi.) cümlelerinde televizyon, maç, öğrenci isimleri takılar alarak **-i** ve **-e** hallerine girmişlerdir.

İngilizcede isimler bu şekilde takılar alarak **-i, -e** haline girmezler. Bu anlamları verirken de takısız durumda bulunurlar. Böyle bir anlamı verişleri cümle içindeki yerlerinden ve yanlarında bulunan diğer sözcüklerden anlaşılır. Örneğin cümlenin nesnesi iken **-i** halinde, bir edattan sonra geldiğinde **-e** halinde olurlar.

Bu bakımdan İngilizcede isimlerin **-i** ve **-e** halleri üzerinde durulmasına gerek yoktur. İsmin, üzerinde durulması gerekli olan hali mülkiyet (iyelik) halidir. Buna ismin tamlayan hali de denir.

possessive case /pı'zesiv keys/- mülkiyet hali

İsimlerin mülkiyet hali (tamlayan hali) aşağıdaki kurallara göre yapılır.

1. İsmin mülkiyet hali tekil isimlerin sonuna **('s)** konularak yapılır.

the girl's hat   kızın şapkası
the teacher's book   öğretmenin kitabı
a policeman's shirt   bir polisin gömleği

Mehmet's friend	Mehmet'in arkadaşı
Tom's house	Tom'un evi
the horse's legs	atın bacakları
a child's toy	bir çocuğun oyuncağı
Turkey's exports	Türkiye'nin ihracatı

Sonu **(s)** ile bitmeyen çoğul isimler de **('s)** ile mülkiyet haline girerler.

the women's shoes	kadınların ayakkabıları
the children's toys	çocukların oyuncakları

2. **(s)** ile sona eren çoğul isimlere sadece **(')** ilave edilir.

the girls' hats	kızların şapkaları
the soldiers' barracks	askerlerin kışlası
the students' school	öğrencilerin okulu
the cows' horns	ineklerin boynuzları
the dogs' tails	köpeklerin kuyrukları

3. Sonu **(s)** ile biten özel isimler **('s)** veya sadece **(')** alırlar. Her iki şekil de mümkündür:

Mr Jones's father	Bay Jones'un babası
Mr Jones' father	Bay Jones'un babası

4. Birleşik isimlerde son ismin sonuna **('s)** ilave edilir.

His father-in-law's bag	Kayınpederinin çantası
My mother-in-law's hat	Kayınvalidemin şapkası

5. Bir şeye sahip olan kişiler birden fazlaysa sadece son isme **('s)** ilave edilerek mülkiyet haline sokulur.

Turgut and Selma's dog	Turgut ve Selma'nın köpeği
The girl and her friend's flat	Kız ve arkadaşının dairesi
Your mother and father's room	Annen ve babanın odası

('s) ve (of) ile mülkiyet halinin kullanılışı

Genel olarak (**'s**) ile mülkiyet hali insan ve hayvanlar için kullanılır. Yani (**'s**) ilavesinin yapılacağı isim bir insan veya hayvan gösteren isim olmalıdır. Örneğin, **man** (adam), **teacher** (öğretmen), **the pilot** (pilot), **Mr Smith** (Mr Smith), **the horse** (at), **the bird** (kuş)

Selim's pen	Selim'in kalemi
the workman's shoes	işçinin ayakkabıları
the pilot's hat	pilotun şapkası
the pilots' hats	pilotların şapkaları
the cat's tail	kedinin kuyruğu
the elephant's teeth	filin dişleri
Gordon's friends	Gordon'un arkadaşları
the soldiers' gun	askerlerin silahı
the soldier's gun	askerin silahı

Cansız varlıklara ait isimlerin mülkiyet hali bu isimlerin önüne **of** getirilerek yapılır.

of the door	kapının
the key of the door	kapının anahtarı
of the garden	bahçenin
the walls of the garden	bahçenin duvarları
of the church	kilisenin
the doors of the church	kilisenin kapıları
of the trees	ağaçların
the leaves of the trees	ağaçların yaprakları
of the room	odanın
the window of the room	odanın penceresi
of the table	masanın
the legs of the table	masanın ayakları

Cansızların mülkiyet halinin **of** ile yapılması kuralına uymayarak, insan ve hayvanlar için kullanılan (**'s**) ile mülkiyet hali yapılan isimler şunlardır:

a. Gemi ve diğer deniz araçları.

the ship's deck	geminin güvertesi
the yacht's crew	yatın tayfası

b. Zamanla ilgili sözcükler.

a week's holiday	bir haftalık tatil
today's newspaper	bugünün gazetesi
five days' work	beş günlük iş
twenty minutes' break	yirmi dakikalık istirahat
tomorrow's program	yarının programı
an hour's time	bir saatlik zaman
half a day's walk	yarım günlük yürüyüş
yesterday's news	dünün haberi
ten minutes' delay	on dakikalık gecikme
an hour's wait	bir saatlik bekleyiş

c. Para isimleriyle birlikte **worth** sözcüğü kullanıldığı takdirde.

fifty billion liras' worth of houses	elli milyar liralık evler
a dollar's worth of food	bir dolarlık yiyecek
two pounds' worth of flowers	iki paund'luk çiçek

d. Bazı deyimlerdeki isimler.

a stone's throw	bir taş atımı (mesafe)
the journey's end	yolculuğun sonu
at his wit's end	şaşırmış
in the mind's eye	hayalde, düşte
the water's edge	su kenarı

e. İşyeri gösteren isimler genellikle (**'s**) almış durumda kullanılarak onu izleyecek (sahip olunan) isim kaldırılır.

butcher's (butcher's shop)	kasap (kasap dükkânı)
chemist's (chemist's shop)	eczane (eczane dükkânı)

f. Bazı cümlelerde bu sözcüğü tekrarlamamak için sahip olan isme (**'s**) eklenerek sahip olunan isim kaldırılır.

This is my chair, and this is my mother's.	Bu benim sandalyem, bu annemin-kidir.
She brought your letters but she didn't bring Tom's.	Sizin mektuplarınızı getirdi, fakat Tom'unkini getirmedi.
Is it your book or your sister's?	O senin kitabın mı yoksa kız kar-deşininki mi?

Bu cümlelerde **mother's** isminden sonra **chair, Tom's** isminden sonra **letters, sister's** isminden sonra **book** tekrarlanmamıştır.

g. Bazı durumlarda bir cümlede hem **of** hem de **('s)** ile yapılmış iki mülki-yet hali birden bulunur.

a friend of Hasan's	Hasan'ın bir arkadaşı
a book of Hemingway's	Hemingway'in bir kitabı
a play of Arthur Miller's	Arthur Miller'in bir piyesi

('s) ve (of) kullanılmadan yapılmış isim tamlamaları

Türkçede olduğu gibi İngilizcede de iki isim yan yana gelerek bir tamla-ma yaparlar. Bu tamlamalar bazan iki yalın isimden, bazan bir isim ve **ing** alarak isim olmuş sözcükten oluşur.

college library	kolej kitaplığı
garden gate	bahçe kapısı
kitchen table	mutfak masası
summer holiday	yaz tatili
travel agent	seyahat acentesi
winter clothes	kış giysileri
petrol tank	benzin deposu
tennis court	tenis kortu
bottle-opener	şişe açacağı
love story	aşk öyküsü
car driver	oto sürücüsü
traffic lights	trafik ışıkları
river bank	nehir kenarı
fruit picking	meyve toplama
weight-lifting	ağırlık kaldırma
stamp-collecting	pul toplama

bird-watching	kuş gözleme
surf-riding	sörf yapma
waiting list	bekleme listesi
fishing-rod	balık oltası
dining-room	yemek odası
driving licence	sürücü belgesi
swimming pool	yüzme havuzu

ADJECTIVES - SIFATLAR

sıfatın tanımı

Sıfatlar, isimleri tanımlamak, onlar hakkında bilgi vermek, özelliklerini belirtmek için kullanılan sözcüklerdir.

long (uzun)	**this** (bu)
small (küçük)	**that** (şu)
black (siyah)	**these** (bunlar)
high (yüksek)	**those** (şunlar)
each (her bir)	**many** (birçok)
every (her)	**some** (birkaç, biraz)
either (her iki)	**twenty** (yirmi)
neither (hiçbir)	**much** (çok)
which (hangi)	**my** (benim)
what (ne)	**your** (senin)
whose (kimin)	**his** (onun)
	our (bizim)

sözcükleri birer sıfattır. Bunlar cümle içinde ilgili oldukları ismin durumunu açıklar, onunla ilgili tanımlama yaparlar.

sıfatların türleri

Sıfatlar altı çeşittir :

I. descriptive adjectives - tanımlayıcı sıfatlar

Bunlar isimlerin nasıl olduklarını açıklayan sözcüklerdir.

good (iyi)   **cold** (soğuk)

new (yeni)	bad (fena)
brave (cesur)	yellow (sarı)
clean (temiz)	short (kısa)

old man (yaşlı adam)	clever girl (akıllı kız)
big table (büyük masa)	short pencil (kısa kalem)

Bu sıfatlar çoğu zaman niteledikleri ismin önünde yer alarak o ismin nasıl olduğunu açıklarlar.

2. demonstrative adjectives - işaret sıfatları

İşaret sıfatları şunlardır :

this (bu)	that (şu)
these (bunlar)	those (şunlar)
this house (bu ev)	that chair (şu sandalye)
these birds (bu kuşlar)	those shirts (şu gömlekler)

Bir şeye işaret ederken kullanılan bu sıfatlardan this ve that tekil isimlerle, these ve those çoğul isimlerle kullanılır.

3. distributive adjectives - üleştirme sıfatları

both (her iki)	either (her bir)
each (her bir)	neither (hiçbir)
every (her)	

each student (her bir öğrenci)	either woman (her bir kadın), (iki kadından her biri)
every window (her pencere)	neither apple (hiçbir elma)

Bir grubun içinde birbirine ait olma durumunu gösterirler. Bu sıfatların kullanılışlarıyla ilgili geniş bilgi ileride verilmektedir.

4. quantitive adjectives - nicelik sıfatları

Bağlı oldukları isimlerin miktarını belirten sıfatlardır.

some (birkaç, biraz)	forty (kırk)
many (birçok)	all (hepsi, bütün)
few (birkaç, az sayıda)	much (çok)

some money (biraz para)	seven nurses (yedi hemşire)
many oranges (birçok portakal)	much time (çok zaman)

Bütün rakamlar ve bunun dışında miktar belirten sıfatlar bu gruptandır. Bu sıfatlarla ilgili geniş bilgi ilerideki sayfalarda verilmektedir.

5. interrogative adjectives - soru sıfatları

which (hangi)	whose (kimin)
what (ne)	

which school (hangi okul)	what book (ne kitabı)

Bu sıfatlar isimlerin önüne gelerek onlarla ilgili sorular oluştururlar.

6. possessive adjectives - mülkiyet (iyelik) sıfatları

Sahip olma durumu gösteren sıfatlardır. Aşağıda görüldüğü gibi, Türkçede tamlayan eki almış şahıs zamiri olan (benim, senin onun ...) sözcükleri İngilizcede birer iyelik sıfatıdır. Bu konuda karşılaştırmalı bilgi için iyelik zamirleri konusuna bakınız.

my (benim)	its (onun - cansız, hayvan için)
your (senin)	our (bizim)
his (onun - erkek için)	your (sizin)
her (onun - kadın için)	their (onların)

my watch (benim saatim)	its door (onun kapısı)
your hat (senin şapkan)	our father (bizim babamız)
his son (onun oğlu)	your dog (sizin köpeğiniz)
her house (onun evi)	their car (onların otomobili)

agreement - uyum

İngilizcede sıfatlar tanımladıkları ismin tekil, çoğul veya dişi, erkek oluşuna göre bir değişikliğe uğramazlar, hep aynı kalırlar.

small chair	küçük sandalye
small chairs	küçük sandalyeler

clever man	akıllı adam
clever woman	akıllı kadın

Görüldüğü gibi sıfatlar tekil ve çoğul isimler önünde aynı kaldığı gibi, eril ve dişil cins isimler önünde de şekil değişikliğine uğramamaktadır.

Sıfatlar arasında sadece işaret sıfatları ismin tekil veya çoğul oluşuna göre değişikliğe uğrarlar. Tekil isimler önünde kullanılan **this**, isim çoğul olunca **these** halini alır. **That** sıfatı da **those** olur.

this house	bu ev
these houses	bu evler

that woman	şu kadın
those women	şu kadınlar

position of adjectives - sıfatların yeri

İngilizcede sıfatlar çoğu zaman ilgili oldukları isimlerin önünde yer alırlar.

a small key	bir küçük anahtar
a green book	bir yeşil kitap
an old man	bir yaşlı adam
a hot day	bir sıcak gün

Bir ismin önünde birden fazla sıfat varsa bunlar arka arkaya kullanılırlar.

a small black key	küçük siyah bir anahtar
a long heavy ruler	uzun ağır bir cetvel
a tall young girl	uzun boylu genç bir kız
five big tables	beş büyük masa

Şayet ismin önündeki sıfatlar renk bildiren sözcüklerse bunların son ikisi arasına and konulur.

a yellow and red hat	sarı, kırmızı bir şapka
a red, white and green flag	kırmızı, beyaz ve yeşil bir bayrak

İsimlerin önünde kullanılış kurallarını yukarıda gördüğümüz sıfatlar, bazı hallerde ilgili oldukları isimlerden sonra da yer alırlar. Bu durumlar şunlardır:

be, seem, appear, look gibi bazı fiillerden sonra kullanıldıklarında isimlerin önünde değil bu fiillerden sonra yer alırlar.

The key is small.	Anahtar küçüktür.
It is hot.	Hava sıcaktır.
The chairs are brown.	Sandalyeler kahverengidir.
Are the books old?	Kitaplar eski midir?
The house seems new.	Ev yeni görünüyor.
The man looks tired.	Adam yorgun görünüyor.
Mary is tall and fat.	Mary uzun ve şişmandır.
The cars are big, new and expensive.	Otomobiller büyük, yeni ve pahalıdır.

Birçok sıfat hem isim önünde hem de yukarıda **be, seem, look** fiilleri ile örneklerde gördüğümüz gibi, isimden sonra kullanılabilir. Sıfatın birden fazla olması halinde son ikisi arasına **and** getirildiğini yukarıdaki örneklerde görüyoruz.

This is a new radio.	Bu yeni bir radyodur.
This radio is new.	Bu radyo yenidir.
It was a long film.	O uzun bir filmdi.
The film was long.	Film uzundu.
Those are big and dangerous animals.	Şunlar büyük ve tehlikeli hayvanlardır.

Birçok sıfat hem ismin önünde hem de ismin sonunda yer alabilir. Ancak bazıları sadece ismin önünde bulunurlar. **Inner, outer, former, latter** sıfatları bunlardandır.

inner tube	iç lastik
former times	eski zamanlar
outer walls	dış duvarlar

Bazı sıfatlar da sadece isimden sonra gelirler.

The man is ill.	Adam hastadır.
The children are well.	Çocuklar iyidirler.
The girl is unable to understand them.	Kız onları anlayamaz.

Bu sıfatlar isim önünde kullanılamazlar. Örneğin, **ill man, well children** denemez.

a ile başlayan bir grup sıfat vardır ki bunlar da isimden sonra yer alırlar. Başlıcaları: **afraid, ahead, alike, alive, alone, ashamed, asleep, awake, aware.**

The girl was afraid.	Kız korkmuştu.
The rabbits are alive.	Tavşanlar canlıdır.
He is alone.	O yalnızdır.
Helen is asleep.	Helen uykudadır.
The children are awake.	Çocuklar uyanıktır.

adjectives used as nouns - isim olarak kullanılan sıfatlar

İnsanların durumunu belirten **good, bad, poor, rich, healthy, sick, living, dead** gibi sıfatlar **the** tanım edatı ile kullanılarak çoğul anlamlı bir isim görevi yaparlar. Bu durumda bir topluluğu gösterdikleri için fiilin çoğul hali ile kullanılırlar.

We must help the poor.	Yoksullara yardım etmeliyiz.
The blind are able to do it.	Körler onu yapabilirler.
These medicines are for the sick.	Bu ilaçlar hastalar içindir.
The rich live in this part of the city.	Zenginler şehrin bu kısmında yaşarlar.
The old are usually patient.	Yaşlılar genellikle sabırlıdır.

formation of adjectives from nouns - isimlerden sıfat yapma

İsimlerin sonuna bazı ekler getirmek suretiyle bu isimler sıfat yapılırlar. Bu eklerin başlıcaları şunlardır:

-y, -ly, -able, -some, -an, -ian, -ful, -ic, -ical, -less. -ed, -ish, -en, like, -ous, -al

isim	sıfat
wind (rüzgâr)	**windy** (rüzgârlı)
friend (arkadaş)	**friendly** (arkadaşça)
care (dikkat)	**careless** (dikkatsiz)
child (çocuk)	**childish** (çocuksu)
fame (ün)	**famous** (ünlü)
music (müzik)	**musical** (müzikal)
comfort (rahatlık)	**comfortable** (rahat)
packet (paket)	**packetful** (paket dolusu)
gold (altın)	**golden** (altından)
America (Amerika)	**American** (Amerikalı)

formation of negative - olumsuz yapma

Sıfatlara bazı önekler veya sonekler ilave edilerek olumsuzluk anlamı verilir. Bunlar **un, in, im, ir, il, dis** önekleriyle **less** sonekidir.

un

happy (mutlu)	**unhappy** (mutsuz)
pleasant (hoş)	**unpleasant** (hoş olmayan)
willing (istekli)	**unwilling** (isteksiz)

in

active (aktif)	**inactive** (aktif olmayan)
accurate (doğru)	**inaccurate** (yanlış)
complete (tam)	**incomplete** (tamam olmayan)

im

possible (mümkün)	impossible (mümkün olmayan)
mortal (ölümlü)	immortal (ölümsüz)
patient (sabırlı)	impatient (sabırsız)

ir

regular (düzenli)	irregular (düzensiz)
resistible (dayanılabilir)	irresistible (dayanılmaz)
responsible (sorumlu)	irresponsible (sorumsuz)

il

legal (yasal)	illegal (yasadışı)
legibile (okunaklı)	illegible (okunaksız)
logical (mantıklı)	illogical (mantıksız)

dis

honest (dürüst)	dishonest (dürüst olmayan)
agreeable (hoş)	disagreeable (hoş olmayan)
respectful (saygılı)	disrespectful (saygısız)

Less sontakısı genellikle **ful** ile biten sıfatlarda bu takının yerini alarak sıfata olumsuz bir anlam verir.

less

hopeful (ümitli)	hopeless (ümitsiz)
useful (yararlı)	useless (yararsız)
powerful (güçlü)	powerless (güçsüz)

some quantitive adjectives - bazı nicelik sıfatları

a, one

Türkçeye her ikisi de "bir" sözcüğü ile çevrilen **a** ve **one** sözcükleri pek az yerde birbirlerinin yerine kullanılabilirler. Bunlar, zaman, mesafe, ağırlık birimlerinin söylendiği yerlerdir.

a pound	bir paund
one pound	bir paund
a month	bir ay
one month	bir ay
a kilo	bir kilo
one kilo	bir kilo

She bought a kilo of tomatoes.   Bir kilo domates aldı.
She bought one kilo of tomatoes.   Bir kilo domates aldı.

We'll complete it in a month.   Onu bir ayda tamamlayacağız.
We'll complete it in one month.   Onu bir ayda tamamlayacağız.

Bunun dışında **a** ve **one** ayrı yer ve anlamlarda kullanılan iki sözcüktür. **One** bir adet, birden fazla değil anlamında sayısal bir birim gösterir. **A** ise aynı tür şeylerin içinden herhangi birinin sözü edilirken kullanılır.

A cow is a very useful animal.   Bir inek çok yararlı bir hayvandır.

Burada anlatılan (bir adet) inek değil, inek türünün biridir.

Selma is a mother.   Selma bir annedir.

cümlesindeki **a** da (bir adet, birden fazla olmayan) anne anlamında değildir.

Give me a book.   Bana bir kitap ver. (herhangi bir kitap, kitap türünden herhangi birini)

Give me one book.   Bana bir kitap ver. (Bir adet kitap, birden fazla değil)

Bir olayın olduğu belli bir zamanı belirtmek için zaman sözcüğü önünde **a** yerine **one** kullanılır.

One day an old man came.   Bir gün yaşlı bir adam geldi.
One summer there was an earthquake.   Bir yaz bir deprem oldu.

some, any

"biraz, birkaç, bazı" anlamına gelen **some** genel olarak olumlu cümleler-
de kullanılır. Sayılabilen ve sayılamayan isimler önünde yer alabilir.

some pencils	birkaç kalem
some sugar	biraz şeker

Give me some butter.	Bana biraz tereyağı ver.
She has some friends in İzmir.	İzmirde birkaç arkadaşı var.
We bought some chairs.	Birkaç sandalye aldık.

Olumsuz ve soru halindeki cümlelerde **some** yerine **any** kullanılır.

She drank some water.	Biraz su içti.
She didn't drink any water.	Biraz su içmedi. (Hiç su içmedi.)

Any ile yapılan soru ve olumsuz cümlede **any** karşılığı olarak "biraz, bir-
kaç" sözcüğü yerine "hiç" kullanmak daha uygun olur.

She didn't eat any bread.	Hiç ekmek yemedi.
We can't read any books.	Hiç kitap okuyamayız.
They haven't any houses.	Hiç evleri yok.

Hardly, scarcely gibi olumsuzluk anlamı veren sözcüklerin bulunduğu
cümlelerde de **any** kullanılır.

We have hardly any money.	Hemen hemen hiç paramız yok.
You can scarcely see any soldiers here.	Burada hemen hemen hiç asker gö- remezsiniz.

Soru halindeki cümlelerde de genel olarak **any** kullanılır.

You have some money.	Biraz paran var.
Have you any money?	Hiç paran var mı?
Has she any books?	Onun hiç kitapları var mı?
Are there any flowers in the garden?	Bahçede hiç çiçekler var mı?

Is there any butter on the plate?   Tabakta hiç tereyağı var mı?

Fakat soru bir davet veya istekse bu durumda soru cümlesinde **some** yer alır.

Will you have some cake?   Biraz pasta alır mısınız?
Would you like some milk?   Biraz süt ister misiniz?

Bu cümleler "Lütfen biraz pasta alınız. Biraz süt buyurun" anlamı verir. Bir soruya "evet" cevabı verileceği umulduğunda da soruda **some** kullanılır.

Did you put some money in his pocket?   Onun cebine biraz para koydun mu?
Is there some water in the bottle?   Şişede biraz su var mı?

Bu sorular, cebe para konduğu ve şişede su olduğu düşünülerek sorulmuş ve "evet" cevabı alınacağı umulan sorulardır.

Any sözcüğü "herhangi biri, hangisi olursa" anlamında olumlu cümlelerde sayılabilen tekil isimler önünde de kullanılır.

You can come here any day.   Buraya herhangi bir gün gelebilirsin.
Any book will be all right for them.   Herhangi bir kitap onlar için uygun olacak.
We can go there any time you want.   Oraya ne zaman istersen gidebiliriz.

If'li cümleler ve şüphe belirten ifadelerde **some** değil **any** kullanılır.

If you find any pencils, give them to the teacher.   Kalemler bulursan onları öğretmene ver.
You can buy it if you have any money.   Paran varsa onu alabilirsin.
I don't think she can answer any questions.   Sorulara cevap verebileceğini sanmam.

no (not any)

Bir sıfat olarak kullanılan **no** olumlu bir cümlede ismin önüne gelerek o cümleyi olumsuz yapar.

I have some pencils.	Birkaç kalemim var.
I have no pencils.	Hiç kalemim yok.

Bir cümledeki **not any** yerine **no** kullanılarak aynı anlam verilebilir. Bu durumda cümle olumlu hale gelmiş yani fiil olumlu bir cümlede bulunacağı şekli almış olur. Aşağıdaki örneklerde **not any** yerine **no** kullanıldığında fiilin aldığı şekle dikkat ediniz.

She hasn't any sisters.	Hiç kız kardeşi yok.
She has no sisters.	Hiç kız kardeşi yok.
There isn't any salt in the box.	Kutuda hiç tuz yok.
There is no salt in the box.	Kutuda hiç tuz yok.
There aren't any books on the table.	Masanın üstünde hiç kitap yok.
There are no books on the table.	Masanın üstünde hiç kitap yok.
She didn't eat any apples.	Hiç elma yemedi.
She ate no apples.	Hiç elma yemedi.
We didn't see any rabbits.	Hiç tavşan görmedik.
We saw no rabbits.	Hiç tavşan görmedik.
Ted didn't drink any beer.	Ted hiç bira içmedi.
Ted drank no beer.	Ted hiç bira içmedi.

Örneklerde görüldüğü gibi cümledeki **not any** yerine **no** kullanıldığında fiil olumlu şekle dönmekte, cümleye olumsuzluk anlamını **no** vermektedir. Örneğin **didn't see** şeklinde, yani olumsuz durumda olan fiil **saw** haline gelmiştir.

someone's, somebody's, anyone's anybody's, no one's, nobody's

Some, any ve **no** ile **one, body** isimlerinin birleşmesinden oluşan birleşik sözcükler, mülkiyet halinde birer sıfat olarak da kullanılırlar.

Someone's bag was stolen.	Birinin çantası çalındı.
It isn't anybody's dog.	O kimsenin köpeği değildir.
I am no one's servant.	Ben kimsenin uşağı değilim.

They gave me somebody's hat.	Bana birinin şapkasını verdiler.
This is nobody's place.	Bu kimsenin yeri değildir.
Is this anybody's plate?	Bu birinin tabağı mı?

else's

Someone, somebody, anyone, anybody, no one, nobody sözcükleri else's ile bir mülkiyet sıfatı oluştururlar.

someone else's	başka birinin ....
someone else's pen	başka birinin kalemi

They gave her someone else's passport.	Ona başka birinin pasaportunu verdiler.
This is somebody else's umbrella.	Bu başka birinin şemsiyesi.
I can't accept anybody else's invitation.	Başka birinin davetini kabul edemem.
Did they take anyone else's bag?	Başka birinin çantasını aldılar mı?
He opened no one else's luggage.	Başka birinin bagajını açmadı.

another, other

Another tekil bir anlam taşır ve tekil isimlerin önünde kullanılır. Other çoğul isimlerle kullanılır.

another	diğer bir, başka bir

Give me another glass.	Bana başka bir bardak ver.
She'll buy another dress.	Başka bir elbise alacak.

other	diğer

Other cameras are expensive.	Diğer fotoğraf makineleri pahalıdır.
I'll show you other rooms.	Sana diğer odaları göstereceğim.

each, every

Each ve every sözcüklerinin özelliği bir topluluk veya grup içindeki tek şeyi gösteriyor olmaları nedeniyle tekil bir anlam taşımaları ve bu nedenle isim ve fiilin tekil haliyle kullanılmalarıdır.

Each student is ready.	Her bir öğrenci hazırdır.
Each man was reading a book.	Her bir adam bir kitap okuyordu.
Each soldier knows the plan.	Her bir asker planı bilir.
Every girl is pretty.	Her bir kız güzeldir.
Every doctor knows what to do	Her bir doktor ne yapılacağını bilir.
Every story ends like this.	Her bir öykü böyle son bulur.

Eş anlamlı gibi olan **each** ve **every** arasındaki fark, **each** sözcüğünün daha çok küçük topluluklar içindeki bireyleri belirttiği ve anlatılmak istenen şeyin topluluğun değil bireylerin durumu olduğudur.

Every ise bütün grubun her bir birey gibi olduğunu anlatır. Bunun anlattığı, bütün grubun o birey gibi olduğudur. Bunu bir örnekle açıklayalım:

Each girl wore a red blouse.	Her bir kız kırmızı bir bluz giydi.

Burada her bir kızın üzerinde kırmızı bir bluz olduğu söylenmekte ve kızlar tek olarak düşünülmektedir. Akla gelen tek bir kızdır.

Every girl wore a red blouse.	Her bir kız kırmızı bir bluz giydi.

Burada her bir kızın kırmızı bir bluz giymekte olduğu söylenirken bütün kızların kırmızı bir bluz giymiş durumda olduğu anlatılmaktadır. Anlatılan şey tüm grubun bu durumda olduğudur.

all

"bütün, hepsi" anlamındadır ve bir grubun veya şeyin tümünü belirtir.

All animals are useful.	Bütün hayvanlar yararlıdır.
All women like beautiful dresses.	Bütün kadınlar güzel elbiseleri severler.
He has lived all his life in New York.	Bütün hayatını New York'da yaşadı.
I've spent all my money.	Bütün paramı harcadım.

44

You must answer all the questions on this paper. Bu kâğıttaki bütün sorulara cevap vermelisiniz.

either, neither

"iki şeyin veya kişinin herhangi biri" anlamında olan **either** ile "iki şey veya kişinin hiçbiri" anlamında olan **neither** sıfatları da tekil anlam taşırlar.

There are trees on either side of the river. Nehrin her bir tarafında (iki taraftan her biri) ağaçlar var.

Either man can do the job. Her bir adam (iki adamdan her biri) işi yapabilir.

You can take either book. İki kitaptan herhangi birini alabilirsin.

Neither story is interesting. Hiçbir öykü (iki öyküden hiçbiri) ilginç değildir.

Neither man came. Hiçbir adam (iki adamdan hiçbiri) gelmedi.

I like neither city. Hiçbir şehri (iki şehirden hiçbirini) sevmem.

both

Both sözcüğünün anlamı "Her iki"dir.

Both houses are old. Her iki ev eskidir.
Both children are in the garden. Her çocuk bahçededir.
I'll buy both books. Her iki kitabı alacağım.
Hold the bird in both your hands. Kuşu her iki elinin içinde tut.

many, much

Much "çok miktarda" anlamındadır ve bir sıfat olarak sayılamayan isimler önünde kullanılır. (Sayılabilen ve sayılamayan isimler konusunda ileriki sayfalarda bilgi verilmektedir.)

| much water | çok su (çok miktar su) |
| much salt | çok tuz (çok miktar tuz) |

Buradaki "çok" sayısal bir çokluk değil "çok miktar" anlamındadır.

Sayısal çokluk anlatmak için **many** sözcüğü kullanılır. **Many** "çok sayıda" anlamında "çok" demektir. Sayılabilen çoğul isimler önünde kullanılır.

| many books | çok kitap (çok sayıda kitap) |
| many trees | çok ağaç (çok sayıda ağaç) |

Many ve **much** genel olarak olumsuz ve soru cümlelerinde kullanılır.

Are there many students in the garden?	Bahçede çok öğrenci var mı?
Did you see many birds in the tree?	Ağaçta çok kuş gördün mü?
I haven't many friends in Paris.	Paris'te çok arkadaşım yok.
They didn't bring many letters.	Çok mektup getirmediler.
Is there much sugar in your tea?	Çayında çok şeker var mı?
Did they give them much money?	Onlara çok para verdiler mi?
She doesn't put much salt in the soup.	Çorbaya çok tuz koymaz.
We haven't much time.	Çok vaktimiz yok.

Genel olarak soru ve olumsuz cümlelerde kullanıldığını gördüğümüz **many** ve **much** sıfatları bazı durumlarda olumlu cümlelerde de kullanılır.

Many sıfatı resmi bir ifade şeklindeki olumlu cümlelerde ve **a great, a good, so, too** ile birlikte olduğu olumlu cümlelerde kullanılır.

There were many foreigners in the congress.	Kongrede birçok yabancılar (ecnebiler) vardı.
We saw a great many paintings in the museum.	Müzede birçok tablolar gördük.
The waiter broke a good many plates.	Garson birçok tabaklar kırdı.
She buys so many dresses every summer.	Her yaz pek çok elbise alır.
There were too many cars in the parking place.	Park yerinde pek çok otomobiller vardı.

Many cümlenin öznesi olduğu zaman da olumlu cümle içinde yer alır.

46

| Many people don't like travelling at night. | Birçok kimse gece seyahat etmeyi sevmez. |
| Many vegetables are good as medicine. | Birçok sebzeler ilaç olarak yararlıdır. |

Much sıfatı **so** kullanıldığında olumlu cümle içinde bulunabilir.

| We spent so much time. | Pek çok vakit harcadık. |
| He drinks so much wine that he gets drunk. | O kadar çok şarap içer ki sarhoş olur. |

Much da **many** gibi cümle başında özne olarak yer alabilir.

| Much time is needed for the plan. | Plan için çok zamana ihtiyaç var. |
| Much money was wasted. | Çok para israf edildi. |

Fakat genellikle **many** ve **much** ile yapılmış soru ve olumsuz cümlelerin olumlu şekilleri aşağıda göreceğimiz **a lot of, a great deal of** sözcükleriyle yapılır.

a lot of, a great deal of

A lot of sözcük grubu olumlu cümlelerde hem **many** hem de **much**'ın yerini alır. Yani **a lot of** hem sayılabilen hem de sayılamayan isimler önünde kullanılan bir sözcüktür. Anlamı **many** ve **much** gibi "çok"tur.

She has a lot of books.	Çok kitabı var.
She hasn't many books.	Çok kitabı yok.
Has she many books?	Çok kitabı var mı?

There are a lot of people in the park.	Parkta çok insan var.
Are there many people in the park?	Parkta çok insan var mı?
There aren't many people in the park.	Parkta çok insan yok.

There is a lot of oil in the can.	Kutuda çok yağ var.
Is there much oil in the can?	Kutuda çok yağ var mı?
There isn't much oil in the can.	Kutuda çok yağ yok.

She has a lot of work to do.	Yapılacak çok işi var.
Has she much work to do?	Yapılacak çok işi var mı?
She hasn't much work to do.	Yapılacak çok işi yok.

Much yerine olumlu cümlede, yukarıdaki örneklerde görüldüğü gibi, **a lot of** kullanılabileceği gibi **a great deal of** da kullanılabilir.

She bought a great deal of milk.	Çok süt aldı.
Did she buy much milk?	Çok süt aldı mı?
She didn't buy much milk.	Çok süt almadı.

They met with a great deal of difficulty.	Çok güçlükle karşılaştılar.
Did they meet with much difficulty?	Çok güçlükle karşılaştılar mı?
They didn't meet with much difficulty.	Çok güçlükle karşılaşmadılar.

Olumlu cümlelerde kullanıldığını gördüğümüz **a lot of** ve **a great deal of** sıfatları soru halindeki cümlelerde de kullanılabilirler. Ancak bu durumda kullanılmaları, soruya olumlu bir cevap verileceğinin umulduğunu gösterir.

Did they bring a lot of presents?	Çok hediyeler mi getirdiler?

Bu soru olumlu bir cevap umulduğunu gösteren bir nevi (Çok hediyeler getirdiler, değil mi?) gibi bir soru anlamındadır.

Did she make a lot of mistakes?	Çok hatalar mı yaptı? (Evet cevabı umuluyor.)
Has she a great deal of money?	Çok parası mı var? (Evet cevabı umuluyor.)

many, much, a lot of kullanılışı

	sayılabilen isimlerle	sayılamayan isimlerle
olumlu cümlede	**a lot of**	**a lot of**
soru cümlesinde	**many**	**much**
olumsuz cümlede	**many**	**much**

Olumlu cümlelerde **many, much** yerine kullanılan **a lot of** gibi aynı anlamda **lots of, plenty of, a large quantity of, a good deal of** sözcükleri de kullanılır.

I have lots of friends in England.	İngiltere'de çok arkadaşım var.
They gave the children plenty of milk.	Çocuklara çok süt verdiler.
They gave the children plenty of toys.	Çocuklara çok oyuncaklar verdiler.
The army had a large quantity of new weapons.	Ordunun çok sayıda yeni silahları vardı.
She spent a good deal of money on her dresses.	Elbiselerine çok para harcadı.

a little, a few

A little "biraz, bir miktar" anlamındadır. Sayılamayan isimler önünde kullanılır. Sayısal olmayan az bir miktar gösterir.

a little time	biraz zaman
Give me a little time.	Bana biraz zaman ver.
I put a little sugar in my tea.	Çayıma biraz şeker koyarım.
Helen drinks a little orange juice every morning.	Helen her sabah biraz portakal suyu içer.

A few "birkaç, birkaç tane" anlamındadır. Sayıca az bir miktarı gösterir. Sayılabilen isimlerin önünde kullanılır.

a few books	birkaç kitap (iki, üç kitap)
I have a few friends in Izmir.	İzmir'de birkaç arkadaşım var.
There are a few apples in the basket.	Sepette birkaç elma var.
They bought a few toys for the children.	Çocuklar için birkaç oyuncak aldılar.

Quite sözcüğü **a few** önüne getirilince anlamda önemli bir değişiklik olur ve sayıca azlık yerine çokluk belirten bir sözcük grubu meydana gelir.

a few	birkaç
quite a few	epey, çok

We have a few shops in this town.	Bu şehirde birkaç dükkânımız var.
We have quite a few shops this town.	Bu şehirde epey çok dükkânımız var.
There are quite a few books on the American civil war.	Amerikan iç savaşı hakkında çok kitap var.
She broke quite a few plates while washing them.	Onları yıkarken çok tabak kırdı.

little, few

Little ve few olumsuz anlamda "az, yeterinden az miktarda" anlamındadırlar. Little sayılamayan isimlerle, few sayılabilen isimlerle kullanılırlar.

There is little milk left in the bottle.	Şişede kalmış az süt var.
We have little knowledge about it.	Onun hakkında az bilgimiz var.
They had little water in the cistern.	Depoda az suları vardı.
There are few books for children in this library.	Bu kütüphanede çocuklar için az kitap var.
I can recommend you few shops for shopping.	Alışveriş için size az dükkân tavsiye edebilirim.
I have few friends in Izmir.	İzmir'de az arkadaşım var.
We saw few petrol stations on our way to Birmingham.	Birmingham'a giderken az benzin istasyonu gördük.
Few people can understand this.	Bunu az kişi anlayabilir.

tanımlayıcı sıfatların one (ones) zamirleriyle kullanılışı

Niteleme sıfatları ait oldukları isimler yerine one (ones) ile kullanılarak isimler kaldırılabilir. Ancak bu durumda, bahsedilen şeyin önceden geçmiş ve biliniyor olması gereklidir.

There are some handkerchiefs over there. Take the blue one.	Orada birkaç mendil var. Mavisini (mavi olanını) al.
I want two kilos of apples. Please give me the big ones.	İki kilo elma istiyorum. Lütfen bana irilerini ver.

| They prefer green bananas to yellow ones. | Yeşil muzları sarılarına tercih ederler. |
| I don't like heavy slippers. Give me the light ones. | Ağır terlikleri sevmem. Bana hafiflerini ver. |

Daha üstünlük ve en üstünlük derecelerindeki sıfatlarla kullanıldığında one (ones) istenirse kaldırılabilir. Anlamda değişme olmaz.

| He bought the cheapest one. | En ucuzunu aldı. |
| He bought the cheapest. | En ucuzunu aldı. |

| They brought the stronger one of the two. | İkisinin daha kuvvetli olanını getirdiler. |
| They brought the stronger of the two. | İkisinin daha kuvvetli olanını getirdiler. |

Renklerle kullanıldığında da bazen one cümleden çıkarılabilir.

| I liked them all, but I'll buy the green one. | Hepsini sevdim, fakat yeşilini alacağım. |
| Give me the green. | Bana yeşilini ver. |

COMPARISON OF ADJECTIVES
SIFATLARIN KARŞILAŞTIRILMASI

Sıfatlar, sahip oldukları özelliklerin derecelerinin belirtilmesi bakımından (degrees of comparison - karşılaştırma derecesi) denen üç halden veya şekilden birinde bulunurlar.

1. positive degree - tabii derece

Bu, sıfatın şimdiye kadar gördüğümüz normal şeklidir.

young (genç)   strong (kuvvetli)
big (büyük)   useful (yararlı)
long (uzun)   soft (yumuşak)

2. comparative degree - daha üstünlük derecesi

Bir şahıs veya şeye ait sıfatın, başka bir şahıs veya aynı sıfattan daha üstün olduğunu belirtmek için kullanılan derece şeklidir. Bunu yapmak için sıfata, kısa bir sözcükse **er** eklenir, uzun bir sözcükse önüne **more** getirilir. **er** ve **more** Türkçedeki "daha" sözcüğünün karşılığıdır.

younger (daha genç)　　　　　　**brighter** (daha parlak)
higher (daha yüksek)　　　　　　**longer** (daha uzun)

more expensive (daha pahalı)　　**more beautiful** (daha güzel)
more useful (daha yararlı)　　　　**more interesting** (daha ilginç)

3. superlative degree - en üstünlük derecesi

Bir şahıs veya şeye ait sıfatın diğer benzerleri arasında en üstün düzeyde olduğunu anlatmak için kullanılan derece şeklidir. Bunu yapmak için sıfata, kısa bir sözcükse **est** eklenir, uzun bir sözcükse önüne **most** getirilir. Ayrıca sıfatın önüne **the** konulur. **est** ve **most** Türkçedeki "en" sözcüğünün karşılığıdır.

the longest (en uzun)　　　　　　**the youngest** (en genç)
the biggest (en büyük)　　　　　　**the brightest** (en parlak)

the most expensive (en pahalı)　　**the most beautiful** (en güzel)
the most useful (en yararlı)　　　　**the most difficult** (en zor)

comparison of adjectives - sıfatların karşılaştırılması		
positive degree	**comparative degree**	**superlative degree**
high	higher	the highest
old	older	the oldest
small	smaller	the smallest
careful	more careful	the most careful
interesting	more interesting	the most interesting
expensive	expensive	the most expensive

İki heceden fazla olan sıfatların üstünlük ve en üstünlük dereceleri **more, most** ile yapılır.

İki heceli sıfatlar ya **er, est** eklenerek ya da önlerine **more, most** alarak üstünlük ve en üstünlük haline girerler. Bazıları da her iki şekilde kullanılabilirler. Bu konuda çok kesin bir kural yoktur.

Sonu **y** ve **er** ile biten sıfatlar **er, est** alırlar.

clever	akıllı
cleverer	daha akıllı
the cleverest	en akıllı
pretty	güzel
prettier	daha güzel
the prettiest	en güzel
holy	kutsal
holier	daha kutsal
the holiest	en kutsal

ful ve **re** ile biten sıfatlar genellikle **more, most** alırlar.

doubtful	şüpheli
more doubtful	daha şüpheli
the most doubtful	en şüpheli
hopeful	ümitli
more hopeful	daha ümitli
the most hopeful	en ümitli
obscure	müphem
more obscure	daha müphem
the most obscure	en müphem

Bunun dışında, aşağıdaki sıfatlar hem **er, est** hem de **more, most** ile kullanılabilirler.

able	**polite**
common	**simple**
cruel	**feeble**
handsome	**noble**
narrow	**pleasant**

kurala uymayan sıfat dereceleri

Bazı sıfatların üstünlük ve en üstünlük dereceleri belirttiğimiz kurallar uyarınca yapılmaz. Bunların bu dereceler için ayrı şekilleri vardır.

good	iyi	**bad**	kötü
better	daha iyi	**worse**	daha kötü
the best	en iyi	**the worst**	en kötü
little	az	**many**	çok
less	daha az	**more**	daha çok
the least	en az	**the most**	en çok
much	çok	**far**	uzak
more	daha çok	**farther**	daha uzak
the most	en çok	**the farthest**	en uzak
old	yaşlı		
older	daha yaşlı		
the oldest	en yaşlı		

Elder ve **eldest** sadece aynı aile içindeki iki şahsın yaşlılık dereceleri söz konusu olduğu zaman kullanılır.

sıfatların karşılaştırılmaları ile cümleler

Positive degree "tabii derece" **comparative degree** "daha üstünlük derecesi" ve **superlative degree** "en üstünlük derecesi" halinde bulunan sıfatların yer aldığı cümle yapılarını inceleyelim :

a. eşitlik karşılaştırması

Bir sıfata eşit derecede sahip olunduğunu gösteren eşitlik karşılaştırmasında sıfat tabii derecedeki haliyle yani eksiz olarak iki **as** arasına konulmak suretiyle cümle kurulur.

| as ... as | ... kadar |
| as high as ... | ... kadar yüksek |

The wall is as high as the tree.	Duvar, ağaç kadar yüksektir.
Mary is as old as Ali.	Mary, Ali kadar yaşlıdır.
She is as clever as your son.	O, oğlun kadar akıllıdır.
I am as careful as his mother.	Ben onun annesi kadar dikkatliyim.
This car is as expensive as the other car.	Bu otomobil diğer otomobil kadar pahalıdır.
These questions are as difficult as the others.	Bu sorular diğerleri kadar zordur.
Is Tom as tall as his father?	Tom, babası kadar uzun mudur?
Are you as fat as my sister?	Benim kız kardeşim kadar şişman mısınız?

Bu tip cümlelerin olumsuz şekli bu yapıya sadece **not** ilavesiyle yapılabileceği gibi, ilk **as** yerine **so** da getirilebilir. Her iki şekil mümkündür. Anlam bakımından fark yoktur.

Your bag is as heavy as mine.	Senin çantan benimki kadar ağırdır.
Your bag is not as heavy as mine.	Senin çantan benimki kadar ağır değildir.
Your bag is not so heavy as mine.	Senin çantan benimki kadar ağır değildir.
Apples are not so big as oranges.	Elmalar portakallar kadar büyük değildir.
Our teacher is not so old as your teacher.	Bizim öğretmenimiz sizin öğretmeniniz kadar yaşlı değildir.
This street is not so wide as the others.	Bu cadde diğerleri kadar geniş değildir.

b. daha üstünlük karşılaştırması

Bir şahıs veya şeyin bir sıfata diğerlerinden daha fazla sahip olduğunu anlatmak için "daha üstünlük karşılaştırması şekli" kullanılır.

Sıfata **er** ekleyerek veya önüne **more** getirilerek yapılan bu karşılaştırma şekli cümlede aşağıda görüldüğü gibi kullanılır. Bu yapı için cümleye ayrıca **than** sözcüğü eklenir.

small	küçük
smaller	daha küçük
smaller than ...	...den daha küçük

expensive	pahalı
more expensive	daha pahalı
more expensive than ...	...den daha pahalı

A tower is higher than a house.	Bir kule bir evden daha yüksektir.
Towers are higher than houses.	Kuleler evlerden daha yüksektir.
She is shorter than my sister.	O kız kardeşimden daha kısadır.
She is more beautiful than my sister.	O kız kardeşimden daha güzeldir.
The waiter is more careful than your son.	Garson senin oğlundan daha dikkatlidir.
Helen is not older than Mary	Helen, Mary'den daha yaşlı değildir.
Are they cheaper than our carpets?	Onlar bizim halılarımızdan daha ucuz mudur?
Your English is better than mine.	Senin İngilizcen benimkinden daha iyidir.

c. en üstünlük karşılaştırması

Bir şahıs veya şeyin bir sıfata diğerleri arasında en fazla sahip olduğunu belirtmek için "en üstünlük karşılaştırması şekli" kullanılır.
Sıfata **est** ekleyerek veya önüne **the most** getirilerek yapılan bu karşılaştırma şeklinde cümle içinde çoğu zaman **in** veya **of** bulunur.

short	kısa
the shortest	en kısa
the shortest in ...	... içinde en kısası
the shortest of ...	...nin en kısası

interesting	ilginç
the most interesting	en ilginç
the most interesting in ...	...içinde en ilginci
the most interesting of ...	...nin en ilginci

This is the shortest of my dresses.	Bu elbiselerimin en kısasıdır.
Ted is the shortest student in his class.	Ted sınıfında en kısa öğrencidir.
Ted is the shortest student of his class.	Ted sınıfının en kısa öğrencisidir.

My son is the cleverest of this group.	Oğlum bu grubun en akıllısıdır.
Harry is the politest waiter in this restaurant.	Harry bu lokantada en kibar garsondur.
Ayşe is the most beautiful girl in this village.	Ayşe bu köyde en güzel kızdır.
I'll give you the most interesting book in my library.	Sana kütüphanemdeki en ilginç kitabı vereceğim.
This is the happiest day of my life.	Bu hayatımın en mutlu günüdür.
Erciyes isn't the highest mountain in Turkey.	Erciyes Türkiye'de en yüksek dağ değildir.
Is this the oldest church in Rome?	Bu Roma'da en eski kilise midir?
This is a short stick.	Bu kısa bir çubuktur.
This stick is as short as a pencil.	Bu çubuk bir kalem kadar kısadır.
This stick is not so short as a pencil.	Bu çubuk bir kalem kadar kısa değildir.
This stick is shorter than that branch.	Bu çubuk şu daldan daha kısadır.
This stick is the shortest stick in the garden.	Bu çubuk bahçede en küçük çubuktur.

karşılaştırma şekillerinin diğer kullanılış yerleri

Bir sıfatın gittikçe artışını göstermek için bu sıfatın daha üstünlük şekli aralarında **and** olmak üzere iki kere söylenir.

The water is getting hotter and hotter.	Su gittikçe sıcaklaşıyor. (Daha sıcak oluyor.)
The weather is getting colder and colder.	Hava gittikçe soğuyor.
She is getting fatter and fatter.	Gittikçe şişmanlıyor.
The town is getting bigger and bigger.	Şehir gittikçe büyüyor.

Önüne **more** alan uzun sıfatlarda sıfat tekrarlanmak yerine **more** tekrarlanır.

The girl became more and more interested in football matches.	Kız futbol maçlarıyla gittikçe daha fazla ilgilendi.
Your daughter will be more and more beautiful.	Kızınız gittikçe daha güzel olacak.
Everything will be more and more expensive.	Her şey gittikçe daha pahalı olacak.

Bir sıfatın artışıyla diğerinin de buna paralel olarak artışı şöyle anlatılır.

The newer the better.	Daha yeni daha iyi. (Ne kadar yeniyse o kadar iyi.)
The bigger the heavier.	Daha büyük daha ağır. (Büyüdükçe daha ağır.)
The bigger the armchairs are the heavier they will be.	Koltuklar büyüdükçe daha ağır olacaklar.
The richer he gets the happier he is.	Zenginleştikçe daha mutludur.

Daha üstünlük dereceleri, yani **er, more** ile kullanılan sıfatlar aşağıdaki gibi cümlelerde **than** almadan da kullanılırlar.

I know a better place.	Daha iyi bir yer biliyorum.
Could you give me a newer chair?	Bana daha yeni bir sandalye verebilir misiniz?
You must take a smaller hat.	Daha küçük bir şapka almalısınız.
This is too small; give me a bigger one.	Bu çok küçük; bana daha büyüğünü ver.

She is better today.	Bugün daha iyi.
It will be warmer tomorrow.	Yarın hava daha sıcak olacak.
The man is happier now.	Adam şimdi daha mutlu.
The people were richer then.	İnsanlar o zaman daha zengindi.

The workers made the road wider.	İşçiler yolu daha geniş yaptılar. (genişlettiler)
She made everything cleaner.	Her şeyi daha temiz yaptı.
The student did his homework better.	Öğrenci ev ödevini daha iyi yaptı.

(than) ve (as)'den sonra zamir ve yardımcı fiil

Than ve **as**'den sonra şahıs zamiri geliyorsa genellikle bunu takiben cümlenin fiili tekrarlanır.

Gül has more money than he has.	Gül'ün ondan daha fazla parası var.
We are as rich as they are.	Onların olduğu kadar zenginiz.
The house is as big as his is.	Ev onunki kadar büyüktür.
Ann is more beautiful than she is.	Ann ondan daha güzeldir.
The children are cleverer than they are.	Çocuklar onlardan daha akıllıdır.

Than veya **as**'den sonra **you** veya **I** zamirleri geliyorsa sondaki fiil atılabilir.

He is stronger than you.	O sizden daha kuvvetlidir.
She is as clever as you.	O sizin kadar akıllıdır.
He has more money than I.	Onun benden daha çok parası var.
He isn't as rich as we.	O bizim kadar zengin değildir.

Son iki örnekteki **I** ve **we** sadece çok resmi konuşmalarda kullanılmakta, bunun yerine halk arasında daima **me** ve **us** tercih edilmektedir.

The man is shorter than me.	Adam benden daha kısadır.
The tourists are not so healthy as us.	Turistler bizim kadar sağlıklı değillerdir.

ARTICLES - TANIM EDATLARI

Tanım edatları **a (an)** ve **the** sözcükleridir. **a (an)** belirsiz tanım edatı **(indefinite article)**, **the** belirli tanım edatı **(definite article)**dır.

the indefinite article - belirsiz tanım edatı **(A-AN)**

İsimlerin önüne gelen ve "bir, herhangi bir" anlamı veren **a** belirsiz tanım edatı **(a, e, i, o, u)** sesli harfleriyle veya okunmayan **(h)** harfiyle başlayan isimler önünde **an** şekline girer.

a chair (bir sandalye)	**a house** (bir ev)
a book (bir kitap)	**a mountain** (bir dağ)
a man (bir adam)	**a door** (bir kapı)
an apple (bir elma)	**an umbrella** (bir şemsiye)
an egg (bir yumurta)	**an hour** (bir saat)

İsimlerin önünde bulunan **a** tanım edatı o şeyin bu isimle isimlendirilen türün içinden herhangi biri olduğunu belirtir. Örneğin, **a table** (bir masa) dendiğinde "masa" olarak isimlendirilen şeylerden biri kastedilmiş olur. Bu durumda özel ve bilinen bir masa değil herhangi bir masa söz konusudur. **Bring a table.** "Bir masa getir." sözündeki **a table** bilinen ve özellikle belirtilmiş bir masa değil, masa türünden herhangi biridir.

She is a student.	O bir öğrencidir.
This is a chair.	Bu bir sandalyedir.
A cat is an animal.	Bir kedi bir hayvandır.
Give me a book.	Bana bir kitap ver.
I see a man in the garden.	Bahçede bir adam görüyorum.

Tanım edatı **a** sayılabilen ve tekil isimler önünde kullanılır.

Take an apple.	Bir elma al.
Is this a clock?	Bu bir saat midir?
A house has a door.	Bir evin bir kapısı vardır.
A dog can catch a child.	Bir köpek bir çocuğu yakalayabilir.

A (an) belirsiz tanım edatının en önemli özelliğini belirttikten sonra kullanılma yerlerini sıralayalım:

1. Özel bir şahıs veya şeyi belirtmeyen herhangi bir sayılabilen tekil isim önünde.

I see a bird.	Bir kuş görüyorum.
Take a chair.	Bir sandalye al.
Read a story.	Bir hikâye oku.
We live in an apartment.	Bir dairede oturuyoruz.

2. Bir sınıf veya topluluğu belirtmek için tekil isimlerle.

A cow is a useful animal.	Bir inek yararlı bir hayvandır.
A baby needs care.	Bir bebeğin bakıma ihtiyacı vardır.
A triangle has three corners.	Bir üçgenin üç köşesi vardır.

Bu cümlelerde (Bütün inekler yararlıdır. Bütün bebeklerin bakıma ihtiyacı vardır. Bütün üçgenlerin üç köşesi vardır.) anlamı bulunmaktadır.

3. Meslek isimlerini de kapsayan isimler, dinler, sınıflarla ve isim tamlayıcısı olarak.

He is a doctor.	O bir doktordur.
She is a nurse.	O bir hemşiredir.
He is a Muslim.	O bir Müslümandır.
Margaret is a Christian.	Margaret bir Hıristiyandır.
Turgut became an engineer.	Turgut bir mühendis oldu.

4. Bazı ölçü ifadelerinde,

a dozen	(bir düzine)	**a quarter**	(bir çeyrek)
a couple	(bir çift)	**a hundred**	(yüz)
half a dozen	(yarım düzine)	**a thousand**	(bın)
a million	(bir milyon)	**a great many**	(pek çok)
a lot of	(birçok, çok)	**a great deal of**	(pek çok)

5. Fiyat, sürat, oran ifadelerinde,

25 dollars a metre.   Metresi 25 dolar.

2 dollars a kilo.	Kilosu 2 dolar.
Four times a month.	Ayda dört kere.
Twice a week.	Haftada iki kere.
60 kilometres an hour.	Saatte 60 kilometre.
He drove the car at 80 kilometres an hour.	Otomobili saatte 80 kilometreyle sürdü.
We have English lessons five times a week.	Haftada beş kere İngilizce dersimiz vardır.
This cloth is 90 dollars a meter.	Bu kumaşın metresi 90 dolardır.

6. **What** ile başlayan aşağıdaki tip cümlelerde.

What a cold day!	Ne soğuk bir gün!
What a nice girl!	Ne güzel bir kız!

7. Tanımadığı bir şahıs olduğunu belirtmek için özel isimler önünde.

A Mr Miller.	Bir Mr Miller.

Bu ifadede sözü söyleyen kendisi için yabancı olan Mr Miller isimli bir kimseden bahsettiğini belirtmektedir.

8. Bunun dışında çeşitli deyimler içinde **a (an)** yer alır.

What a pity.	Ne yazık.
keep something as a secret	bir şeyi bir sır olarak saklamak
as a rule	kural olarak, genellikle
in a hurry	acele (ile)
in a temper	öfkeli
all of a sudden	aniden
take an interest in	-e ilgi duymak
take a pride in	gurur duymak
take a dislike in	-den soğumak
make a fool of oneself	kendini gülünç etmek
have a headache	başı ağrımak
have a pain	ağrısı olmak
have a cold	soğuk almak
have a cough	öksürüğü olmak
have a mind to	aklından geçmek (yapmayı düşünmek)
have a fancy for	istek duymak
on an average	ortalama olarak

belirsiz tanım edatı (a -an) ın kullanılmadığı yerler

1. Çoğul isimler önünde kullanılmaz. Önünde **a** olan bir isim çoğul yapılınca **a** kalkar.

a cat	bir kedi	**cats**	kediler
an orange	bir portakal	**oranges**	portakallar

2. Sayılamayan isimlerin önünde kullanılmaz. **Water, iron, glass, stone, wine, coffee, paper, tea** gibi isimler İngilizcede sayılamayan isimlerdir. Bunların önünde **a (an)** yer almaz.

Advice, news, information, furniture, baggage isimleri de İngilizcede sayılamayan isimlerdendir. Bunlarla da **a (an)** kullanılmaz.

Ancak, bu sayılamayan isimler belli ve özel bir anlamda kullanıldıklarında belirsiz tanım edatı alabilirler.

Hair (saç) baştaki bütün saçı kastederek söylendiğinde **a (an)** almaz. Ancak tek kıl kastedilmişse **a (an)** ile kullanılır.

His hair is black.	Onun saçı siyahtır.
I found a hair on the plate.	Tabakta bir kıl buldum.

Sayılamayan isimler **a (an)** alamadığı için bunların önünde sıfat olarak **some, any, a little, a lot of, a piece of** gibi sözcükler kullanılır.

3. **Happiness** (mutluluk), **death** (ölüm), **fear** (korku), **beauty** (güzellik), **courage** (cesaret) gibi soyut isimler önünde de özel bir durum olmadıkça **a (an)** bulunmaz.

4. Yemek öğünlerinin önünde **a (an)** kullanılmaz.

We have breakfast at eight o'clock.	Saat sekizde kahvaltı ederiz.
Lunch time is between twelve and one o'clock.	Öğle, yemeği vakti saat on iki ve bir arasındadır.
We'll go to dinner soon.	Yakında akşam yemeğine gideceğiz.

the definite article - belirli tanım edatı (THE)

Belirli tanım edatı diye adlandırılan **the** sözcüğü, tekil, çoğul, sayılabilen, sayılamayan bütün isimlerin önünde kullanılabilir ve onların belli, bilinen, aynı cins şeylerin içinden herhangi biri değil, belirli ve bilinen olduğunu işaret eder.

the man	adam (bu adam - belli adam)
the chair	sandalye (bu sandalye - bilinen sandalye)
the houses	evler (bu evler - belli evler)
the morning	sabah (belli bir sabah)

Belirli tanım edatının kullanıldığı yerler.

1. Dünyada sadece bir tane olan isimler önünde.

the earth	dünya
the sky	gökyüzü
the moon	ay
the sun	güneş
the weather	hava
the east	doğu

2. Sözün başında geçtiği için artık bilinen bir şey durumuna gelen isimler önünde.

I saw a bird. The bird was flying over the house.	Bir kuş gördüm. Kuş evin üzerinde uçuyordu.
She bought a hat. The hat is in her bag now.	Bir şapka aldı. Şapka şimdi onun çantasındadır.
We met a girl. The girl walked with us.	Bir kıza rastladık. Kız bizimle yürüdü.
He gave me a book. The book was very interesting.	Bana bir kitap verdi. Kitap çok ilginçti.

3. Bir cümlecik ilave edilerek isim hakkında açıklama yapılması nedeniyle isim tanıtılmışsa.

The man we met yesterday.	Dün rastladığımız adam.
The house they bought.	Satın aldıkları ev.
The park where they played.	Oyun oynadıkları park.
The building on the hill.	Tepedeki ev.

Bu sözlerdeki **man, house, park, building** takip eden cümlecik içinde ayrıcalığı belirtilip açıklama yapıldığı için belirli birer isim olmuş ve önlerine **the** almışlardır.

4. Bulunduğu yer bilinen isimler önünde.

They are in the park.	Onlar parktadırlar.
Our house is near the station.	Evimiz istasyonun yanındadır.

In, on, under gibi edatlarla yapılmış cümlelerin çoğunda bu edatlar isimler hakkında bilgi verip onları açıkladıkları için bu cümlelerdeki isimler önünde **the** kullanılır.

The chair is in the room.	Sandalye odadadır.
The boat is under the bridge.	Kayık köprünün altındadır.
The map is on the wall.	Harita duvardadır.
Are the apples in the refrigerator?	Elmalar buzdolabında mı?
The ball is under the bed.	Top yatağın altındadır.

5. En üstünlük derecesindeki sıfatlar ve **first, second** gibi sıralama sıfatları önünde bulunur.

This is the widest street in the city.	Şehirde en geniş cadde budur.
Are these the most beautiful paintings in this museum?	Bunlar bu müzede en güzel tablolar mıdır?
The second house belongs to me.	İkinci ev bana aittir.
What is the fourth day of the week?	Haftanın dördüncü günü nedir?

6. **The** ile kullanılan tekil isim bir hayvan veya eşya grubunu gösterebilir. Bununla tekil fiil kullanılır.

The parrot lives only in this place.	Papağan (papağan türü) sadece bu yerde yaşar.

| The horse is most helpful for the farmers. | At çiftçiler için en yardımcı olandır. |
| The kitchen robots are quite new for this country. | Mutfak robotları bu ülke için çok yenidir. |

7. **The** ile kullanılan sıfat bir grup insanı gösterir. Fiil çoğul durumda olur.

the old	yaşlılar
The old are easy to please.	Yaşlılar kolay memnun edilirler.
They made a hospital for the old.	Yaşlılar için bir hastane yaptılar.

| the blind | körler |
| The blind need your help. | Körlerin yardımınıza ihtiyacı var. |

| the young | gençler |
| The young are usually impatient. | Gençler genellikle sabırsızdır. |

8. **The,** özel isimli deniz, nehir, takım adaları, sıradağlar, çoğul isimli ülkeler, çöller önünde kullanılır.

the Alps	Alpler
the Sahara	Sahra
the Netherlands	Hollanda
the Antarctic	Antarktika
the Atlantic	Atlantik
the Adriatic	Adriyatik
the U.S.A.	Amerika Birleşik Devletleri
the United Kingdom	Birleşik Krallık
the Bahamas	Bahamalar
the West Indies	Batı Hint Adaları
the Thames	Thames Nehri
the Danube	Tuna Nehri
the Mississippi	Mississippi Nehri

9. Müzik aletleri önünde **the** kullanılır.

| She plays the piano. | O piyano çalar. |
| Do you play the flute? | Flüt çalar mısınız? |

belirli tanım edatının kullanılmadığı yerler

1. Özel şahıs isimleri ve yukarıda belirtilen özel yer isimleri dışında kalan isimler önünde **the** kullanılmaz. Fakat çoğul yapılmış soyadı önünde kullanılarak o soyadını taşıyan aile belirtilir.

The Smiths   Smith'ler (Smith ailesi)
We visited the Millers last night. Dün akşam Miller'leri ziyaret ettik.

2. Özel bir anlamda kullanılmadıkları takdirde soyut isimler önünde **the** olmaz.

We fear death.   Ölümden korkarız.
Life is very hard for the poor Yoksullar için hayat çok zordur.
Beauty doesn't last long.   Güzellik uzun sürmez.
We fought for freedom.   Özgürlük için savaştık.

Fakat bu soyut isimler belli ve özel bir anlamda kullanılırlarsa **the** alırlar.

The death of his father made Babasının ölümü onu çok mutsuz
him very unhappy.   etti.
The life in these parts of the Ülkenin bu kısımlarındaki hayat ta-
country is unbearable.   hammül edilmezdir.
The actress's beauty made Aktrisin güzelliği onu zengin ve ünlü
her rich and famous.   yaptı.

3. Yemek öğünlerinin isimleri önünde **the** kullanılmaz.

Breakfast is ready.   Kahvaltı hazırdır.
What did you cook for dinner? Akşam yemeği için ne pişirdin?

4. Genel olarak sözü edilen malzeme isimleriyle **the** kullanılmaz.

Milk is so cheap in this town. Bu kasabada süt pek ucuz.
Butter is made from milk. Tereyağı sütten yapılır.
We grow wheat in our fields. Tarlalarımızda buğday yetiştiririz.

Buna benzer anlamda kullanılan ve bütün o cins şeylerin tümünü belirten çoğul isimler önünde de **the** bulunmaz.

Books are our best friends at all ages.	Kitaplar bütün yaşlarda en iyi arkadaşlarımızdır.
Roses are beautiful flowers.	Güller güzel çiçeklerdir.
Soldiers are brave men.	Askerler cesur adamlardır.
Cities are big towns.	Şehirler büyük kasabalardır.

Fakat bu isimler genel anlamda değil belli bir grubu veya malzemeyi göstermek için kullanılırlarsa önlerine **the** konulur.

The milk in the bottle is for my baby.	Şişedeki süt bebeğim içindir.
The roses in our garden are red.	Bahçemizdeki güller kırmızıdır.
The books she bought were detective novels.	Satın aldığı kitaplar dedektif romanlarıydı.

5. Sıradağ isimleri önünde the kullanılmasına karşın dağ isimleri önünde **the** kullanılmaz. Ayrıca, göl ve burun isimleri ile de **the** kullanılmaz.

Mount Everest	Everest Tepesi
Lake Van	Van Gölü
Cape Cod	Cod Burnu

Ancak bu tür isimler **of** ile bağlanan iki sözcükten oluşuyorsa bunlarla **the** kullanılır.

the Lake of Lucerne	Lucerne Gölü
the Cape of Hope	Ümit Burnu

6. Unvan sözcüğü ile birlikte bulunan özel isimler önünde **the** bulunmaz.

King Henry	Kral Henry
Doctor Miller	Doktor Miller
Professor Henley	Profesör Henley
Lord Byron	Lord Byron

7. Dil isimlerinin önünde **the** bulunmaz.

Do you speak Turkish?	Türkçe konuşur musunuz?
	(Türkçe bilir misiniz?)
English is very difficult for them.	İngilizce onlar için çok zordur.
We'll learn German.	Almanca öğreneceğiz.

8. Bir şahsın evi, yuvası, yaşadığı yer anlamındaki **home** sözcüğü, özellikle bir belirtme olmadıkça, **the** ile kullanılmaz.

We go home by bus.	Eve (evimize) otobüsle gideriz.
Betty left home.	Betty evden (evinden) ayrıldı.
The children got home late.	Çocuklar eve geç geldiler.
They arrived home after six o'clock.	Eve saat altıdan sonra vardılar.

Görüldüğü gibi **home** önünde **the** kullanılmamış, ayrıca **go**'dan sonra **to, arrive** fiilinden sonra **at** edatları yer almamıştır.

9. **Church, market, college, school, hospital, court, prison, work, sea, bed** sözcükleri, özel bir belirtme durumu olmadıkça, bunlara gidiş veya orada bulunuş anlatılırken önlerinde **the** kullanılmaz.

They go to church every Sunday.	Her pazar kiliseye giderler.
Women go to market to buy food.	Kadınlar yiyecek almak için pazara giderler.
The women of this village go to market to sell fruit and vegetables.	Bu köyün kadınları meyva ve sebze satmak için pazara giderler.
Does Emma go to school?	Emma okula gider mi?
My father is in hospital.	Babam hastanededir.
Philip has been in prison for two years.	Philip iki yıldır hapishanededir.
They went to church; they are at church now.	Kiliseye gittiler; şimdi kilisededirler.
All the workers are at work.	Bütün işçiler iştedir.
We go to bed at eleven o'clock.	Saat on birde yatarız.
Eleanor left hospital yesterday.	Eleanor dün hastaneden çıktı.
She is very well now.	Şimdi çok iyidir.
We were at sea in a small ship.	Küçük bir gemiyle denizdeydik.

Bu yer isimleri oraya normal kullanılış amacıyla gidildiği zaman bu şekilde kullanılırlar. Örneğin, **I go to school.** "Okula giderim." sözü okula devam ederim, öğrenim görürüm, anlamında olduğu zaman **the** almaksızın kullanılır. Ancak eğitim görmek dışında herhangi bir nedenle okul binasına gitmek durumunda **the** kullanılır.

I went to the school to see the headmaster.	Müdürü görmek için okula gittim.
She goes to bed early.	Erken yatar.
She went to the bed and took the blankets.	Yatağa gitti ve battaniyeleri aldı.
He'll be in prison for years.	Yıllarca hapishanede olacak.
They went to the prison to see their father.	Babalarını görmek için hapishaneye gittiler.
Old women go to church every morning.	Yaşlı kadınlar her sabah kiliseye giderler.
We visited the church to see the bells.	Çanları görmek için kiliseyi ziyaret ettik.

Ancak yukarıda gördüğümüz isimlere çok benzer oldukları halde **office, cinema, theatre** isimleri **the** ile kullanılırlar.

He goes to the office every day.	Her gün büroya gider.
Let's go to the cinema tonight.	Bu akşam sinemaya gidelim.
The students are in the theatre now.	Öğrenciler şimdi tiyatrodadırlar.
Frank is at the office.	Frank bürodadır.
Frank is at work.	Frank iştedir.

10. Mevsim, yortu, bayram isimleri genel anlamda kullanılmışlarsa **the** almazlar.

The tourists come to Turkey in summer.	Turistler Türkiye'ye yazın gelirler.
In winter we go to Uludağ.	Kışın Uludağ'a gideriz.
They'll be in İzmir at Easter.	Paskalyada İzmir'de olacaklar.

Fakat belli bir yılın mevsimi söz konusu ise bunun önünde **the** kullanılır.

They came in the spring of 1975.	1975 baharında geldiler.

COUNTABLE AND UNCOUNTABLE NOUNS
SAYILABİLEN VE SAYILAMAYAN İSİMLER

İngilizcede cins isimler "sayılabilen" ve "sayılamayan" olarak da sınıflandırılırlar. Sayılması, adetle belirtilmesi mümkün olmayan şeyler "sayılamayan isimlerdir. Örneğin,

water	su	**ink**	mürekkep
salt	tuz	**wood**	tahta
tea	çay	**milk**	süt
meat	et	**flour**	un
tobacco	tütün	**butter**	tereyağı
cheese	peynir	**glass**	cam

sözcükleri birer sayılamayan isimdir. Bunların önünde **a (an)** kullanılmaz ve genel olarak çoğul hale sokulamazlar. Bu bakımdan da önlerinde sayı sözcüğü yer almaz. Örneğin, "beş et, üç un, iki mürekkep, bir tütün" denmez. Türkçede sayılamayan isimlerin çoğul yapılmaması kuralı üzerinde pek durulmaz ve "Sular akmıyor. Elektrikler kesildi. Unlar yere döküldü." gibi sözlerde sayılamayan isimler çoğul halde kullanılırlar.

İngilizcede sayılamayan isimleri çoğul yapmak, önlerinde **a (an)** veya bir sayı kullanmak çok büyük yanlış olur. Bu bakımdan, Türkçedeki duruma aldanıp İngilizce cümlelerde aynı şeyi uygulamak hatasına düşmemek için sayılamayan isimlerin hangileri olduğunu iyi öğrenmek gerekir.

İngilizcede sayılamayan şeyler, kahve, su, süt gibi sıvı halindeki maddeler, tuz, un gibi ince taneli şeyler, et, tütün, kereste, bakır, altın gibi madde isimleri, güzellik, cesaret, sağlık gibi soyut isimlerdir.

Türkçede sayılamayan isimlerin pek çoğu ile kullanılan sayı sözcükleri aslında o şeyin sayısını değil, o şeyin içinde bulunduğu kabın adedini gösterir.

> iki süt
> beş tuz
> üç çay

sözlerindeki sayılar üç bardak çay, beş paket tuz, iki şişe süt anlamını taşırlar. Yani adetlendirilen şeyler bardak, paket, şişe sözcükleridir.

Aşağıdaki örneklerde **tobacco, air, butter, cheese, daytime, dirt, grass coffee, beauty, hair, help, ice, ink, sand, sea, soup, rain, glass** sayılamayan isimlerinin cümle içinde kullanılışları görülmektedir.

Cigarettes are made of tobacco.	Sigaralar tütünden yapılır.
Milk is very useful for your baby.	Süt bebeğiniz için çok yararlıdır.
They gave us butter and jam.	Bize tereyağı ve reçel verdiler.
The lambs are running about on the green grass.	Kuzular yeşil çimen üzerinde koşuşuyorlar.
Will you have coffee or tea?	Kahve mi yoksa çay mı alacaksınız?
Put some sand in the bottle.	Şişenin içine biraz kum koy.
Her hair is black.	Onun saçı siyahtır.
I didn't ask for help.	Yardım istemedim.
We'll give them soup and cheese.	Onlara çorba ve peynir vereceğiz.
You can see better in daytime.	Gündüzün daha iyi görebilirsiniz.
There was rain all day long.	Bütün gün boyunca yağmur vardı.
Write in ink.	Mürekkeple yaz.
These chairs are made of wood.	Bu sandalyeler tahtadan yapılmıştır.

Sayılamayan isimler önünde belli bir miktarı göstermek için **some, a lot of** gibi sözcükler veya bu şeylerin içinde bulunduğu kapları belirten ifadeler yer alabilir.

Give me some water.	Bana biraz su ver.
There is a lot of milk in the bottle.	Şişede çok süt var.
Put some meat in the saucepan.	Tencereye biraz et koy.
We bought two bottles of ink.	İki şişe mürekkep aldık.
She wanted three packets of sugar.	Üç paket şeker istedi.
Give me some bread.	Bana biraz ekmek ver.
Give me two loaves of bread.	Bana iki somun ekmek ver.
There is some dirt on the plate.	Tabakta biraz kir var.
They used paper and tobacco.	Kâğıt ve tütün kullandılar.
Give her a piece of paper.	Ona bir parça kâğıt ver.

Sayılamayan isimler dışında kalan bütün isimler önlerine **a (an)** alabilir, çoğul yapılabilir ve sayılarla kullanılabilirler.

This is a table.	Bu bir masadır.
There are two tables in the room.	Odada iki masa var.
The tables are small.	Masalar küçüktür.
The table is small.	Masa küçüktür.

PRONOUNS - ZAMİRLER

zamirin tanımı

Zamirler isimlerin yerine kullanılan sözcüklerdir. Bir cümlede bir ismi iki kere kullanmamak için çoğu kez onun ikinci kere geçeceği yerde onun yerine bir zamir kullanılır.

Mr Miller went home because he was tired.

Mr Miller evine gitti çünkü o yorgundu.

cümlesinin ikinci bölümündeki **he** (o) bir zamirdir ve **Mr Miller** yerine kullanılmıştır. Bu şekilde **Mr Miller** ikinci defa tekrarlanmamış, onun yerine **he** denilerek **Mr Miller**'den bahsedildiği belirtilmiştir.

I (ben)	**mine** (benimki)
you (sen)	**hers** (onunki)
he (o)	**theirs** (onlarınki)
this (bu)	**myself** (kendim)
that (şu)	**himself** (kendi)
those (şunlar)	**themselves** (kendileri)
who (kim)	**some** (bazısı)
which (hangisi)	**all** (hepsi)
what (ne)	**many** (birçoğu)
each (her biri)	**who** (ki o)
either (her birini)	**whose** (ki onun)
everybody (herkes)	**which** (ki o)

Yukarıdaki sözcükler, özelliklerini izleyen sayfalarda göreceğimiz çeşitli cins zamirlerdir.

Bir cümlede zamir kullanılırken bu zamirin gösterdiği ismin de aynı cümlede bulunması şart değildir. Çoğu zaman sadece zamir yeterli olur. Bir konuşma sırasında geçen,

Look at that!	Şuna bak!
She is a beautiful girl.	O güzel bir kızdır.

cümlelerinde **that** (şu) ve **she** (o) zamirlerinin ne veya kim için kullanıldıkları bellidir.

Zamirin ne olduğu konusunda bilinmesi gereken önemli nokta, zamir denen sözcüğün her şeyi, ona ait ismi kullanmadan belirtmesidir.

zamirlerin türleri

personal pronouns - şahıs zamirleri

İngilizcedeki şahıs zamirleri şunlardır :

I	ben
you	sen
he	o
she	o
it	o
we	biz
you	siz
they	onlar

Bunlar arasında (o) anlamına gelen üç sözcük bulunduğu ve (sen) ile (siz) sözcüklerinin aynı olduğu görülmektedir.

İngilizcede (o) sözcüğü ile bir kadın veya kızdan bahsediliyorsa **she** kullanılır.

She is six years old.   (o kız) altı yaşındadır.

(O) sözcüğü bir erkeği gösteriyorsa bunun İngilizce karşılığı **he**'dir.

He is going to school.   O (erkek) okula gidiyor.
He joined the army.   O (erkek) askere gitti.

Kendisinden **(o)** olarak bahsedilen şey bir hayvan veya cansız bir varlıksa bunun karşılığı **it** sözcüğüdür.

It is my book.   O benim kitabımdır.
It is a big dog.   O büyük bir köpektir.

You sözcüğü aslında (siz) anlamındadır. Fakat İngilizcede (sen) karşılığı olarak da daima (siz) anlamında olan **you** kullanılır. Gerçekte İngilizcede (sen) anlamında bir sözcük vardır: **thou** /dou/. Fakat bu sadece çok eski kitaplarda görülür. Bugünün İngilizcesinde hiç kullanılmaz.

I am a student.   Ben bir öğrenciyim.
You are learning English.   Sen İngilizce öğreniyorsun.
He isn't a teacher.   O bir öğretmen değildir.
She went to the cinema.   O sinemaya gitti.
It is a dangerous animal.   O tehlikeli bir hayvandır.
We stayed at a small hotel.   Küçük bir otelde kaldık.
You didn't understand the question.   Siz soruyu anlamadınız.
They are very expensive.   Onlar çok pahalıdır.

şahıs zamirlerinin **-i, -e** hali

Gördüğümüz şahıs zamirleri genel olarak cümle içinde özne durumunda bulunurlar. Verilen örneklerde durum görülmektedir.

Cümlenin tümleci olarak fiilden sonra yer alacak şahıs zamirleri **-i, -e** halinde şahıs zamirleridir. Bu zamirler ve Türkçe karşılıkları şunlardır:

me	beni, bana
you	seni, sana
him	onu, ona
her	onu, ona
it	onu, ona
us	bizi, bize
you	sizi, size
them	onları, onlara

Bunlar arasında bulunan **him, her, it** biraz önce şahıs zamirlerinde açıklandığı gibi üç ayrı cins için kullanılır. **Him** erkek, **her** dişi, **it** hayvan ve cansız varlıklar için kullanılır.

Aşağıdaki tabloda şahıs zamirleriyle şahıs zamirlerinin **-i, -e** hallerini topluca görüyoruz.

şahıs zamirleri

yalın hal		-i, -e hali	
I	ben	**me**	beni, bana
you	sen	**you**	seni, sana
he	o	**him**	onu, ona
she	o	**her**	onu, ona
it	o	**it**	onu, ona
we	biz	**us**	bizi, bize
you	siz	**you**	sizi, size
they	onlar	**them**	onları, onlara

Tabloda görüldüğü gibi **you** ve **it** her iki anlamı verirken de aynı şeklini korumaktadır.

Daha önce söylendiği gibi, şahıs zamirlerinin cümlenin öznesi olarak kullanılmasına karşın şahıs zamirlerinin **-i, -e** halleri cümlede fiillerden sonra yer alır.

Edward likes them.	Edward onları sever.
The teacher knows me.	Öğretmen beni tanır.
My father didn't see her.	Babam onu görmedi.
The soldiers killed him.	Askerler onu öldürdüler.
The man didn't remember us.	Adam bizi hatırlamadı.

Fiilden sonra yer alan -i, -e halindeki şahıs zamirinin yanında bir isim de olabilir. Bu durumda zamir isimden önce yer alır.

Hilda gave me an apple.	Hilda bana bir elma verdi.
I told her a story.	Ona bir hikâye anlattım.
The woman showed us her cat.	Kadın bize kedisini gösterdi.
My father brought him a ball.	Babam ona bir top getirdi.

Fakat bu cümlelerdeki ismin yeri değişirse zamir önüne **to, for** gibi edatlar alarak isimden sonra gelir. Bu tip cümlede zamir üzerinde daha çok durulmuş ve daha fazla belirtilmiş olur.

Hilda gave me an apple.	Hilda bana bir elma verdi.
Hilda gave an apple to me.	Hilda bana bir elma verdi.
I told her a story.	Ona bir hikâye anlattım.
I told a story to her.	Ona bir hikâye anlattım.
The woman showed her photographs to us.	Kadın bize fotoğraflarını gösterdi.
My father brought a ball for him.	Babam onun için bir top getirdi.
They bought a house for us.	Bizim için bir ev aldılar.

Cümledeki isim yerine de zamir kullanılmışsa, yani cümlede iki tane -i, -e halinde zamir varsa ikinci zamir önüne **to, for** gibi bir edat getirilir.

I introduced Deborah to him.	Deborah'ı ona tanıştırdım.
I introduced her to him.	Onu ona tanıştırdım.
The girl gave it to me.	Kız onu bana verdi.
Betty cleaned them for us.	Betty onları bizim için temizledi.
The sailors carried them with us.	Denizciler onları bizimle taşıdılar.
I can't wash it without her.	Onu onsuz yıkayamam.
Gerald made it for you.	Gerald onu senin için yaptı.
The woman brought it for you.	Kadın onu senin için getirdi.

it zamirinin diğer kullanılış şekli

it zamirinin hayvan veya cansız eşyayı kastederek söylenen (o) ve (onu, ona) anlamını verdiğini gördük.

It is a map.	O bir haritadır.
It is a white horse.	O beyaz bir attır.
I like it.	Onu severim.
We walked to it.	Ona yürüdük.

Bunun dışında **it** zamiri cinsiyetinin bilinmediği durumlarda **baby, child** isimleri yerine de kullanılır.

The baby was in the bed. It was crying.	Bebek yataktaydı. Ağlıyordu.
Where is the child? It was here half an hour ago.	Çocuk nerede? Yarım saat önce buradaydı?

Hayvanlardan söz ederken bunların cinsiyeti belliyse it yerine, cinsiyetine göre **she** veya **he** kullanılır.

She is my cat. Mr Green gave her to me.	O benim kedimdir. Onu bana Bay Green verdi.

It zamirinin önemli bir kullanılış yeri, zaman, hava, mesafe, ısı ile ilgili cümlelerde özne olarak kullanılmasıdır. Aşağıdaki cümlelerde **it**'in anlamına dikkat ediniz.

It is cold today.	Bugün hava soğuk.
It will be rainy tomorrow	Yarın hava yağmurlu olacak.
It is a fine day.	Güzel bir gün.
Is it sunny or cloudy?	Hava güneşli mi yoksa bulutlu mu?
It is raining.	Yağmur yağıyor.
What time is it?	Saat kaç?
It is seven o'clock.	Saat yedi.
What's the date?	Tarih ne?
It's the fourth of July	Temmuzun dördü.
It's Friday.	Cuma.
How far is it to Istanbul?	İstanbul ne kadar uzaklıktadır?
It is a hundred and twenty kilometres.	Yüz yirmi kilometredir.

It is a long way to Antalya.   Antalya yolu uzundur.

Bir cümleye mastar halinde bir fiille (gelmek, anlamak gibi) başlamak gerektiğinde çoğunlukla bu cümleye **it** ile başlanarak mastar halindeki fiil cümle sonuna alınır. Örneğin,

To understand them is easy.   Onları anlamak kolaydır.

cümlesi normal olarak aşağıdaki gibi söylenir.

It is easy to understand them.   Onları anlamak kolaydır.

It is difficult to get up early.   Erken kalkmak zordur.
It is fun to go to football matches. Futbol maçlarına gitmek zevktir.
It is better to visit them on   Onları cumartesi günü ziyaret etmek
Saturday.   daha iyidir.

Bir yan cümle ile başlayacak cümleye bunun yerine **it** ile başlamak daha uygundur.

That he is hungry is obvious.   Onun aç olduğu bellidir.
It is obvious that he is hungry.   Onun aç olduğu bellidir.

That the weather will be better   Havanın daha iyi olacağı kesindir.
is certain.
It is certain that the weather   Havanın daha iyi olacağı kesindir.
will be better.

That she will be a good nurse is   Onun iyi bir hemşire olacağı şüphe-
doubtful.   lidir.
It is doubtful that she will be   Onun iyi bir hemşire olacağı şüphe-
a good nurse.   lidir.

It zamiri **impersonal verbs** - kişisel olmayan fiillerin öznesi olarak da kullanılır.

It seems   Öyle görünüyor ki ..., Galiba ...

It appears ...   Öyle görünüyor ki ..., Galiba ...
It looks ...   Öyle görünüyor ki ..., Galiba ...

It seems they'll be late.	Öyle görünüyor ki geç kalacaklar.
It appears the fight is over.	Öyle görünüyor ki kavga bitti.
It looks it is going to rain.	Yağmur yağacağa benziyor.

possessive pronouns - mülkiyet zamirleri

İngilizcede mülkiyet zamirleri, Türkçe karşılıklarıyla birlikte şunlardır:

mine	benimki
yours	seninki
his	onunki
hers	onunki
its	onunki
ours	bizimki
yours	sizinki
theirs	onlarınki

Mülkiyet zamirleriyle mülkiyet sıfatlarının anlam farklarının görülmesi için bunları topluca verelim:

mülkiyet sıfatı		mülkiyet zamiri	
my	benim	mine	benimki
your	senin	yours	seninki
his	onun	his	onunki
her	onun	hers	onunki
its	onun	---	---
our	bizim	ours	bizimki
your	sizin	yours	sizinki
their	onların	theirs	onlarınki

Burada dikkati çeken iki noktadan biri **his** sözcüğünün hem "onun" hem de "onunki" anlamını verdiği, ikincisi, cansız ve hayvanlar için olan **its** mülkiyet sıfatının, mülkiyet zamiri olarak kullanılacak bir şekli bulunmadığıdır.

Aşağıdaki örneklerde mülkiyet sıfatı ve mülkiyet zamirlerinin kullanılışı görülmektedir.

This is my book.	Bu benim kitabımdır.
This book is mine.	Bu kitap benimkidir.
Your house is new.	Senin evin yenidir.
Yours is new.	Seninki yenidir.
Where is his hat?	Onun şapkası nerededir?
Where is his?	Onunki nerededir?
Her name is Betty.	Onun adı Betty'dir.
Hers is Gloria.	Onunki Gloria'dır.
This isn't our car.	Bu bizim otomobilimiz değildir.
This isn't ours.	Bu bizimki değildir.
Your shoes are new.	Sizin ayakkabılarınız yenidir.
Yours are old.	Sizinkiler eskidir.
Are these their toys?	Bunlar onların oyuncakları mıdır?
Are these theirs?	Bunlar onlarınki midir?

Mülkiyet sıfatlarını daima bir ismin izlemesi gerektiği halde mülkiyet zamirlerinin anlamı içinde isim anlamı da bulunmaktadır. Bu bakımdan, şayet sözü edilen isim biliniyorsa bu isim söylenmeden sadece mülkiyet zamiri ile de gereken anlam verilmiş olur.

This is your book, that is mine.	Bu sizin kitabınız, şu benimki.

cümlesinde **mine** yanında **book** ismi kullanılmadan kitabın bana ait olduğu anlatılmış, yani **mine** "benimki" sözcüğü ile "benim kitabım" dendiği anlaşılmıştır.

These are my dresses, but those are hers.	Bunlar benim elbiselerimdir, fakat şunlar onunkilerdir.
Ours is better than their garden.	Bizimki onların bahçesinden daha iyidir.

Her umbrella is old. Mine is new.	Onun şemsiyesi eskidir. Benimki yenidir.
I like your son, but I don't like his.	Senin oğlunu severim fakat onunkini sevmem.
Is this your car or theirs?	Bu senin otomobilin mi yoksa onların mi?
My son is lazy, but yours is hard working.	Benim oğlum tembeldir fakat sizinki çalışkandır.

of + mülkiyet zamiri

Bu yapıda kullanılan mülkiyet zamirinin mülkiyet sıfatıyla karşılığını ve her iki şeklin Türkçe anlamlarını aşağıdaki örneklerde görelim.

a friend of mine (= one of my friends)	arkadaşlarımdan biri
Edward is a friend of mine. (Edward is one of my friends.)	Edward arkadaşlarımdan biridir.
This is a book of hers. (This is one of her books.)	Bu onun kitaplarından biridir.
I saw a horse of theirs. (I saw one of their horses.)	Onların atlarından birini gördüm.
An uncle of ours won a prize. (One of our uncles won a prize.)	Amcalarımızdan biri bir ödül kazandı.

Yours sincerely (truly, faithfully)

Mektup sonuna yazılan "Saygılarımızla" gibi bir anlam karşılığı olarak İngilizcede **yours** mülkiyet zamiri ile birlikte **sincerely, truly** veya **faithfully** sözcüklerinden biri yazılır.

reflexive and emphasizing pronouns
dönüşlü ve pekiştirme zamirleri

Dönüşlü zamirler, tekil şahıslar için **self**, çoğul şahıslar için **selves** ekleri kullanmak suretiyle aşağıdaki gibi yapılır.

myself	kendim
yourself	kendin
himself	kendi
herself	kendi
itself	kendi
ourselves	kendimiz
yourselves	kendiniz
themselves	kendileri

Oneself zamiri belgisiz dönüşlü zamir olarak "kendisi" anlamını verir. Bir cümlenin öznesi ile nesnesi aynı kişiyse, yani öznenin yaptığı eylem aynı şahıs üzerine dönüyorsa nesne yerinde dönüşlü zamir kullanılır.

He killed himself.	Kendini öldürdü.
I cut myself.	Kendimi kestim.
She washed herself.	Kendini yıkadı.
They saw themselves in the looking glass.	Aynada kendilerini gördüler.
We blamed ourselves for the accident.	Kaza için kendimizi suçladık.

Dönüşlü zamirler fiili izleyen bir edattan sonra da gelebilirler.

He spoke to himself.	Kendisiyle (kendi kendine) konuştu.
She paid for herself.	Kendisi için ödedi. (Kendi parasını verdi.)
They look after themselves.	Kendilerine bakarlar.
Are you ashamed of yourself?	Kendinden utanıyor musun?

Dönüşlü zamir pekiştirme zamiri olarak kullanıldığında özne üzerinde pekiştirme yapar. Bu durumda öznenin hemen yanında yer alır.

He himself carried the armchair.	O kendisi (bizzat kendisi) koltuğu taşıdı.
Mary herself answered the letter.	Mary kendisi (bizzat kendisi) mektubu cevapladı.

The boys themselves cleaned the the garden.	Çocuklar kendileri (bizzat kendileri) bahçeyi temizlediler.

Bu tür bir cümlede pekiştirme zamiri isimden sonra da gelebilir.

She herself opened the window.	O kendisi (bizzat kendisi) pencereyi açtı.
She opened the window herself.	O kendisi (bizzat kendisi) pencereyi açtı.

Frank himself went to Ankara.	Frank bizzat kendisi Ankara'ya gitti.
Frank went to Ankara himself.	Frank bizzat kendisi Ankara'ya gitti.

Cümlede isim yoksa, yani fiil geçişsiz bir fiilse pekiştirme zamiri fiilden önce veya sonra gelebilir.

Ingrid went herself.	Ingrid kendisi gitti.
Ingrid herself went.	Ingrid kendisi gitti.

Bir cümle içindeki herhangi bir isim pekiştirme yapılacağı zaman pekiştirme zamiri bu ismin hemen yanında yer alır.

I gave the book to Dick himself.	Kitabı bizzat Dick'e verdim.
We saw the teacher herself.	Bizzat öğretmeni gördük.
I spoke to the priest himself.	Bizzat rahiple konuştum.

By edatı ile kullanılan dönüşlü zamirler cümledeki fiilin gösterdiği eylemi öznenin kendi kendine, kimsenin yardımı olmaksızın yaptığı anlamını verirler.

by myself	kendi kendime
by himself	kendi kendine
by ourselves	kendi kendimize
by themselves	kendi kendilerine

She learnt English by herself.	Kendi kendine (kimsenin yardımı olmaksızın) İngilizce öğrendi.
He repaired the car by himself.	Otomobili kendi kendine tamir etti.
You can carry the suitcase by yourself.	Bavulu kendi kendine taşıyabilirsin.

I painted the walls by myself.
The soldiers built the bridge
by themselves.

Duvarları kendi kendime boyadım.
Askerler köprüyü kendi kendilerine
inşa ettiler.

Cümlenin fiili geçişsiz bir fiilse **by** ile kullanılan zamir "tek başına, yalnız"
anlamını verir.

I sat under the tree by myself.

Ağacın altında tek başıma (yalnız)
oturdum.

He waits in the room by himself.

Odada tek başına bekler.

Aşağıdaki tabloda şahıs zamirlerinin bütün halleri ile mülkiyet sıfatlarını
topluca görüyoruz.

yalın halde şahıs zamiri	şahıs zamirinin -i, -e hali	mülkiyet (iyelik) sıfatı	mülkiyet iyelik) zamiri	dönüşlü zamirler
I ben	**me** beni, bana	**my** benim	**mine** benimki	**myself** kendim
you sen	**you** seni, sana	**your** senin	**yours** seninki	**yourself** kendin
he o	**him** onu, ona	**his** onun	**his** onunki	**himself** kendi
she o	**her** onu, ona	**her** onun	**hers** onunki	**herself** kendi
it o	**it** onu, ona	**its** onun	- -	**itself** kendi
we biz	**us** bizi, bize	**our** bizim	**ours** bizimki	**ourselves** kendimiz
you siz	**you** sizi, size	**your** sizin	**yours** sizinki	**your-selves** kendiniz
they onlar	**them** onları, onlara	**their** onların	**theirs** onlarınki	**themsel-ves** kendileri

demonstrative pronouns - işaret zamirleri

İşaret sıfatı olarak kullanılan ve bu durumda isimlerin önünde yer alan **this** ve that sözcükleri ve bunların çoğul şekilleri **these** ve **those** işaret zamiri olarak da kullanılırlar. (Bildiğiniz gibi, sıfatların isimlerle birlikte onların önünde veya arkasında- kullanılmasına karşın zamirler bir cümlede ismin yerini tutarlar.)

İşaret zamirleri şunlardır :

this	bu
these	bunlar
that	şu
those	şunlar

Aşağıdaki örneklerde bu sözcüklerin önce sıfat, sonra zamir olarak kullanılışını görelim:

This chair is mine.	Bu sandalye benimkidir.
This is mine.	Bu benimkidir.
That girl is a nurse.	Şu kız bir hemşiredir.
That is a nurse.	Şu bir hemşiredir.

Bu cümlelerin birincilerindeki **this, that** sözcükleri **chair** ve **girl** isimleri önünde birer işaret sıfatı olarak kullanılmış, ikincilerindeki **this** ve **that** ise **(this chair, that girl)** yerine kullanılmış, yani bu isimler kalkarak onların yerini almış durumdadırlar. İşte bunlar birer zamirdir.

This is my sister.	Bu benim kız kardeşimdir.
These are new cups.	Bunlar yeni fincanlardır.
What is that?	Şu nedir?
Those are the teacher's books.	Şunlar öğretmenin kitaplarıdır.
This is yours.	Şu seninkidir.
That is better than mine.	Şu benimkinden daha iyidir.
Which house is older, this or that?	Hangi ev daha eskidir, bu mu yoksa şu mu?
Give me that.	Bana şunu ver.
They'll buy these.	Bunları satın alacaklar.

Bir seçme veya karşılaştırma anlamı verilmek istendiğinde **one (ones)** işaret zamirleri kullanılır.

this one	bu, bunu
that one	şu, şunu

I like this one.	Bunu beğeniyorum.
She wants that green one.	Şu yeşilini istiyor.
He'll buy these long ones.	Şu uzunlarını alacak.
Bring here these new ones.	Bu yenilerini buraya getir.

interrogative pronouns - soru zamirleri

Soru zamirleri şu sözcüklerdir :

who	kim
whom	kimi, kime
whose	kiminki
which	hangisi
what	ne

Bu soru zamirlerinden **who** ve **whom** hariç, diğerlerinin birer soru sıfatı olarak da kullanıldığı sıfatlar bölümünde görülmektedir. Verilen örneklerde de görüleceği gibi sözcükler bir ismin önünde bulunuyorlarsa soru sıfatı olarak, cümlenin öznesi yerine kullanılmışlar ve ismin yerini almışlarsa zamir olarak görev yapmaktadırlar.

Bu cümlelerde sadece şahıslar için kullanılan **who, whom, whose** soru zamirlerini inceleyiniz.

who	kim
whom	kimi, kime

Who came yesterday?	Dün kim geldi?
Who took my pencil?	Kalemimi kim aldı?
Who is this man?	Bu adam kimdir?
Who are those men?	Şu adamlar kimlerdir?
Who keeps the key?	Anahtarı kim muhafaza eder?
Who broke the vase?	Vazoyu kim kırdı?
Who can answer me?	Bana kim cevap verebilir?

Whom did they see?	Kimi gördüler?
Whom does she like?	Kimi beğenir?
Whom will he take to the cinema?	Kimi sinemaya götürecek?
Whom did Harold give the money?	Harold kime parayı verdi?

To whom did she give the apple?	Elmayı kime verdi?
Whom did she give the apple to?	Elmayı kime verdi?

With whom did you talk?	Elmayı kime verdi?
Whom did you talk with?	Elmayı kime verdi?

Son iki örnekte **to** edatı alan bir fiilin bulunduğu cümlenin iki şekli görülmektedir. Her ikisi de aynı anlamdadır.

Whom ile yapılan soru cümleleri **whom** yerine de **who** kullanılmak suretiyle yapılabilir. Bu şekil konuşma dilinde daima tercih edilir. Yalnız son örneklerde görülen ve **to, with** gibi edatlarla yapılan şekil böyle olamaz.

Whom did you see?	Kimi gördün?
Who did you see?	Kimi gördün?
Whom can they send?	Kimi gönderebilirler?
Who can they send?	Kimi gönderebilirler?
whose	kiminki

Who ve **whom** soru zamirlerinin sadece zamir olarak kullanılabilmesine karşın whose soru zamiri bir isimle sıfat olarak da kullanılır. Aşağıdaki ilk üç örnekte **whose** sıfat olarak, diğerlerinde zamir olarak kullanılmaktadır.

whose (sıfat)	kimin
Whose father?	Kimin babası?
Whose car is blue?	Kimin otomobili mavidir?
Whose name is Gloria?	Kimin adı Gloria'dır?
whose (zamir)	kiminki
Whose is this umbrella?	Bu şemsiye kiminkidir?
Whose are those shoes?	Şu ayakkabılar kiminkidir?
which	

Şahıslar ve cansızlar için kullanılabilen **which** soru sözcüğü hem sıfat hem de zamir olarak kullanılabilir. Bir isim önünde olduğu zaman sıfat olarak görev yapar.

which (sıfat)	hangi
Which house?	Hangi ev?
Which girl?	Hangi kız?
Which house is yours?	Hangi ev sizinkidir?
Which book is better?	Hangi kitap daha iyidir?
Which schools are for foreigners?	Hangi okullar yabancılar içindir?

Aşağıdaki örneklerde **which** bir soru zamiri olarak kullanılmaktadır.

which (zamir)	hangisi

Which is yours?	Hangisi sizinkidir?
Which do you like best?	En çok hangisini seversin?
Which of them is the longest?	Onların hangisi en uzundur?
Which of them came first?	Onların hangisi ilk önce geldi?
Which will you have, tea or coffee?	Hangisini alırsınız, çay mı yoksa kahve mi?

what	ne

Sıfat olarak isimlerin önünde bulunuşunu soru sıfatları konusunda görmekteyiz. Bunu birkaç örnekle tekrarlayalım :

What paper do you read?	Ne gazetesini (hangi gazeteyi) okursun?
What street is this?	Bu ne caddesidir?
What books did they buy?	Ne kitapları aldılar?
What age is your sister?	Kız kardeşinin yaşı nedir?
What size is the box?	Kutu ne büyüklüktedir?

Genel olarak cansız ve eşya için kullanılan **what**, zamir olarak aşağıdaki örneklerde görüldüğü gibi kullanılır.

What happened?	Ne oldu?
What stopped the engine?	Motoru ne durdurdu?
What makes them happy?	Onları ne mutlu eder?
What did she drink?	Ne içti?
What did you want?	Ne istedin?

What edatlarla kullanıldığında edat genellikle cümle sonuna getirilir.

What do you write with?	Ne ile yazarsınız?
What does she drink from?	Ne'den (neyin içinden) içer?
What did he open it with?	Onu ne ile açtı?

What soru zamiri **for** edatı ile kullanılırsa "niçin" anlamını verir.

What did she bring the letter for?	Mektubu ne için getirdi?
What do they burn the plants for?	Bitkileri ne için yakarlar?

What sorusu **to be** fiili ve **like** ile kullanıldığında "nasıl, ne biçimde, ne sekilde" anlamını verir. Bu şekil, eşya ve insanlar için kullanılabilir.

What is the new teacher like?	Yeni öğretmen nasıldır? (Nasıl bir kişidir?)
What is the weather like?	Hava nasıldır?
What is the table like?	Masa nasıldır?

What soru sözcüğü bir şahsın mesleğinin ne olduğu sorulurken kullanılan "neci" anlamını da verir.

What is your uncle?	Amcanız necidir?
What is his sister?	Onun kız kardeşi necidir?

so ve not

So ve **not** sözcükleri bir cümleciğin yerini tutabilirler. **Think** "düşünmek, zannetmek", **suppose** "zannetmek", **expect** "ummak", **believe** "inanmak", **hope** "umut etmek", **be afraid** "korkmak", **say** "söylemek", **tell** "söylemek" fiillerinden sonra **so** sözcüğü aşağıdaki örneklerde görüleceği gibi kullanılarak bir cümleciğin yerini alıp o anlamı verebilir.

So sözcüğünün bu şekilde kullanılışı, sorulan bir soruya cevap verirken sorudaki cümleciği cevapta tekrarlamamayı sağlar; **so** ile sorudaki cümlecik belirtilmiş olur.

Is it going to be rainy today?	Bugün hava yağmurlu mu olacak?
I think so.	Zannederim öyle.

Bu cevaptaki **so** ile **(It is going to be rainy today.)** cümlesi belirtilmiş olmaktadır.

Are they coming to the meeting?	Toplantıya geliyorlar rnı?
I suppose so.	Zannederim öyle.

Did she change her opinion?	Fikrini değiştirdi mi?
I hope so.	Umut ederim öyle.

Was he killed in the accident?	Kazada öldü mü?
I am afraid so.	Korkarım öyle.

So ile yapılan cümle hep sorulara verilen bir cevap değil, söylenen bir söz hakkında fikir beyan eden bir cümle olarak da kullanılabillr.

I'm sure he'll get better soon	Eminim yakında iyileşecek.
I hope so.	Ümit ederim öyle.

I think it will be cold tomorrow.	Sanırım yarın hava soğuk olacak.
I'm afraid so.	Korkarım öyle.

Seem fiili ile **so** kullanılırsa özne olarak **it** yer alır.

Is she going with them?	Onlarla gidiyor mu?
It seems so.	Öyle görünmüyor.

Is he the new manager?	O yeni müdür mü?
It seems so.	Öyle görünüyor.

Say ve **tell** fiilleri ile de bu yapıda **so** kullanılır. Yalnız, **tell** ile kullanıldığında **so**'dan önce, sözün söylendiği kişiyi belirten bir nesne olmalıdır.

How do you know that she is a good player?	Onun iyi bir oyuncu olduğunu nasıl biliyorsun?
They said so.	Öyle söylediler.
They told me so.	Bana öyle söylediler.

So ile verilmiş cevap cümlelerinin olumsuz hali iki şekilde yapılabilir: Birincisi, fiilden önce **don't** getirerek, ikincisi fiilden sonra **so** yerine **not** kullanarak.

Will they give us any money?	Bize hiç para verecekler mi?
I don't think so.	Zannetmem.
I think not.	Zannetmem.

Is this a historical building?	Bu tarihi bir bina mıdır?
I don't suppose so.	Zannetmem.
I suppose not.	Zannetmem.

Did they like our hotel?	Otelimizi beğendiler mi?
It doesn't seem so.	Öyle görünmüyor.
It seems not.	Öyle görünmüyor.

So sözcüğü bir fiilin başkası tarafından da yapıldığını anlatmak için söylenen kısa cümlecik içinde yer alır ve burada "de, da" anlamını verir.

He learnt English. So did I.	O İngilizce öğrendi. Ben de.
	(Ben de öğrendim.)

Anita likes you very much. So do the others.	Anita seni çok sever. Diğerleri de.
You can use my computer. So can your friend.	Bilgisayarımı kullanabilirsin. Arkadaşın da.
These are her books. So are those.	Bunlar onun kitapları. Şunlar da.
She came late. So did her husband.	O geç geldi. Kocası da.
Oranges were very expensive. So were the pears.	Portakallar çok pahalıydı. Armutlar da.
He was a boxer. So was his father.	O bir boksördü. Babası da.
You must go home. So must I.	Sen eve gitmelisin. Ben de.
Lions are dangerous. So are tigers.	Aslanlar tehlikelidir. Kaplanlar da.

distributive pronouns - üleştirme zamirleri

Üleştirme zamirleri **each, both, either, neither, everyone, everybody, everything** sözcükleridir. Bilindiği gibi bunların ilk dördü üleştirme sıfatı olarak da kullanılmaktadır.

each

"her biri" anlamında bir üleştirme zamiridir.

We saw two soldiers. Each had a gun.	İki asker gördük. Her birinin bir silahı vardı.
They had four chairs but each was broken.	Dört sandalyeleri vardı, fakat her biri kırıktı.
I have some maps. I'll show you each.	Birkaç haritam var. Her birini sana göstereceğim.
She bought three dresses. Each is green.	Üç elbise aldı. Her biri yeşildir.
She paid ten pounds for each.	Her biri için on paund ödedi.

Görüldüğü gibi **each** tekil bir anlam taşıdığı için cümledeki fiil de tekil durumdadır.

either, neither

Either, iki şeyden "her biri", **neither**, iki şeyden "hiçbiri" anlamındadır.

Tekil bir anlam taşıdıkları için fiilin tekil haliyle kullanılırlar.

Either of these books is useful for them.	Bu kitapların her biri onlar için yararlıdır.
You can answer either of these questions.	Bu soruların her birini cevaplayabilirsiniz.
I brought two roses. You can take either.	İki gül getirdim. Her birini alabilirsin.
Neither of them is heavy.	Onların hiçbiri ağır değildir.
You'll like neither.	Hiçbirini sevmeyeceksin.
Which book did you read? Neither.	Hangi kitabı okudun? Hiçbirini.
I posted her two letters. She received neither.	Ona iki mektup gönderdim. Hiçbirini almadı.

everyone, everybody, everything

Everyone ve **everybody** aynı anlamı "herkes, her bir kişi, her bir şahıs" anlamını verirler. Tekil bir anlam taşıdıkları için fiilin tekil hali ile kullanılırlar.

Everyone likes this town.	Herkes bu kasabayı sever.
Everybody is ready.	Herkes hazırdır.
The teacher talked to everybody.	Öğretmen herkesle konuştu.
We saw everyone in the house.	Evdeki herkesi gördük.
Everything is expensive in this shop.	Bu dükkânda her şey pahalıdır.
She gave him everything.	Ona her şeyi verdi.
Gerald told me everything about his girl friend.	Gerald bana kız arkadaşı hakkında her şeyi anlattı.
Everything was on the table.	Her şey masanın üstündeydi.

both

İki şeyin "her ikisi" anlamını verir. Çoğul bir anlam taşır ve fiilin çoğul haliyle kullanılır.

He showed me two paintings. I bought both.	Bana iki tablo gösterdi. Her ikisini satın aldım.
Both are valuable rings.	Her ikisi değerli yüzüklerdir.

We met Bernard and Dora yesterday.	Dün Bernard ve Dora'ya rastladık.
Both are my school friends.	Her ikisi benim okul arkadaş- rımdır.
Both are too expensive for me.	Her ikisi benim için çok pahalıdır.

Görüldüğü gibi üleştirme zamirleri içinde **both** çoğul, diğerleri tekil anlam taşımaktadırlar.

Bu zamirler cümle içinde onlara ait şahıs zamiri veya iyelik sıfatları ile kullanıldıklarında **each, his, her** ile, **everyone, everybody, either, neither** ise özellikle konuşma dilinde **they, them, their** ile kullanılırlar. **Everything, it** ve **its** ile kullanılır.

The girls came to the school garden. Each carried her food in a small basket.	Kızlar okul bahçesine geldiler. Her biri yiyeceğini küçük bir sepette taşıdı.
Everyone is repairing their cars.	Herkes otomobillerini tamir ediyor.
Everybody thinks they can be successful.	Herkes başarılı olabileceklerini zanneder.
Either seems attractive.	Her biri cazip görünüyor.
Neither brought their books.	Hiçbiri kitaplarını getirmedi.
Everything is carried in its container.	Her şey kabında taşınır.

quantitive pronouns - nicelik zamirleri

Bütün sayılar hem sıfat hem de zamir olarak kullanılabilirler.

She has four books; I have two.	Onun dört kitabı var; benim iki var.
Andrew brought ten chairs; she brought six.	Andrew on sandalye getirdi. O altı getirdi.
The second house is theirs, and the third is ours.	İkinci ev onlarınkidir, üçüncü bizimkidir.

Bu cümlelerin ilk kısımlarında bulunan ve **books, chairs, house** isimleri önünde yer alan **four, ten** ve **second** sayıları sıfat olarak kullanılmışlardır. Cümlelerin ikinci kısımlarındaki **two, six** ve **third** sayı sözcükleri ise ismin yerini aldıkları, yani "**books, chairs, house**" anlamını da taşıdıkları için zamir olarak kullanılmışlardır.

one

Sıfat olarak zaman, mesafe, ağırlık gibi birimler önünde **a (an)** yerine **one** kullanılabildiğini sıfat konusunda gördük. **(a pound - one pound; a kilo one kilo)**

One bütün sayılar gibi zamir olarak da kullanılabiiir.

I brought two apples; take one.	İki elma getirdim. Birini al.
One of my friends.	Arkadaşlarımdan biri.
She is one of my best friends.	En iyi arkadaşlarımdan biridir.
One of the rabbits ran away.	Tavşanların biri kaçtı.

Bu yapıda **one** yerine onun çoğulu kullanılmak istenirse **some** sözcüğü kullanılır.

Did she buy a hat? Yes, she bought one.	Bir şapka aldı mı? Evet bir tane aldı.
Did she buy hats? Yes, she bought some.	Şapkalar aldı mı? Evet, birkaç tane aldı.

One "bir kimse, insan" anlamını verir.

One must listen to the teacher very carefully.	İnsan öğretmeni çok dikkatli dinlemeli.
One must do one's best to learn a foreign language.	İnsan bir yabancı dil öğrenmek için elinden geleni yapmalı.
One can finish it in two days.	İnsan onu iki günde bitirebilir.

Bir cümlede ismi iki kere tekrarlamamak için ikinci olarak geçeceği yerde isim yerine **one** kullanılır.

He bought a blue hat, I bought a green one.	O mavi bir şapka aldı, ben yeşili aldım.

Bu cümlede **hat** ismi tekrarlanarak **(He bought a blue hat, I bought a green hat.)** gibi bir cümle kurmak yerine cümlenin ikinci bölümünde geçecek **hat** yerine **one** kullanmak tercih edilen bir şekildir.

She ate a big apple, I ate a small one.	O büyük bir elma yedi, ben küçük bir (tane) yedim.

There was an old man and a young one.	Yaşlı bir adam ve genç biri vardı.

İsmin önünde belirli tanım edatı **the** olması halinde bunların Türkçeye çevirisi aşağıdaki gibi olur.

He bought the blue hat, I bought the green one.	O mavi şapkayı aldı, ben yeşilini aldım.
They like the black dog, she likes the white one.	Onlar siyah köpeği severler, o beyazını sever.
Doris brought two chairs, she gave me the strong one.	Doris iki sandalye getirdi, bana sağlamını verdi.

İsmin çoğul olması halinde **one** yerine **ones** kullanılır.

My son brought some pears and gave me the good ones.	Oğlum birkaç armut getirdi ve bana iyilerini verdi.
I have many story books, I'll give you the interesting ones.	Birçok hikâye kitaplarım var, sana ilginçlerini vereceğim.
They prefer hot sandwiches to cold ones.	Sıcak sandöviçleri soğuklarına tercih ederler.
Big armchairs are more comfortable than small ones.	Büyük koltuklar küçük koltuklardan daha rahattır.
The shirts are on the table, bring the yellow ones.	Gömlekler masanın üstündedir, sarılarını getir.
There are many questions on the paper; you can answer the easy ones.	Kâğıtta birçok sorular var, kolaylarına cevap verebilirsin.

some, any

Some ve **any** sözcüklerinin sıfat olarak bir ismin önünde kullanılışları "sıfatlar" konusunda görülmektedir. Bu sözcükler zamir olarak kullanıldıklarında özellikleri ve anlamları şudur:

Some "biraz, bir miktar, bazısı" anlamını verir ve olumlu cümlelerde kullanılır.

She brought a bottle of milk and gave me some.	Bir şişe süt getirdi ve bana biraz verdi.

We asked for money and he sent us some.	Para istedik ve bize biraz gönderdi.
They looked for cups and found some in the cupboard.	Fincan aradılar ve dolapta bir miktar uldular.
Some of the people were in the streets.	İnsanların bir kısmı sokaklardaydı.
We saw some of the machines.	Makinelerin bir kısmını gördük.
Most of the questions were difficult but some were easy.	Soruların çoğu zordu, fakat bazıları kolaydı.
Some people are courageous, but some are not.	Bazı insanlar cesurdur, fakat bazıları değildir.

Son cümledeki ilk **some, people** ismi önünde bir sıfat olarak kullanılmıştır. İkinci **some** ise zamir olarak kullanılmıştır. İsmin önünde değildir. İsmin anlamını kendisi vermekte **(people)** ismi geçmediği halde **some** ile bunun kastedildiği anlaşılmaktadır.

any

Genel olarak **some** ile yapılmış cümleler soru veya olumsuz yapılırsa **some** yerine **any** kullanılır. Bu durumda **any** "hiç, herhangi bir" anlamını verir.

He bought two kilos of apples and gave me some.	İki kilo elma aldı ve bana biraz verdi.
He bought two kilos of apples but he didn't give me any.	İki kilo elma aldı, fakat bana hiç vermedi.
I didn't see any of the children.	Çocukların hiçbirini görmedim.
We have a lot of money but he hasn't any.	Bizim çok paramız var fakat onun hiç yok.
I have a lot of friends in Rome; have you any?	Benim Roma'da birçok arkadaşım var, senin hiç var mı?
The peaches were on the table; did you eat any?	Şeftaliler masanın üstündeydi; hiç yedin mi?
Did they take any of the toys?	Oyuncakların herhangi birini (hiçbirini) aldılar mı?
Did you see any of the children?	Çocukların herhangi birini gördün mü?

Any sözcüğünün sıfat olarak kullanılışını yukarıdakilerle karşılaştırmak için sıfat bölümüne bakınız.

Any sözcüğü genel olarak soru ve olumsuz cümlelerde **some** yerine kullanılması kuralına karşın, soruya olumlu bir cevap verileceği umulduğu zaman soru cümlesinde **some** kullanılır.

The cakes were on the table; did you eat some?	Pastalar masanın üstündeydi; biraz yedin mi?
Do you know some of the neighbours?	Komşuların bazılarını tanıyor musun?
Did he break some of the glasses?	Bardakların bazılarını kırdı mı?
I need money; will you give me some?	Paraya ihtiyacım var; bana biraz verir misin?

Any sözcüğü ayrıca "hangisi olursa olsun, herhangi biri" anlamlarını da verir. Bu durumda olumlu cümleler içinde yer alır.

All of them are useful. You can take any.	Onların hepsi yararlıdır. Herhangi birini alabilirsin.
You can take any of them.	Onların herhangi birini alabilirsin.
She'll accept any of the jobs.	İşlerin herhangi birini kabul edecek.
The brochures are free. You can take any you like.	Broşürler ücretsizdir. İstediğin birini alabilirsin.
Any of them will be useful for the children.	Onların herhangi biri çocuklar için yararlı olacak.
I recommend you any of them.	Sana onların herhangi birini tavsiye ederim.

Cümleye aşağı yukarı olumsuzluk anlamı veren **never, hardly, barely,** sözcükleri ile de kullanılır.

I have a lot of time but he has hardly any.	Benim çok vaktim var, fakat onun hiç yok gibi.
We scarcely see any of them.	Onları (onların herhangi birini) hemen hemen hiç görmeyiz.

Şüphe belirten sözlerde ve **if**'ten sonra da **any** kullanılır.

Are there matches in the box? I don't think there are any.
She'll give you the money if she has any.

Kutuda kibritler var mı? Hiç olacağını zannetmiyorum.
Eğer varsa size parayı verecek.

none

None sözcüğü **not any, not one** yerine kullanılan bir zamirdir. Türkçe karşılığı "hiçbir, hiç"tir.

None of them are good.
They have a lot of money but I have none.
Doris ate all the nuts. I ate none.
How many stories did you read? None.
How much did you pay for the food? None.
I like none of them.
We saw none of the girls.

Onların hiçbiri iyi değildir.
Onların çok parası var, fakat benim yok.
Doris bütün fındıkları yedi. Ben hiç yemedim.
Kaç hikâye okudun? Hiç.
Yiyecek için kaç para verdin? Hiç.
Onların hiçbirini sevmem.
Kızların hiçbirini görmedik.

much

Sayılamayan isimlerin önünde "çok" anlamında bir sıfat olarak kullanılan **much** zamir olarak da kullanılır ve sayılamayan bir ismin yerini tutar.

Much genel olarak olumsuz ve soru cümlelerinde kullanılır.

You have a lot of water but I haven't much.
They gave her a lot of money but they didn't give me much.
Did she give you much?
Do they learn much at school?

Senin çok suyun var, fakat benim çok yok.
Ona çok para verdiler, fakat bana çok vermediler.
Sana çok verdi mi?
Okulda çok öğrenirler mi?

Much cümlenin öznesi olarak kullanıldığında olumlu cümlede de yer alır.

Much was said about this subject. Bu konuda çok söylendi.
Much was spent on this project. Bu proje üzerinde çok harcandı.

So ve **too** ile pekiştirme yapıldığında **much** yine olumlu cümlelerde kullanılır.

He ate so much that he got ill.   O kadar çok yedi ki hastalandı.
I have too much to do.   Yapacak çok şeyim var.

many

Much sözcüğünün sayılamayan isimlerle kullanılmasına karşın **many** sayılabilen isimlerle kullanılır. Cümle içinde sıfat veya zamir olarak kullanılabilir. Sıfat olarak kullanılışı sıfatlar bölümünde açıklandı. Burada zamir olarak kullanılışını görelim :

Many hem olumlu hem de olumsuz ve soru halindeki cümlelerde yer alabilirse de olumlu cümlelerde çoğu kez onun yerine **a lot** (sıfat olarak kullanıldığında **a lot of**) kullanılır.

They have a lot of friends but I haven't many.   Onların çok arkadaşları var, fakat benim çok yok.
Did Emma give you many of them?   Emma size onların birçoğunu verdi mi?
My daughter buys a lot of shoes but my son doesn't buy many.   Kızım çok ayakkabı alır, fakat oğlum çok almaz.

all

Sayılamayan isimler veya sayılabilen çoğul isimlerle kullanılır.

Çoğul isimlerle kullanıldığında sayıca çokluğu vurgular. Çoğul anlamdadır.

All are soldiers.   Hepsi askerdir.
We killed them all.   Onların hepsini öldürdük.
I answered some questions but he answered all.   Bazı soruları cevaplandırdım, fakat o hepsini cevaplandırdı.

| All liked the wine. | Hepsi şarabı beğendi. |
| I read your answers. All are right. | Cevaplarınızı okudum. Hepsi doğrudur. |

Sayılamayan isimlerle kullanıldığında tekil anlamdadır. Ancak toplu halde bir bütünü gösterir.

All the milk is in the bucket.	Bütün süt kovadadır.
We counted the money. All of it is in the bank's safe.	Parayı saydık. Hepsi bankanın kasasındadır.
They brought the salt. All of it is in the barrel now.	Tuzu getirdiler. Şimdi hepsi fıçıdadır.

some (-one, -body, -thing)
any (-one, -body, -thing)

Some ve any sözcükleriyle one, body, thing sözcüklerinin birleşmesinden oluşan sözcükler de some ve any için belirttiğimiz kurallar uyarınca kullanılırlar.

someone	biri, bir kimse
somebody	biri, bir kimse
something	bir şey

anyone	herhangi biri
anybody	herhangi biri
anything	herhangi bir şey

There is someone in the room.	Odada biri var.
There isn't anyone in the room.	Odada herhangi biri (kimse) yok.
Is there anyone in the room?	Odada herhangi biri (kimse) var mı?

They looked for somebody.	Birini aradılar.
They didn't look for anybody.	Birini (kimseyl) aramadılar.
Did they look for anybody?	Birini (kimseyi) aradılar mı?

He put something in his pocket.	Cebine bir şey koydu.
He didn't put anything in his pocket.	Cebine bir şey koymadı.
Did he put anything in his pocket?	Cebine bir şey koydu mu?

İçinde some olan cümleler olumsuz veya soru haline girdiklerinde genel olarak **some** yerine **any** kullanılması kuralına uygun olarak **someone, somebody, something** ile yapılmış örnek cümlelerimizin soru ve olumsuz hallerinde bunların yerini **anyone, anybody** ve **anything** sözcüklerinin aldığını görmekteyiz.

Dikkat edilecek önemli bir nokta **some** ve **any** sözcüklerinin tek başına iken çoğul bir anlam taşımalarına karşın **-one, -body, -thing** ile birleşmiş hallerinin tekil bir anlamı vardır.

There is somebody at the door.	Kapıda biri var.
There isn't anything in the bag.	Çantada bir şey yok.
Is there anybody in the office?	Büroda biri var mı?
Somebody is waiting for you.	Biri sizi bekliyor.
Someone finds a key.	Biri bir anahtar bulur.

no (-one, -body, -thing)

Some ve **any** gibi **no** sözcüğü de **one, -body, -thing** ile birleşerek tekil anlamlı birer zamir meydana getirir. Verdiği anlam olumsuzdur.

no one	hiç kimse
nobody	hiç kimse
nothing	hiçbir şey

There is no one on the bus.	Otobüste hiç kimse yok.
I saw nobody in the park.	Parkta hiç kimseyi görmedim.
They gave me nothing.	Bana hiçbir şey vermediler.
Nothing is important for them.	Onlar için hiçbir şey önemli değildir.
Nobody drinks whisky here.	Burada hiç kimse viski içmez.
No one is late in our factory.	Bizim fabrikamızda hiç kimse geç değildir. (geç kalmaz)

No sözcüğü **body** ve **thing** ile bitişik yazılmasına karşın **one** ile ayrı olarak yazılır.

a little, a few - little, few

Sıfat olarak kullanıldıklarında **a little** ve **little** sayılamayan isimlerin önün-de, **a few** ve **few** sayılabilen isimlerin önünde bulunurlar. Zamir olarak da **a little** ve **little** sayılamayan isimlerin yerine, **a few** ve **few** sayılabilen isimlerin yerine kullanılırlar.

a little   biraz

I haven't much money, but I have   Çok param yok, ama biraz var.
a little.
He brought a lot of fruit and   Çok meyve getirdi ve bize ondan
gave us a little of it.   biraz verdi.
Drink a little of this water.   Bu sudan biraz iç.
She needs some milk. Give her   Süte ihtiyacı var. Ona biraz ver.
a little.

a few   birkaç

There are no toys for the children.   Çocuklar için hiç oyuncak yok.
You must bring a few.   Birkaç tane getirmelisin.
We wanted some chairs, but he   Bir miktar sandalye istedik, fakat
gave us only a few.   bize sadece birkaç tane verdi.
They said there were many villas   Köyde birçok villaların olduğunu
in the village, but we saw only   söylediler, fakat biz sadece
a few.   birkaç tane gördük.
They have no eggs, but we have   Onların hiç yumurtaları yok,
a few.   fakat bizim birkaç tane var.

little   az, az miktar

I can't give you any money. I   Sana hiç para veremem. Bende
have very little.   çok az var.
We kept the medicine in a safe   İlacı bir kasada sakladık, çünkü
because there was little left.   az kalmıştı.
They haven't enough food. They   Yeterli yiyecekleri yok. Size
can give you very little.   çok az verebilirler.

few   az, az sayıda

Few of the students understood   Öğrencilerin azı soruları anladı.
the questions.
All of them promised to come but   Onların hepsi gelmeye söz verdi,
few came.   fakat azı geldi.
I can't give you any envelopes,   Size hiç zarf veremem, çok az kaldı.
there are so few left.

another, other

Sıfat olarak kullanıldıklarını gördüğümüz **another** ve **other** sözcükleri zamir olarak da kullanılabilirler.

Another "diğer bir, başka bir" anlamındadır. Tekil bir ismin yerini tutar.

This cup is dirty, give me   Bu fincan kirli. Bana başka (bir
another.   tane) ver.
If you like the cake, have   Pastayı seversen bir başkasını (bir
another.   daha) al.
Don't take this chair; I'll give   Bu sandalyeyi alma; sana başka bir
you another.   tane vereceğim.
She sold another of her houses.   Evlerinin bir diğerini sattı.
The workers went from one   İşçiler bir ülkeden diğerine gittiler.
country to another.

Other iki şeyden ikincisini işaret etmek için söylenen "diğeri" anlamında bir zamir olarak kullanılır. Çoğul yapıldığında verdiği anlam "diğerleri"-dir.

This window is open but the   Bu pencere açıktır, fakat diğeri ka-
other is shut.   palıdır.
I don't like this fork, give me   Bu çatalı beğenmedim, bana diğe-
the other.   rini ver.
One of the cars was black, the   Otomobillerden biri siyahtı, diğeri
other was red.   kırmızıydı.
She'll buy this dress; the other   Bu elbiseyi alacak. Diğeri onun için
is too expensive for her.   çok pahalı.

104

others   diğerleri

Other sözcüğünün hem sıfat hem de zamir olarak kullanılabilmesine karşın bunun çoğul şekli olan **others** sadece zamir olarak kullanılabilir. Anlamı "diğerleri"dir.

This ring is very cheap; but the others are expensive.	Bu yüzük çok ucuzdur, fakat diğerleri pahalıdır.
I can't give you my camera. You can take the others.	Sana fotoğraf makinamı veremem. Diğerlerini alabilirsin.
She saw Mary and Dora, but she she didn't see the others.	Mary ve Dora'yı gördü, fakat diğerlerini görmedi.
Gerald liked my flowers, but he didn't like the others.	Gerald çiçeklerimi sevdi, fakat diğerlerini sevmedi.
This student is cleverer than the others.	Bu öğrenci diğerlerinden daha akıllıdır.

else

Some (-one, -body, -thing), any (-one, -body, -thing), no (one, -body, -thing), every (-one, -body, -thing) zamirlerinden sonra kullanılan **else** sözcüğü "başka, ayrıca" anlamını verir.

We didn't see Allen. We saw someone else.	Allen'ı görmedik. Başka birini gördük.
This ruler is too short. Give me something else.	Bu cetvel çok kısadır. Bana başka birşey ver.
You must go to somebody else for help.	Yardım için başka birine gitmelisin.

Is there anyone else in the house?	Evde başka kimse var mı?
Anybody else can show you the way.	Başka herhangi biri size yolu gösterebilir.
Do you want anything else?	Başka bir şey istiyor musunuz?
I know nobody else in this town.	Bu kasabada başka kimseyi tanımıyorum.
Betty is more beautiful than anyone else.	Betty herkesten daha güzeldir.
She has nothing else in her bag.	Çantasında başka bir şey yok.
Don't touch my pen. You can take everything else.	Kalemime dokunma. Başka her şeyi alabilirsin.

He is learning French. Everyone else is learning German. Only Anita is in the office. Everybody else has gone to the football match.

O Fransızca öğreniyor. Başka herkes Almanca öğreniyor. Sadece Anita bürodadır. Başka herkes futbol maçına gitmiş.

aynı sözcüğün sıfat ve zamir olarak kullanılışı

SIFAT	ZAMİR
We saw both men in a cafe. Her iki adamı kafede gördük.	**We like both.** Her ikisini severiz.
Drink some water. Biraz su iç.	**I'll give you some.** Sana biraz vereceğim.
Did you break any plates? Hiç (herhangi bir) tabak kırdın mı?	**I didn't break any.** Hiç (herhangi birini) kırmadım.
Many children like ice cream. Birçok çocuk dondurma sever.	**They didn't give us many.** Bize birçok vermediler.
She brought another flower. Başka bir çiçek getirdi.	**We'll make another.** Başka bir tane yapacağız.
You mustn't drink much beer. Çok bira içmemelisiniz.	**You mustn't drink much.** Çok içmemelisiniz.
Few teachers joined us. Az öğretmen bize katıldı.	**He sent a lot of postcards but he received few.** Çok kartpostal gönderdi fakat az aldı.
The other cars are expensive. Diğer otomobiller pahalıdır.	**She bought the other.** Diğerini satın aldı.
Each soldier carried a gun. Her bir asker bir silah taşıyordu.	**We broke each.** Her birini kırdık.
Give them a little meat. Onlara biraz et ver.	**I'll bring a little.** Biraz getireceğim.

relative pronouns − ilgi zamirleri

who, which, that, whose, whom

İlgi zamirleri bir cümlenin içindeki isim hakkında açıklama yapmak için kurulan ikinci cümleciğin başında yer alan ve ilk cümledeki ismi belirten sözcüklerdir. Bu sözcükler ismin tekil ya da çoğul, erkek ya da dişi oluşuna göre değişmezler. Sadece ismin bir şahıs veya şahıs dışında bir nesne oluşuna göre değişirler. Genel olarak,

insanlar için **who**
nesneler için **which**

kullanılır. **That** sözcüğü ilgi zamiri olarak hem şahıs hem de şahıs dışında isimler için kullanılır. Ancek onun kullanılabilmesi cümlenin durumuna ve cümlede bazı sözcüklerin bulunuşuna bağlıdır.

Esas anlamlarının (**who** - kimi, **which** - hangi, **that** - şu, **whose** - kimin, **whom** - kimi) olduğunu bildiğimiz bu sözcükler ilgi zamiri olarak, yukarıda belirtildiği gibi, bir cümledeki isim hakkında daha fazla açıklama yapmak için kurulan açıklama cümleciğinin başında yer aldıklarında ilk cümledeki ismi belirtirken verdikleri anlamı Türkçeye "ki o" şeklinde çevirebiliriz. Kullanılışı biraz tuhaf görünse de anlamı daha iyi kavramak için ilk aşamada böyle verilmesi uygun olan bu "ki o" cümledeki ismin özne, nesne, mülkiyet halinde veya bir edatla birlikte oluşuna göre "ki onu, ki ona, ki onun" şekline girer.

İlgi zamirleri ile yapılan ilgi cümlecikleri, yani daha önceki cümlede bulunan isim hakkında açıklayıcı bilgi veren cümlecikler iki çeşittir.

Birincisi : isim hakkında yaptığı açıklama çok önemli olan, bu açıklama yapılmazsa o isim yeterince anlaşılıp özelliği bilinemeyecek olan cümleciklerdir. Bu tip cümleciklere **defining relative clauses** (tanımlayan ilgi cümlecikleri) denir. Bu tip ilgi cümlecikleri esas cümlenin anlamının tam olması için mutlaka gereklidir. Atılırlarsa anlam büyük ölçüde kaybolur.

İkinci tip ilgi cümlecikleri, yine ilk cümledeki isim hakkında bilgi veren, fakat yaptığı açıklama o isim için çok gerekli olmayan cümleciklerdir. İsim hakkında verdiği bilgi çok önemli olmayan bir ayrıntı niteliğindedir. Cümleden çıkarılırlarsa anlam fazla bir şey kaybetmiş olmaz. Bu tip ilgi cümleciklerine **non-defining relative clauses** (tanımlamayan ilgi cümlecikleri) denir. Bunları teker teker ele alarak inceleyelim.

DEFINING RELATIVE CLAUSES
TANIMLAYAN İLGİ CÜMLECİKLERİ

insanlar için kullanılan ilgi zamirleri

Bu tip bir cümlede isim şahıs ise ve cümlenin öznesi durumunda olup yalın haldeyse ilgi cümleciği başında bu ismi belirtecek olan ilgi zamiri **who** olur.

The girl who brought the book is Dick's sister.	Kız, ki o kitabı getirdi, Dick'in kız kardeşidir. (Kitabı getiren kız Dick'in kız kardeşidir.)
The students who came late waited in the garden.	Öğrenciler, ki onlar geç geldiler, bahçede beklediler. (Geç gelen öğrenciler bahçede beklediler.)

Burada iki noktaya dikkatinizi çekmek istiyoruz :

Birincisi, konu başında da belirttiğimiz gibi, şahıslar için kullanılan **who** hem tekil, hem de çoğul anlam vermektedir: (ki o, ki onlar).

İkincisi, İngilizce cümlenin yapısı daha kolay görülsün diye **who** zamiri (ki o, ki onlar) şeklinde çevrilmiş, sonra bu cümle aynı anlamı daha uygun bir Türkçeyle verecek hale getirilmiştir. Aşağıda (ki o) şeklinden diğer hale geçişi daha çok örnek üzerinde görmeniz için ilgi cümlecikleri veriyoruz. Bunlar tam cümle olmayıp sadece ilgi cümleciği bölümleridir.

the girl who came late	kız, ki o geç geldi geç gelen kız
the boys who ate the cake	çocuklar, ki onlar pastayı yediler pastayı yiyen çocuklar
the baby who drank the milk	bebek, ki o sütü içti sütü içen bebek
the baby who drinks the milk	bebek ki o sütü içer sütü (her zaman) içen bebek
the baby who is drinking the milk	bebek, ki o sütü içiyor sütü (şimdi) içen (içmekte olan) bebek
the baby who will drink the milk	bebek, ki o sütü içecek sütü içecek olan bebek

108

the teacher who teaches history	öğretmen, ki o tarih öğretir
	tarih öğreten öğretmen
the teachers who teach history	öğretmenler, ki onlar tarih öğretir
	tarih öğreten öğretmenler

Örneklerde **who** ile hem tekil hem de çoğul (ki o, ki onlar) anlamı verildiğini tekrar görürken İngilizcede fiilin çeşitli zamanlarınını **(who drank, who drinks, who is drinking)** Türkçeye tek şekilde "içen" olarak çevrildiği dikkati çekmektedir.

Böyle bir durumda Türkçeden İngilizceye çeviri yaparken Türkçe cümlede fiilin zamanını tam olarak bilip İngilizce cümleyi ona göre kurmak gerekir. Zira Türkçede "sütü içen" sözünde fiilin zamanı ancak sözün öncesinden dan anlaşılabilir, çünkü "sütü içen" sözü geçmişte, şimdiki zamanda, geniş zamanda da yapılmış olsa aynı şekilde kalır: dün sütü içen, şimdi sütü içen, her zaman sütü içen.

nesneler için kullanılan ilgi zamirleri

İsim bir şahıs olmayıp hayvan veya başka bir nesne ise bu durumda ilgi zamiri cümleciğinde "ki o, ki onlar" anlamında **which** ilgi zamiri kullanılır.

The doctor who examined me is a specialist.	Doktor, ki o beni muayene etti, bir uzmandır. (Beni muayene eden doktor bir uzmandır.)
The doctors who examined me are specialists.	Doktorlar, ki onlar beni muayene ettiler, uzmandırlar. (Beni muayene eden doktorlar uzmandırlar.)
The cat which ate the meat has run away.	Kedi, ki o eti yedi, kaçtı. (Eti yiyen kedi kaçtı.)
The cats which ate the meat have run away.	Kediler, ki onlar eti yediler, kaçtılar. (Eti yiyen kediler kaçtılar.)
The house which has four chimneys belongs to my uncle.	Ev ki o dört bacaya sahiptir, amcama aittir. (Dört bacası olan ev amcama aittir.)

The bag which is under the table is mine.	Çanta, ki o masanın altındadır, benimkidir. (Masanın altındaki çanta benimkidir.)
The garden which is at the back of the school has a tennis court.	Bahçe, ki o okulun arkasındadır, bir tenis kortuna sahiptir. (Okulun arkasındaki bahçenin bir tenis kortu vardır.)
The dog which is running to the car is a sheep dog.	Köpek, ki o otomobile koşuyor, bir çoban köpeğidir. (Otomobile koşan köpek bir çoban köpeğidir.)
The streets which lead to the museum are very narrow.	Caddeler, ki onlar müzeye çıkar, çok dardır. (Müzeye çıkan caddeler çok dardır.)

that ilgi zamiri

Who insanlar, which eşya ve hayvanlar için "ki o, ki onlar" anlamında birer ilgi zamiridirler. That sözcüğü de bir ilgi zamiri olarak kullanılır. Verdiği anlam sadece tekildir: "ki o".

That ilgi zamiri hem who hem de which yerine kullanılabilir.

The lady that wrote the letters lived in London.	Hanım, ki o mektupları yazdı, Londra'da yaşıyordu. Mektupları yazan hanım Londra'da yaşıyordu.)
This is the tower that was built in 1625.	Kule budur, ki o 1625'te inşa edildi. (1625'te inşa edilen kule budur.)

Örneklerdeki that zamirlerinden ilkinin who yerine, ikincisinin which yerine kullanıldığını görüyoruz. Fakat genel olarak who ve which yerine that kullanmak tercih edilmez. Yaygın olan şekil who ve which'in kullanılmasıdır. Ancak bazı durumlar vardır ki burada that kullanılması tercih edilir. Bunları şöyle sıralayabiliriz: sıfatların en üstünlük derecesi, all, any, only, it is, nobody, no one, somebody, someone, much, little, everything. Bu sözcüklerin bulunduğu ilgi cümleciklerinde that zamirinin kullanıldığını aşağıdaki örneklerde inceleyiniz.

All that were at the party enjoyed it very much.	Hepsi, ki onlar partide idi, çok memnun kaldılar. (Partide olanların hepsi çok memnun kaldılar.)

She is the cleverest girl that followed this course.	O en akıllı kızdır, ki o bu kursu izledi. (O, bu kursu izleyen en akıllı kızdır.)
It is the rain that spoils the game.	O yağmurdur, ki o oyunu bozar. (Oyunu bozan yağmurdur.)
He was the best worker that worked in our factory.	O en iyi işçi idi, ki o bizim fabrikamızda çalıştı. (O, fabrikamızda çalışan en iyi işçi idi.)
Frank bought everything that pleased his wife.	Frank her şeyi satın aldı, ki o karısını memnnun etti. (Frank, karısını memnun eden her şeyi satın aldı.)
It was the severe winter that made Emma unhappy.	Şiddetli kıştı, ki o Emma'yı mutsuz yaptı. (Emma'yı mutsuz yapan şiddetli kıştı.)
We saw somebody that slept under the tree.	Birini gördük, ki o ağacın altında uyudu. (Ağacın altında uyuyan birini gördük.)
Any pupil that finishes his homework can go out.	Herhangi öğrenci, ki o ev ödevini bitirir, dışarı çıkabilir. (Ev ödevini bitiren herhangi öğrenci dışarı çıkabilir.)
Martin is the only policeman that uses the computer.	Martin tek polistir, ki o bilgisayarı kullanır. (Martin bilgisayarı kullanan tek polistir.)
Was it you that broke the vase?	O sen miydin, ki o vazoyu kırdı? (Vazoyu kıran sen miydin?)

tümleç (-i halinde) ilgi zamirleri

Şimdiye kadar gördüğümüz ilgi zamirleri cümleciğin öznesi durumundaydılar. Yani cümleciğin fiilinin gösterdiği eylemi yapmaktaydılar.

Şimdi, cümlenin tümleci durumunda, yani -i halinde olan ilgi zamirlerini örnekler içinde inceleyelim. Bu durumda kullanılan zamirler "ki onu, ki ona" şeklinde bir anlam verirler.

İnsanlar için kullanılan ve -i halinde olan ilgi zamiri **whom**'dur. Anlamı "ki onu, ki ona" olan bu zamir özellikle konuşma dilinde pek az kullanılır.

The old man whom you saw yesterday is Gerald's grandfather.	Yaşlı adam, ki onu dün gördün, Gerald'ın büyükbabasıdır. (Dün gördüğün yaşlı adam Gerald'ın büyükbasıdır.)
The people whom we met in the streets were filled with joy.	İnsanlar, ki onlara sokakta rastladık, neşe doluydular. (Dün sokakta rastladığımız insanlar neşe doluydular.)

Bu tip cümlelerde **whom** yerine **who** ve **that** kullanmak mümkündür.

The woman whom I saw was a nurse.	Kadın, ki onu gördüm bir hemşire idi. (Gördüğüm kadın bir hemşire idi.)
The woman who I saw was a nurse.	Gördüğüm kadın bir hemşireydi.
The woman that I saw was a nurse.	Gördüğüm kadın bir hemşireydi.

Şahıslar haricindeki isimler için kullanılacak tümleç, yani -i halindeki ilgi zamirleri yine **which** ve **that** zamirleridir. Verdikleri anlam "ki onu, ki ona"dır.

The plums which I ate were very sour.	Erikler, ki onları yedim, çok ekşi idi. (Yediğim erikler çok ekşi idi.)
The letter that she received yesterday came from Canada.	Mektup, ki onu dün aldı, Kanadadan geldi. (Dün aldığı mektup Kanada'dan geldi.)

contact clause - zamirsiz ilgi cümleciği

Gerek insanlar için kullanılan "ki onu, ki ona" anlamındaki **whom, who, that**, gerekse nesneler için aynı anlamdaki **which, that**, -i halinde, yani tümleç olarak yer aldıkları cümleciklerden anlama hiç zarar vermeden atılabilirler.

The man whom you wanted has come.	Adam, ki onu istedin, geldi. (İstediğin adam geldi.)
The man you wanted has come.	İstediğin adam geldi.

The pencil which you lost yesterday is under the carpet.	Kalem, ki onu dün kaybettin, halının altındadır. (Dün kaybettiğin kalem halının altındadır.)
The pencil you lost yesterday is under the carpet.	Dün kaybettiğin kalem halının altındadır.

Örneklerde önce **whom** ve **which** kullanılarak yapılımış cümlecikleri sonra bunlar kullanılmadan yapılmış **contact clause** cümleciklerini görüyoruz. Türkçe karşılıklarından da anlaşıldığı gibi bunlar **whom, which** ile yapılmış cümleciklerle aynı anlamı vermektedirler.

-i halinde ilgi zamirlerini bu şekilde atmak çoğu zaman mümkündür ve tercih edilen şekil de budur. Aşağıda, artık yeteri kadar alışıldığı için "ki onu" şeklinde çevirileri verilmemiş cümlelerde ilgi zamirli ve ilgi zamiri çıkarılmış örnekleri inceleyiniz.

The cake which my wife made wasn't good.	Karımın yaptığı pasta iyi değildi.
The cake my wife made wasn't good.	Karımın yaptığı pasta iyi değildi.

The officer whom they visited gave them some presents.	Ziyaret ettikleri memur onlara bazı hediyeler verdi.
The officer they visited gave them some presents.	Ziyaret ettikleri memur onlara bazı hediyeler verdi.

The new dress which Eleanor is wearing is very lovely.	Eleanor'ın giydiği yeni elbise çok hoş.
The new dress Eleanor is wearing is very lovely.	Eleanor'ın giydiği yeni elbise çok hoş.

The poor man whom they saw in the hospital has died.	Hastanede gördükleri yoksul adam öldü.
The poor man they saw in the hospital has died.	Hastanede gördükleri yoksul adam öldü.

The tree which they planted in the garden is an apple tree.	Bahçeye diktikleri ağaç bir elma ağacıdır.
The tree they planted in the garden is an apple tree.	Bahçeye diktikleri ağaç bir elma ağacıdır.

The potatoes which we bought last week are bad.	Geçen hafta aldığımız patatesler kötüdür.

| The potatoes we bought last week are bad. | Geçen hafta aldığımız patatesler kötüdür. |

edat ile ilgi zamirleri

Whom, that, which ilgi zamirleri edatlarla da kullanılırlar.

The girl to whom you sent an invitation is coming.	Kız, ki ona davetiye gönderdin, geliyor. (Davetiye gönderdiğin kız geliyor.)
The girl that you sent an invitation to is coming.	Davetiye gönderdiğin kız geliyor.
The girl you sent an invitation to is coming.	Davetiye gönderdiğin kız geliyor.

That zamiri ile yapılmış ikinci cümlede to edatının that'ten sonra geldiği görülüyor. Son cümlede ilgi zamiri olmaksızın da aynı anlamın verildiği görülüyor.

The country about which he wrote several articles is in Africa.	Ülke, ki ona dair (onun hakkında) birkaç makale yazdı, Afrikadadır. Hakkında birkaç makale yazdığı ülke Afrikadadır.
The country which he wrote several articles about is in Africa.	Hakkında birkaç makale yazdığı ülke Afrikadadır.
The country he wrote several articles about is in Africa.	Hakkında birkaç makale yazdığı ülke Afrikadadır.

The farmer from whom I bought a tractor gave me a sheep.	Çiftçi, ki ondan bir traktör aldım, bana bir koyun verdi. Bir traktör aldığım çiftçi bana bir koyun verdi.
The farmer that I bought a tractor from gave me a sheep.	Bir traktör aldığım çiftçi bana bir koyun verdi.
The farmer I bought a tractor from gave me a sheep.	Bir traktör aldığım çiftçi bana bir koyun verdi.

iyelik halinde ilgi zamirleri

Şahıslar için kullanılan whose ilgi zamiri "ki onun, ki onların" anlamındadır.

The children whose shoes are dirty can't go into the the classroom.	Çocuklar, ki onların ayakkabıları kirlidir, sınıfa giremezler. (Ayakkabıları kirli olan çocuklar sınıfa giremezler.)
The woman whose bag was stolen went to the police station.	Çantası çalınan kadın karakola gitti. (Kadın ki onun çantası çalındı, karakola gitti.)

Şahıslar dışındaki nesnelerin iyelik hali için de **whose** kullanılabilir. Fakat pek nadirdir. Bu durumda "**with**" kullanmak suretiyle bir iyelik hali yapmak tercih edilir.

They live in a house whose door is green.	Onlar bir evde otururlar, ki onun kapısı yeşildir. Onlar kapısı yeşil olan bir evde otururlar.
They live in a house with a green door.	Onlar yeşil kapılı bir evde otururlar.
The car whose tyres are new is mine.	Otomobil, ki onun lastikleri yenidir, benimkidir. Lastikleri yeni olan otomobil benimkidir.
The car with new tyres is mine.	Yeni lastikli otomobil benimkidir.

what ilgi zamiri olarak

İlgi zamirinin yerini tutacağı isim söylenmemişse **what** sözcüğü "o şey (şeyler) ki, ne ki" anlamında kullanılır.

What he saw made him angry.	Şeyler ki o gördü, (ne ki o gördü), onu kızdırdı. Gördüğü şeyler onu kızdırdı.
What you say is not true.	Şey ki (ne ki) sen söylersin, doğru değildir. Söylediğin doğru değildir.
I don't remember what I heard.	Ne ki işittim, hatırlamıyorum. İşittiğimi hatırlamıyorum.
You can take what you want.	Ne ki istersin, alabilirsin. İstediğini alabilirsin.
They didn't tell us what they saw in the cave.	Ne ki mağarada gördüler bize söylemediler. Mağarada gördüklerini bize söylemediler.
I can't explain what I feel.	Ne hissettiğimi açıklayamam.

NON-DEFINING RELATIVE CLAUSES
TANIMLAMAYAN İLGİ CÜMLECİKLERİ

Bu tür ilgi cümlecikleri bilinen ve hakkında açıklama gereği olmayan isimler hakkında biraz daha ayrıntı vermek için kullanılırlar. Çok önemli olmadıkları için cümlenin esas anlamını bozmadan atılabilirler. Bu tür ilgi cümleciklerinin önemli bir özelliği cümle içinde iki virgül arasında bulunmalarıdır. Bu şekliyle cümleye parantez içinde fazladan ilave edilmiş çok önemi olmayan ek bir açıklama durumundadırlar.

şahıslar için tanımlamayan ilgi cümlecikleri

Bu tip ilgi cümleciği başında kullanılacak tek ilgi zamiri, özne durumunda **who**, tümleç durumunda **whom**, iyelik halinde **whose**'dur. Edatlarla birlikte olunca **whom** kullanılır.

özne durumunda tanımlamayan ilgi cümlecikleri

Bu durumda şahıslar için kullanılacak tek ilgi zamiri **who**'dur. Verdiği anlam "ki o, ki onlar"dır.

Anita's father, who is a doctor, is coming to our office.	Anita'nın babası, ki o bir doktordur, büromuza geliyor. Anita'nın bir doktor olan babası büromuza geliyor.
My son, who was in London last year, is a famous football player now.	Oğlum, ki o geçen yıl Londra'daydı, şimdi ünlü bir futbolcudur. Geçen yıl Londra'da olan oğlum şimdi ünlü bir futbolcudur.
Dora and Frank, who are playing in the living room, are very clever children.	Dora ve Frank, ki onlar oturma odasında oynuyorlar, çok akıllı çocuklardır. Oturma odasında oynayan Dora ve Frank çok akıllı çocuklardır.

tümleç durumunda tanımlamayan ilgi cümlecikleri

Yukarıdaki üç örnekte **who** ilgi zamiri özne durumunda kullanılmıştır. Tümleç olarak, yani -i halinde kullanılacak şekil **whom**'dur. Bunun vereceği anlamı "ki onu, ki ona" olacaktır.

Hilda, whom we met at the concert, visited us.	Hilda, ki ona konserde rastladık, bizi ziyaret etti. Konserde rastladı-dığımız Hilda bizi ziyaret etti.
Our history teacher, whom everybody likes, is in hospital now.	Tarih öğretmenimiz, ki onu herkes sever, şimdi hastanededir. Herkesin sevdiği tarih öğretmenimiz şimdi hastanededir.
The secretary, whom you saw in my office, has left England.	Sekreter, ki onu büromda gördün, İngiltere'den ayrıldı. Büromda gör-düğün sekreter İngiltere'den ayrıldı.

edatlarla tanımlamayan ilgi cümlecikleri

Edatla birlikte kullanılacak zamir **whom**'dur. Çeşitli edatlarla bir araya gelebilir.

with whom	ki onunla
about whom	ki onun hakkında
from whom	ki ondan

Gerald, with whom I went to Paris last summer, wants to see you.	Gerald, ki onunla geçen yaz Paris'e gittim, seni görmek istiyor. Geçen yaz birlikte Paris'e gittiğim Gerald seni görmek istiyor.
The man, from whom you bought a car, is sitting at that table.	Adam, ki ondan bir otomobil aldın, şu masada oturuyor. Bir otomobil aldığın adam şu masada oturuyor.
The girl, about whom they told us bad things, is a very good nurse.	Kız, ki onun hakkında bize kötü şeyler söylediler, çok iyi bir hemşi-redir. Bize hakkında kötü şeyler söyledikleri kız çok iyi bir hemşi-redir.

iyelik halinde tanımlamayan ilgi cümlecikleri

Kullanılacak zamir **whose**'dur. Verdiği anlam: "ki onun" dur.

My sister, whose husband is a lawyer, is coming to dinner.	Kız kardeşim, ki onun kocası bir avukattır, akşam yemeğine geliyor. Kocası bir avukat olan kız kardeşim akşam yemeğine geliyor.

The postman, whose son is in our school, is going past our door.	Postacı, ki onun oğlu bizim okuldadır, kapımızdan geçip gidiyor. Oğlu okulumuzda olan postacı kapımızdan geçip gidiyor.
The inspector, whose car is in front of the house, is waiting for you.	Müfettiş, ki onun otomobili evin önündedir, seni bekliyor. Otomobili evin önünde olan müfettiş seni bekliyor.

nesneler için tanımlamayan ilgi zamirleri

Şahıslar için tanımlamayan ilgi zamirlerini gördükten sonra şimdi aynı şeyin insanlar dışında nesneler için nasıl yapıldığını görelim.

özne durumunda tanımlamayan ilgi cümlecikleri

Kullanılacak sözcük **which**'tir. Verdiği anlam: "ki o, ki onlar" dır.

The train, which should arrive at six, is late.	Tren, ki o altıda gelecekti, rötarlıdır. Altıda gelecek olan tren rötarlıdır.
Our school, which is very famous, has a basketball team.	Okulumuz, ki o çok ünlüdür, bir basketbol takımına sahiptir. Çok ünlü olan okulumuzun bir basketbol takımı var.
Walking, which is a good sport for old people, will make you healthy.	Yürüyüş, ki o yaşlılar için iyi bir spordur, seni sağlıklı yapacak. Yaşlılar için iyi bir spor olan yürüyüş seni sağlıklı yapacak.
His villa, which is in the forest, was sold yesterday.	Onun villası, ki o ormandadır, dün satıldı. Onun ormandaki villası dün satıldı.

tümleç durumunda tanımlamayan ilgi cümlecikleri

Bu amaçla kullanılan sözcük yine **which**'tir. Fakat verdiği anlam "ki onu, ki ona, ki onları, ki onlara"dır.

The book, which you read yesterday, belongs to my sister.	Kitap, ki onu dün okudun, kız kardeşime aittir. Dün okuduğun kitap kız kardeşime aittir.

The fruit, which they buy from Allan's, is expensive.	Meyva, ki onu Allan'dan alırlar, pahalıdır. Allan'dan aldıkları meyve pahalıdır.
The river, which you saw yesterday, flows through many forests.	Nehir, ki onu dün gördün, birçok ormanların arasından akar. Dün gördüğün nehir birçok ormanların arasından akar.
The film, which my friends recommended, was about the Second World War.	Film, ki onu arkadaşlarım tavsiye ettiler, İkinci Dünya Savaşı hakkındaydı. Arkadaşlarımın tavsiye ettikleri film İkinci Dünya Savaşı hakkındaydı.

edatlarla tanımlamayan ilgi cümlecikleri

Which ile çeşitli edatların birlikte kullanılmasıyla yapılır. Edat **which** zamirinin önünde olabileceği gibi cümle sonuna da konulabilir.

about which	ki onun hakkında
with which	ki onunla
from which	ki ondan
for which	ki onun için

The key, with which they open the cellar, is kept in a golden box.	Anahtar, ki onunla kileri açarlar, altın bir kutuda saklanır. Kileri açtıkları anahtar altın bir kutuda saklanır.
The war, about which many books were written, lasted twenty years.	Savaş, ki onun hakkında birçok kitaplar yazıldı, yirmi yıl sürdü. Hakkında birçok kitaplar yazılan savaş yirmi yıl sürdü.
The suitcase, for which I paid eighty dollars, isn't big enough.	Bavul, ki onun için seksen dolar ödedim, yeterli büyüklükte değil.Seksen dolar ödediğim bavul yeterli büyüklükte değil.
The suitcase, which I paid eighty dollars for, isn't big enough.	Seksen dolar ödediğim bavul yeterli büyüklükte değil.

iyelik halinde tanımlamayan ilgi cümlecikleri

Nesneler için kullanılan **of which** ve özellikle hayvanlar için kullanılan **whose** ilgi zamirleri "ki onun" anlamındadır.

The famous book, of which the last pages are torn, is kept in the museum.	Ünlü kitap, ki onun son sayfaları yırtıktır, müzede saklanıyor, Son sayfaları yırtık olan ünlü kitap müzede saklanıyor.
My dog, whose ears are very big, likes sleeping on my lap.	Köpeğim, ki onun kulakları çok yüktür, kucağımda uyumayı sever. Kulakları çok büyük olan köpeğim kucağımda uyumayı sever.
John's car, of which two tyres are stolen, is behind the house.	John'un otomobili, ki onun iki lastiği çalınmıştır, evin arkasındadır. John'un iki lastiği çalınmış otomobili evin arkasındadır.

Yukarıda örneklerini gördüğümüz nesneler ve hayvanlar için iyelik halinde ilgi cümleciklerine yazılı İngilizcede rastlanırsa da konuşma dilinde hiç tercih edilmezler. Aynı anlamı vermek için başka cümleler, örneğin iki basit cümle kullanılarak bu durumdan kaçınılır.

Bu konuda şunu da ilave edelim: tanımlamayan ilgi cümlecikleri özne halinde, -i halinde, edatlarla ve iyelik halinde kullanılışları da dahil olmak üzere, özellikle konuşma dilinde tercih edilmezler.

bağlayıcı ilgi zamirleri

Who ve **which** zamirleri ayrı iki cümleyi **and** sözcüğünün anlamına benzer bir şekilde bağlayabilirler. Tabii yine bu durumda da **who** şahıslar, **which** nesneler için kullanılır.

They gave me a book and I liked it very much.	Bana bir kitap verdiler ve ben onu çok sevdim.
They gave me a present, which I liked very much.	Bana bir hediye verdiler, ki onu çok sevdim. (Bana bir hediye verdiler; onu çok sevdim.)
She has two children and they go to primary school.	Onun iki çocuğu var ve onlar ilkokula giderler.

She has two children, who go to primary school.	Onun iki çocuğu var, ki onlar ilkokula giderler. Onun iki çocuğu var; onlar ilkokula giderler.
We bought a new house. It had four rooms. We bought a new house, which had four rooms.	Yeni bir ev aldık. Onun dört odası vardı. Yeni bir ev aldık, ki onun dört odası vardı. Yeni bir ev aldık; dört odası vardı.
They helped the poor man. He thanked them several times. They helped the poor man, who thanked them several times.	Yoksul adama yardım ettiler. O onlara birkaç kez teşekkür etti. Yoksul adama yardım ettiler ki o onlara birkaç kez teşekkür etti. Yoksul adama yardım ettiler; o onlara birkaç kez teşekkür etti.
He slept in a tent. It was very comfortable. He slept in a tent, which was very comfortable.	Bir çadırda uyudu. O çok rahattı. Bir çadırda uyudu, ki o çok rahattı. Bir çadırda uyudu; o çok rahattı.

VERBS - FİİLLER

Fiilin tanımı

Fiiller bir şahıs veya şeyin ne yaptığını, ne durumda olduğunu veya kendisine ne yapılldığını bildiren sözcüklerdir. Başka bir deyişle, fiiller, bir hareket, oluş ve durum bildirirler.

Fiiller eylem veya durumları gösterirken onların zamanını, süresini, tamamlanma hallerini de belirtirler.

to go	gitmek
Go!	Git!
He is going.	O gidiyor.
They sleep here.	Onlar burada uyurlar.
We drank water.	Su içtik.
She will sing.	Şarkı söyleyecek.
We have eaten the cakes.	Pastaları yedik.
He must come.	O gelmeli.
Mary can carry it.	Mary onu taşıyabilir.
She may sell the ring.	Yüzüğü satabilir.
We ought to repair his car.	Otomobilini tamir etmeliyiz.
They used to visit us.	Bizi ziyaret ederlerdi.
The man is tired.	Adam yorgundur.

Örneklerde görülen fiiller, yukarıda tanımladığımız anlamlarda kullanılmış birer sözcüktür.

Fiillerin türleri

İngilizcede iki tür fiil vardır: 1. **auxiliary verbs** - yardımcı fiiller 2. **ordinary verbs** - olağan fiiller. Bunları ele alarak inceleyelim:

1. AUXILIARY VERBS-YARDIMCI FİİLLER

Sayıca on iki adet olan bu fiiller şunlardır :

to be	may
to have	must
to do	will
to dare	shall
to need	ought
can	used

Yardımcı fiillerin çeşitli görevleri vardır. Bunların başlıcaları, diğer fiillerle birlikte (**tenses** - zamanlar)ın meydana getirilmesi, fiillerin (**negative** olumsuz) ve (**interrogative** - soru) hallerinin yapılmasıdır.

İlerideki sayfalarda her bir yardımcı fiili ayrı ayrı ve ayrıntılı olarak incelemeden önce yardımcı fiillerin genel olarak durumlarını ve uydukları kuralları kısaca sıralayalım :

a. Yardımcı fiillerden **to be, to have, to do, to dare, to need** dışındakiler mastar eki (**to**) almazlar. Türkçedeki (-mek, -mak) mastar ekinin İngilizcede karşılığı olan ve fiil önüne getirilen **to**, yardımcı fiillerden sadece yukarıda gördüğümüz beş tanesinin önüne getirilebilir. (Daha ileride göreceğimiz olağan fiillerin hepsinin önüne "**to** - mek, mak" mastar ekinin gelebildiğini burada hatırlatalım.)

b. Sadece **to be, to have, to do** fiilleri çeşitli ekler alabilir, çekimlenir, özneye göre değişik şekle girer. Bunlar dışındaki yardımcı fiillerin tek şekilleri vardır.

I am	I have	I do
you are	you have	you do
he is	he has	he does
she is	she has	she does
they are	they have	they do

To be, to have, to do yardımcı fiillerinin öznelere göre değiştiğini görüyoruz. Aşağıdaki örneklerde şekil değiştirmeyen yardımcı fiillerden birkaç tanesi görülüyor.

I can	I must	I may
you can	you must	you may
he can	he must	he may
she can	she must	she may
they can	they must	they may

c. İçinde yardımcı fiil bulunan bir cümle soru haline sokulmak istenirse yardımcı fiil öznenin önüne getirilir.

olumlu	soru
I am	am I?
she is	is she?
they are	are they?
we can	can we?
he can	can he?
you can	can you?
he has	has he?
you have	have you?
it has	has it?

d. Olumsuz yapmak için yardımcı fiile **not** sözcüğü eklenir.

olumlu	olumsuz
I am	I am not
he is	he is not

you are	you are not
we must	we must not
he must	he must not
they must	they must not
he will	he will not
you will	you will not
they will	they will not
I can	I cannot
he can	he cannot
we can	we cannot

Can yardımcı fiilini olumsuz yaparken kullanılan not sözcüğünün bu fiile bitişik yazıldığına dikkat ediniz. Bu durum sadece can fiiline özgüdür. Olumsuz yapmak için kullanılan not sözcüğü yardımcı fiille birleştirilebilir. Özellikle konuşma dilinde bu şekil tercih edilir. Bu birleşme fiile n't eklenerek oluşturulur.

is not	isn't
are not	aren't
have not	haven't
has not	hasn't
do not	don't
does not	doesn't
must not	mustn't
will not	won't
cannot	can't
may not	mayn't
need not	needn't
shall not	shan't

ought not	**oughtn't**
dare not	**daren't**
used not	**usedn't**

Not sözcüğü ile birleştirilerek bir kısaltma yapılan yardımcı fiillerden **will** ve **shall** fiilleri **not** ile birleşirken küçük bir değişime uğramaktadırlar. Bunu yukarıda görüyoruz.

e. Özellikle konuşma dilinde, yardımcı fiillerden **be, have, will, shall,** (**have**'in geçmiş hali **had, will**'in geçmiş hali **would**) cümlenin öznesi ile birleştirilebilirler.

I am	**I'm**
you are	**you're**
it is	**it's**
they have	**they've**
she has	**she's**
we had	**we'd**
he will	**he'll**
I shall	**I'll**
he would	**he'd**

Birleştirmelerde **has** ile **is**'in aynı şekilde (**'s**) olarak yapıldığı, **had** ile **would**'un da yine tek şekilde (**'d**) olarak birleştirildiği görülmektedir. Bir cümlede böyle bir birleştirmenin hangi yardımcı fiille yapıldığı şekilden anlaşılamıyacağı için ancak sözün gelişinden anlaşılır.

Will ve **shall** yardımcı fiillerinin birleştirilmiş halleri de aynıdır: **'ll**.

f. Yardımcı fiillerden bir kısmını sadece başında **to** mastar eki olan mastar halinde bir fiil, bir kısmını da yalın halde, yani önünde **to** bulunmayan bir fiil izler.

Will,shall, must, may, can, do yardımcı fiillerinden sonra fiil kök halinde, bulunur.

I can read.	Okuyabilirim.
We shall answer.	Cevap vereceğiz.
He must telephone.	O telefon etmeli.
They will not come.	Gelmeyecekler.
I do not drink.	İçmem.
You may come.	Gelebilirsiniz.

Be, have, used, ought yardımcı fiillerinden sonra **to** mastar ekli fiil gelir.

We are to leave early.	Erken gitmemiz gerekiyor.
He has to help his father.	Babasına yardım etmek zorundadır.
They used to play here.	Burada oynarlardı.
She ought to visit her mother.	Annesini ziyaret etmesi gerekir.

Bu tip yardımcı fiiller arasında saydığımız **be** ve **have** yardımcı fiillerini fiillerin çeşitli halleri de izleyebilir. Bu iki fiil kullanılış alanı çok geniş olan ve birçok zaman ve yapıların meydana getirilmesinde kullanılan yardımcı fiillerdir. **Have** ve **be** fiillerini, yardımcı fiilleri teker teker ele alacağımız bölümde ayrıntılı olarak işleyeceğiz.

Need ve **dare** yardımcı fiilleri diğerlerinden biraz farklıdır. Bunların olumsuz ve soru halleri hem diğer yardımcı fiiller gibi hem **do** kullanılarak yapılabilir. İlk durumda **to**'suz fiillerle, ikinci halde, yani **do** kullanıldığı zaman **to** mastar eki almış fiillerle kullanılırlar.

You need not go.	Gitmen gerekli değil.
You don't need to go.	Gitmen gerekli değil.

We dare not open it.	Onu açmaya cesaret edemeyiz.
We don't dare to open it.	Onu açmaya cesaret edemeyiz.

Need ve **dare** yardımcı fiilleri de kendilerine ait bölümlerde geniş olarak ele alınmaktadır.

2. ORDINARY VERBS-OLAĞAN FİİLLER

On iki adet olduğunu gördüğümüz yardımcı fiiller dışında kalan bütün fiiller olağan fiiller olarak isimlendirilir.

to read	okumak
to walk	yürümek
to sleep	uyumak
to drink	içmek

İngilizce fiillerin mastar eki olan ve Türkçe fiildeki "-mek, -mak"ın anlamını veren **to**, fiil gövdesinin önünde yer alır. İngilizcede fiilin bu şekline (**infinitive** - mastar) denir.

Fiillerin çeşitli zamanların yapılmasında kullanılan şekilleri, aldığı ekleri, düzenli, düzensiz diye ikiye ayrılışını ve belirttikleri eylemlerin özne ile nesne arasındaki geçişlilik durumlarını ele alarak inceleyelim:

Fiiller verdikleri anlam ve kullanılış yerleri uyarınca şu şekillerde bulunurlar :

1. Mastar halinde, yani çekimsiz biçimde (**infinitive**)

to drink	içmek
to work	çalışmak
to give	vermek
to talk	konuşmak

2. Geniş zaman halinde bir cümlede bulundukları zaman önlerindeki **to** mastar eki kalkmış olarak (**simple present tense**)

they drink	içerler
you work	çalışırsın
we give	veririz
I talk	konuşurum

Bu zaman halindeki cümlelerin öznesi tekilse, yani bir tek şahıs veya şeyi gösteriyorsa fiil **-s** ekini alır.

he drinks	o içer
Dora works	Dora çalışır
Andrew gives	Andrew verir
she talks	o konuşur

3. Şimdiki zaman halindeki **(present continuous tense)** bir cümlede veya **(gerund** - isim fiil) olarak kullanıldığında sonuna **ing** eki almış olarak

drinking	içme, içen
working	çalışma, çalışan
giving	verme, veren
talking	konuşma, konuşan
We are drinking.	Biz içiyoruz.
She is working.	O çalışıyor.
They are giving.	Onlar veriyorlar.
Mary is talking.	Mary konuşuyor.

4. Geçmiş zaman halinde bir cümle yapısı içinde bulundukları zaman **(simple past tense)**. Geçmiş zaman ifadesi (ve 5. maddede göreceğimiz zaman) için kullanılacak biçimleri bakımından İngilizcede olağan fiiller iki gruba ayrılırlar.

A. düzenli fiiller

B. düzensiz fiiller

Düzenli fiiller grubundan bir fiil geçmiş zaman haline girerken sonuna "**-ed**" eklenir.

she worked	çalıştı
Mary talked	Mary konuştu

Düzensiz fiiller grubundan bir fiil geçmiş zaman haline girerken bu fiilin geçmiş zaman için mevcut olan şekli alınır. Bu gruptaki her fiilin geçmiş zaman için kullanılmak üzere ayrı bir şekli vardır. Bu fiilleri, geçmiş zaman için kullanılan şekilleriyle birlikte ileride bir liste halinde göreceğiz.

we drank	içtik
they gave	verdiler

5. Şimdiki bitmiş zaman halinde bir cümlede bulundukları zaman (**present perfect tense**). Böyle bir zamanda bulunan cümlede fiilin bu amaçla kullanılacak şekli yer alır. Fiil düzenli fiiller grubundansa "**-ed**" ilave edilmiş şekli, düzensiz fiiller grubundansa fiilin bu amaçla kullanılan üçüncü şekli kullanılır. Bu açıklamaya göre, düzenli fiillerin geçmiş zamanda kullanılan şekilleriyle, yakın geçmiş zamanda kullanılan şekilleri aynıdır. Her ikisi de "**-ed**" eki almış durumdadır.

she has worked	çalıştı
Mary has talked	Mary konuştu

Düzensiz fiillerin geçmiş zaman için kullanılan şekillerinden başka şimdiki bitmiş zaman (**present perfect tense**) için kullanılacak ayrı bir üçüncü şekilleri vardır. **Past participle** (geçmiş zaman ortacı) adı verilen bu üçüncü şekilleri de düzensiz fiiller listesinde görülmektedir.

we have drunk	içtik
they have given	verdiler

Yukarıda açıkladığımız fiil biçimlerini bir tablo halinde aşağıda bir daha görelim :

olağan fiillerin biçimi

1. mastar halinde	**to drink - to talk**
2. geniş zaman	**drink, drinks - talk, talks**
3. şimdiki zaman	**drinking - talking**
4. geçmiş zaman	**drank - talked**
5. şimdiki bitmiş zaman	**drunk - talked**

regular and irregular verbs - düzenli ve düzensiz fiiler

İngilizcede olağan fiiller iki grupta toplanırlar. Bir fiil ya **"regular** -düzenli"** ya da **"irregular** -düzensiz"**dir. Düzenli fiillerin özelliği, geçmiş zaman biçimlerinin fiil köküne **"-ed"** ilavesiyle yapılmasıdır.

I walk	yürürüm
I walked	yürüdüm
she helps	yardım eder
she helped	yardım etti
they want	isterler
they wanted	istediler

Bu tip fiiller şimdiki bitmiş zaman kipinde kullanılırken yine aynı biçimlerini, yani **"-ed"** eki almış biçimlerini korurlar.

I walk	yürürüm
I walked	yürüdüm
I have walked	yürüdüm
she helps	yardım eder
she helped	yardım etti
she has helped	yardım etti
they want	isterler
they wanted	istediler
they have wanted	istediler

Görüldüğü gibi düzenli fiiller geçmiş zamanda da, şimdiki bitmiş zamanda da **"-ed"** eki almaktadırlar.

irregular verbs - düzensiz fiiler

Düzenli fiillerin ikinci ve üçüncü şekillerinin hep aynı oluşu, yani **"-ed"** ilavesiyle yapılmasına karşın düzensiz fiillerin, geçmiş zaman için kullanılan ikinci ve şimdiki bitmiş zaman için kullanılan üçüncü şekilleri ayrı biçimdedirler.

Aşağıda üç sütun halindeki listenin ilkinde fiilin mastar (infinitive) halini, ikincisinde geçmiş zamanda (past tense) kullanılan şeklini, üçüncüsünde şimdiki bitmiş zamanda (present perfect tense) kullanılan şeklini görmekteyiz. Üçüncü şekil "geçmiş zaman ortacı - sıfat fiil" (past participle) olarak isimlendirilir.

IRREGULAR VERBS-DÜZENSİZ FİİLLER

infinitive mastar	past tense geçmiş zaman	past participle geçmiş zaman ortacı
arise "doğmak, çıkmak"	arose	arisen
awake "uyandırmak"	awoke, awaked	awoken, awaked
be "olmak"	was	been
bear "taşımak; doğurmak"	bore	borne, born
beat "vurmak, dövmek"	beat	beaten
become "olmak"	became	become
begin "başlamak"	began	begun
bend "eğmek, bükmek"	bent	bent
bid "fiyat önermek"	bid	bid
bind "bağlamak"	bound	bound
bite "ısırmak"	bit	bitten
bleed "kanamak"	bled	bled
blow "esmek"	blew	blown
break "kırmak, üflemek"	broke	broken
breed "yetiştirmek, üremek"	bred	bred
bring "getirmek"	brought	brought
broadcast "yayın yapmak"	broadcast	broadcast
build "inşa etmek"	built	built
burn "yanmak, yakmak"	burnt	burnt
burst "patlamak"	burst	burst
buy "satın almak"	bought	bought
cast "atmak, fırlatmak"	cast	cast
catch "yakalamak, yetişmek"	caught	caught
choose "seçmek"	chose	chosen
cling "tutmak, yapışmak"	clung	clung

come "gelmek"	came	come
cost "mal olmak"	cost	cost
creep "sürünmek, sürünerek gitmek"	crept	crept
cut "kesmek"	cut	cut
deal "... işiyle uğraşmak"	dealt	dealt
dig "kazmak"	dug	dug
do "yapmak"	did	done
draw "çekmek, resim vb. çizmek"	drew	drawn
dream "rüya görmek"	dreamt	dreamt
drink "içmek"	drank	drunk
drive "sürmek, kullanmak"	drove	driven
dwell "yaşamak, oturmak"	dwelt	dwelt
eat "yemek"	ate	eaten
fall "düşmek"	fell	fallen
feed "beslemek"	fed	fed
feel "hissetmek, duymak"	felt	felt
fight "dövüşmek, savaşmak"	fought	fought
find "bulmak"	found	found
flee "kaçmak"	fled	fled
fling "fırlatmak"	flung	flung
fly "uçmak"	flew	flown
forbear "kaçınmak, tahammül etmek"	forbore	forborne
forbid "yasaklamak"	forbade	forbidden
forecast "olacağı tahmin etmek"	forecast	forecast
foresee "olacağı sezinlemek"	foresaw	foreseen
forget "unutmak"	forgot	forgotten
forgive "affetmek"	forgave	forgiven
forsake "terk etmek"	forsook	forsaken
freeze "donmak"	froze	frozen
get "elde etmek, almak, olmak, varmak vb."	got	got
give "vermek"	gave	given
go "gitmek"	went	gone
grind "öğütmek"	ground	ground
grow "yetiştirmek, büyümek"	grew	grown
hang "asmak"	hung/hanged	hung/hanged
have "sahip olmak"	had	had
hear "işitmek"	heard	heard
hide "saklamak, saklanmak"	hid	hidden

hit "vurmak"	hit	hit
hold "tutmak"	held	held
hurt "incitmek"	hurt	hurt
keep "muhafaza etmek, tutmak"	kept	kept
kneel "diz çökmek"	knelt	knelt
knit "örmek"	knit/knitted	knit/knitted
know "bilmek"	knew	known
lay "yerleştirmek, koymak"	laid	laid
lead "yol göstermek, götürmek"	led	led
lean "eğilmek, yaslanmak"	leant/leaned	leant/leaned
leap "zıplamak"	leapt/leaped	leapt/leaped
learn "öğrenmek"	learnt/learned	learnt/learned
leave "ayrılmak, terk etmek, bırakmak"	left	left
lend "ödünç vermek"	lent	lent
let "izin vermek"	let	let
lie "uzanmak, yatmak"	lay	lain
light "yakmak"	lit/lighted	lit/lighted
lose "kaybetmek"	lost	lost
make "yapmak"	made	made
mean "demek istemek, anlamında olmak"	meant	meant
meet "karşılamak, buluşmak"	met	met
mistake "yanılmak"	mistook	mistaken
misunderstand "yanlış anlamak"	misunderstood	misunderstood
mow "çim biçmek"	mowed	mowed/mown
overcome "yenmek"	overcame	overcome
overdo "abartmak"	overdid	overdone
overthrow "yenmek, yerinden atmak"	overthrew	overthrown
pay "ödemek, ücretini vermek"	paid	paid
put "koymak"	put	put
read "okumak"	read	read
rid "kurtulmak, kurtarmak"	rid	rid
ride "ata binmek, atla gitmek"	rode	ridden
ring "zil çalmak"	rang	rung
rise "yükselmek, doğmak"	rose	risen
run "koşmak"	ran	run
saw "testereyle kesmek"	sawed	sawn/sawed
say "demek, söylemek"	said	said
see "görmek"	saw	seen
seek "aramak"	sought	sought

sell "satmak"	sold	sold
send "göndermek"	sent	sent
set "yerleştirmek, koymak"	set	set
sew "dikiş dikmek"	sewed	sewed/sewn
shake "sarsmak, sallamak"	shook	shaken
shear "yün vb. kırpmak"	sheared	shorn/sheared
shed "kan akıtmak"	shed	shed
shine "parlamak"	shone	shone
shoot "vurmak, atmak"	shot	shot
show "göstermek"	showed	shown/showed
shrink "büzülmek, çekmek"	shrank	shrunk
shut "kapamak"	shut	shut
sing "şarkı söylemek"	sang	sung
sink "batmak"	sank	sunk
sit "oturmak"	sat	sat
slay "öldürmek"	slew	slain
sleep "uyumak"	slept	slept
slide "kaymak"	slid	slid
sling "atmak, sapan atmak"	slung	slung
slit "yarmak, yırtmak"	slit	slit
smelt "kokmak, koklamak"	smelt/smelled	smelt/smelled
sow "tohum ekmek"	sowed	sown/sowed
speak "konuşmak"	spoke	spoken
speed "hızla gitmek"	sped/speeded	sped/speeded
spell "harflerini söylemek"	spelt/spelled	spelt/spelled
spend "harcamak"	spent	spent
spill "dökmek"	spilt/spilled	spilt/spilled
spin "dönmek"	spun	spun
spit "tükürmek"	spat	spat
split "yarılmak, bölmek"	split	split
spoil "bozmak"	spoilt/spoiled	spoilt/spoiled
spread "yaymak, yayılmak"	spread	spread
spring "sıçramak, fırlamak"	sprang	sprung
stand "ayakta durmak"	stood	stood
steal "çalmak"	stole	stolen
stick "sokmak, yapıştırmak"	stuck	stuck
sting "arı vb. sokmak"	stung	stung
stink "pis kokmak"	stank/stunk	stunk
strew "dağıtmak, yaymak"	strewed	strewed/strewn
stride "uzun adımla yürümek"	strode	stridden
strike "çarpmak"	struck	struck
strive "çabalamak"	strove	striven

swear "yemin etmek"	swore	sworn
sweep "süpürmek"	swept	swept
swell "şişmek"	swelled	swelled/swollen
swim "yüzmek"	swam	swum
swing "sallanmak"	swung	swung
take "almak"	took	taken
teach "öğretmek"	taught	taught
tear "yırtmak"	tore	torn
tell "anlatmak, söylemek"	told	told
think "düşünmek, zannetmek"	thought	thought
thrive "gelişmek"	throve/thrived	thriven/thrived
throw "atmak"	threw	thrown
thrust "dürtmek, sokmak"	thrust	thrust
tread "yol gitmek, yürümek"	trod	trodden
undergo "zorluk, acı vb. çekmek"	underwent	undergone
understand "anlamak"	understood	understood
undertake "üzerine almak"	undertook	undertaken
uphold "desteklemek"	upheld	upheld
upset "altüst etmek, bozmak"	upset	upset
wake "uyanmak, uyandırmak"	woke	waken
wear "giymek"	wore	worn
weave "örmek"	wove	woven
weep "ağlamak"	wept	wept
wet "ıslatmak"	wetted/wet	wetted/wet
win "oyun, kumar vb. kazanmak"	won	won
wind "döndürmek, saat kurmak"	wound	wound
withdraw "çekmek"	withdrew	withdrawn
wring "bükmek"	wrung	wrung
write "yazmak"	wrote	written

Listede görüldüğü gibi bazı fiillerin üç biçimi de değişik, bazılarının ikinci ve üçüncü şekilleri aynı, bazılarının üç biçimi de aynıdır.

Ayrıca, birçokları birbirine benzer şekilde, aynı tip değişikliklerle ikinci ve üçüncü şekillerini almışlardır. Bunları o bakımdan da sınıflandırmak mümkünse de fazla pratik yararı olmayacağı için listeyi olduğu gibi verdik. Ancak, sözünü ettiğimiz gruplaşmaları kısaca göstermiş olmak için bunları birkaç örnekle veriyoruz.

Bazı düzensiz fiillerin üç şekli de aynıdır.

cut	cut	cut
hit	hit	hit
hurt	hurt	hurt
put	put	put
set	set	set

Bazılarının ikinci ve üçüncü şekilleri aynıdır.

build	built	built
spend	spent	spent
bind	bound	bound
find	found	found
feed	fed	fed
meet	met	met
feel	felt	felt
keep	kept	kept
sleep	slept	slept
sweep	swept	swept
leave	left	left
bring	brought	brought
buy	bought	bought
catch	caught	caught
fight	fought	fought
teach	taught	taught
teach	thought	thought
sell	sold	sold
tell	told	told
hear	heard	heard
lose	lost	lost
say	said	said
dig	dug	dug
stick	stuck	stuck
swing	swung	swung
strike	struck	struck
hold	held	held
sit	sat	sat
win	won	won
make	made	made
stand	stood	stood

Bazılarının her üç şekli değişiktir.

begin	began	begun
drink	drank	drunk
ring	rang	rung
swim	swam	swum
blow	blew	blown
draw	drew	drawn
know	knew	known
fly	flew	flown
break	broke	broken
choose	chose	chosen
speak	spoke	spoken
steal	stole	stolen
wear	wore	worn
shake	shook	shaken
take	took	taken
drive	drove	driven
rise	rose	risen
write	wrote	written
hide	hid	hidden
do	did	done
eat	ate	eaten
fall	fell	fallen
forget	forgot	forgotten
give	gave	given
go	went	gone
see	saw	seen
show	showed	shown

Bazılarının birinci ve üçüncü şekilleri aynıdır.

come	came	come
run	ran	run

Üçüncü şekilleri sıfat olarak kullanılan sıfatlardan birkaç tanesi özellik gösterir. Bunlar şu fiillerdir :

bear	bore	borne/born

Bu fiilin iki türlü üçüncü şekli vardır: **borne** ve **born**. Bunlardan **born** bir sıfat olarak kullanılır ve "doğmuş" anlamını verir.

I was born in 1978.   1978'de doğdum.
She was born at six o'clock.   Saat altıda doğdu.

hang	hung	hung
hang	hanged	hanged

İkinci ve üçüncü şekilleri **hung** olan **hang** fiili bir şeyi bir yere "asmak, asarak sallandırmak" anlamındadır. Aynı fiil ikinci ve üçüncü şekilleri **hanged** olarak kullanıldığında bir şahsı "asarak öldürmek" anlamını verir.

Hang the coats on the nails.   Ceketleri çivilere as.
They hung the curtains yes-   Perdeleri dün astılar.
terday.
He wants to hang himself.   Kendini asmak istiyor.
They hanged the murderer.   Caniyi astılar.

learn	learnt/learned	learnt/learned

Learn fiilinin ikinci ve üçüncü şekilleri hem **learnt** hem de **learned** olabilir. Ancak, **learned** ayrıca "okumuş, bilgin" anlamında bir sıfat olarak da kullanılır.

Learned men of the country   Ülkenin bilginleri krala gittiler.
went to the king.
He is a learned man. He must   O bir bilgindir. Cevabı o bilmeli.
know the answer.   (Biliyor olmalı.)

intransitive verbs - transitive verbs
geçişsiz fiiller - geçişli fiiller

Bir fiil cümledeki öznenin yaptığının, cümledeki diğer bir nesne üzerinde etkili olduğunu belirtiyorsa bu fiil geçişli fiildir. Buna göre, böyle bir fiilin bulunduğu cümlede özneden başka bir de nesne olması gerekir.

Christine is reading a book.	Christine bir kitap okuyor.
The boy is climbing the tree.	Çocuk ağaca tırmanıyor.
She brought a tray.	Bir tepsi getirdi.
He'll sell his house.	Evini satacak.
You can drive my car.	Benim otomobilimi kullanabilirsin.
We are carrying the baskets.	Sepetleri taşıyoruz.
The teacher cleans the black-board.	Öğretmen karatahtayı temizler.
Arthur visited his mother.	Arthur annesini ziyaret etti.
The woman changed the towels.	Kadın havluları değiştirdi.

Bu cümlelerdeki fiiller birer geçişli fiildir. Zira yapılan eylemler nesneler üzerinde etki yapıyor, yani bu eylemlerin gösterdiği iş ve hareketler nesneler üzerine geçiyor. Örneğin, **She brought a tray.** cümlesinde öznenin getirme işi "**tray** - tepsi" üzerinde, **The teacher cleans the blackboard.** cümlesinde temizleme işi "**blackboard** - karatahta" üzerinde olmaktadır.

Bir fiilin geçişli olup olmadığını anlamak için "neyi? kimi?" sorusunu sormak uygun bir yöntemdir. Cümlede buna cevap varsa o cümledeki fiil geçişli bir fiildir.

The young man broke the door.   Genç adam kapıyı kırdı.

cümlesinde "neyi?" sorusuna "kapıyı" cevabı alınabileceği için cümlenin fiili geçişli bir fiildir.

He took his son to the cinema.   Oğlunu sinemaya götürdü.

cümlesinde "kimi?" sorusuna "oğlunu" cevabı alınabileceği için fiil geçişli bir fiildir.

Genel anlamda kullanılan nesneler için "neyi?" sorusu yerine "ne?" sorusunu sormak gerekir.

Robert smokes cigars.   Robert puro içer.
Avni reads magazines.   Avni dergi okur.

Yukarıdaki cümlelerden ilkinde "ne?" sorusuna "puro" cevabı, ikincisinde ise "dergi" cevabı alınacağı için bu cümlelerin fiilleri birer geçişli fiildir.

Geçişsiz fiillerde öznenin yaptığı hareket veya iş başka bir nesne üzerinde etki yapmaz. Özne bu hareketten sadece kendi etkilenir, yani yapılan eylem özne üzerinde kalır.

The sun rises.   Güneş doğar.
The baby is sleeping.   Bebek uyuyor.
My glass fell.   Bardağım düştü.
The car stopped.   Otomobil durdu.
The door bell rang.   Kapı zili çaldı.
The children are swimming.   Çocuklar yüzüyorlar.

Bu cümlelerde yapılan eylemler bir nesne üzerinde etki yapmayıp sadece özne üzerinde kalmaktadır. Örneğin, **The children are swimming.** cümlesinde öznenin yüzme eylemi kendi üzerinde kalmakta, fiilin etkisi başka bir nesneye gitmemektedir. Bu tip bir cümledeki fiilin geçişli olma durumunu anlamak için sorulacak "kimi?" "neyi?" sorusuna cevap alınamaz.

Bazı fiiller hem geçişli hem de geçişsiz anlam verebilirler.

The door opened.   Kapı açıldı. (geçişsiz)
I opened the door.   Kapıyı açtım. (geçişli)

The car stopped.   Otomobil durdu. (geçişsiz)
The man stopped the car.   Adam otomobili durdurdu. (geçişli)

141

TENSES – ZAMANLAR

Fiiller bir eylemi belirtirken bunun ne zaman yapıldığını da açıklarlar. Örneğin, "Öğretmen okula gitti." cümlesindeki "gitti" fiili gitmek eylemini anlatırken bu hareketin geçmişte yapıldığını da açıklar.

"Askerler karşıdaki tepeye tırmanacaklar." cümlesindeki "tırmanacaklar" fiili hem tırmanmak eylemini bildirir hem de bu hareketin gelecekte yapılacağını belirtir. Fiiller bunun dışında bir eylemin sürekliliği, tamamlanıp tamamlanmama durumlarını da gösterirler.

Fiiller çeşitli zaman içinde olan eylemleri anlatırken şekil değişikliğine uğrar, bazı takılar alır, başka sözcüklerle birlikte bulunurlar. İşte bu çeşitli durumların oluşumu "tenses - fiil zamanlar"ını meydana getirir.

İngilizce fiillerin zamanları ileride teker teker ele alınarak ayrıntılı bir şekilde incelenmektedir. Burada, genel bir fikir edinmeniz için zamanları topluca göreceğiz.

İngilizcede fiil zamanlarını dört ana grup halinde toplamak mümkündür:

1. **the present tenses**   şimdiki zamanlar
2. **the past tenses**   geçmiş zamanlar
3. **the perfect tenses**   bitmiş zamanlar
4. **the future tenses**   gelecek zamanlar

Şimdi bu grupların içinde bulunan zamanları görelim :

THE PRESENT TENSES – ŞİMDİKİ ZAMANLAR

Bu grubun içinde iki zaman vardır.

a. **the present continous tense** - şimdiki zaman
b. **the simple present tense** - geniş zaman

Her bir zamanı kısaca açıklayarak kullanılma yeri, şekil olarak nasıl meydana getirildiği ve çeşitli hallerini gözden geçirelim.

the present continuous tense - şimdiki zaman

Fiil köküne -ing takısı eklenerek önüne, özneye uygun to be yardımcı fiili getirilirse şimdiki zaman kipi meydana gelir.

to be yardımcı fiilinin şimdiki zamanda kullanılacak üç şekli am, is, are dır. Özne I ise am kullanılır. Özne tekil bir şahıs veya şeyse is, çoğulsa are kullanılır.

I am going to the park.	Ben parka gidiyorum.
He is drinking milk.	O süt içiyor.
They are running.	Koşuyorlar.

Bu zaman halindeki bir cümleyi soru yapmak için cümledeki to be yardımcı fiili (am, is, are) cümle başına getirilir, olumsuz yapmak için to be ile esas fiil arasına not ilave edilir.

Am I going to the park?	Ben parka gidiyor muyum?
Is he drinking milk?	O süt içiyor mu?
Are they running?	Koşuyorlar mı?
I am not going to the park.	Ben parka gitmiyorum.
He is not drinking milk.	O süt içmiyor.
They are not running.	Koşmuyorlar.

the simple present tense - geniş zaman

Özneden sonra fiil yalın halde kullanılırsa geniş zaman kipi meydana gelir. Yalnız, özne tekilse fiile "s" ilave edilir.

I read a letter.	Bir mektup okurum.
He drives the car.	Otomobili kullanır.
They run.	Koşarlar.

Bu cümleleri soru yapmak için cümlenin, başına **do** yardımcı fiili ilave edilir. Olumsuz yapmak için fiilin önüne **do not** getirilir.

Do I read a letter?	Bir mektup okur muyum?
Do they run?	Koşarlar mı?
I do not read a letter.	Bir mektup okumam.
They do not run.	Koşmazlar.

Öznenin tekil olması durumunda fiile eklenen "**s**" soru ve olumsuz yapılma halinde fiilden alınır, cümleye ilave edilen **do** yardımcı fiiline eklenir. **Do** yardımcı fiilinin son harfi "**o**" olması nedeniyle bu ekleme "**does**" şeklinde olur.

He drives the car.	Otomobili kullanır.
Does he drive the car?	Otomobili kullanır mı?
He does not drive the car.	Otomobili kullanmaz.

THE PAST TENSES - GEÇMİŞ ZAMANLAR

Bu grubun içinde iki zaman vardır.

> **a. the simple past tense** - geçmiş zaman (di'li)
> **b. the past continuous tense** - sürekli geçmiş zaman

Bu zamanları da çok kısa bir şekilde ve örnekleriyle görelim :

the simple past tense - geçmiş zaman

Özneden sonra fiil, düzenli fiiller grubundansa, **-ed** eki almış olarak, düzensiz fiiller grubundansa, ikinci şekliyle, yani geçmiş zaman şekli getirilerek geçmiş zaman kipi yapılmış olur.

I walked to the window.	Pencereye yürüdüm.
She drank some wine.	Biraz şarap içti.

We cleaned the table.	Masayı temizledik.
They wrote letters.	Mektuplar yazdılar.

Bu cümleleri soru yapmak için cümle başına (**do** yardımcı fiilinin geçmiş şekli olan) **did** getirilir. Olumsuz yapmak için fiilin önüne **did not** getirilir. Cümleye bu ilaveler yapılırken esas fiil düzenli bir fiilse **ed** ilavesi kalkar, düzensiz bir fiilse geçmiş zaman için kullanılan ikinci şeklinden çıkıp ilk şekli olan yalın hale (**infinitive**) döner.

Did I walk to the window?	Pencereye yürüdüm mü?
Did she drink any water?	Hiç su içti mi?
Did we clean the table?	Masayı temizledik mi?
Did they write letters?	Mektuplar yazdılar mı?

I did not walk to the window.	Pencereye yürümedim.
She did not drink any water.	Hiç su içmedi.
We did not clean the table.	Masayı temizlemedik.
They did not write letters.	Mektuplar yazmadılar.

the past continuous tense - sürekli geçmiş zaman

Ing eki almış esas fiil önüne **to be** yardımcı fiilinin geçmiş zaman halleri getirilirse sürekli geçmiş zaman kipi oluşur. **To be** fiilinin geçmiş zaman şekilleri **was** ve **were**'dir. Özne tekilse **was**, çoğulsa **were** kullanılır.

I was walking.	Yürüyordum.
He was resting.	İstirahat ediyordu.
You were swimming in the pool.	Yüzme havuzunda yüzüyordunuz.
They were building a bridge.	Bir köprü yapıyorlardı.

Bu cümleleri soru yapmak için **to be** yardımcı fiili (**was, were**) cümlenin başına getirilir. Olumsuz yapmak için **to be** ile esas fiil arasına **not** konulur.

Was I walking?	Yürüyor muydum?
Was he resting?	İstirahat ediyor muydu?

Were you swimming in the pool?	Yüzme havuzunda yüzüyor muydunuz?
Were they building a bridge?	Bir köprü yapıyorlar mıydı?
I was not walking.	Yürümüyordum.
He was not resting.	İstirahat etmiyordu.
You were not swimming in the pool.	Yüzme havuzunda yüzmüyordunuz.
They were not building a bridge.	Bir köprü yapmıyorlardı.

THE PERFECT TENSES - BİTMİŞ ZAMANLAR

Bu grubun içinde altı zaman vardır.

a. **the present perfect tense** - şimdiki bitmiş zaman
b. **the past perfect tense** - geçmişte bitmiş zaman
c. **the present perfect continuous tense** - sürekli şimdiki bitmiş zaman
d. **the past perfect continuous tense** - sürekli geçmişte bitmiş zaman
e. **the future perfect tense** - gelecekte bitmiş zaman
f. **the future perfect continuous tense** - sürekli gelecekte bitmiş zaman

Bunları da kısaca örneklerle verelim.

the present perfect tense - şimdiki bitmiş zaman

Bu kipte, fiilin üçüncü şekli yani "**past participle** - geçmiş zaman ortacı" ile onun önünde **have** yardımcı fiili kullanılır. Bilindiği gibi düzenli fiillerin üçüncü şekilleri "**ed**" ekiyle yapılır, düzensizlerin üçüncü şekilleri ise ayrı olarak mevcuttur. Bunlar 133-137 sayfalarda bir liste halinde görülmektedir.

Have yardımcı fiili, cümlenin öznesi tekilse **has** şekline girer.

I have finished my work.	İşimi bitirdim.
She has seen the visitors.	Ziyaretçileri gördü.
You have taken their pens.	Onların kalemlerini aldın.
He has changed his mind.	Fikrini değiştirdi.
They have gone to Paris.	Paris'e gittiler.

Bu cümleleri soru yapmak için **have** yardımcı fiili cümlenin başına getirilir, olumsuz yapmak için esas fiille **have** arasına **not** konulur.

Have I finished my work?	İşimi bitirdim mi?
Has she seen the visitors?	Ziyaretçileri gördü mü?
Have you taken their pens?	Onların kalemlerini aldın mı?
Has he changed his mind?	Fikrini değiştirdi mi?
Have they gone to Paris?	Paris'e gittiler mi?

I have not finished my work.	İşimi bitirmedim.
She has not seen the visitors.	Ziyaretçileri görmedi.
You have not taken their pens.	Onların kalemlerini almadın.
He has not changed his mind.	Fikrini değiştirmedi.
They have not gone to Paris.	Paris'e gitmediler.

the past perfect tense - geçmişte bitmiş zaman

Fiillerin üçüncü şekli "**past participle** - geçmiş zaman ortacı" önünde **have** yardımcı fiilinin geçmiş şekli olan **had** kullanmak suretiyle yapılır. **Had** her türlü özne önünde aynı kalır. Tekil ve çoğul için değişmez.

You had accepted his offer.	Onun teklifini kabul etmiştin.
She had washed the towels.	Havluları yıkamıştı.
We had eaten the sweets.	Tatlıları yemiştik.
He had broken your glass.	Sizin bardağınızı kırmıştı.

Bu cümleleri soru yapmak için **had** yardımcı fiili cümlenin başına getirilir, olumsuz yapmak için esas fiille **had** arasına **not** konulur.

Had you accepted his offer?	Onun teklifini kabul etmiş miydin?
Had she washed the towels?	Havluları yıkamış mıydı?

Had we eaten the sweets?	Tatlıları yemiş miydik?
Had he broken your glass?	Sizin bardağınızı kırmış mıydı?
You had not accepted his offer.	Onun teklifini kabul etmemiştin.
She had not washed the towels.	Havluları yıkamamıştı.
We had not eaten the sweets.	Tatlıları yememiştik.
He had not broken your glass.	Sizin bardağınızı kırmamıştı.

the present perfect continuous tense -
sürekli şimdiki bitmiş zaman

Fiilin **ing** eki almış şekli önünde **have** ve **to be** yardımcı fiillerinin birlikte kullanılmasıyla yapılır.

To be fiilinin bu kipte kullanılan şekli **been**'dir. **Have** fiili tekil öznelerle **has**, çoğul öznelerle **have** şeklinde olur.

You have been waiting for hours.	Saatlerdir bekliyorsun. (beklemektesin.)
She has been cleaning the carpets.	Halıları temizliyor. (temizlemekte.)
They have been working on a project.	Bir proje üzerinde çalışıyorlar.
He has been typing my letters.	Mektuplarımı daktilo ediyor.

Bu cümleleri soru yapmak için **have** yardımcı fiili cümlenin başına alınır, olumsuz yapmak için **not** sözcüğü **have** ile **been** arasına getirilir.

Have you been waiting for hours?	Saatlerdir bekliyor musun?
Has she been cleaning the carpets?	Halıları temizliyor mu?
Have they been working on a project?	Bir proje üzerinde çalışıyorlar mı?
Has he been typing my letters?	Mektuplarımı daktilo ediyor mu?
You have not been waiting for hours.	Saatlerdir beklemiyorsun.
She has not been cleaning the carpets.	Halıları temizlemiyor.

148

They have not been working on a project.	Bir proje üzerinde çalışmıyorlar.
He has not been typing my letters.	Mektuplarımı daktilo etmiyor.

the past perfect continuous tense -
sürekli geçmişte bitmiş zaman

Fiilin **ing** eki almış şekli önünde **have** yardımcı fiilinin **had** şekliyle **to be** yardımcı fiilinin **been** şeklinin birlikte kullanılmasiyle yapılır. **Had** ve **been** her türlü özne için aynı kalırlar.

I had been sleeping.	Uyumaktaydım.
He had been reading.	Okumaktaydı.
We had been trying to repair the machine.	Makineyi tamir etmeye çalışmaktaydık.
They had been drinking.	İçmekteydiler.

Soru haline sokmak için **had** cümle başına alınır, olumsuz yapmak için **had** ile **been** arasına **not** sözcüğü yerleştirilir.

Had you been sleeping?	Uyumakta mıydın?
Had he been reading?	Okumakta mıydı?
Had we been trying ta repair the machine?	Makineyi tamir etmeye çalışmakta mıydık?
Had they been drinking?	İçmekte miydiler?

You had not been sleeping.	Uyumakta değildin.
He had not been reading.	Okumakta değildi.
We had not been trying to repair the machine.	Makineyi tamir etmeye çalışıyor değildik.
They had not been drinking.	İçmekte değildiler.

the future perfect tense - gelecekte bitmiş zaman

Fiillerin üçüncü şekli ile **shall (will)** ve **have** yardımcı fiillerinin birlikte kullanılmasıyla yapılır.

I shall have finished the book.	Kitabı bitirmiş olacağım.
You will have learnt.	Öğrenmiş olacaksın.
He will have eaten the food.	Yiyeceği yemiş olacak.
They will have seen everything.	Her şeyi görmüş olacaklar.

Soru hali **shall (will)** cümle başına alınarak, olumsuzluk **shall (will)** ile **have** arasına **not** konularak yapılır.

Shall I have finished the book?	Kitabı bitirmiş olacak mıymı?
Will you have learnt?	Öğrenmiş olacak mısınız?
Will he have eaten the food?	Yiyeceği yemiş olacak mı?
Will they have seen everything?	Her şeyi görmüş olacaklar mı?

I shall not have finished the book	Kitabı bitirmiş olmayacağım.
You will not have learnt.	Öğrenmiş olmayacaksın.
He will not have eaten the food.	Yiyeceği yemiş olmayacak.
They will not have seen every-thing.	Her şeyi görmüş olmayacaklar.

the future perfect continuous tense -
sürekli gelecekte bitmiş zaman

ing eki almış fiilin önünde **shall (will)**, **have** ve **to be** fiillerinin üçünün birden kullanılmasıyla yapılır. Özneye uygun **shall (will)** yardımcı fiillerinden biri alındıktan sonra **have** getirilir. Bundan sonra da **to be** yardımcı fiilinin **been** şekli konulur.

I shall have been working.	Çalışıyor olacağım.
She will have been singing.	Şarkı söylüyor olacak.
You will have been running.	Koşuyor olacaksınız.
They will have been playing.	Oynuyor olacaklar.

Soru şekli için **shall (will)** cümle başına alınır, olumsuzluk için **shall (will)** ile **have** arasına **not** konulur.

Shall I have been working?	Çalışıyor olacak mıyım?
Will she have been singing?	Şarkı söylüyor olacak mı?
Will you have been running?	Koşuyor olacak mısınız?
Will they have been playing?	Oynuyor olacaklar mı?
I shall not have been working.	Çalışıyor olmayacağım.
She will not have been singing.	Şarkı söylüyor olmayacak.
You will not have been running.	Koşuyor olmayacaksınız.
They will not have been playing.	Oynuyor olmayacaklar.

Bu fiil zamanı İngilizcede pek az kullanılır.

THE FUTURE TENSES - GELECEK ZAMANLAR

Bu grubun içinde iki kip ile bunlara ilaveten **going to** yapısı vardır.

    a. **the future tense** - gelecek zaman
    b. **the future continuous tense** - sürekli gelecek zaman
    c. **going to form** - going to yapısı

Bunları da teker teker ele alarak kısaca bilgi verelim:

the future tense - gelecek zaman

Bu zaman kök halinde "**infinitive** - mastar" fiil önüne **shall (will)** yardımcı fiilini getirmek suretiyle yapılır. Özne **I** ve **we** ise **shall**, bunlar dışında **will** kullanılır. (Fakat **I** ve **we** Ile de çoğu kez **will** kullanıldığı görülür.)

I shall understand it.	Onu anlayacağım.
You will like them.	Onları seveceksin.
He will buy a boat.	Bir kayık alacak.
They will come again.	Tekrar gelecekler.

Soru yapmak için **shall (will)** cümle başına getirilir, olumsuzluk için **shall (will)** ile esas fiil arasına **not** konulur.

Shall I understand it?	Onu anlayacak mıyım?
Will you like them?	Onları sevecek misin?
Will he buy a boat?	Bir kayık alacak mı?
Will they come again?	Tekrar gelecekler mi?

I shall not understand it.	Onu anlamayacağım.
You will not like them.	Onları sevmeyeceksin.
He will not buy a boat.	Bir kayık almayacak.
They will not come again.	Tekrar gelmeyecekler.

the future continuous tense - sürekli gelecek zaman

ing eki almış fiil önüne **to be** yardımcı fiilinin **be** şekli ile **shall (will)** getirmek suretiyle yapılır.

I shall be waiting for you.	Seni bekliyor olacağım.
She will be sweeping the room.	Odayı süpürüyor olacak.
You will be sleeping then.	O zaman uyuyor olacaksın.
It will be eating the food.	Yiyeceği yiyor olacak.

Soru yapmak için **shall (will)** cümle başına alınır, olumsuz yapmak için **shall (will)** ile **be** arasına **not** konulur.

Shall I be waiting for you?	Seni bekliyor mu olacağım?
Will she be sweeping the room?	Odayı süpürüyor mu olacak?
Will you be sleeping then?	O zaman uyuyor mu olacaksın?
Will it be eating the food?	Yiyeceği yiyor mu olacak?

I shall not be waiting for you.	Seni bekliyor olmayacağım.
She will not be sweeping the room.	Odayı süpürüyor olmayacak.
You will not be sleeping then.	O zaman uyuyor olmayacaksın.
It will not be eating the food.	Yiyeceği yiyor olmayacak.

going to form - going to yapısı

Yalın halde bir fiilin önüne **going to** getirilirse gelecek zaman ifadesi veren bir yapı kurulmuş olur. Bu yapıda **going to**'dan önce cümlenin öznesine uygun **to be** fiili kullanılır: I için **am**, tekil özne için **is**, çoğul özne için **are**.

Türkçe'ye **future tense** - gelecek zaman gibi çevrilen **going to** yapısı anlam bakımından ondan biraz farklıdır.

I am going to sell my carpet.	Halımı satacağım.
He is going to make a toy.	Bir oyuncak yapacak.
We are going to pay the bill.	Hesabı ödeyeceğiz.
They are going to clean the house.	Evi temizleyecekler.

Soru haline sokmak için cümledeki **to be** fiili başa getirilir, olumsuzluk için **not** sözcüğü **to be** ile **going** arasına yerleştirilir.

Am I going to sell my carpet?	Halımı satacak mıyım?
Is he going to make a toy?	Bir oyuncak yapacak mı?
Are we going to pay the bill?	Hesabı ödeyecek miyiz?
Are they going to clean the house?	Evi temizleyecekler mi?

I am not going to sell my carpet.	Halımı satmayacağım.
He is not going to make a toy.	Bir oyuncak yapmayacak.
We are not going to pay the bill.	Hesabı ödemeyeceğiz.
They are not going to clean the house.	Evi temizlemeyecekler.

THE AUXILIARIES-YARDIMCI FİİLLER

Yardımcı fiiller hakkında daha önce genel bir fikir verdik. Burada her bir yardımcı fiili tekrar ele alarak daha ayrıntılı bilgi vereceğiz.

Yardımcı fiillerden **be, have** ve **do** temel yardımcı fiiller **(primary auxiliaries)** diye adlandırılırlar. Bunların kullanılış alanı çoktur. Birçok zamanların yapılmasında kullanılırlar.

Bunlar dışındaki yardımcı fiillere kip belirteçleri **(modals)** denir. Birlikte kullanıldıkları fiilin anlamı üzerinde değişiklik yaparlar.

Bu konuda şunu da ilave edelim : Yardımcı fiiller bölümünde incelediğimiz bu fiillerin bir kısmı ayrıca olağan fiii olarak da kullanılırlar. Her bir fiili incelerken bunları da belirteceğiz.

TO BE

To be yardımcı fiilinin, 1. **infinitive**-mastar, 2. **past tense**-geçmiş zaman, 3. **past participle**-geçmiş zaman ortacı şekilleri şunlardır:

1.	2.	3.
be	was	been

Bunun dışında çeşitli zamanların yapılmasında bir yardımcı fiil olarak kullanılırken ve bazı durumlarda olağan bir fiil olarak görev yaparken aldığı şekillerin tümü şunlardır :

be	was	been
am	were	
is		
are		

Aşağıdaki tablolarda **to be fiilinin** şimdiki zaman ve geçmiş zaman halinde çekimlerini görüyoruz. İlk tablodaki olumlu yapıda Türkçe karşılıklarda "...... im, ...sin" gibi sözcüklerin ayrı ve önlerinde noktalarla yazılma nedeni bu yere bir sözcük gelmesi gerektiğini göstermek içindir. Özellikle **I am** karşılığına dikkat etmelidir. Zira "ben ......im" yapısını İngilizceyi yeni öğrenenler "benim kalemim, benim evim" gibi cümlelerdeki "benim" iyelik sıfatı ile karıştırabilmektedirler. "ben ......im" yapısı "Ben bir öğretmenim." gibi bir cümledeki "ben" ve ".. ...im" sözcükleri anlamındadır. Türkçedeki ses uyumuna göre "......im, ...um" gibi sözcükler önünde bulundukları sözcüğe göre küçük değişikliklere uğrarlar. (......im, ...um, ...ım, ...üm) gibi.

şimdiki zaman

olumlu

normal şekil	kısaltılmış şekil	anlamı
I am	I'm	ben ....im
you are	you're	sen ....sin
he is	he's	o ....dur
she is	she's	o ....dur
it is	it's	o ....dur
we are	we're	biz ....iz
you are	you're	siz ....siniz
they are	they're	onlar ....dır

Bu tabloda **to be** fiilinin olumlu olarak bütün şahıs zamirleriyle kullanılışını görmekteyiz. Ayrıca orta bölümde **to be** fiilinin şahıs zamirleriyle birleşerek kısalma durumu da görülmektedir. İzleyen sayfada **to be** fiilinin soru, olumsuz ve olumsuz soru halleri tablolar halinde verilmektedir.

soru şekli	anlamı
am I?	ben . ....miyim?
are you?	sen ......misin?
is he?	o ......mudur?
is she?	o ......mudur?
is it?	o ......mudur?
are we?	biz ......miyiz?
are you?	siz ......misiniz?
are they?	onlar ...... mıdırlar?

olumsuz

normal şekil şekli	birinci kısaltma şekli	ikinci kısaltma	anlamı
I am not	**I'm not**	------	ben ...değilim
you are not	**you're not**	**you aren't**	sen ...değilsin
he is not	**he's not**	**he isn't**	o ...değildir
she is not	**she's not**	**she isn't**	o ...değildir
it is not	**it's not**	**it isn't**	o ...değildir
we are not	**we're not**	**we aren't**	biz ...değiliz
you are not	**you're not**	**you aren't**	siz ...değilsiniz
they are not	**they're not**	**they aren't**	onlar ...değildir

olumsuz soru

normal şekil	kısaltılmış şekil	anlamı
am I not?	aren't I?	ben ...değil miyim?
are you not?	aren't you?	sen ...değil misin?
is he not?	isn't he?	o ...değil mi?
is she not?	isn't she?	o ...değil mi?
is it not?	isn't it?	o ...değil mi?
are we not?	aren't we?	biz ...değil miyiz?
are you not?	aren't you?	siz ...değil misiniz?
are they not?	aren't they?	onlar ...değiller mi?

çekim tablolarında görüldüğü gibi olumlu ve olumsuz hallerde **to be** fiili özne ile birleşerek bir kısaltma yapılabilmektedir. Soru halinde böyle bir birleşme mümkün değildir.

geçmiş zaman
olumlu

olumlu şekil	anlamı
I was	ben ......idim
you were	sen ......idin
he was	o ......idi
she was	o ......idi
it was	o ......idi
we were	biz ......idik
you were	siz ......idiniz
they were	onlar ......idiler

soru

soru şekli	anlamı
was I?	ben ……miydin?
were you?	sen …..miydin?
was he?	o ……miydi?
was she?	o ……miydi?
was it?	o ……miydi?
were we?	biz ……miydik?
were you?	siz ……miydiniz?
were they?	onlar ……miydiler?

olumsuz

normal şekil	kısaltılmış şekil	anlamı
I was not	**I wasn't**	ben …değildim
you were not	**you weren't**	sen …değildin
he was not	**he wasn't**	o …değildi
she was not	**she wasn't**	o …değildi
it was not	**it wasn't**	o ……değildi
we were not	**we weren't**	biz …değildik
you were not	**you weren't**	siz …değildiniz
they were not	**they weren't**	onlar …değildiler

olumsuz soru

normal şekil	kısaltılmış şekil	anlamı
was I not?	wasn't I?	ben ...değil miydim?
were you not?	weren't you?	sen ...değil miydin?
was he not?	wasn't he?	o ...değil miydi?
was she not?	wasn't she ?	o ...değil miydi?
was it not?	wasn't it?	o ...değil miydi?
were we not?	weren't we?	biz ...değil miydik?
were you not?	weren't you?	siz ...değil miydiniz?
were they not?	weren't they?	onlar ...değil miydiler?

To be fiili bir olağan fiil olarak diğer zamanlarda da kullanılabilir. Yalnız, ing eki ile yapılan sürekli zamanlarda to be olağan fiil olarak kullanılamaz. Bu zamanların yapılmasında yardımcı fiil olarak kullanılır.

(to be) fiilinin yardımcı fiil olarak kullanılışı

1. To be fiili ing eki almış fiil önünde yardımcı fiil olarak kullanılarak sürekli zamanlar yapılır.

She is learning English.	İngilizce öğreniyor.
He was looking at the pictures.	Resimlere bakıyordu.
We were swimming.	Yüzüyorduk.
They will be waiting far you.	Seni bekliyor olacaklar.
I will be studying my lessons.	Derslerimi çalışıyor olacağım.

2. Passive voice-edilgen çatı" cümlelerinde fiillerin üçüncü şekli "past participle - geçmiş zaman ortacı" önünde yer alır.

159

They take the patients to the hospital.	Hastaları hastaneye götürürler.
The patients are taken to the hospital.	Hastalar hastaneye götürülür.

They broke the window.	Pencereyi kırdılar.
The window was broken.	Pencere kırıldı.

She will cook the food.	Yiyeceği pişirecek.
The food will be cooked.	Yiyecek pişirilecek.

The man is cleaning the walls.	Adam duvarları temizliyor.
The walls are being cleaned.	Duvarlar temizleniyor.

We are selling the furniture.	Mobilyayı satıyoruz.
The furniture is being sold.	Mobilya satılıyor.

They were carrying the chair.	Sandalyeyi taşıyorlardı.
The chair was being carried.	Sandalye taşınıyordu.

Olağan bir fiil olarak sürekli zamanlarda kullanılmayan, yani **ing** almayan **to be** fiilinin sürekli zaman halindeki "**passive voice** - edilgen çatı" cümlelerinde yardımcı bir fiil olarak **ing** aldığını yukarıdaki son üç cümlede görüyoruz.

3. Mastar halinde bir fiil önünde bulunduğu zaman bir emir ve talimat anlamı verir.

You are to take your hat off.	Şapkanı çıkarmalısın.
He is to wait here.	Burada beklemelidir.
She is to obey them.	Onlara itaat etmelidir.
They are not to open his letters.	Onun mektuplarını açmamalılar.
Deborah is to stay here until they finish the investigation.	Onlar soruşturmayı bitirinceye kadar Deborah burada kalmalıdır.

Bu yapı, önceden tespit edilmiş bir planı belirtmek için de kullanılabilir.

They are to meet their friends in Rome.	Arkadaşlariyle Roma'da buluşacaklar.
The festival is to start in July.	Festival temmuzda başlayacak.

She is to have lunch with Norman today.	Bugün Norman'la öğle yemeği yiyecek.
She was to have lunch with Norman.	Norman'la öğle yemeği yiyecekti.
They were to wait for their friends.	Arkadaşlarını bekleyeceklerdi.

4. to be about yapısı mastar halinde bir fiil önünde kullanılırsa hemen pek yakında yapılmak üzere olan bir hareketi gösterir.

She is about to cry.	Ağlamak üzeredir.
They are about to start the race.	Yarışı başlatmak üzeredirler.
We are about to leave the house	Evi terk etmek üzereyiz.
He was just about to close the door.	Kapıyı tam kapatmak üzeydi.
They are just about to sign the contract.	Anlaşmayı tam imzalamak üzereler.

(to be) fiilinin olağan fiil olarak kullanılışı

1. Bir şahıs veya şeyin oluş veya durumu hakkında bilgi vermek için kullanılır.

Mary is a teacher.	Mary bir öğretmendir.
The chairs are in the room.	Sandalyeler odadadır.
He is a pilot.	O bir pilottur.
They were long.	Onlar uzundu.
The cow was under the bridge	İnek köprünün altındaydı.
I am your new teacher.	Ben sizin yeni öğretmeninizim.
He is four years old.	O dört yaşındadır.
Helen is 5 feet 6 inches tall.	Helen 5 fut 6 inç boyundadır.
It is expensive.	O pahalıdır.
It is sunny.	O (hava) güneşlidir.
It is nine o'clock.	Saat dokuz.

2. there is, there are

Cümledeki öznenin tam belirli olmaması halinde **to be** fiilinden önce **there** sözcüğü kullanılır. Bundan sonra da açık olarak belirli olmayan özne yer alır. Örneğin, **A bird is in the tree.** (Bir kuş ağaçtadır.) cümlesi doğru fakat güzel ve yeterli değildir. Bu, **there** kullanılarak daha uygun bir şekle getirilebilir.

161

There is a bird in the tree.	Ağaçta bir kuş var.
There are some birds in the tree.	Ağaçta birkaç kuş var.
There is a book on my table.	Masamda bir kitap var.
There was a crowd in the street.	Sokakta bir kalabalık vardı.
There were flowers in the vase.	Vazoda çiçekler vardı.
Is there a lamp here?	Burada bir lamba var mı?
Are there boxes on the shelf?	Rafta kutular var mı?
Was there a tree behind the house?	Evin arkasında bir ağaç var mıydı?
There isn't a bucket in the cellar.	Kilerde bir kova yok.
There wasn't any water.	Hiç su yoktu.
There weren't any apples on the tray.	Tepsinin üzerinde elmalar yoktu.

3. It is

Bazı durumlarda açık seçik bir özne olmaz veya öznenin dolambaçlı bir şekilde verilmesi uygun görülmezse bu durumda özne yerine **it** sözcüğü getirilir.

It is difficult to understand them.	Onları anlamak zordur.
It is obvious that Harold is innocent.	Harold'un masum alduğu aşikâr.
It is your duty to please the customers.	Müşterileri memnun etmek senin görevin.
It wasn't easy to understand them.	Onları anlamak kolay değildi.
It was sunny yesterday.	Dün hava güneşliydi.

162

TO HAVE

To **have** yardımcı fiilinin, 1. **infinitive** - mastar, **past tense** - geçmiş za-
man, **past participle** - geçmiş zaman ortacı şekilleri şunlardır:

1	2	3
have	**had**	**had**

Aşağıdaki tablolarda **to have** fiilinin şimdiki zaman ve geçmiş zaman ha-
linde çekimlerini görüyoruz.

şimdiki zaman

olumlu

normal şekil	kısaltılmış şekil	anlamı
I have	i've	benim var
you have	you've	senin var
he has	he's	onun var
she has	she's	onun var
it has	it's	onun var
we have	we've	bizim var
you have	you've	sizin var
they have	they've	onların var

soru

soru şekli	anlamı
have I?	benim var mı?
have you?	senin var mı?
has he?	onun var mı?
has she?	onun var mı?
has it?	onun var mı?
have we?	bizim var mı?
have you?	sizin var mı?
have they?	onların var mı?

olumsuz

normal şekil	birinci kısaltma şekli	ikinci kısaltma şekli	anlamı
I have not	I haven't	I've not	benim yok
you have not	you haven't	you've not	senin yok
he has not	he hasn't	he's not	onun yok
she has not	she hasn't	she's not	onun yok
it has not	it hasn't	it's not	onun yok
we have not	we haven't	we've not	bizim yok
you have not	you haven't	you've not	senin yok
they have not	they haven't	they've not	onların yok

normal şekil	kısaltılmış şekil	anlamı
have I not?	haven't I?	benim yok mu?
have you not?	haven't you?	senin yok mu?
has he not?	hasn't he?	onun yok mu?
has she'not?	hasn't she?	onun yok mu?
has it not?	hasn't it?	onun yok mu?
have we not?	haven't we?	bizim yok mu?
have you not?	haven't you?	sizin yok mu?
have they not?	haven't they?	onların yok mu?

Kısaltmaların sadece olumlu ve olumsuz cümlelerde yapılabildiğini, soru halindeki cümlelerde kısaltma olmadığını görüyoruz.

geçmiş zaman
olumlu

normal şekli	kısaltılmış şekil	anlamı
I had	I'd	benim vardı
you had	you'd	senin vardı
he had	he'd	onun vardı
she had	she'd	onun vardı
it had	it'd	onun vardı
we had	we'd	bizim vardı
you had	you'd	sizin vardı
they had	they'd	onların vardı

soru

soru şekli	anlamı
had I?	benim var mıydı?
had you?	senin var mıydı?
had he?	onun var mıydı?
had she?	onun var mıydı?
had it?	onun var mıydı?
had we?	bizim var mıydı?
had you?	sizin var mıydı?
had they?	onların var mıydı?

olumsuz

normal şekil	1. kısaltma	2. kısaltma	anlamı
I had not	I hadn't	I'd not	benim yoktu
you had not	you hadn't	you'd not	senin yoktu
he had not	he hadn't	he'd not	onun yoktu
she had not	she hadn't	she'd not	onun yoktu
it had not	it hadn't	it'd not	onun yoktu
we had not	we hadn't	we'd not	bizim yoktu
you had not	you hadn't	you'd not	sizin yoktu
they had not	they hadn't	they'd not	onların yoktu

Olumsuzda ikinci kısaltma şeklinde **got** fiili kullanılır. (**I'd not got, he'd not got, we'd not got**)

normal şekil	kısaltılmış şekil	anlamı
had I not?	hadn't I?	benim yok muydu?
had you not?	you hadn't you?	senin yok muydu?
had he not?	hadn't he?	onun yok muydu?
had she not?	hadn't she?	onun yok muydu?
had it not?	hadn't it?	onun yok muydu?
had we rot?	hadn't we?	bizim yok muydu?
had you not?	hadn't you?	sizin yok muydu?
had they not?	hadn't they?	onların yoktu?

To have fiili olağan bir fiil olarak diğer zamanlarda da kullanılır. Aynen onların uyduğu kurallara göre çekimlenir.

(to have) fiilinin yardımcı fiil olarak kullanılışı

1. to have fiili, fiillerin üçüncü şekilleriyle, yani "past participle - geçmiş zaman ortacı" ile birlikte "perfect tenses - bitmiş zamanlar" oluşturur. Bu zamanlar şunlardır:

the present perfect tense   şimdiki bitmiş zaman

the past perfect tense   geçmişte bitmiş zaman

the future perfect tense   gelecekte bitmiş zaman

I have seen your brother.   Erkek kardeşini gördüm.
He has carried all the wood.   Bütün odunu taşıdı.
She had learnt all the words.   Bütün sözcükleri öğrenmişti.
The girl had worked all day   Kız bütün gün boyu çalışmıştı.
long.

167

| We shall have seen the result. | Sonucu görmüş olacağız. |
| They will have finished the book. | Kitabı bitirmiş olacaklar. |

2. to'lu bir mastar önünde zorunluluk ifade eder. O fiilin gösterdiği eylemin yapılmasının zorunlu olduğunu belirtir. Bu anlamı **must** yardımcı fiiline çok yakındır, fakat aynı değildir. **Have to** ile gösterilen zorunluluk sözü söyleyenin isteği değil, kural veya içinde bulunulan durumun yani dış etkenlerin ortaya koyduğu bir zorunluluktur.

| **You must go.** | Gitmelisin. |

sözü bunu söyleyenin ortaya koyduğu bir zorunluluğu göstermektedir. Bir nevi "Ben gitmeni istiyorum." anlamındadır.

| **You have to go.** | Gitmelisin. |

sözünde ise gitme zorunluluğunu dış etkenler ortaya çıkarmaktadır. Bu sözde "gitmen kurallar veya program gereğidir." gibi bir zorunluluk anlamı vardır.

She has to answer all the questions.	Bütün sorulara cevap vermek zorundadır.
They have to shut the doors at six o-clock.	Kapıları saat altıda kapamak zorundadırlar.
We have to clean the kitchen every morning.	Mutfağı her sabah temizlemek zorundayız.
The students have to stand up when the teacher comes.	Öğretmen geldiği zaman öğrenciler ayağa kalkmak zorundadırlar.
I have to buy a new hat.	Yeni bir şapka almak zorundayım.

Özne tekil olduğu zaman **have**'in **has** şeklinin kullanıldığına dikkat ediniz.

Have to'nun geçmiş zaman şekli **had to**'dur.

| I have to write my name. | Adımı yazmalıyım. (Yazmak zorundayım.) |
| I had to write my name. | Adımı yazmak zorunda kaldım. |

She had to change her dress.	Elbisesini değiştirmek zorunda kaldı.
Philip had to pay ten pounds.	Philip on paund ödemek zorunda kaldı.
We had to give it back.	Onu geri vermek zorunda kaldık.

have got to, had got to

Have to ve had to yapısının içine anlama hiç zarar vermeden got sözcüğü girebilir. Bu şekil kullanışa çok rastlanır.

We have to show our passports.	Pasaportlarımızı göstermek zorundayız.
We have got to show our passports.	Pasaportlarımızı göstermek zorundayız.
She has got to answer in English.	İngilizce olarak cevap vermek zorundadır.
They had got to pay for the damage.	Hasarı ödemek zorunda kaldılar.
I had got to be at school at eight o'clock.	Saat sekizde okulda olmak zorunda kaldım.
He has got to get up early.	Erken kalkmak zorundadır.
He had got to get up early.	Erken kalkmak zorunda kaldı.

Have got to, had got to yapısı kullanıldığı zaman çoğunlukla have (had) özne ile birleştirilerek kısaltılır.

I've got to see them every morning.	Onları her sabah görmek zorundayım.
She'd got to take the children to school.	Çocukları okula götürmek zorunda kaldı.
We've got to take this medicine regularly.	Bu ilacı düzenli olarak almak zorundayız.
They'd got to clean the rifles often.	Silahları sık sık temizlemek zorunda kaldılar.

soru ve olumsuz yapma

Have to ile yapılmış cümleler iki şekilde soru ve olumsuz yapılabilir: 1. yardımcı fiiller kurallarına göre, 2. olağan fiiller kurallarına göre.

Yardımcı fiil kurallarına göre yapıldığı zaman, **have (had)** cümle başına alınarak soru, **have**'den sonra **not** kullanılarak olumsuz olurlar. Bu durum, yapı içinde **got** olsun olmasın fark etmez. Zira yukarıda belirttiğimiz gibi, cümleye **got** ilave edilmesi anlamda değişme yapmaz.

He has to eat fruit.	Meyve yemek zorundadır.
Has he to eat fruit?	Meyve yemek zorunda mıdır?
Has he got to eat fruit?	Meyve yemek zorunda mıdır?
He hasn't to eat fruit.	Meyva yemek zorunda değildir.
He hasn't got to eat fruit.	Meyve yemek zorunda değildir.
They had to break the box.	Kutuyu kırmak zorunda kaldılar.
Had they to break the box?	Kutuyu kırmak zorunda mı kaldılar?
Had they got to break the box?	Kutuyu kırmak zorunda mı kaldılar?
They hadn't got to break the box.	Kutuyu kırmak zorunda kalmadılar.

Olağan fiil kurallarına göre soru ve olumsuz yapıldığı zaman **do** yardımcı fiilinden yararlanılır. **Do** cümle başına alınarak soru, **have**'den önce **do not** getirilerek olumsuz yapılır. Cümle geçmiş zaman halindeyse, yani **had** kullanılmışsa soru ve olumsuz yaparken **do**'nun geçmiş hali olan **did** kullanılır ve **had** yerini **have**'e bırakır. Önemli olan bir nokta da şudur: **do (did)** ile soru ve olumsuz yapma durumlarında cümlede **got** kullanılmaz.

You have to sign these papers.	Bu kâğıtları imzalamalısın.
Do you have to sign these papers?	Bu kâğıtları imzalamak zorunda mısın?
You don't have to sign these papers.	Bu kâğıtları imzalamak zorunda değilsin.
She has to feed the dog.	Köpeği beslemelidir.
Does she have to feed the dog?	Köpeği beslemek zorunda mıdır?
She doesn't have to feed the dog.	Köpeği beslemek zorunda değildir.

Öznenin tekil olması nedeniyle kullanılan **has**, cümleye **do** girmesiyle **have** şekline girmekte, **do** fiili bu durumda **does** almaktadır. Bunu son örnekte görüyoruz.

Bu iki şekil soru ve olumsuzluk yapma arasındaki küçük anlam farkı şudur: **Do** ile yapılan soru ve olumsuzluk cümlelerinde daha sürekli bir zorunluluk ifadesi vardır. Diğer şekilde ise daha çok bir kerelik zorunluluk anlatılır.

Do you have to water the flowers?	Çiçekleri sulamak zorunda mısın? (her zaman)
Have you to water the flowers?	Çiçekleri sulamak zorunda mısın? (şimdi)

You don't have to water the flowers.	Çiçekleri sulamak zorunda değilsin. (hiçbir zaman)
You haven't to water the flowers.	Çiçekleri sulamak zorunda değilsin. (şimdi)

Did he have to brush his shoes?	Ayakkabılarını fırçalamak zorunda mıydı? (her zaman)
Had he to brush his shoes?	Ayakkabılarını fırçalamak zorunda mı kaldı? (bir kerelik)

He didn't have to brush his shoes.	Ayakkabılarını fırçalamak zorunda değildi. (hiçbir zaman)
He hadn't to brush his shoes.	Ayakkabılarını fırçalmak zorunda kalmadı. (o sefer için)

3. başkasına yaptırılan işlerin anlatımı için have

Başka kişilere yaptırılan işleri anlatmak için **have** fiilinden sonra tümleç ve ondan sonra da yaptırılan eylemi bildiren fiilin geçmiş zaman ortacı kullanılır.

I have my room swept.	Odamı süpürtürüm.
I had my room swept.	Odamı süpürttüm.
I will have my room swept.	Odamı süpürteceğim.
I am having my room swept.	Odamı süpürtüyorum.

She has her hair dyed once a month.	Saçını ayda bir boyatır.
She had her hair cut yesterday.	Saçını dün kestirdi.
We'll have our clock repaired.	Saatimizi tamir ettireceğiz.

He had it translated into English.	Onu İngilizceye çevirtti.
They had the car washed.	Otomobili yıkattılar.
You have your carpets cleaned often.	Halılarınızı sık sık yıkatırsınız.
I had it brought on a tray.	Onu bir tepside getirttim.
They have the wine sent from France.	Şarabı Fransa'dan göndertirler.

Bu yapıda **have** yerine **get** kullanılabilir.

| She gets the windows cleaned every day. | Pencereleri her gün temizletir. |
| I got the books placed on the shelves. | Kitapları raflara yerleştirtttim. |

Bu cümlelerin soru ve olumsuz halleri **do** yardımcı fiiliyle yapılır.

You have your shoes mended.	Ayakkabılarını tamir ettirirsin.
Do you have your shoes mended?	Ayakkabılarını tamir ettirir misin?
You don't have your shoes mended.	Ayakkabılarını tamir ettirmezsin.

She had the furniture changed.	Mobilyayı değiştirtti.
Did she have the furniture changed?	Mobilyayı değiştirtti mi?
She didn't have the furniture changed.	Mobilyayı değiştirtmedi.

They had the coffee brought to the garden.	Kahveyi bahçeye getirttiler.
Did they have the coffee brought to the garden?	Kahveyi bahçeye getirttiler mi?
They didn't have the coffee brought to the garden.	Kahveyi bahçeye getirtmediler.

We get the children vaccinated.	Çocukları aşılatırız.
Do we get the children vaccinated?	Çocukları aşılatır mıyız?
We don't get the children vaccinated.	Çocukları aşılatmayız.

(to have) fiilinin olağan fiil olarak kullanılması

Bu fiilin temel anlamı "sahip olmak"tır. Türkçeye çevrilirken çoğu zaman "benim var, senin var" şekli uygun olur.

I have green eyes.	Yeşil gözlerim var.
She has a big nose.	Onun büyük bir burnu var.
We have two houses.	İki evimiz var.
He had three sisters.	Üç kız kardeşi vardı.
They had a small car.	Küçük bir arabaları vardı.

have, have got

Have ile got'un bu anlamda birlikte kullanılması özellikle konuşma dilinde çok görülen bir şekildir. Anlamı aynıdır.

She has got a big nose.	Onun büyük bir burnu var.
We have got two houses.	İki evimiz var.
They had got a small car	Küçük bir arabaları vardı.
I have got a lot of books.	Çok kitabım var.
He had got a villa in the forest.	Ormanda bir villası vardı.

soru ve olumsuz yapmada İngiltere ve diğer ülkeler farkı

Have (have got)'un "sahip olmak" anlamında bir olağan fiil olarak kullanıldığı bu cümleler İngilizler tarafından, have cümle başına alınarak soru, have'den sonra not getirilerek olumsuz hale sokulurlar.

She has got blue eyes.	Mavi gözleri var.
Has she blue eyes?	Mavi gözleri mi var?
She hasn't blue eyes.	Mavi gözleri yok.
We have got two cars.	İki arabamız var.
Have we two cars?	İki arabamız mı var?
We haven't two cars.	İki arabamız yok.

They had got a big flat.	Büyük bir daireleri vardı.
Had they got a big flat?	Büyük bir daireleri var mıydı?
They hadn't got a big flat.	Büyük bir daireleri yoktu.

He had got eleven teeth.	On bir dişi vardı.
Had he got eleven teeth?	On bir disi mi vardı?
He hadn't got eleven teeth.	On bir dişi yoktu.

İngiltere'de yukarıda görüldüğü gibi soru ve olumsuzluk hali yapılmasına karşın Amerika ve ana dili İngilizce olan diğer ülkelerde bu durum **do** ile yapılır.

You have a good teacher.	İyi bir öğretmeniniz var.
Do you have a good teacher?	İyi bir öğr etmeniniz var mı?
You don't have a good teacher.	İyi bir öğretmeniniz yok.

He has black glasses.	Siyah gözlükleri var.
Does he have black glasses?	Siyah göziükleri mi var?
He doesn't have black glasses.	Siyah gözlükleri yok.

They had five children.	Beş çocukları vardı.
Did they have five children?	Beş çocukları mı vardı?
They didn't have five children.	Beş çocukları yoktu.

She had long fingers.	Uzun parmakları vardı.
Did she have long fingers?	Uzun parmakları mı vardı?
She didn't have long fingers.	Uzun parmakları yoktu.

We have got many friends here.	Burada birçok arkadaşlarımız var.
Do we have many friends here?	Burada birçok arkadaşlarımız var mı?
We don't have many friends here.	Burada birçok arkadaşlarımız yok.

Soru ve olumsuzun **do** ile yapılması halinde cümlede **got** kullanılamaz. Son örnekte olumlu cümledeki **got**'un soru ve olumsuz halde kullanılmadığını görüyoruz.

to have (a meal, a drink, a bath, a swim, a walk, a difficulty, a good time etc.)

Have fiili "yemek, içmek, almak, yapmak, vermek, geçirmek, bir durumla karşılaşmak" gibi çeşitli anlamlar da verir. Bu durumda **got** kullanılamaz. Soru ve olumsuzluk halleri **do** ile yapılır.

174

to have a meal (lunch, dinner)	yemek yemek (öğle yemeği, akşam yemeği)
We'll have lunch at one o'clock.	Saat birde öğle yemeği yiyeceğiz.
to have a drink	içki almak, bir şeyler içmek
Why don't you have a drink?	Niye bir içki almıyorsun?
to have a bath	banyo yapmak
Did you have a bath this morning?	Bu sabah banyo yaptın mı?
to have a swim	yüzmek
We don't have a swim when it is cold.	Hava soğuk olduğu zaman yüzmeyiz.
to have a walk	yürüyüş yapmak
Let's have a walk along the shore.	Sahil boyunca yürüyüş yapalım.
to have difficulty	zorluk çekmek
We had difficulty in finding our way.	Yolumuzu bulmakta güçlük çektik.
to have a good time	iyi (hoş) vakit geçirmek
They had a good time with their friends.	Arkadaşlarıyla iyi vakit geçirdiler.
She had a good time at the picnic.	Piknikte iyi vakit geçirdi.

Bu anlamda **have** fiili **to be** fiili ile birlikte **ing**'li şekilde de kullanılabilir.

They are having a party in the garden now.	Şimdi bahçede bir parti veriyorlar.
She is having a bath just now.	Tam şimdi banyo yapıyor.

We are having a lesson.
We are having difficulty in
understanding them.
Are they having a drink on the
balcony?
He isn't having a walk with
the others.

Bir ders yapmaktayız.
Onları anlamakta güçlük çekiyoruz.

Balkonda içki mi içiyorlar?

Diğerleriyle yürüyüş yapmıyor.

TO DO

To do yardımcı fiilinin 1. **infinitive** - mastar, 2. **past tense** - geçmiş zaman, 3. **past participle** - geçmiş zaman ortacı şekilleri şunlardır :

1	2	3
do	did	done

Aşağıdaki tablolarda **to do** fiilinin şimdiki zaman ve geçmiş zaman halinde çekimlerini görüyoruz.

şimdiki zaman

olumlu

olumlu şekil	anlamı
I do	ben yaparım
you do	sen yaparsın
he does	o yapar
she does	o yapar
it does	o yapar
we do	biz yaparız
you do	siz yaparsınız
they do	onlar yaparlar

soru

soru şekli	anlamı
do I?	yapar mıyım?
do you?	yapar mısın?
does he?	yapar mı?
does she?	yapar mı?
does it?	yapar mı?
do we?	yapar mıyız?
do you?	yapar mısınız?
do they?	yaparlar mı?

olumsuz

normal şekil	kısaltılmış şekil	anlamı
I do not	I don't	yapmam
you do not	you don't	yapmazsın
he does not	he doesn't	yapmaz
she does not	she doesn't	yapmaz
it does not	it doesn't	yapmaz
we do not	we don't	yapmayız
you do not	you don't	yapmazsınız
they do not	they don't	yapmazlar

olumsuz soru

normal şekil	kısaltılmış şekil	anlamı
do I not?	don't I?	yapmam mı?
do you not?	don't you?	yapmaz mısın?
does he not?	doesn't he?	yapmaz mı?
does she not?	doesn't she?	yapmaz mı?
does it not?	doesn't it?	yapmaz mı?
do we not?	don't we?	yapmaz mıyız?
do you not?	don't you?	yapmaz mısınız?
do they not?	don't they?	yapmazlar mı?

geçmiş zaman

olumlu

olumlu şekil	anlamı
I did	yaptım
you did	yaptın
he did	yaptı
she did	yaptı
it did	yaptı
we did	yaptık
you did	yaptınız
they did	yaptılar

soru

soru şekli	anlamı
did I?	yaptım mı?
did you?	yaptın mı?
did he?	yaptı mı?
did she?	yaptı mı?
did it?	yaptı mı?
did we?	yaptık mı?
did you?	yaptınız mı?
did they?	yaptılar mı?

olumsuz

normal şekil	kısaltılmış şekil	anlamı
I did not	I didn't	yapmadım
you did not	you didn't	yapmadın
he did not	he didn't	yapmadı
she did not	she didn't	yapmadı
it did not	it didn't	yapmadı
we did not	we didn't	yapmadık
you did not	you didn't	yapmadınız
they did not	they didn't	yapmadılar

olumsuz soru

normal şekil	kısaltılmış şekil	anlamı
did I not?	didn't I?	yapmadım mı?
did you not?	didn't you?	yapmadın mı?
did he not?	didn't he?	yapmadı mı?
did she not?	didn't she?	yapmadı mı?
did it not?	didn't it?	yapmadı mı?
did we not?	didn't we?	yapmadık mı?
did you not?	didn't you?	yapmadınız mı?
did they not?	didn't they?	yapmadılar mı?

Tablolarda görüldüğü gibi **to do** fiilinin geçmiş hali olan **did** bütün şahıslarla aynı kalmaktadır.

(to do) fiilinin yardımcı fiil olarak kullanılışı

1. to do fiili olağan fiillerle yapılmış geniş zaman ve geçmiş zaman cümlelerinin soru ve olumsuzlarının kuruluşunda kullanılır. Geniş zaman için **do**, geçmiş zaman için **did** şekli kullanılır.

We go to school every day.   Her gün okula gideriz.
Do we go to school every day?   Her gün okula gider miyiz?
We don't go to school every day.   Her gün okula gitmeyiz.

We went to school yesterday.   Dün okula gittik.
Did we go to school yesterday?   Dün okula gittik mi?
We didn't go to school yesterday.   Dün okula gitmedik.

They work in the office.   Büroda çalışırlar.
Do they work in the office?   Büroda mı çalışırlar?
They don't work in the office.   Büroda çalışmazlar.

You opened all the windows.	Bütün pencereleri açtınız.
Did you open all the windows?	Bütün pencereleri açtınız mı?
You didn't open all the windows.	Bütün pencereleri açmadınız.
She writes a letter.	Bir mektup yazar.
Does she write a letter?	Bir mektup mu yazar?
She doesn't write a letter.	Bir mektup yazmaz.

Öznesi tekil olduğu için fiili "**s**" almış bir geniş zaman cümlesine soru veya olumsuz yapmak için **do** girdiği zaman esas fiildeki "**s**" kalkmakta, **do** yardımcı fiili de **does** şekline girmektedir.

He smokes cigarettes.	Sigara içer.
Does he smoke cigarettes?	Sigara içer mi?
He doesn't smoke cigarettes.	Sigara içmez.

Geçmiş zaman halindeki bir cümleyi soru veya olumsuz yapmak için **did** kullanıldığında cümlede geçmiş zaman halinde bulunan fiil mastar haline döner.

He went to the cinema.	Sinemaya gitti.
Did he go to the cinema?	Sinemaya mı gitti?
He didn't go to the cinema.	Sinemaya gitmedi.
We helped the poor people.	Yoksul halka yardım ettik.
Did we help the poor people?	Yoksul halka yardım ettik mi?
We didn't help the poor people.	Yoksul halka yardım etmedik.
They understood the questions.	Soruları anladılar.
Did they understand the questions?	Soruları anladılar mı?
They didn't understand the questions.	Soruları anlamadılar.

2. Üzerinde vurgu yapılmak istenen fiillerin mastar halleri önünde **do** kullanılır. Verilmek istenen anlam aşağıdaki örneklerde parantez içinde açıklanmaktadır.

I did like your flowers.	Çiçeklerinizi sevdim. (Çiçeklerinizi sevdiğimden kuşkunuz olmasın.)

They did succeed.	Başarılı oldular. (Başarılı olduk- larından kuşkunuz olmasın.)

3. Rica veya davet kuvvetlendirmek için emir halindeki cümle başına getirilir.

Do come in.	Giriniz. (Rica ederim giriniz.)
Do have some more tea.	Biraz daha çay alınız. (Ne olur, biraz daha çay alın.)
Do stop that nonsense.	Bu saçmalığı bırak.

4. Bir soruya cevap verirken esas fiilin tekrarlanmaması için onun yerine **do** kullanılarak kısa bir cevap yapılır.

Do you like bananas?	Muz sever misiniz?
Yes, I do.	Evet, severim.
No, I don't.	Hayır, sevmem.

Buradaki **Yes, I do.** kısa cevabı, **Yes, I like bananas.** cümlesinin yerini, **No, I don't.** kısa cevabı ise **No, I don't like bananas.** cümlesinin yerini tutar.

Does he come early?	Erken gelir mi?
Yes, he does.	Evet, gelir.
No, he doesn't.	Hayır, gelmez.

Did they learn the words?	Sözcükleri öğrendiler mi?
Yes, they did.	Evet, öğrendiler.
No, they didn't.	Hayır, öğrenmediler.

Did the driver see the rabbit?	Şoför tavşanı gördü mü?
Yes, he did.	Evet, gördü.
No, he didn't.	Hayır, görmedi.

Sondaki soru ve cevaplarında görüldüğü gibi, sorudaki isim yerine cevapta şahıs zamiri kullanılmaktadır. (**The driver** yerine **he**.)

Does your mother come with you?	Anneniz sizinle gelir mi?
Yes, she does.	Evet, gelir.
No, she doesn't.	Hayır, gelmez.

5. Question tags - pekiştirme sorusu (değil mi?) yapımında.

You like potatoes, don't you?	Patates seversin, değil mi?
They like potatoes, don't they?	Patates severler, değil mi?
He comes late, doesn't he?	Geç gelir, değil mi?
Tom comes late, doesn't he?	Tom geç gelir, değil mi?
She doesn't go to school, does she?	Okula gitmez, değil mi?
We don't make many mistakes, do we?	Çok hata yapmayız, değil mi?
They came yesterday, didn't they?	Dün geldiler, değil mi?
They didn't come yesterday, did they?	Dün gelmediler, değil mi?

"Değil mi?" pekiştirme sorusu şu kurallar uyarınca yapılır:

a. Cümle geniş zaman halinde ve olumluysa **to do** fiilinin olumsuz şekli kullanılır, **don't**. (Özne tekilse **doesn't**.) Bu sözcükler pekiştirme sorusunda zamirin önüne gelirler.

You drink milk, don't you?	Süt içersin, değil mi?
He drinks milk, doesn't he?	Süt içer, değil mi?

b. Cümle geniş zaman halinde ve olumsuzsa **to do** fiilinin olumlu şekli kullanılır, **do**. (Özne tekilse **does**.) Bunlar pekiştirme sorusunda öznenin önünde yer alırlar.

You don't drink milk, do you?	Süt içmezsin, değil mi?
He doesn't drink milk, does he?	Süt içmez, değil mi?

c. Cümlenin öznesi bir isimse pekiştirme sorusunda bunun yerine bir zamir kullanılır. Aşağıdaki örneklerde **the girl** yerine **she, my father** yerine **he, the children** yerine **they** kullanılmaktadır.

The girl looks at the birds, doesn't she?	Kız kuşlara bakar, değil mi?
My father doesn't smoke too much, does he?	Babam çok sigara içmez, değil mi?

The children play in our garden, don't they?	Çocuklar bahçemizde oynarlar, değil mi?

d. Cümle geçmiş zaman halindeyse "değil mi?" **did** ile yapılır. Olumlu cümle için **didn't**, olumsuz cümle için **did** özne önüne getirilir.

He broke the vase, didn't he?	Vazoyu kırdı, değil mi?
Martin broke the vase, didn't he?	Martin vazoyu kırdı, değil mi?
They didn't bring the book, did they?	Kitabı getirmediler, değil mi?
The boys didn't clean their desks, did they?	Çocuklar sıralarını temizlemediler, değil mi?

6. Söylenen bir sözü onaylama, veya kabul etmeme ya da ona bir ek yapma halleri aşağıdaki örneklerini gördüğümüz şekilde yapılır.

He makes many mistakes.	Çok hata yapar.
Yes, he does.	Evet, öyle. (Evet, yapar.)
They like our children.	Çocuklarımızı severler.
Yes, they do.	Evet, öyle. (Evet, severler.)
She drank all the wine.	Bütün şarabı içti.
Yes, she did.	Evet, öyle. (Evet, içti.)
She didn't call on us.	Bizi ziyaret etmedi.
No, she didn't.	Evet, öyle. (Evet, etmedi.)
Gordon didn't keep his promise.	Gordon sözünü tutmadı.
No, he didn't.	Evet, öyle. (Evet, tutmadı.)
They come late.	Geç gelirler.
No, they don't.	Hayır, değil. (Hayır, gelmezler.)
She knows a lot of stories.	Çok öykü bilir.
No, she doesn't.	Hayır, değil. (Hayır, bilmez.)
Your son drinks too much.	Oğlun çok içer.
No, he doesn't.	Hayır, değil. (Hayır, içmez.)
He went to the cinema.	Sinemaya gitti.
No, he didn't.	Hayır, değil. (Hayır, gitmedi.)

Mary washed the dishes.	Mary bulaşıkları yıkadı.
No, she didn't.	Hayır, değil. (Hayır, yıkamadı.)

Edward learns quickly. So does Helen.	Edward çabuk öğrenir. Helen de öyle.
She likes basketball. So do we.	Basketbolu sever. Biz de öyle.
They like fish. So do I.	Balığı severler. Ben de öyle.
He learnt English. So did they.	O İngilizce öğrendi. Onlar da öyle.
She lived in New York. So did he.	New York'ta oturdu. O da öyle.

She doesn't go to bed early. Neither do we.	Erken yatmaz. Biz de öyle.
They didn't write a letter. Neither did she.	Bir mektup yazmadılar. O da öyle.

He likes oranges. But I don't.	O portakal sever. Ama ben sevmem.
They drink beer. But we don't.	Onlar bira içerler. Ama biz içmeyiz.
They came late, but we didn't.	Onlar geç geldiler, ama biz (geç) gelmedik.
The girl wanted to go to the cinema, but he didn't.	Kız sinemaya gitmek istedi, ama o istemedi.
The boys went to the seaside, but I didn't.	Çocuklar deniz kenarına gittiler, ama ben gitmedim.

(to do) fiilinin olağan fiil olarak kullanılışı

To do fiili olağan bir fiil olarak "yapmak" anlamında kullanılır. Bu durumda geniş zaman ve geçmiş zaman halinde soru ve olumsuzluğu yine do (did) ile yapılır.

I do.	Yaparım.
Do I do?	Yapar mıyım?
I don't do.	Yapmam.
Don't I do?	Yapmam mı?

You do.	Yaparsın.
Do you do?	Yapar mısın?
You don't do.	Yapmazsın.
Don't you do?	Yapmaz mısın?

She does.	Yapar.
Does she do?	Yapar mı?
She doesn't do.	Yapmaz.
Doesn't she do?	Yapmaz mı?
We did.	Yaptık.
Did we do?	Yaptık mı?
We didn't do.	Yapmadık.
Didn't we do?	Yapmadık mı?
He did.	Yaptı.
Did he do?	Yaptı mı?
He didn't do.	Yapmadı.
Didn't he do?	Yapmadı mı?

Cümlelerdeki soru ve olumsuzlarda cümlede iki tane **do** olduğu görülüyor. Bunların biri cümleyi soru ve olumsuz hale sokmak için yardımcı bir fiil alarak kullanılmış "**do**", diğeri olağan fiil olarak "yapmak" anlamında kullanılmış "**do**" fiilidir.

Do fiili olağan bir fiil olarak çeşitli cümle yapılarında kullanılabilir. Şimdiki zaman halinde sonuna **ing** alabilir.

We do our shopping on Saturdays.	Alışverişimizi cumartesi günleri yaparız.
He does his homework carelessly.	Ev ödevini dikkatsiz bir şekilde yapar.
She is doing the exercises in the book.	Kitaptaki alıştırmaları yapıyor.
What are you doing?	Ne yapıyorsunuz?
What does he do in the evening?	Akşamleyin ne yapar?
Did they do any shopping?	Hiç alışveriş yaptılar mı?
What did you do?	Ne yaptın?
Don't do it.	Onu yapma.
What is she doing?	O ne yapıyor?
What does she do?	O ne yapar?
How did they do it?	Onu nasıl yaptılar?
They are doing something.	Bir şey yapıyorlar.
Can you do this?	Bunu yapabilir misin?
We are doing our own work.	Kendi işimizi yapıyoruz.
How do you do?	Nasılsınız? (Yeni tanıştırılan kişilerin söylediği "Memnun oldum? anlamında)

MAY

Bir yardımcı fiil olan **may** fiillerin önüne gelerek şu anlamları belirtir:

1. izin
2. olasılık

May yardımcı fiili bütün şahıslar önünde aynı şeklini korur. Öznenin tekil veya çoğul olmasıyla bir değişikliğe uğramaz.

> **I may**
> **you may**
> **she may**
> **they may**

May yardımcı fiilinin geçmiş zaman şekli **might**'tır. Ancak bu sadece **indirect speech** - "nakledilen söz"de kullanılır. Yani içinde **may** olan bir söz nakledilen söz haline sokulunca **may** yerine, onun geçmiş şekli olan **might** kullanılır. Ayrıca bir cümlenin fiili geçmiş zaman halindeyse bu cümlede **might** kullanılır. Bunun dışında **might** genel olarak bir geçmiş zaman anlamı taşımaz. Küçük bir anlam farkıyla, **may** gibi şimdiki zaman cümlelerinde kullanılır. Ayrıca, yine **may** gibi, şart cümlelerinde yer alır.

Might da bütün şahıslarla aynı kalır.

> **I might**
> **you might**
> **she might**
> **we might**

Bütün yardımcı fiillerde olduğu gibi **may (might)** da cümle başına getirilirse cümle soru haline girer, yanına **not** konulursa olumsuz olur.

Not sözcüğü **may** ve **might**'la birleşerek kısalabilir. Bunlardan **mayn't** şekli pek kullanılmaz.

may yardımcı fiili

olumlu	I (you, he, etc.) may
olumsuz	may not
kısaltılmış olumsuz	mayn't
soru	may I (you, he etc.)?
olumsuz soru	may I (you, he, etc.) not?
kısaltılmış olumsuz soru	mayn't I (you, he, etc.)?

might

olumlu	I (you, he, etc.) might
olumsuz	might not
kısaltılmış olumsuz	mightn't
soru	might I (you, he, etc.)?
olumsuz soru	might I (you, he, etc.) not?
kısaltılmış olumsuz soru	mightn't I (you, he, etc.)?

(may) ile izin belirtme

May yardımcı fiili kök halinde (yani önünde to olmayan) fiil ile kullanılarak o fiilin yapılmasına izin verilme durumunu açıklar.

Bir fiili yapma iznine sahip oluş anlamı sadece **I** ve **we** zamirleri ile kullanıldığında vardır.

I may change the dress.	Elbiseyi değiştirebilirim.
We may smoke in the library.	Kütüphanede sigara içebiliriz.

Bu cümlelerde (Elbiseyi değiştirmeme izin var. Kütüphanede sigara içmeye iznimiz var.) anlamı vardır.

Cümlenin öznesi **I** ve **we** dışında olduğu zaman **may** ile kullanılan fiilin yapılmasına sözü söyleyen kişinin müsaade ettiği anlamı çıkar.

You may drink the milk.	Sütü içebilirsiniz.
She may use the computer.	Bilgisayarı kullanabilir.
They may put their books on my table.	Kitaplarını masamın üstüne koyabilirler.
You may bring your child.	Çocuğunuzu getirebilirsiniz.

Bu cümlelerde (Sütü içmene izin veriyorum. Bilgisayarı kullanmasına izin veriyorum. Kitaplarını masama koymalarına izin veriyorum. Çocuğunu getirmene izin veriyorum.) anlamı vardır. Yani cümleyi söyleyen kişi kendi fikri olarak böyle bir izni verdiğini belirtmektedir.

Resmi yasakları belirtmek için **may not** ile yapılan olumsuz cümlelere sıkça rastlanır.

The visitors may not touch the statues.	Ziyaretçiler heykellere dokunamazlar.
The students may not smoke in the school garden.	Öğrenciler okul bahçesinde sigara içemezler.
They may not bring their wives to the meeting.	Eşlerini toplantıya getiremezler.
People may not walk on the grass.	İnsanlar çimen üzerinde yürüyemezler.

Bu cümlelerin hepsinde bir yasaklama anlamı bulunmaktadır.

Soru halindeki **may** cümleleri hemen hemen daima **I** zamiri ile yapılmış soru cümleleri olarak görülür. İngilizcede çok kullanılan kibar bir soru şeklidir. Bir hareketin yapılmasına karşıdaki kişinin izin verip vermediğini sormak için kullanılır.

May I use your pen?	Kalemini kullanabilir miyim?
May I open the window?	Pencereyi açabilir miyim?
May I come with you?	Sizinle gelebilir miyim?
May I see the painting?	Tabloyu görebilir miyim?

Might izin belirtme konusunda, biraz önce söylendiği gibi, **may** ile yapılmış bir cümlenin nakledilen söz haline sokulmasında **may**'in geçmiş hali olarak onun yerini alır.

You may take the chair.	Sandalyeyi alabilirsiniz.
He said we might take the chair.	Sandalyeyi alabileceğimizi söyledi.
You may go.	Gidebilirsiniz.
He said I might go.	Gidebileceğimi söyledi.

Might ile yapılan soru cümlelerinde bir şeye izin verilip verilmeyeceği daha kuşkulu ve çekingen bir ifade ile sorulmuş olur. Bu durumda **might** geçmiş zaman anlamı taşımaz. Esasen, daha önce de değindiğimiz gibi, might yukarıda nakledilen söz ve fiili geçmiş halde bulunan bazı cümleler dışında geçmiş zaman anlamında kullanılmaz. Hep şimdiki zaman anlamı verir.

May I use the kitchen?	Mutfağı kullanabilir miyim?
Might I use the kitchen?	Mutfağı kullanabilir miyim?

İkinci cümle daha çekinilerek sorulan ve "Bilmem acaba mutfağı kullanmama izin verir misiniz?" gibi kuşku ve tereddüt anlamı taşıyan bir soru cümlesidir.

Might we go through your garden?	Bahçenizden geçebilir miyiz?
Might I make a suggestion?	Bir öneride bulunabilir miyim?

Bu cümleler de "Bilmem bahçenizden geçmemize izin verir misiniz?"

"Bir öneride bulunmama acaba izin verir misiniz?" gibi çekingen ve müte-
reddit olunduğunu gösteren bir anlam taşırlar.

May I ......?" yapısında kibar ve resmi bir izin isteme şekli olarak çok kul-
lanılan may'in diğer kullanılışları ile yine izin anlamında might İngilizce-
de fazla kullanılmazlar.

İzin anlamında may yerine can daha fazla kullanılır. Bunu can konusun-
da görmekteyiz. May özellikle izin isteme sorularında daha kibar bir şe-
kil olmasına karşın can daha çok kullanılan ve anlamı daha kapsamlı
olan bir yardımcı fiildir.

May çeşitli zamanları meydana getirmek için yeterli şekillere sahip olma-
dığından geçmiş zaman anlamı vermek için allow fiili, passive voice -
edilgen çatı halinde kullanılır.

She may come.	Gelebilir. (Gelmesine izin var.)
She was allowed to come.	Gelebilirdi. (Gelmesine izin vardı.)
I may take the car.	Otomobili alabilirim. (Almama izin var.)
I was allowed to take the car.	Otomobili alabilirdim. (Almama izin vardı.)
They may stay in this cottage.	Bu kulübede kalabilirler.
They were allowed to stay in this cottage.	Bu kulübede kalabilirlerdi. Kalmalarına izin vardı.)

(may - might) ile olasılık belirtme

May'in izin anlamını gördük. Şimdi de kök halindeki fiil önünde may ve-
ya might kullanılarak olasılık anlamının verilişini görelim.

He may come early.	Erken gelebilir. (Erken gelmesi ihtimali vardır.)
He might come early.	Erken gelebilir. (Erken gelmesi ihtimali vardır.)
Mary may change her mind.	Mary fikrini değiştirebilir. (Mary'nin fikrini değiştirmesi ihtimali vardır.)

Mary might change her mind.	Mary fikrini değiştirebilir. (Mary'nin fikrini değiştirmesi ihtimali vardır.)
We may not finish the work.	İşi bitirmeyebiliriz. (İşi bitirmeme ihtimalimiz vardır.)
We might not finish the work.	İşi bitirmeyebiliriz. (İşi bitirmeme ihtimalimiz vardır.)
I may call you again.	Sana tekrar telefon edebiliri. (Sana tekrar telefon etmem ihtimali vardır.)
I might call you again.	Sana tekrar telefon edebilirim. (Sana tekrar telefon etmem ihtimali vardır.)
She may be sleeping in her room.	Odasında uyuyor olabilir. (Odasında uyuyor olması ihtimali vardır.)
She might be sleeping in her room.	Odasında uyuyor olabilir. (Odasında uyuyor olması ihtimali vardır.)
Dick may be repairing the bicycle.	Dick bisikleti tamir ediyor olabilir. (Dick'in bisikleti tamir ediyor olması ihtimali vardır.)
Dick might be repairing the bicycle.	Dick bisikleti tamir ediyor olabilir. (Dick'in bisikleti tamir ediyor olması ihtimali vardır.)

May ile ifade edilen olasılık **might** ile yapılana nazaran daha kuvvetlidir. Ancak, söylenirken **may** üzerinde vurgu yapılırsa bu olasılığın zayıfladığı gösterilmiş olur.

He may keep his word.	Sözünü tutabilir. (Sözünü tutması muhtemeldir.)

cümlesinde **may** vurgulu olarak söylenirse "Sözünü tutması ihtimali pek kuvvetli değildir." anlamı çıkmış olur.

May ile **might** arasında küçük bir fark vardır. **Might** ile belirtilen olasılık **may** ile belirtilene nazaran biraz daha zayıftır.

She may buy a new dress.	Yeni bir elbise alabilir.
She might buy a new dress.	Yeni bir elbise alabilir.

cümlelerinin ikincisinde "yeni bir elbise alma" olasılığı birincisine göre daha zayıftır.

Might ile yapılan cümlede **might** sözcüğü vurgulu olarak söylenecek olursa vurgulu olarak söylenen **may** cümlesinden de daha zayıf bir olasılık, anlatılmış olur. Adeta bu olasılığın iyice ortadan kalktığı anlatılmış olur. Buna göre "yeni bir elbise alma" olasılığı yok gibidir.

Olasılık belirten olumlu ve olumsuz cümlelerde kullanıldığını gördüğümüz **may**, bu anlamda bir soru cümlesi meydana getirmek üzere cümlenin başına gelemez. Böyle bir soru cümlesi için **Do you think ... ? Is it likely ...?** gibi kalıplar içinde **think** ve **likely** sözcüklerinden yararlanılır.

Do you think it will be sunny?	Hava güneşli mi olacak sence?
Do you think the bus will come in time?	Sence otobüs vaktinde gelecek mi?
Is it likely to rain?	Yağmur yağması ihtimali var mı?

Have ile fiilin üçüncü şekli önünde kullanılan **may (might)** geçmişte olmuş şeylerin olasılık durumlarını anlatır.

Robert may have missed the bus because he didn't come to school.	Robert otobüsü kaçırmış olabilir, çünkü okula gelmedi. (Otobüsü kaçırmış olma olasılığı var.)
They might have left the house. We don't see any light.	Evi terk etmiş olabilirler. Hiç ışık görmüyoruz.

Have ile birlikte olan fiilin üçüncü şekli dışında cümlede geçmiş zaman halinde bir fiil varsa, örneğin cümle **"indirect speech - nakledilen söz"** halindeyse bu cümlede **may** değil **might** kullanılır.

He said that the students might have met the new teacher.	Öğrencilerin yeni öğretmenle tanışmış olabileceklerini söyledi. (Öğrencilerin yeni öğretmenle tanışmış olmaları olasılığı vardı.)

Sadece **might** ile yapılabilen bir olasılık anlamı da şudur: **Have** ve fiilin üçüncü şekli önünde kullanılan **might** gerçekleşmemiş, yani yapılmamış bir hareket olasılığını gösterir.

You might have killed the cat.   Kediyi öldürmüş olabilirdin. (Kediyi öldürmen olasılığı vardı, fakat öldürmedin.)

Aynı cümlede **might** yerine **may** kullanılsaydı,

You may have killed the cat.   Kediyi öldürmüş olabilirsin. (kediyi öldürmüş olman olasılığı var.)

Bu cümlede kedinin ölmüş olup olmadığı belli değildir. Ölmüş olma olası lığı vardır.

We might have chosen a better computer.   Daha iyi bir bilgisayar seçebilirdik. (Seçme olasılığı vardı, fakat seçmedik)

They might have learnt English.   İngilizce öğrenebilirlerdi.

If ile yapılan şart cümlelerinde **will** kullanıldığında kesin bir durum anlatılır. **Will** yerine **may (might)** kullanılırsa olasılık anlatılmış olur.

If she comes early, she will talk to you.   Erken gelirse sizinle konuşacak.

If she comes early, she may talk to you.   Erken gelirse sizinle konuşabilir. (Konuşma olasılığı var)

If she came early, she might talk to you.   Erken gelmiş olsaydı sizinle konu şabilirdi. (konuşma olasılığı vardı)

If John studies hard, he will succeed.   John çok çalışırsa başaracak.

If John studies hard, he may succeed.   John çok çalışırsa başarabilir.

If John studied hard, he might succeed.   John çok çalışsaydı başarabilirdi.

May ve **might** yardımcı fiilleri **as well** sözcükleri ile birlikte bir fiil önünde kullanılırlarsa o fiilin yapılmasının uygun bir seçenek olduğunu belirtirler.

I may as well go home.   Eve gideyim bari. (En iyisi eve gitmem.)

We might as well play cards.   En iyisi kâğıt oynayalım.

As well yerine **just as well, might** ile kullanılırsa cümledeki fiilin yapılmasının diğer seçenekler kadar uygun olduğu belirtilmiş olur.

You might just as well buy a car. Bir otomobil de alabilirsin. (Bir otomobil alman da aynı derecede uygundur.)

Bu cümlede başka şeyler almak yerine bir otomobil almanın gayet uygun bir seçenek olduğu söylenmektedir.

He might just as well come with us.	Bizimle de gelebilir. (Bizimle gelmesi de gayet uygundur.)
They might just as well take a train.	Trenle de gidebilirler. (Trenle gitmeleri de gayet uygun olabilir.)

May inanç ve ümit hisleriyle söylenen iyi dilekleri belirten cümlelerin başında yer alır.

May God be with you!	Tanrı seninle olsun!
May you be happy!	Mutlu olasın! (Mutlu olmanı dilerim.)
May the New Year bring you happiness!	Yeni Yıl size mutluluk getirsin!
May your dreams come true!	Düşleriniz gerçekleşsin!

Might üzerinde ısrarla durulan bir isteği ve bunun yerine getirilmemesinden doğan kızgınlığı belirtir.

You might ask them for more money.	Onlardan daha fazla para istemelisin.

Bu cümlede isteme işinin yeterince yapılmamış olmasından bir şikâyet ve kızma anlamı vardır.

She might be helpful to her sister.	Kızkardeşine yardımcı olabilir. (Niçin yardımcı olmuyor?)
You might ask the headmaster before you leave the school.	Okuldan ayrılmadan önce müdüre sormalısın.
They might listen to their father.	Babalarını dinlemeliler.

Helen might study her lessons.	Helen derslerine çalışmalı.
He might bring some wood for the fire.	Ateş için bir miktar odun getirmeli.
She might have paid for the hat.	Şapkanın parasını ödemeliydi. (Ama ödemedi.)
We might have answered their letters.	Onların mektuplarına cevap vermeliydik.

CAN

Türkçeye "... ebilmek" eki şeklinde çevrilen **can** bir yardımcı fiildir. Fiillerin önüne gelerek başlıca şu üç anlamı verir:

1. yetenek ve güç
2. izin
3. olasılık

Can her türlü özne ile aynı şeklini korur. Ek almaz.

I can
he can
you can
we can
they can

Can olumsuzluk halinde **not** ile birlikte olduğu zaman bitişik yazılırlar. Bu durum sadece **can** yardımcı fiiline özgüdür.

cannot

Fakat **not** ile birleşerek bir kısaltma yapılması halinde diğer yardımcı fiillerle aynı kurala uyar.

can't

196

Can'in geçmiş şekli **could**'dur. **Could** ayrıca şart cümlelerinde kullanılır. **Could** bir geçmiş zaman şekli olmasına karşın pek çok durumlarda şimdiki zaman ve hatta gelecek zaman cümlelerinde yer alır.

can yardımcı fiili

olumlu	**I (you, he, etc.) can**
olumsuz	**cannot**
kısaltılmış olumsuz	**can't**
soru	**can I (you, he, etc.)?**
olumsuz soru	**can I (you, he, etc.(not) ?**
kısaltılmış olumsuz soru	**can't I (you, he, etc.)?**

could (can'in geçmiş hali)

olumlu	**I (you, he, etc.) could**
olumsuz	**could not**
kısaltılmış olumsuz	**couldn't**
soru	**could I (you, he, etc.)?**
olumsuz soru	**could I (you, he, etc.) not?**
kısaltılmış olumsuz soru	**couldn't I (you, he, etc.)?**

Yetenek, olasılık ve izin belirten **can** yardımcı fiili kök halinde, yani önünde **to** olmayan fiille kullanılır.

Bazı anlamları vermekte yetersiz kaldığında **can (could)** yerine, yetenek belirtirken **be able**, izin belirtirken **allow**, olasılık belirtirken **be possible** kullanılır. Bunları sırayla ve ilgili oldukları bölümlerde göreceğiz.

yetenek ve güç belirtmede (can)

Bir fiilin yapılabilmesi için gerekli yetenek ve gücün var olduğunu belirtmek için kullanılan **can**, kök halindeki fiilin önünde yer alır.

I can carry this table.	Bu masayı taşıyabilirim.
She can learn Turkish.	Türkçe öğrenebilir.

cümlelerinde taşıma gücünde oluş ve öğrenme yeteneğine sahip olma belirtilmektedir.

Bu anlamda kullanıldığında **can** sadece geniş zaman cümlelerinde yer alabilir. Diğer zamanlardaki cümlelerde aynı anlamı vermek için **can** yerine **be able** kullanılır. **Be able** her fiil zamanı için kullanılabilecek şekle sahiptir.

geniş zaman **can** ve **be able**

Yetenek ve güç bildirme anlamında **can** sadece geniş zamanda kullanılır. Bu durumda kök halinde fiilin önünde yer alır.

We can walk there.	Oraya yürüyebiliriz.
I can cook the meat.	Eti pişirebilirim.
She can clean the windows.	Pencereleri temizleyebilir.
Hilda can speak French.	Hilda Fransızca konuşabilir.
The soldiers can run to the hill.	Askerler tepeye koşabilirler.
You can catch the cat.	Kediyi yakalayabilirsin.
Can he open the door?	Kapıyı açabilir mi?

Aynı anlamda **be able** yapısı da kullanılabilir. Fakat daha çok kullanılan şekil **can** ile yapılandır.

He is able to reach the shelf.	Rafa ulaşabilir.
You are able to understand them.	Onları anlayabilirsiniz.
I am able to carry the box.	Kutuyu taşıyabilirim.
Is he able to use the machine?	Makineyi kullanabilir mi?

Görüldüğü gibi **be able**'dan sonra fiil, önünde **to** olan mastar halinde kullanılmaktadır. **Can** ile yapılan cümlelerde ise fiilin önünde **to** yoktur.

Gerald can repair the car.	Gerald arabayı tamir edebilir.
Gerald is able to repair the car.	Gerald arabayı tamir edebilir.

gelecek zaman will be able

Gelecek zaman halinde yetenek ve güç bildirmek için **will be able** kullanılır.

She will be able to understand these books.	Bu kitapları anlayabilecek.
We'll be able to buy a new flat.	Yeni bir daire alabileceğiz.
They'll be able to finish the work in two hours.	İşi iki saatte bitirebilecekler.
I'll be able to read these books.	Bu kitapları okuyabileceğim.
The sick man will be able to walk within two weeks.	Hasta adam iki hafta içinde yürüyebilecek.
Arthur will be able to grow lemon trees in his garden.	Arthur bahçesinde limon ağaçları yetiştirebilecek.

Can gelecek zaman cümlesinde kullanılamamasına karşın, gelecekte yapılabilecek bir şey için şimdi karar verilmesi halinde gelecek zaman anlamında kullanılabilir.

We can finish it tomorrow.	Onu yarın bitirebiliriz.
Can you decide about it later?	O hususta daha sonra karar verebilir misin?
They can paint the walls on Sunday.	Duvarları pazar günü boyayabilirler.

geçmiş zaman **could, was (were) able**

Geçmişte herhangi bir hareketin yapılması için gerekli yetenek ve güce sahip oluş genel olarak bildiriliyorsa bu **could** ile (bazan de **was (were) able** ile) anlatılır. Fakat bu yetenek ve gücün sadace bir defalık ve bir olay için meydana çıktığı anlatılıyorsa bu durumda sadece **was (were) able** kullanılır.

Betty could learn the words quickly.	Betty sözcükleri çabuk öğrenebilirdi.

Burada öğrenme yeteneğinin her zaman mevcut olduğu anlatılmaktadır.

Betty was able to learn the words quickly.	Betty sözcükleri çabuk öğrenebildi.

İlk cümlede **Betty**'nin sözcükleri çabuk öğrenme yeteneğine hep sahip olduğu anlatılmaktadır. "öğrenebilirdi" şeklinde ifade edilen karşılığından da öğrenme yeteneğinin devamlı olarak var olduğu anlaşılmaktadır.

İkinci cümlede ise bu yeteneğin bir defalık, sadece bir olay için söylendiği görülmektedir. "öğrenebildi" sözü de bunun her zaman için olagelen bir durum değil sadece bir olayı açıkladığını göstermektedir.

We could swim ten kilometres.	On kilometre yüzebilirdik. (Eskiden on kilometre yüzebilecek güçteydik hep.)
We were able to swim ten kilometres.	On kilometre yüzebildik. (Bir defasında on kilometre yüzebildik.)
He could answer all the questions.	Bütün sorulara cevap verebilirdi. (Her zaman için böyle bir yeteneği vardı.)
He was able to answer all the questions.	Bütün sorulara cevap verebildi. (O sefer.)
I could repair the car.	Otomobili tamir edebilirdim. (Her zaman için bunu yapabilirdim.)
I was able to repair the car.	Otomobili tamir edebildim. (O gün bunu yapabildim.)
Could Dora make a dress for herself?	Dora kendine elbise yapabilir miydi? (Böyle bir yeteneği var mıydı?)
Was Dora able to make a dress for herself?	Dora kendine elbise yapabildi mi? (O sefer bunu başarabildi mi?)

Could the children climb the big tree?	Çocuklar büyük ağaca tırmanabilirler miydi?
Were the children able to climb the big tree?	Çocuklar büyük ağaca tırmanabildiler mi?

was (were) able - managed - succeeded

Was (were) able yerine **managed, succeeded (in)** kullanılabilir.

She was able to sell the old furniture.	Eski mobilyayı satabildi.
She managed to sell the old furniture.	Eski mobilyayı satabildi. (satmayı becerdi)
She succeeded in selling the old furniture.	Eski mobilyayı satabildi. (satmayı başardı)

Son örnekte **succeed** fiilinin **in** edatı ile kullanıldığına ve fiilin **ing** eki aldığına dikkat ediniz.

We were able to build a new bridge.	Yeni bir köprü kurabildik.
We managed to build a new bridge.	Yeni bir köprü kurabildik.
We succeeded in building a new bridge.	Yeni bir köprü kurabildik.

olumsuz cümlede could

Could ile yapılan olumlu ve soru halindeki cümlelerde yetenek ve gücün genel olarak ve hep mevcut oluşu anlatıldığı halde olumsuz cümlede durum değişir. Olumsuz bir cümlede **could** devamlı bir yeteneği belirtebileceği gibi bir kerelik, yani bir olay için de belirtebilir.

I could swim to the boat.	Kayığa yüzebilirdim.
Could I swim to the boat?	Kayığa yüzebilir miydim?
I couldn't swim to the boat.	Kayığa yüzemedim.

Son cümlenin "yüzemezdim" değil "yüzemedim" şeklinde çevrildiğini gö-
rüyoruz. Yani buradaki yüzme yeteneğinin olmayışı her zaman için olan
bir durum değil, o sefer için böyle bir yetenek ve güç yokluğu nedeniyle
yüzmenin yapılamadığını belirtmektedir.

She wasn't able to understand me.	Beni anlayamadı.
She couldn't understand me.	Beni anlayamadı.
We couldn't open the door.	Kapıyı açamadık.
They couldn't catch the bus.	Otobüse yetişemediler.
The children couldn't finish their homework.	Çocuklar ev ödevlerini bitiremediler.
He was so ill that he couldn't go to school.	O kadar hastaydı ki okula gidemedi.

Ancak, cümlenin yapısında yeteneğin devamlılığını belirtecek bir ifade
varsa **couldn't** ile devamlılık da anlatılabilir.

When I was a young girl couldn't go to the cinema alone.	Ben genç kızken sinemaya yalnız gidemezdim.
If the teacher didn't repeat each sentence, the students couldn't understand her.	Öğretmen her bir cümleyi tekrarla-masa öğrenciler onu anlayamaz-lardı.

yetenek ve güç belirten **can, be able to** ve **could** olumlu cümle

geniş zaman	I can read.	Okuyabilirim.
	I am able to read.	Okuyabilirim.
	She can run.	Koşabilir.
	She is able to run.	Koşabilir.
geçmiş zaman	I could read.	Okuyabilirdim.
	I was able to read.	Okuyabildim.
	She could run.	Koşabilirdi.
	She was able to run.	Koşabildi.
gelecek zaman	I will be able to read.	Okuyabileceğim
	She will be able to run.	Koşabilecek.

geniş zaman	I cannot read. I am not able to read. She cannot run. She is not able to run.	Okuyamam. Okuyamam. Koşamaz. Koşamaz.
geçmiş zaman	I could not read. I was not able to read. She could not run. She was not able to run.	Okuyamadım. (Okuyamazdım.) Okuyamadım. Koşamadı. (Koşamazdı.) Koşamadı.
gelecek zaman	I will not be able to read. She will not be able to run.	Okuyamayacağım. Koşamayacak.

soru cümlesi

geniş zaman	Can I read? Am I able to read? Can she run? Is she able to run?	Okuyabilir miyim? Okuyabilir miyim? Koşabilir mi? Koşabilir mi?
geçmiş zaman	Could I read? Was I able to read? Could she run? Was she able to run?	Okuyabilir miydim? Okuyabildim mi? Koşabilir miydi? Koşabildi mi?
gelecek zaman	Will I be able to read? Will she be able to run?	Okuyabilecek miyim? Koşabilecek mi?

(could)'un çeşitli kullanılış yerleri

Bir şart cümlesinde **could** şimdiki zaman anlamında kullanılabilir.

We could give them a new bag if they want.

İsterlerse onlara yeni bir çanta verebiliriz.

Could she come earlier if we asked?

İstersek daha erken gelebilir mi?

Could you? şeklinde başlatılan bir cümle ile kibar bir istek cümlesi oluşturulur. Bu şekil İngilizcede çok kullanılır.

Could you give me a pencil?

Bana bir kalem verebilir misiniz? (Acaba bana bir kalem vermeniz mümkün mü?)

Bu tip istek cümlesinde **could** yerine **would** kullanmak mümkündür. Fakat **could** ile yapılan daha nazik bir istek şeklidir.

Could you shut the window?

Acaba pencereyi kapamanız mümkün mü? (Lütfen pencereyi kapar mısınız?)

Could you change this shirt?

Acaba bu gömleği değiştirmeniz mümkün mü?

Couldn't you ile de aynı amlamda istek cümleleri yapılabilir.

Couldn't you come later?

Daha sonra gelemez misiniz? (Daha sonra gelmeniz mümkün değil mi? Lütfen daha sonra geliniz.)

Couldn't you give me another magazine?

Bana başka bir dergi veremez misiniz? Lütfen veriniz.)

Couldn't you bring the drinks now?

İçkileri şimdi getiremez misiniz? (Lütfen getiriniz.)

Could ile mişli mastar (**have** ve fiilin üçüncü şekli) kullanıldığında o fiilin gerçekleşmemiş olduğu anlamı verilebilir.

He could have seen the accident, but he came five minutes later.

Kazayı görebilirdi. (Görmüş olabilirdi.) Fakat beş dakika sonra geldi.

Arthur could have bought the car.

Arthur otomobili satın almış olabilirdi.

We could have broken the watch.

Saati kırmış olabilirdik.

She could have given you some food. Why didn't you go to her?

Sana biraz yiyecek verebilirdi. Niçin ona gitmedin?

You could have gone to school. You weren't very ill.

Okula gidebilirdin. Çok hasta değildin.

Bu cümlelerde görme, satın alma, kırma ve verme fiillerinin yapılması olasılığı belirmiş fakat gerçekleşmemiştir. Gerçekleşme durumunu belirtmek istersek **could** yerine **was (were) able** kullanılmalıdır.

He could have visited her friends. Arkadaşlarını ziyaret edebilirdi.
(Fakat etmedi.)
He was able to visit his friends. Arkadaşlarını ziyaret edebildi.

izin göstermede (can)

Resmi bir izin ifadesi olan **may** yerine aynı anlamda **can** kullanmak mümkündür. Günlük İngilizcede **may**'den çok daha fazla kullanılan **can** hem izin istemek için yapılan soru cümlelerinde hem de izinli oluşu belirten cümlelerde kullanılır.

May I use your knife? Sizin bıçağınızı kullanabilir miyim?
(resmi ve kibar bir soru şekli)

Can I use your knife? Sizin bıçağınızı kullanabilir miyim?
(samimi ve çok kullanılan bir soru şekli)

Can I ask you something? Sana bir şey sorabilir miyim?
Can I go with them? Onlarla gidebilir miyim?
Can she come with me? Benimle gelebilir mi?
Can they start working at eight o'clock? Çalışmaya saat sekizde başlayabilirler mi?

You can take all these books. Bütün bu kitapları alabilirsiniz. (İzin veriyorum)

Emma can play my piano. Emma benim piyanomu çalabilir. (İzin veriyorum.)

He can sit at our table. Masamıza oturabilir. (izin)

You cannot leave the office before five o'clock. Büroyu saat beşten önce terk edemezsiniz. (izniniz yok)

He cannot take my bag. Benim çantamı alamaz. (almasına izin yok)

She cannot wait in front of my door. Kapımın önünde bekleyemez. (izin yok)

izin göstermede (could)

Bir şart cümlesi için **can** yerine **could** şimdiki zaman anlamında kullanılabilir.

She can take the old clothes.	Eski elbiseleri alabilir. (almasına izin var)
She could take the old clothes if she likes.	İsterse eski elbiseleri alabilir.
We could play in their garden if they prefer.	Tercih ederlerse onların bahçesinde oynayabiliriz.

Geçmiş zaman anlamında izin belirtmek için, cümlenin fiili geçmiş zaman halindeyse, **could** kullanılır.

They said we could walk through their field.	Onların tarlası içinden yürüyebileceğimizi söylediler. (izin verdiler)

Geçmişte genel olarak bir izinli oluş hali anlatılırken **could** kullanılır.

We could sit under the trees when we were very tired.	Çok yorulduğumuz zaman ağaçların altında oturabilirdik.
The soldiers could take their food with them when they went for long walks.	Uzun yürüyüşlere gittikleri zaman askerler yiyeceklerini beraberlerinde alabilirlerdi.
I could use my brother's clothes because he had kept them clean.	Kardeşimin elbiselerini kullanabilirdim çünkü onları temiz tutmuştu.

İzinli oluş genel olarak değil de bir defalık ise bu durumda **could** yerine **was (were) allowed** kullanılır.

She could visit the museum whenever she wanted.	İstediği zaman müzeyi ziyaret edebilirdi.
She was allowed to visit the museum last week.	Geçen hafta müzeyi ziyaret etmesine müsaade edildi.

İzin istemek için **can** ile yapılan soru cümlelerinde **can** yerine **could** kullanılabilir. Anlamı aynıdır. Fakat **could** ile yapılanlar biraz daha resmi ve daha kibardır.

Can I wait here?	Burada bekleyebilir miyim?
Could I wait here?	Burada bekleyebilir miyim?
Could I have a look at the ties?	Kravatlara bir bakabilir miyim?
Could we use your tools?	Aletlerinizi kullanabilir miyiz?

Bu sorular olumsuz soru şeklinde de yapılabilir.

Can I open the window?	Pencereyi açabilir miyim?
Can't I open the window?	Pencereyi açabilir miyim?
Could I open the window?	Pencereyi açabilir miyim?
Couldn't I open the window?	Pencereyi açabilir miyim?

Bu tip soruların cevabında, soruda **could** da olsa, sadece **can** kullanılabilir.

Can I eat these bananas?	Şu muzları yiyebilir miyim?
Yes, you can.	Evet, yiyebilirsin.

Could I wear my sun-glasses?	Güneş gözlüklerimi takabilir miyim?
Yes, you can.	Evet, takabilirsin.

Could they ask you any questions?	Size sorular sorabilirler mi?
Yes, they can.	Evet, sorabilirler.

olasılık göstermede (can)

Bir hareket veya durumun olmasının ihtimal dahilinde bulunduğu **can** ile ifade edilir.

A hardworking student can succeed in the examinations.	Çalışkan bir öğrenci sınavlarda başarılı olabilir. (başarılı olması muhtemeldir.)
You can be a good doctor.	İyi bir doktor olabilirsiniz. (olmanız muhtemeldir)
Our town can be the center of tourism.	Kasabamız turizm merkezi olabilir.
Your team can win the cup.	Takımınız kupayı kazanabilir.
Can this story be true?	Bu hikâye gerçek olabilir mi?
It can't be six o'clock now.	Saat şimdi altı olamaz.
Anybody can understand this.	Bunu herkes anlayabilir.

Olasılığın geçmişte olduğu anlatılmak istenirse **can** yerine **could** kullanılır.

Mr Green could be unbearable when he was ill.	Mr Green hasta olduğu zaman tahammül edilmez olabilirdi. (tahammül edilmez olması muhtemeldi)

Could olasılık bildirmede **could be** şeklinde **may (might) be** ile aynı anlamda kullanılabilir.

He may be in the garden.	Bahçede olabilir. (belki oradadır)
He might be in the garden.	Bahçede olabilir. (belki oradadır)
He could be in the garden.	Bahçede olabilir. (belki oradadır)
She may be sleeping in her bed.	Yatağında uyuyor olabilir.
She might be sleeping in her bed.	Yatağında uyuyor olabilir.
She could be sleeping in her bed.	Yatağında uyuyor olabilir.
The radio may be repaired soon.	Radyo belki çabuk tamir edilebilir.
The radio might be repaired soon.	Radyo belki çabuk tamir edilebilir.
The radio could be repaired soon.	Radyo belki çabuk tamir edilebilir.

Soru cümlelerinde **might** ve **could** aynı anlamda kullanılabilir.

Might she be sleeping now?	Şimdi uyuyor olabilir mi? (uyuyor olması ihtimali var mı?)
Could she be sleeping now?	Şimdi uyuyor olabilir mi?
Might the teacher be in the classroom?	Öğretmen sınıfta olabilir mi? (sınıfta olması ihtimali var mı?)
Could the teacher be in the classroom?	Öğretmen sınıfta olabilir mi?

Olumsuz cümlede durum değişiktir. **Could** ile **may (might)** cümlelerinin anlamı farklıdır.

She may not be at school.	Okulda olmayabilir. (okulda olmaması muhtemeldir)
She might not be at school.	Okulda olmayabilir.
She could not be at school.	Okulda olamaz. (okulda olması ihtimali yoktur, mümkün değil)

They may not be working now.	Şimdi çalışıyor olmayabilirler. (çalışıyor olmamaları muhtemeldir)
They might not be working now.	Şimdi çalışıyor olmayabilirler.
They could not be working now.	Şimdi çalışıyor olamazlar. (çalışıyor olmaları ihtimali yoktur,mümkün değil)

Could yardımcı fiilinin yetenek belirtme anlamında have ve fiilin üçüncü şekliyle kullanıldığını görmüştük. Olasılık belirtmede de could, may (might) ile aynı anlamda kullanılabilir.

He may have learnt it in England.	Onu İngiltere'de öğrenmiş olabilir.
He might have learnt it in England.	Onu İngiltere'de öğrenmiş olabilir.
He could have learnt it in England.	Onu İngiltere'de öğrenmiş olabilir.

Gloria may have seen the man.	Gloria adamı görmüş olabilir.
Gloria might have seen the man.	Gloria adamı görmüş olabilir.
Gloria could have seen the man.	Gloria adamı görmüş olabilir.

Sorular might ve could ile yapılır. May kullanılamaz.

Might she have broken the vase?	Vazoyu kırmış olabilir mi?
Could she have broken the vase?	Vazoyu kırmış olabilir mi?

Might she have finished her homework?	Ev ödevini bitirmiş olabilir mi?
Could she have finished her homework?	Ev ödevini bitirmiş olabilir mi?

Ancak olumsuz cümlede could ile might değişik anlam verirler.

He might not have made a mistake.	Bir hata yapmamış olabilir. (belki yapmamıştır)
He could not have made a mistake.	Bir hata yapmış olamaz. (yapmış olması ihtimali yok, mümkün değil)

Olumsuz bir sonuç belirtmek için can't ve couldn't ile be kullanılır. Bu şimdiki zamanda olan bir durum içindir.

You can't be tired.	Yorgun olamazsın. (yorgun olman ihtimal dışı)
You couldn't be tired.	Yorgun olamazsın. (ihtimali yok)
She can't be washing up the dishes.	Bulaşıkları yıkıyor olamaz. (yıkıyor olması ihtimali yok)
She couldn't be washing the dishes.	Bulaşıkları yıkıyor olamaz. (ihtimali yok)

Geçmişteki bir hareketin ihtimal dışı olduğunu belirtmek için **can't ve couldn't** ile **have** ve fiilin üçüncü şekli kullanılır.

He can't have bought it cheaply.	Onu ucuza satın almış olamaz. (ucuza almış olması ihtimali yok)
He couldn't have bought it cheaply.	Onu ucuza satın almış olamaz. (ihtimali yok)
You can't have heard it from Anita.	Onu Anita'dan duymuş olamazsın. (duymuş olman ihtimali yok)
You couldn't have heard it from Anita.	Onu Anita'dan duymuş olamazsın. (ihtimali yok.)

MUST

Must fiilerin önüne gelerek o fiilin yapılmasının gerekli ve zorunlu olduğunu ifade eden bir yardımcı fiildir. Sadece tek şekli vardır. Bu şekli geniş zaman ve gelecek zaman anlamı verir.

Must yardımcı fiilinin anlamına yakın bir anlamı olan **have to** da aynı şekilde kullanılır. **Have to** yardımcı fiilinin geniş zaman **(have to)**, gelecek zaman **(will have to)** ve geçmiş zaman **(had to)** şekilleri vardır.

Must yardımcı fiili Türkçeye "-meli, -malı" ekiyle çevrilebilir. Verdiği anlam, önünde bulunduğu fiilin yapılmasının zorunlu olduğudur. Kök halindeki fiilin önünde yer alır.

She must clean her table.	Masasını temizlemeli.
Andrew must finish his work.	Andrew işini bitirmeli.
The girls must wait in the garden.	Kızlar bahçede beklemeli.
His brother must take the plates to the kitchen.	Erkek kardeşi tabakları mutfağa götürmeli.
We must change our clothes.	Elbiselerimizi değiştirmeliyiz.
I must give you a clean towel.	Sana temiz bir havlu vermeliyim.
They must keep their room clean and tidy.	Odalarını temiz ve tertipli tutmalılar.
He must get up at seven o'clock.	Saat yedide kalkmalı.

Must ile ifade edilen zorunluluk sözü söyleyen tarafından ortaya konulan bir zorunluluk, kuvvetli bir istek veya öneridir.

You must bring the books.	Kitapları getirmelisin.

cümlesi "Kitapları getirmeni mutlaka istiyorum. Kitapları getirmeni emrediyorum." gibi bir anlam taşımaktadır.

She must help her mother.	Annesine yardım etmeli.

cümlesi de yine sözü söyleyenin "mutlaka yardım edilmesi" isteğini belirtmektedir.

Sözü söyleyen bu zorunluluğu kendisi için de ifade edebilir.

I must learn English.	İngilizce öğrenmeliyim.

cümlesinde sözü söyleyen İngilizce öğrenmesinin zorunlu olduğunu düşündüğünü belirtmektedir. Bu cümlede "Bence İngilizce öğrenmem şart." anlamı vardır.

(must) ile soru cümleleri

Must cümle başına alınarak yapılan sorularda kendisine soru sorulan kişinin böyle bir zorunluluk görüp görmediği sorulmuş olur.

Must Dora go to the party?	Dora ziyafete gitmeli mi? (Gitmesini şart görüyor musunuz? Gitmek zorunda mı?)

Bu cümlede sorunun yöneltildiği kimsenin **Dora**'nın ziyafete gelmesini mutlaka isteyip istemediği veya zorunlu görüp görmediği sorulmaktadır.

Must they change the sheets?	Çarşafları değiştirmeliler mi? (Mutlaka değiştirmelerini istiyor musunuz?)
Must I answer all the questions?	Bütün sorulara cevap vermeli miyim? (Cevap vermek zorunda mıyım?)
Must we wait outside?	Dışarıda mı beklemeliyiz? (Dışarıda beklememiz zorunlu mu?)
Must the visitors leave their cameras at the entrance of the museum?	Ziyaretçiler fotoğraf makinelerini müzenin girişinde bırakmalılar mı? (Bırakmaları zorunlu görülüyor mu?)

(must) ile olumsuz cümle (olumsuz zorunluluk-yasak)

Must yardımcı fiilinin **not** ile meydana getirdiği olumsuzluk, olumsuz bir zorunluluk, sözü söyleyenin kuvvetli bir önerisi veya ortaya konulan bir yasağı ifade eder. **Must not** sözcükleri birleşerek kısaltma yapılabilir: **mustn't. Must not** geniş zaman ve gelecek zaman anlamında kullanılır.

You must not (mustn't) touch the flowers.	Çiçeklere dokunmamalısın.

Bu cümlede "Çiçeklere dokunmanı yasaklıyorum. Çiçeklere dokunmamanı önemle belirtirim." anlamında bir yasak veya kuvvetli bir öneri anlamı vardır.

He must not lie to his father.	Babasına yalan söylememeli.
He must not use their tools.	Onların aletlerini kullanmamalı.
She must not make a noise in the classroom.	Sınıfta gürültü yapmamalı.
People must not cross the street when the red light is on.	Kırmızı ışık yanıyorken insanlar sokağın bir tarafından diğer tarafına geçmemeli.
Allan must not drink too much.	Allan çok fazla içmemeli.
I must not keep you. You may miss the bus.	Sizi tutmamalıyım. Otobüsü kaçırabilirsiniz.

She must not bring her children here.	Çocuklarını buraya getirmemeli.
We must not smoke in the bedroom.	Yatak odasında sigara içmemeliyiz.

tahmin göstermede (must)

Bir konuda verilen bilgilere göre tahmin yürütmek veya sonuç çıkarmak için **must** kullanılır. Bu durumda çoğunlukla **must** yanında **be** bulunur. Aynı durum Türkçede de vardır. **Must**'ın karşılığı olan "-meli, -malı" eki bu amaçla kullanılır.

They worked for ten hours. They must be tired.	On saat çalıştılar. Yorgun olmalılar. (yorgun olduklarını tahmin ederiz.)
She was looking for you. She must be in your office now.	Seni arıyordu. Şimdi senin büronda olmalı. (Herhalde bürondadır.)
The village is ten kilometres from here. It must take two hours.	Köy buradan on kilometre. İki saat sürmeli. (Herhalde iki saat sürer.)
Tom wants an aspirine. He must have a headache.	Tom bir asprin istiyor. Başı ağrıyor olmalı.
Did you hear the doorbell? It must be Audrey.	Kapı zilini duydun mu? Audrey olmalı.

Geçmişteki bir olay için sonuç çıkarma **must**'tan sonra **have** ve fiilin üçüncü şeklini kullanmak suretiyle olur.

She has a diamond ring. She must have stolen it.	Bir pırlanta yüzüğü var. Onu çalmış olmalı.
Şerif's toy was in the dustbin. He must have broken it.	Şerif'in oyuncağı çöp kutusundaydı. Onu kırmış olmalı.
Your daughter wasn't among the girls. She must have left the meeting early.	Sizin kızınız kızlar arasında değildi. Toplantıyı erken terk etmiş olmalı.
You are late again. You must have visited your friends at the pub.	Yine geç kaldın. Birahanedeki arkadaşlarını ziyaret etmiş olmalısın.

HAVE TO

Must ile bir zorunluluk, mecburiyet veya öneri ifade edildiği ve bunun sözü söyleyen kişinin isteği olduğunu gördük.

Bir şeyin yapılması gereğinin sözü söyleyen kişinin ortaya koyduğu bir zorunluluk değil, bunun dışında, örneğin kurallar, alışkanlıklar gibi faktörlerin meydana getirdiği zorunluluk olması halinde **must** yerine **have to** kullanılır. Bunu örnekler üzerinde açıklayalım:

She must wash the dishes.	Bulaşıkları yıkamalı.
She has to wash the dishes.	Bulaşıkları yıkamalı.

İlk cümlede, sözü söyleyen böyle bir mecburiyeti kendisinin ortaya koyduğunu söylemektedir. Bu cümlede "Bulaşıkları yıkamasını ben istiyorum." anlamı vardır.

İkinci cümlede "Bulaşıkları yıkaması onun görevidir. Kural budur. Durum bunu gerektiriyor." anlamı vardır.

You must take these pills every morning.	Her sabah bu hapları almalısın. (Almanı ben istiyorum.)
You have to take these pills every morning.	Her sabah bu hapları almalısın. (ilacın böyle alınması tarif edilmiş.)
She must wait in the other room.	Diğer odada beklemeli. (Ben orada beklemesini istiyorum.)
She has to wait in the other room.	Diğer odada beklemeli. (Kurallara veya âdete göre diğer odada beklemesi gerekli.)
The students must study hard.	Öğrenciler çok çalışmalı. (Bence çok çalışmaları zorunlu.)
The students have to study hard.	Öğrenciler çok çalışmalı. (Çok çalışmaları bir kural ve gerek.)
They must be at their shop every day.	Her gün dükkânlarında olmalılar. (Olmalarını şart görüyorum.)
They have to be at their shop every day.	Her gün dükkânlarında olmalılar. (Olmaları kural ve alışkanlık gereği.)

You have to show your possport at the frontier.	Sınırda pasaportunu göstermek mecburiyetindesiniz. (Kural gereği zorunluluk)
He has to pay tax for these.	Bunlar için vergi ödemek zorundadır.
Eleanor has to look after her sister.	Eleanor kız kardeşine bakmak zorundadır.
We have to renew the subscription every year.	Aboneyi her yıl yenilemek zorundayız.

have got to

Have to yapısına çoğu zaman got sözcüğü eklenir. Bu durumda cümle her zaman için değil bir defalık bir zorunluluğu gösterir. Got kullanılmadan have to ile yapılan cümle ise hem her zaman için hem de bir defalık zorunluluğu ifade edebilir.

She has to clean the windows.	Pencereleri temizletmek mecburiyetindedir. (Her zaman veya o sefer için.)
She has got to clean the windows.	Pencereleri temizlemek mecburiyetindedir. (Bir sefere mahsus gereklilik.)
We have got to be there at seven o'clock.	Saat yedide orada olmalıyız. (Bir sefere özgü gereklilik.)
I have got to finish the work very quickly.	İşi çok çabuk bitirmeliyim. (Bu işe mahsus gereklilik.)
The man has got to carry the bags himself.	Adam çantaları kendisi taşımak zorundadır. (O sefere mahsus bir zorunluluk.)

Have to ile soru cümleleri

Bu cümleler yukarıda gördüğümüz cümleler gibi dış etkenler, kurallar, alışkanlıklar anlamında soru cümleleridir.

İki türlü meydana getirilebilirler: birincisi have cümle başına alınarak, ikincisi cümle başında do kullanılarak. Her ikisinin de anlamı aynıdır.

Have you to work for them?	Onlar için çalışmak zorunda mısın?
Do you have to work for them?	Onlar için çalışmak zorunda mısın?

215

Aynı anlamda olan bu iki şekilden ikincisi her zaman için tekrarlanan, yapılması âdet olan hareketler için kullanılır. İlk şekil bunun dışındaki durumlarda kullanılır. Bu şekle **got** sözcüğü de konulabilir. Olumluda gördüğümüz gibi **got** ile yapılan cümle bir defalık zorunluluğu gösterir.

Have they got to bring their driving licences?	Sürücü belgelerini getirmek zorundalar mı?
Do they have to shave every morning?	Her sabah tıraş olmak zorundalar mı?
Has she got to finish it quickly?	Onu çabuk bitirmek zorunda mı?
Does she have to teach two hours a day?	Günde iki saat ders vermek zorunda mı?

Bu örneklerden **do** başa getirilerek yapılmış sorularda tekrarlanma fikri mevcuttur.

Have I got to be present at the meeting?	Toplantıda hazır olmak zorunda mıyım?
Have you got to obey their orders?	Onların emirlerine itaat etmek zorunda mısın?
Has he got to sell his house at once?	Evini derhal satmak zorunda mı?
Do you have to sweep the floor often?	Yeri sık sık süpürmek zorunda mısın?
Does Betty have to take the ten thirty train?	Betty on otuz trenine binmek zorunda mı?
Do the children have to do homework every day?	Çocuklar her gün ev ödevi yapmak zorunda mı?

Must soru cümlesiyle **have (got) to** soru cümlesi arasındaki fark bu iki tipin olumlu cümlelerdeki anlam farkı gibidir. **Must** ile yapılan, sözü söyleyenin isteğini belirtmekte, **have to** ile yapılan, dış koşulların ortaya çıkardığı gerekliliği anlatmaktadır.

Must she change the plate?	Tabağı değiştirmeli mi? (Öyle yapmasını istiyor musun?)
Has she got to change the plate?	Tabağı değiştirmeli mi? (Değiştirmek zorunda mı? Değiştirmesi kuralı var mı?)

| Must we pay for the drink? | İçki için ödeme yapmalı mıyız?
Bunu gerekli görüyor musunuz?) |
| Have we got to pay for the drink? | İçki için ödeme yapmalı mıyız?
(Kural veya usul ödememizi gerektiriyor mu?) |

Gelecek zaman soruları **shall (will) have to** şeklinde yapılır.

Shall I have to read these books?	Bu kitapları okumak zorunda olacak mıyım?
Will she have to feed the dogs?	Köpekleri beslemek zorunda olacak mıyım?
Will they have to carry their luggage themselves?	Bagajlarını kendileri taşımak zorunda kalacaklar mı?

Geçmiş zaman soruları yukarıda gördüğümüz iki tipte yapılır. Birincisi **have** yerine onun geçmiş şekli olan **had** sözcüğünü cümlenin başına getirmek suretiyle; ikincisi, **do** yerine onun geçmiş şekli olan **did**'i cümle başına getirmek suretiyle. İki şekil arasında anlam farkı yoktur.

Had you got to answer their questions?	Onların sorularına cevap vermek zorunda kaldın mı?
Did you have to answer their questions?	Onların sorularına cevap vermek zorunda kaldın mı?
Had she got to earn money for her children?	Çocukları için para kazanmak zorunda kaldı mı?
Did she have to earn money for her children?	Çocukları için para kazanmak zorunda kaldı mı?
Had they got to repair the tractor themselves?	Traktörü kendileri tamir etmek zorunda kaldılar mı?
Did they have to repair the tractor themselves?	Traktörü kendileri tamir etmek zorunda kaldılar mı?

(have to) ile olumsuzluk hali

İki şekilde yapılır: birincisi **haven't to** (veya **haven't got to**) şeklinde, ikincisi **don't have to** şeklinde.

Don't have to hem her zaman tekrarlanan hareketler, hem de bir defalık hareketler için kullanılabilir. **Haven't (got) to** ise bir defalık hareketler için kullanılır.

You don't have to answer the letter.	Mektuba cevap vermek zorunda değilsin. (Zorunluluk olmayışı her zaman için geçerli.)
You haven't got to answer the letter.	Mektuba cevap vermek zorunda değilsin. (Şu anda böyle bir zorunluluk yok.)
She doesn't have to look after your children.	Sizin çocuklarınıza bakmak zorunda değil. (Her zaman için böyle bir zorunluluk yok.)
She hasn't got to look after your children.	Sizin çocuklarınıza bakmak zorunda değil. (Şu an için böyle bir zorunluluğu yok.)

Gelecek zaman **won't (shan't) have to** şeklinde yapılır.

He won't have to write the sentences again.	Cümleleri tekrar yazmak zorunda kalmayacak.
We shan't have to work on Saturdays.	Cumartesi günleri çalışmak zorunda kalmayacağız.
Bernard won't have to spend money.	Bernard para harcamak zorunda kalmayacak.

Geçmiş zaman **didn't have to** ve **hadn't got to** ile yapılır.

She didn't have to wear long skirts.	Uzun eteklikler giymek zorunda kalmadı.
We didn't have to carry the heavy suitcases.	Ağır bavulları taşımak zorunda kalmadık.
I hadn't got to accept their offer.	Onların teklifini kabul etmek zorunda kalmadım.
He hadn't got to repair the car himself.	Otomobili kendi tamir etmek zorunda kalmadı.

Must ve **have to**'nun geniş zaman, gelecek zaman ve geçmiş zaman halinde kullanılış şekillerini bir çizelge halinde görelim:

(must) ve (have to) kullanılışı

zaman	olumlu	olumsuz	soru
geniş zaman	must have (got) tc	mustn't haven't (got) to don't have to	must ..? have...got to? do...have to?
gelecek zaman	must will have to	mustn't won't have to	must ..? will...have to?
geçmiş zaman	had to	didn't have to hadn't (got) to	did ...have to? had...got to?

NEED

Must, sözü söyleyen kişinin bir hareketin yapılmasını zorunlu gördüğü-nü, **have to**'nun yine bir hareketin yapılmasının zorunlu oluşunu belirtti-ğini, ancak bu zorunluluğun sözü söyleyenin isteği değil, durum, kural gibi dış etkenlerin meydana getirdiği bir zorunluluk olduğunu inceledik-ten sonra yardımcı fiillerle anlam yakınlığı olan **need** fiilini görelim:

Need fiili iki şekilde kullanılır. Birincisi normal bir fiil olarak, diğeri yar-dımcı fiil olarak.

Normal bir fiil olarak kullanıldığında bütün diğer fiillerin uyduğu kuralla-ra göre kullanılır. Verdiği anlam "ihtiyacı olmak" tır.

I need your help.   Yardımına İhtiyacım var.
He needs some hot water.   Biraz sıcak suya ihtiyacı var mı?
They need better equipment   Daha iyi malzemeye ihtiyaçları var.

219

Gloria needs new dresses.	Gloria'nın yeni elbiselere ihtiyacı var.
Do you need any money?	Hiç paraya ihtiyacın var mı?
We don't need your advice.	Öğüdünüze ihtiyacımız yok.
She didn't need the car then.	O zaman otomobile ihtiyacı yoktu.
Did he need' a typepwriter?	Daktiloya ihtiyacı var mıydı?
Will they need a map?	Bir haritaya ihtiyaçları olacak mı?
You will need a boat.	Bir kayığa ihtiyacınız olacak.
How many workors will you need?	Kaç işçiye ihtiyacınız olacak?
He needed a lot of milk for his children.	Çocukları için çok süte ihtiyacı vardı.

Need yardımcı fiil olarak kullanıldığında diğer yardımcı fiiller gibidir. Öznenin tekil olması halinde sonuna **s** almaz, geçmiş zaman şekli yoktur. Sadece geniş zaman ve gelecek zaman için kullanılır. Olumsuz şekli **need not**, kısaltılmışı **needn't** şeklindedir. Soru hali **need** özne önüne getirilerek yapılır.

Yardımcı fiil olarak kullanılan **need** fiilin kök hali, yani **to**'suz şekli ile bulunur.

Need bu anlamda olumlu cümlede kullanılmaz. Ancak olumsuz bir fiili takiben gelirse veya cümlede şüphe veya **never, hardly** gibi sözcükler nedeniyle olumsuz bir anlam varsa need olumlu halde kullanılabilir.

Do you think he need go with them?	Onlarla gitmesi gerekir mi dersiniz?
They want my help, but I don't think I need help them.	Yardımımı istiyorlar, fakat onlara yardım etmem gerektiğini zannetmiyorum.

need not

Need yardımcı fiili olumsuz olarak kullanıldığında mecburiyet olmayış anlamını verir. **Must not** ile sözü söyleyen tarafından bir şeyin yapılmaması istenmekte, yani bir yasak belirtilmektedir. **Need not** ile yine sözü söyleyenin bir kararı belirtilmektedir. Ancak, bu karar bir fiilin yapılmasının mecburi olmadığı şeklindedir.

You must not answer them.	Onlara cevap vermemelisin. (Onlara cevap vermen yasaktır.)
You need not answer them.	Onlara cevap vermek mecburiyetinde değilsin. (Cevap vermeye mecbur tutmuyorum.)
You mustn't tell her.	Ona söylememelisin.
You needn't tell her.	Ona söylemek mecburiyetinde değilsin. (Gerek yok.)
She needn't get up so early.	Bu kadar erken kalkmasına gerek yok.
They needn't bring their food with them.	Yiyeceklerini beraberlerinde getirmelerine gerek yok.
Martin needn't take these pills.	Martin'in bu hapları almasına gerek yok.

(needn't) ve **(have)** ile fiilin 3. şeklinin kullanılması

Bu yapıda kullanılan bir fiilin gereksiz yere, boşuna yapıldığı anlatılmış olur.

She needn't have written the letters.	Mektupları yazmasına gerek yoktu. Boşuna yazdı.)
They needn't have waited for the teacher.	Öğretmeni beklemelerine gerek yoktu. (Boşuna beklediler.)
Hilda needn't have brought the book. We had it in our library.	Hilda'nın kitabı getirmesine gerek yoktu. O kitaplığımızda vardı. (Boşuna getirdi.)
We needn't have walked to the station. Mary could have taken us there in her car.	İstasyona yürümemize gerek yoktu. Mary bizi oraya arabasında götürebilirdi. (Boşuna yürüdük.)
You needn't have bought such an expensive toy.	Böyle pahalı bir oyuncağı almana gerek yoktu.

didn't need to

Yukarıda örneklerini gördüğümüz olumsuz cümleler gibi **didn't need to**

221

ile de olumsuzluk hali yapılabilir. Burada **need** fiili yardımcı fiil değil olağan fiil durumundadır. Bu tip cümlelerin diğerinden farkı, söz konusu olan fiilin gerçekleşip gerçekleşmediğinin bilinmemesidir.

You needn't have cleaned the table.	Masayı temizlemene gerek yoktu. (Boşuna temizledin.)

anlamındadır. Bu cümle **didn't need to** ile yapılırsa,

You didn't need to clean the table.	Masayı temizlemene gerek yoktu.

anlamını verir. Burada temizlemenin yapılıp yapılmadığı belli değildir.

We needn't have gone to the police-station.	Karakola gitmemize gerek yoktu. (Boşuna gittik.)
We didn't need to go to the police-station.	Karakola gitmemize gerek yoktu. (Gidip gitmediğimiz belli değil.)

Görüldüğü gibi ilk şekilde **have** ile fiilin 3. şekli **(gone)** kullanılmış, ikincisinde **need**'ten sonra gelen fiil mastar halinde **(to go)** yer almıştır.

He needn't have quarrelled with his friends.	Arkadaşlarıyla kavga etmesine gerek yoktu. (Boşuna kavga etti.)
He didn't need to quarrel with his friends.	Arkadaşlarıyla kavga etmesine gerek yoktu. (Edip etmediği belli değil.)
Norman needn't have carried the suitcases.	Norman'ın bavulları taşımasına gerek yoktu. (Boşuna taşıdı.)
Norman didn't need to carry the suitcases.	Norman'ın bavulları taşımasına gerek yoktu.

(need) ile soru cümlesi

Must ile yapılan soruda olduğu gibi **need** ile soruda da kendisine soru yöneltilen kişinin şahsi fikri sorulmaktadır.

Must I give you my passport?	Size pasaportumu vermeli miyim? (Vermemi gerekli görüyor musunuz?

Need I give you my passport?	Size pasaportumu vermem gerekli mi? (Vermemi gerekli görüyor musunuz?)

Need ile yapılan soruda olumsuz bir cevap umulmaktadır. Örneğin yukarıdaki soruda (Pasaportumu vermemi gerekli görmüyorsunuz, değil mi?) gibi bir anlam vardır.

Must she type the letter again?	Mektubu tekrar daktilo etmeli mi?
Need she type the letter again?	Mektubu tekrar daktilo etmesine gerek var mı?
Need I get up early tomorrow?	Yarın erken kalkmama gerek var mı?
Need they shave every morning?	Her sabah tıraş olmalarına gerek var mı?
Need he wash his shoes? He is very tired.	Ayakkabılarını yıkamasına gerek var mı? Çok yorgun.

OUGHT

Bir yardımcı fiil olan **ought** tek şekilde bulunur. Şahıslara göre ek almaz. Olumsuzda **not** ile birleşerek **oughtn't** şeklinde kısalabilir. Soru yapmak için cümlenin öznesi önüne getirilir. Bir özelliği, fiilin **to**'lu mastar hali ile kullanılmasıdır. Aynı şekliyle hem şimdiki zaman, hem geçmiş zaman hem de gelecek zaman cümlelerinde yer alır. Verdiği anlam **must** ve **have to** ile benzer gibiyse de onlardan oldukça farklıdır.

Must, sözü söyleyenin isteği olan bir mecburiyeti belirtir.

You must take away your books.	Kitaplarını alıp götürmelisin. (Kitaplarını alıp götürmeni istiyorum.)

Have to, kural, âdet, öneri gibi dış etkenlerin ortaya koyduğu bir mecburiyeti belirtir.

He has to shave every morning.	Her sabah tıraş olmalı. (Tıraş olması kural gereğidir.)

Ought to da yine "-meli, -malı" şeklinde çevrilebilecek bir gerekliliği gösterir. Ancak bu gereklilik ne sözü söyleyenin isteği, ne de kuralların zorunluluğudur. **Ought to** ile o eylemin yapılmasının bir görev veya doğruluk gereği olduğu belirtilmiş olur.

You ought to help your friends.	Arkadaşlarınıza yardım etmelisiniz. (Yardım etmeniz göreviniz ve dürüstlük gereğidir.)
You ought to obey your father.	Babana itaat etmelisin. (Doğru olan budur.)
He ought to stop smoking.	Sigara içmeyi bırakmalı. (Tavsiyem budur.)
They ought to be here tomorrow.	Yarın burada olmalılar. (Burada olmaları görevleridir.)
He ought to understand poor people.	Yoksul insanları anlamalı. (Yoksul insanlara anlayış göstermesi dürüstlük gereğidir.)
She oughtn't to drive like that.	Böyle araç kullanmamalı. (Aracı böyle kullanması doğru değil.)
We oughtn't to make them wait.	Onları bekletmemeliyiz. (Onları bekletmemiz doğru değil.)
You oughtn't to make a noise in the library.	Kitaplıkta gürültü yapmamalısınız. (Gürültü yapmanız doğru değil.)
Ought we to visit the wounded?	Yaralıları ziyaret etmeli miyiz? (Etmemiz görevimiz değil mi?)
Ought people to help each other?	İnsanlar biribirlerine yardım etmeli mi? (Etmeleri görevleri değil mi?)

(ought to) ile mişli mastar

Ought to ile mişli mastar, yani **have** ve fiilin 3. şeklinden oluşan mastar birlikte kullanılırsa ihmal edilip yapılmamış bir görev veya iyi hareketi anlatır.

You ought to have told your mother that you'd be late.	Geç kalacağını annene söylemeliydin.
She ought to have paid her debt.	Borcunu ödemeliydi.
We oughtn't to have disturbed our neighbours.	Komşularımızı rahatsız etmemeliydik.

I oughtn't to have hurt you.	Seni incitmemeliydim.
They oughtn't to have told the bad news to the old man.	Yaşlı adama kötü haberi söyleme- meliydiler.

ought ve should

İleride gelecek zaman konusunda ele alınacak olan **will-shall, would-- should** yardımcı fiilinin **should** şekli **ought** ile aynı anlamda kullanılır. Orada göreceğimiz bu yardımcı fiili birkaç örnek içinde görelim:

You ought to be a more careful worker.	Daha dikkatli bir işçi olmalısın.
You shauld be a more careful worker.	Daha dikkatli bir işçi olmalısın.
We ought to work hard.	Çok çalışmalıyız.
We should work hard.	Çok çalışmalıyız.
He oughtn't to smoke in the bedroom.	Yatak odasında sigara içmemeli.
He shouldn't smoke in the bedroom.	Yatak odasında sigara içmemeli.

DARE

Dare fiili olumlu olarak kullanıldığında olağan bir fiil gibi çekimlenir. Fa- kat soru ve olumsuz halde olunca hem olağan bir fiil gibi hem de bir yar- dımcı fiil gibi çekimlenebilir.

Dare fiili "cesaret etmek, cüret etmek" anlamını verir. **Dare** olumlu cümle- lerde pek kullanılmaz.

Does she dare to shout at them?	Onlara bağırmağa cesaret eder mi?
Dare she shout at them?	Onlara bağırmağa cesaret eder mi?

Do you dare to go there alone?	Oraya yalnız gitmeye cesaret eder misin?
Dare you go there alone?	Oraya yalnız gitmeye cesaret eder misin?
They don't dare to swim to the boat.	Kayığa yüzmeye cesaret etmezler.
They dare not swim to the boat.	Kayığa yüzmeye cesaret etmezler.
She didn't dare to repair the clock.	Saati tamir etmeye cesaret etmedi.
She dared not repair the clock.	Saati tamir etmeye cesaret etmedi.

İlk cümlelerde kurala göre **to** olması gerektiği halde pratikte çoğunlukla bu atılır.

daresay

"Zannederim, belki" anlamında bir deyimdir. Sadece **I** zamiri ile kullanılır.

I daresay he'll be late again.	Galiba yine geç kalacak.
I daresay he is right.	Galiba o haklı.

how dare

How soru sözcüğü ile kullanıldığında "ne cüretle ...? ne cesaretle...?" anlamında bir öfke ifade eder.

How dare you call me a liar?	Ne cüretle bana yalancı diyorsun?
Haw dared he touch my money?	Ne cesaretle parama dokundu?
How dare she say such things about us?	Ne cesaretle bizim hakkımızda böyle şeyler söyler?

USED TO

Bir yardımcı fiildir. Sadece geçmiş şekli vardır. Her şahıs için kullanılan tek şekli **used**'tur. **Not** ile birleşerek kısalabilir: **used not (usedn't).**

Cümle başına gelerek soru olur.

Önüne geldiği fiilin eskiden tekrar tekrar yapıldığını gösterir.

I often used to go to the cinema.	Sinemaya sık sık giderdim.
We used to drink apple juice.	Elma suyu içerdik.
She used to smoke twenty ciga-	Günde yirmi sigara içerdi.
rettes a day.	

He used to play tennis.	Tenis oynardı.
He usedn't to play tennis.	Tenis oynamazdı.
Used he to play tennis?	Tenis oynar mıydı?

Used to yardımcı fiili **did** ile de soru ve olumsuz yapılabilir. Bu şekil konuşma dilinde oldukça yaygındır. **Did** kullanılınca **used** içindeki geçmiş zaman takısı **ed** kalkar, **use** olur.

I usedn't to go there.	Oraya gitmezdim.
I didn't use to go there.	Oraya gitmezdim.

She usedn't to wait for us.	Bizi beklemezdi.
She didn't use to wait for us.	Bizi beklemezdi.

Used he to help you?	Size yardım eder miydi?
Did he use to help you?	Size yardım eder miydi?

Used they to walk to the park?	Parka yürürler miydi?
Did they use to walk to the park?	Parka yürürler miydi?

be used to

Bu yapıda kullanılan **used** yukarıda gördüğümüz yardımcı fiil anlamından tamamen değişiktir. Burada "alışık" anlamında bir sıfattır.

I am used to cold weather.	Soğuk havaya alışığım.
He is used to working in the	Tarlalarda çalışmaya alışıktır.
fields.	
We are used to these new	Bu yeni makinelere alışığız.
machines.	

They are used to waiting in queues.	Kuyruklarda beklemeye alışıktırlar.
She is used to getting up early.	Erken kalkmaya alışıktır.
She was used to getting up early.	Erken kalkmaya alışıktı.
She will be used to getting up early.	Erken kalkmaya alışacak.

Get ile used bir fiil meydana getirirler, "alışmak".

I am used to working in the garden.	Bahçede çalışmaya alışıkım.
I get used to working in the garden.	Bahçede çalışmaya alışırım.
I got used to working in the garden.	Bahçede çalışmaya alıştım.
I will get used to working in the garden.	Bahçede çalışmaya alışacağım.
He got used to driving in England.	İngiltere'de araba kullanmaya alıştı.
You'll get used to carrying your suitcases yourself.	Bavullarını kendin taşımaya alışacaksın.
She got used to cooking.	Yemek pişirmeye alıştı.

SHALL, SHOULD

Shall bir yardımcı fiildir. Olumlu cümlede özne ile 'll şeklinde kaynaşabilir. Not ile kısalmış şekli shan't'tır.

Yardımcı fiillerin hemen hepsinde olduğu gibi shall de to'suz fiille kullanılır.

Shall gelecek zaman cümlesinde I ve we zamirleri ile kullanılır.

I shall see them tomorrow.	Onları yarın göreceğim.
We shall bring the chairs.	Sandalyeleri getireceğiz.
I shall show them the old coins.	Onlara eski madeni paraları göstereceğim.
We shall learn the truth soon.	Gerçeği yakında öğreneceğiz.

Böyle bir yapıda **shall** yerine **will** kullanılırsa sözü söyleyenin o fiili yapmaya niyetli ve istekli olduğu belirtilmiş olur.

I shall talk to the tourists.	Turistlerle konuşacağım.
I will talk to the tourists.	Turistlerle konuşacağım.

İkinci cümlede konuşma eylemini yapmaya kararlı ve istekli olunduğu belirtilmektedir.

We shan't wait at home.	Evde beklemeyeceğiz.
We won't wait at home.	Evde beklemeyeceğiz.

Yine **won't** ile yapılmış cümlede bir kararlılık ve niyet vardır.

Yukarıda açıklandığı gibi niyet belirtmeyen gelecek zaman cümlelerinde **I** ve **we** ile **shall** kullanılması gramer bakımından doğru olan şekildir. Fakat pratikte çoğunlukla **shall** yerine de **will** kullanılmaktadır.

I shall buy another hat.	Başka bir şapka satın alacağım.
I will buy another hat.	Başka bir şapka satın alacağım.
We shall take the pills regularly.	Hapları düzenli olarak alacağız.
We will take the pills regularly.	Hapları düzenli olarak alacağız.

shall I?

Sadece istek ve fikrini sorma için **I** ve **we** zamirleri ile yapılan, aşağıdaki örneklerde göreceğimiz sorularda mutlaka **shall** kullanılır.

Shall I bring anything for you?	Sizin için bir şey getireyim mi?
Shall I open the door?	Kapıyı açayım mı?
Shall I type the letter again?	Mektubu tekrar daktilo edeyim mi?
Shall I take the children to the park?	Çocukları parka götüreyim mi?
Shall we go to the cinema?	Sinemaya gidelim mi?
Shall we wait here?	Burada bekleyelim mi?

Where shall I put the chair?	Sandalyeyi nereye koyayım?
How shall we answer these questions?	Bu sorulara nasıl cevap verelim?

Bu cümlelerin Türkçelerinde "getirecek miyim?, açacak mıyım?" gibi gele-cek zaman değil, şimdiki zaman ifadeleri kullanıldığını görmekteyiz. **Shall**'in bu biçimde kullanıldığında verdiği anlam budur.

Shall I change the plate?	Tabağı değiştireyim mi? Değiş-tirecek miyim? değil)
Shall we drink wine?	Şarap içelim mi? (İçecek miyiz? değil)

Shall, I ve **we** dışındaki şahıs zamirleriyle kullanılırsa bir emir, vaat veya tehdit ifade eder.

You shall have a prize.	Bir ödül alacaksın. (vaat)
He shall be punished.	Cezalandırılacak. (tehdit)
The students shall write their names on the cards.	Öğrenciler isimlerini kartlara yaza-caklar. (emir)
They shall not touch the roses.	Güllere dokunmayacaklar. (tehdit)

SHOULD

Should, shall'in geçmiş zaman halidir. Fakat bu şekil kullanılışı hemen hemen sadece nakledilen sözde vardır. **Shall** ile yapılmış bir cümle nak-ledilen söz şekline sokulunca **shall** yerine **should** kullanılır.

I shall eat the cake.	Pastayı yiyeceğim.
He said he should eat the cake.	Pastayı yiyeceğini söyledi.
Shall we clean the walls?	Duvarları temizleyelim mi?
They asked if they should clean the walls.	Duvarları temizleyip temizleyeme-yeceklerini sordu.

Bunun dışında **should**'un pek çok kullanılış yeri vardır. Bunlar hep şimdi-ki zaman ve gelecek zaman anlamındadırlar.

Shall ile fikir ve öğüt sormak için yapılan cümlelerde **shall** yerine **should** kullanılabilir.

Shall I wash the dishes?	Bulaşığı yıkayayım mı?
Should I wash the dishes?	Bulaşık yıkayayım mı?

Shall we meet at the station?	İstasyonda buluşalım mı?
Should we meet at the station?	İstasyonda buluşalım mı?

Where shall I take them?	Onları nereye götüreyim?
Where should I take them?	Onları nereye götüreyim?

Should bir şeyin yapılmasının doğru, makul ve görev olduğunu öğütlemek için kullanılır. Bu kullanılışı **ought** ile aynı anlamdadır.

You ought to visit your elders.	Büyüklerinizi ziyaret etmelisiniz.
You should visit your elders.	Büyüklerinizi ziyaret etmelisiniz.
They should drive more carefully in crowded areas.	Kalabalık bölgelerde daha dikkatli araba kullanmalılar.
You should listen to your teacher.	Öğretmenini dinlemelisin.
You should take this medicine regularly.	Bu ilacı düzenli olarak almalısın.
He shouldn't make any noise in the library.	Kitaplıkta hiç gürültü yapmamalı.
We should park behind the building.	Binanın arkasında park etmeliyiz.
She shouldn't spend all her money on dresses.	Bütün parasını giysilere harcamamalı.
You should see that film. It's wonderful.	O filmi görmelisiniz. Harika.

Geçmişte, yukarıda gördüğümüz anlamda bir eylemin gerçekleşmemiş olduğunu anlatmak için **should** ile mişli mastar (**have** ile fiilin 3. şekli) kullanılır.

You should have visited your elders.	Büyüklerinizi ziyaret etmiş olmalıydınız.
He should have finished the work.	İşi bitirmiş olmalıydı.
They shouldn't have broken the vases.	Vazoları kırmış olmamalıydılar.
We shouldn't have sold our house.	Evimizi satmış olmamalıydık.

İlk iki cümlede ziyaret etme ve çalışma fiillerinin yapılmış olmaları gerektiği halde yapılmamış oldukları anlatılmaktadır. Diğer iki cümlede ise yapılmaması gereken eylemlerin yapılmış olduğu belirtilmektedir.

The milkman should have come before seven, but he didn't come.	Sütçü yediden önce gelmiş olmalıydı, fakat gelmedi.
We shouldn't have wasted the money, but he wasted it.	Parayı israf etmiş olmamalıydı; fakat onu israf etti.

Bazı eylemlerin yapılması gerektiğini bildiren belirli fiillerle that ... **should** kalıbı içinde **should**'un çok sık kullanıldığı görülür. Bu fiillerin başlıcaları **insist, recomend, suggest, propose, advise, agree, demand, order, command**'dır.

He insisted.	Israr etti.
He insisted that we should change the shirt.	Gömleği değiştirmemizde ısrar etti.
He insisted that the shirt should be changed.	Gömleğin değiştirilmesinde ısrar etti.
I recommended that they should write the contract again.	Kontratı tekrar yazmalarını tavsiye ettim.

Örneklerde fiilin etken çatıda **(active voice)** olduğu gibi edilgen çatı **(passive voice)** halinde olması durumunda da **should**'un aynı anlamda kullanıldığı görülmektedir.

Diğer fiillerle **that ... should** yapısının kullanılışını aşağıdaki örneklerde izleyeceğiz.

They suggested that we should give up learning German.	Almanca öğrenmekten vazgeçmemizi önerdiler.
I proposed that they should sell the car.	Otomobili satmalarını teklif ettim.
I proposed that the car should be sold.	Otomobilin satılmasını teklif ettim.
They advised that we should keep the flowers in a warmer place.	Çiçekleri daha ılık bir yerde muhafaza etmemizi öğütlediler.
She advised that the books should be kept on the shelves.	Kitapların raflarda muhafaza edilmesini öğütledi.

The teacher agreed that the students should bring their home-works on Tuesday.	Öğretmen öğrencilerin ev ödevlerini salı günü getirmelerine razı oldu.
We agreed that their car should be repaired first.	Önce onların arabasının tamir edil-mesine razı olduk.
The commander demanded that the bridge should be built in two days.	Komutan köprünün iki günde inşa edilmesini istedi.
He ordered that the soldiers should leave the village.	Askerlerin köyü terk etmesini emretti.
I ordered that the kitchen should be cleaned every day.	Mutfağın her gün temizlenmesini emrettim.
They arranged that everybody should take his share.	Herkesin hissesini alacağı şekild ayarladılar. (düzenlediler.)
We arranged that everybody should be pleased.	Herkesin memnun olacağı şekilde düzenledik.
Mary urged that we should go with her.	Mary onunla gitmemizde ısrar etti.
The official urged that the suitcases should be examined.	Memur bavulların kontrol edilmesin-de ısrar etti.

In case ve if ile kullanılan should ihtimalin çok az olduğunu belirtir.

We'll shut the window in case it should rain.	Belki yağmur yağar diye pencereyi kapatacağız.
Take your passport with you in case they should ask at the hotel.	Belki otelde sorarlar diye pasapor-tunu al.
We must start early in case there should be a traffic jam.	Belki trafik sıkışıklığı olur diye erken hareket etmeliyiz.

Bu cümleler ihtimalin pek az olduğunu ifade etmektedir. Şayet normal bir ihtimal söz konusuysa o zaman should kullanılmaz.

We'll take the umbrella in case it rains.	Yağmur yağar diye şemsiyeyi alaca-ğız.
We'll take the umbrella in case it should rain.	Yağmur yağar diye şemsiyeyi alaca-ğız.

İlk cümlede yağmur yağmasının muhtemel olduğu, ikincisinde ise bu ihtimalin pek zayıf olduğu anlatılmaktadır.

Bu tip cümleler geçmiş zaman halinde de olabilir.

He bought eight packets of cigarettes in case he should stay there for a few days.	Orada belki birkaç gün kalır diye sekiz paket sigara aldı.

If I were you "senin yerinde olsaydım" ile **should** kullanılır.

If I were you, I should buy the other shirt.	Senin yerinde olsaydım diğer gömleği alırdım.
I shouldn't go with them if I were you.	Senin yerinde olsaydım onlarla gitmezdim.
If I were you, I shouldn't apologise.	Senin yerinde olsaydım özür dilemezdim.

Why, how gibi soru sözcükleriyle **should** kullanıldığında bir eylem ve durumun nasıl olup da gerçekleştiğini bir türlü anlayamama şaşkınlığı ifade edilmiş olur.

Why should I give them any money? They got their salaries only yesterday.	Onlara niçin para verecek mişim? Maaşlarını daha dün aldılar.
How should I know that he was your uncle?	Onun amcan olduğunu nasıl bilebilirim?
Why should my son work longer than the others?	Oğlum diğerlerinden niçin daha uzun süre çalışsın?

bazı sıfatlardan sonra (that ... should)

Çoğunlukla **it is, it was** şeklinde başlayan cümlelerle, **interesting, amazing, surprising, ridiculous, absurd, natural, better** gibi sıfatların kullanıldığı ve bir kimsenin olaylara gösterdiği reaksiyonu belirten cümlelerde **that... should** kullanılır.

It is amazing that the old man should be able to run so fast.	Yaşlı adamın bu kadar hızlı koşabilmesi şaşırtıcı.

It is ridiculous that we should ask them for help.	Onlardan yardım istememiz gülünçtür.
It is interesting that the president should join us at the meeting.	Başkanın toplantıda bize katılması ilginçtir.
It is absurd that you should be angry with me.	Bana kızman saçma.
It is natural that the children should prefer their mother.	Çocukların annelerini tercih etmeleri olağandır.
It is better that you should visit your father first.	İlk önce babanı ziyaret etmen daha iyi.
It is natural that they should try to defend themselves.	Kendilerini korumaya çalışmaları doğaldır.

so that, in order that ile should

Should geçmiş zaman cümlelerinde **so that, in order that** ile kullanılabilir.

He opened the door quietly so that he shouldn't wake his wife.	Karısını uyandırmasın diye kapıyı sessizce açtı.
We hid the toys in the cupboard in order that the children shouldn't find them.	Çocuklar onları bulamasın diye oyuncakları dolaba sakladık. ´
I brought the maid with me so that she should help you.	Sana yardım etsin diye hizmetçiyi beraberimde getirdim.

WILL, WOULD

Will de bir yardımcı fiildir. Olumlu cümlede özne ile 'll şeklinde kaynaşabilir. **Not** ile kısalmış şekli **won't**'tur.

Shall gibi **will** de kök halinde (**to**'suz) fiil önüne gelerek ona gelecek zaman anlamı kazandırır.

Gelecek zaman cümlelerinde **I** ve **we** ile **shall**, diğer şahıslarla **will** kullanılır. Fakat soru hali hariç diğer durumlarda **I** ve **we** ile de **shall** yerine

will kullanılması çok yaygındır.

I shall see the chief tomorrow.	Yarın şefi göreceğim.
I will see the chief tomorrow.	Yarın şefi göreceğim.
You will meet them at the station.	Onlarla istasyonda buluşacaksın.
He will miss you.	Seni özleyecek.
She won't come to the beach.	Plaja gelmeyecek.
We will work in another factory	Başka bir fabrikada çalışacağız.
You won't learn English there.	Orada İngilizce öğrenmeyeceksin.
Will he go to the cinema?	Sinemaya gidecek mi?
Will they write their names?	İsimlerini yazacaklar mı?

I ve **we** ile **shall** yerine **will** kullanılırsa niyet ve istek gösterilmiş olur.

I shall see them next week.	Onları gelecek hafta göreceğim.

cümlesinde haftaya görmek eyleminin gerçekleşeceği belirtilmektedir

I will see them next week.	Onları gelecek hafta göreceğim.

cümlesinde "Onları görmeye niyetliyim. Görmeyi istiyorum." anlamı vardır.

I will feed the rabbits.	Tavşanları besleyeceğim.
I won't wash the car.	Arabayı yıkamayacağım.
We will see the students and give them their presents.	Öğrencileri göreceğiz ve onlara hediyelerini vereceğiz.
I will stop smoking.	Sigara içmeyi bırakacağım.
We'll pay the debt soon.	Borcu yakında ödeyeceğiz.
I won't drink wine any more.	Artık şarap içmeyeceğim.
We won't clean the windows every day.	Pencereleri her gün temizlemeyeceğiz.

Olumlu ve olumsuz cümlede **shall** ile **will** arasındaki bu anlam farkı üzerinde pek durulmayarak **I** ve **we** ile de daima **will** kullanıldığı çok görülür.

I will take the boy to his mother.	Çocuğu annesine götüreceğim.

will you?

Will you şeklinde yapılan sorularda istek belirtme ve emir verme anlamı vardır.

Will you come with me?   Benimle gelir misin?
Will you shut the window, please? Lütfen pencereyi kapar mısın?
Will you change the sheets?   Çarşafları değiştirir misiniz?

İkram etme anlamında yine **will you** kullanılır.

Will you have some cake?   Biraz pasta alır mısınız? (Yer
                                       misiniz?)
Will you have some more whisky? Biraz daha viski içer misiniz?
Won't you come in?   İçeri girmez misiniz? (Lütfen girin.)

Bu cümlelerin Türkçelerinde "gelecek misin, kapayacak mısın" şeklinde bir gelecek zaman ifadesi değil, "gelir misin, kapar mısın" şeklinde bir anlam olduğuna dikkat ediniz.

won't

Won't ile bir şeyi kabul etmemek, yapmayı istememek gibi olumsuz bir niyet ifade edilir.

She won't come.   O gelmiyor.(Gelmeyi reddediyor.)
I won't do what they say.   Onların dediğini yapmayacağım.
                                      (Yapmayı reddediyorum.)
We won't come with you.   Sizinle gelmeyiz.

Bir şeyin olmadığı, çalışmadığı söylenirken **won't** kullanılır.

The key won't open the lock.   Anahtar kilidi açmıyor.
The machine won't start.   Motor çalışmıyor.
The workers won't work on   İşçiler cumartesi günü çalışmıyor-
Saturday.   lar.
Children won't stay at home   Çocuklar güneşli bir günde
on a sunny day.   evde kalmazlar.

(will-would) ile alışkanlık ve özellik anlatımı

Will ile alışkanlık şeklinde tekrarlanan hareketler anlatılır. Bu durumda Türkçeye çeviri gelecek zaman şeklinde değil geniş zaman olarak yapılır.

When his mother is busy in the kitchen he'll open the door and go to the garden.	Annesi mutfakta meşgulken kapıyı açar bahçeye gider.
They'll change the subject when we enter the room.	Odaya girdiğimiz zaman konuyu değiştirirler.
She'll buy dresses and then go to change them.	Elbiseler alır ve sonra onları değiştirmeye gider.
Dora will accept the offer but then she'll give up selling the car.	Dora teklifi kabul eder fakat sonra otomobili satmaktan vazgeçer.

Would geçmişte alışkanlık halinde tekrarlanan hareketleri göstermek için kullanılır.

He would go to the cinema on Saturdays.	Cumartesi günleri sinemaya giderdi.
They would never tell us the truth.	Bize asla garçeği söylemezlerdi.
We wouldn't go near the gate because there was a big dog in the garden.	Bahçe kapısına yaklaşmazdık, çünkü bahçede büyük bir köpek vardı.
When I was young I would climb all the trees in our garden.	Küçükken bahçemizdeki bütün ağaçlara tırmanırdım.

Would'un bu anlamda kullanılışı used to gibidir. Ancak, would'un sadece tekrarlanan hareketleri anlatmak için kullanılabilmesine karşın used to hem bu anlamda hem de herhangi bir durumda bulunuş, bir şeye sahip oluş gibi hallerde de kullanılır.

I used to have a lot of friends at school.	Okulda birçok arkadaşlarım olurdu.

Bu cümlede used to yerine would kullanılamaz. Takip eden örneklerde used to ile would'un aynı şekilde kullanılabiidiğini görüyoruz.

238

We used to sit under the trees and watch the boats on the river.	Ağaçların altında oturur nehirdeki kayıkları seyrederdik.
We would sit under the trees and watch the boats on the river.	Ağaçların altında oturur nehirdeki kayıkları seyrederdik.
She used to play basketball after school.	Okuldan sonra basketbol oynardı.
She would play basketball after school.	Okuldan sonra basketbol oynardı.
I used to work in the field with my father.	Babamla tarlada çalışırdım.
I would work in the field with my father.	Babamla tarlada çalışırdım.

Geçmişte tekrarlanan bu hareketlerin kaç kere tekrarlandığı belirtilirse bu durumda **used to** veya **would** kullanılmaz.

He would visit his uncle when he was a child.	Çocukken amcasını ziyaret ederdi.
He visited his uncle four times a year.	Amcasını yılda dört kere ziyaret e-derdi.

Would hep geçmiş zaman anlamında kullanılmaz. **Like** ile birlikte kibar bir istek belirtir.

I would like a cup of tea.	Bir fincan çay istiyorum.
We would like some sugar for the coffee.	Kahve için biraz şeker istiyoruz.
They would like a smaller table.	Daha küçük bir masa istiyorlar.

Will ile belirtilen istek ve emir cümlelerinde **will** yerine **would** kullanılabilir.

Will you open the door, please?	Lütfen kapıyı açar mısınız?
Would you open the door, please?	Lütfen kapıyı açar mısınız?
Would you have a look at my homework?	Ev ödevime bir bakar mısınız?
Would you give me another wine glass?	Bana başka bir şarap bardağı verir misiniz?
Would you pass the salt?	Tuzu uzatır mısınız?

KISA CEVAPLAR

Yardımcı fiiller İngilizcede, özellikle konuşma dilinde çok kullanılırlar. En çok kullanılma yerleri de sorulara kısa olarak cevap vermek için kurulan kısa cevap şekilleridir.

Bir soru cümlesine kısa cevap verirken, cevap olumlu olacaksa **yes** ile, olumsuz olacaksa **no** ile başlanır.

Bundan sonra sorudaki özne yer alır. Özne bir zamirse kısa cevapta da bu zamir aynen kullanılır. Eğer bir isimse kısa cevapta bu isme uygun zamir kullanılır.

Soru cümlesinin içinde yardımcı fiil varsa kısa cevapta bu yardımcı fiil yer alır. Cevap olumlu olacaksa yardımcı fiil olumlu halde, olumsuz olacaksa **not** ile birleşerek olumsuz yapılmış halde bulunur. Soru cümlesinin esas fiili kısa cevapta yer almaz.

Kısa cevaplarda daima kısaltılmış şekiller kullanılır.

Is she in the kitchen?	O mutfakta mıdır?
Yes, she is.	Evet, o ...dır. (Evet, o mutfaktadır.)
Is she a teacher?	O bir öğretmen midir?
No, she isn't.	Hayır, değildir.
Has Arthur a colour television?	Arthur'un renkli televizyonu var mı?
Yes, he has.	Evet, onun var. (Evet, onun renkli bir televizyonu var.)
Have they many canaries?	Onların çok kanaryaları var mı?
No, they haven't.	Hayır, onların yok.
Does the teacher correct the mistakes?	Öğretmen hataları düzeltir mi?
Yes, he does.	Evet, düzeltir.
Do the students learn quickly?	Öğrenciler çabuk öğrenirler mi?
No, they don't.	Hayır, öğrenmezler.

Örneklerde görüldüğü gibi kısa cevapta sorudaki yardımcı fiil kullanılmakta, esas fiil yer almamaktadır. Soruda isim varsa cevapta buna uygun zamir kullanılmaktadır. Örneğin sorudaki **the students** ismi yerine cevapta **they** yer almıştır.

Are you a doctor?	Sen bir doktor musun?
Yes, I am.	Evet, ben ...im. (Evet, ben bir doktorum.)
Are you coming with us?	Bizimle geliyor musunuz?
No, I'm not.	Hayır, gelmiyorum.
Am I a lazy student?	Tembel bir öğrenci miyim?
Yes, you are.	Evet, sen ...sin. (Evet, sen tembel bir öğrencisin.)
Am I too old for the job?	İş için çok yaşlı mıyım?
No, you aren't.	Hayır, değilsin.
Is there a dog in the garden?	Bahçede bir köpek var mı?
Yes, there is.	Evet, var.
Are there any eggs in the basket?	Sepette hiç yumurta var mı?
No, there aren't.	Hayır, yok.
Have the girls got blue hats?	Kızların mavi şapkaları mı var?
Yes, they have.	Evet, onların var.
Has Norman an aunt?	Norman'ın bir teyzesi var mı?
No, he hasn't.	Hayır, onun yok.
Can she speak French?	Fransızca konuşabilir mi?
Yes, she can.	Evet, konuşabilir.
Can Mary make a dress for me?	Mary benim için elbise yapabilir mi?
No, she can't.	Hayır, yapamaz.
Do you speak English?	İngilizce konuşur musunuz? (Bilir misiniz?)
Yes. I do.	Evet, bilirim.
Will the soldiers bring their guns?	Askerler silahlarını getirecekler mi?
Yes, they will.	Evet, getirecekler.

Will Emma be here on Monday?	Emma pazartesi günü burada olacak mı?
No, she won't.	Hayır, olmayacak.
May I ask a question?	Bir soru sorabilir miyim?
Yes, you may.	Evet, sorabilirsin.
Must she come too?	O da gelmeli mi?
Yes, she must.	Evet, gelmeli.
Must I answer them?	Onlara cevap vermeli miyim?
No, you needn't.	Hayır, vermek zorunda değilsin.
Must he change the towels?	Havluları değiştirmeli mi?
Yes, he must.	Evet, değiştirmeli.
Must the waiter bring another fork?	Garson başka bir çatal getirmeli mi?
No, he needn't.	Hayır, getirmek zorunda değil.

Must ile soruya olumsuz cevapta genel olarak **needn't, need** ile soruya olumlu cevapta **must** kullanılır. Örneklerde bunu görüyoruz.

Need he take these pills?	Bu hapları alması gerekli mi?
Yes, he must.	Evet, gerekli.
Need they finish the work today?	İşi bugün bitirmeleri gerekli mi ?
No, they needn't.	Hayır, gerekli değil.
Did the woman buy a pair of gloves?	Kadın bir çift eldiven aldı mı?
Yes, she did.	Evet, aldı.
Did the workers work on Sunday?	İşçiler pazar günü çalıştılar mı?
No, they didn't.	Hayır, çalışmadılar.
Could they come tomorrow?	Yarın gelebilirler mi?
No, they couldn't.	Hayır gelemezler.
Has he seen the circus?	Sirki gördü mü?
Yes, he has.	Evet, gördü.
Have the men brought the letter?	Adamlar mektubu getirdiler mi?
No, they haven't.	Hayır, getirmediler.

soru sözcüğü ile yapılmış sorulara kısa cevaplar

Bu şekildeki soruların içinde yardımcı fiil varsa kısa cevapta bu yardımcı fiil kullanılır, yoksa **do** kullanılır.

Who brought the letter?	Mektubu kim getirdi?
Dora did.	Dora getirdi.
Who brings the letter?	Mektubu kim getirir?
Dora does.	Dora getirir.
Who will bring the letter?	Mektubu kim getirecek?
Dora will.	Dora getirecek.
Who can bring the letter?	Kim mektubu getirebilir?
Dora can.	Dora getirebilir.
Who has a yellow hat?	Kimin sarı bir şapkası var?
Dora has.	Dora'nın var.
Which cat is bigger?	Hangi kedi daha büyüktür?
The black cat is.	Kara kedi.
Which man works harder, John or Philip?	Hangi işçi daha çok çalışır, John mu yoksa Philip mi?
John does.	John çalışır.
How many of the students need books?	Öğrencilerin kaçının kitaba ihtiyacı var?
Five of them do.	Beşinin ihtiyacı var.
What made that noise?	Bu gürültüyü ne yaptı?
The car did.	Otomobil yaptı.
What makes her nervous?	Onu ne sinirlendirir?
The noise does.	Gürültü sinirlendirir.
Who opens the door in the morning?	Sabahleyin kapıyı kim açar?
My father does.	Babam açar.
Who likes chocolate?	Kim çikolata sever?
All children do.	Bütün çocuklar sever.

bir düşünceye katılma ifadelerinde yardımcı fiiller

Olumlu bir cümle ile belirtilen bir düşünceye katılındığı bildirilirken **yes, so, of course** sözcükleriyle başlayan cümleler yapılır. Bu cümlelerde yukarıda gördüğümüz kısa cevaplarda olduğu gibi ilk cümledeki yardımcı fiil kullanılır. Yardımcı fiil yoksa **do** kullanılır.

He is a very good man. **Yes, he is.**	O çok iyi bir adamdır. Evet, öyle. (Evet, o çok iyi bir adamdır.)
She can understand us. **Yes, she can.**	O bizi anlayabilir. Evet, öyle. (Evet, bizi anlayabilir.)
The horses are going to the river. **Yes, they are.**	Atlar nehire gidiyorlar. Evet, öyle. (Evet, nehire gidiyorlar.)
The doctor comes late. **Yes, he does.**	Doktor geç gelir. Evet, öyle. (Evet, geç gelir.)
The tourists like folk dances. **Yes, they do.**	Turistler halk danslarını severler. Evet, öyle. (Evet, severler.)
The students must bring their books. **Yes, they must.**	Öğrenciler kitaplarını getirmeliler. Evet, öyle. (Evet, getirmeliler.)
She can stay with us. **Yes, she can.**	Bizimle kalabilir. Evet, öyle.
Audrey has gone to London. **Yes, she has.**	Audrey Londra'ya gitti. Evet, öyle.
He may give us some more wine. **Yes, he may.**	Bize biraz daha şarap verebilir. Evet, öyle.
The children broke the window. **Yes, they did.**	Çocuklar pencereyi kırdılar. Evet, öyle.
They are late again. **Yes, they are.**	Yine geç kaldılar. Evet, öyle.

Bir sözün nayret uyandırdığını belirtmek için yukarıdaki yapıda **yes** yerine **so** kullanılır.

Your watch is on the floor.	Saatiniz yerde.
So it is.	Yaa, öyle. (Sahi öyle.)
The soldiers killed the wolf.	Askerler kurdu öldürdüler.
So they did.	Yaa, öyle.
The shop is closed.	Dükkân kapalı.
So it is.	Yaa, öyle.
Hilda runs to the gate.	Hilda kapıya koşar.
So she does.	Yaa, öyle.

Bir şeyin çok tabii olarak öyle olduğunu belirtmek için **yes** ve **so** sözcükleri yerine **of course** konulur.

He is always polite and helpful.	Daima kibar ve yardımcıdır.
Of course he is.	Tabii, öyle.
They paid their debt immediately.	Borçlarını derhal ödediler.
Of course they did.	Tabii, öyle.
The children like playing in the park.	Çocuklar parkta oynamayı severler.
Of course they do.	Tabii, öyle.
He'll get fat if he eats too much.	Çok fazla yerse şişmanlayacak.
Of course he will.	Tabii, öyle.
My wife can buy a fur coat.	Karım bir kürk manto alabilir.
Of course she can.	Tabii, öyle.
Mary is learning very quickly.	Mary çok çabuk öğreniyor.
Of course she is.	Tabii, öyle.

olumsuz düşünceye katılma

Olumsuz bir cümlede belirtilen düşünceye katılındığını belirtmek için yapılan cümle **no** ile başlar ve ilk cümledeki yardımcı fiil kullanılır.

245

She isn't a pretty woman.	O güzel bir kadın değildir.
No, she isn't.	Evet, öyle. (Evet, değildir.)

Olumsuz cümlede belirtilen fikirle mutabık olunduğunu anlatan cümle **no** ile başlayan olumsuz bir cümle görünümünde olmakla beraber anlamı, "Evet, öyle. Evet, değildir. Evet, güzel bir kadın değildir." şeklindedir.

Mr Miller isn't a dentist.	Bay Miller bir dişçi değildir.
No, he isn't.	Evet, öyle. (Evet, değildir.)
They didn't come late.	Geç gelmediler.
No, they didn't.	Evet, öyle. (Evet, gelmediler.)
They haven't a house in London.	Londra'da bir evleri yok.
No, they haven't.	Evet, öyle. (Evet, yok.)
We don't treat them badly.	Onlara fena muamele etmeyiz.
No, you don't.	Evet, öyle. (Evet, etmezsiniz.)
The little girl can't carry the suitcase.	Küçük kız bavulu taşıyamaz.
No, she can't.	Evet, öyle. (Evet, taşıyamaz.)

karşı çıkma cümleleri

olumlu cümle ile belirtilen düşünceye karşı çıkma

Böyle bir karşı çıkma cümlesi **No** "hayır" veya **Oh no** "yo, hayır" ile başlar ve ilk cümledeki yardımcı fiil olumsuz şekilde kullanılarak yapılır. Yardımcı fiil yoksa **do** kullanılır.

He is an honest man.	O dürüst bir adamdır.
No, he isn't.	Hayır, değildir.
The people are looking at the ship.	İnsanlar gemiye bakıyorlar.
Oh, no, they aren't.	Yo, hayır, bakmıyorlar.
Mary can answer these questions.	Mary bu sorulara cevap verebilir.
No, she can't.	Hayır, veremez.

He drank the beer.	Birayı içti.
No, he didn't.	Hayır, içmedi.
They clean the windows every day.	Pencereleri her gün temizlerler.
No, they don't.	Hayır, temizlemezler.
Mr Green will learn the truth.	Bay Green gerçeği öğrenecek.
Oh, no, he won't.	Yo, hayır, öğrenmeyecek.

Karşı çıkma cümlesinin başında **but** da kullanılabilir.

Why are you so nervous?	Niçin bu kadar sinirlisin?
But I am not.	(Ama) değilim ki.
Why did they come to you?	Niçin sana geldiler?
But they didn't.	Gelmediler ki.
Why did you take my bag?	Çantamı niçin aldın?
But I didn't.	Almadım ki.

olumsuz düşünceye karşı çıkma

Böyle bir cümle **yes** veya **oh, yes** ile başlatılır. **Yes** yerine **but** da kullanılabilir.

He can't learn English.	İngilizce öğrenemez.
Oh, yes, he can.	Yo, hayır, öğrenebilir.
They don't pay attention to the rules.	Kurallara aldırış etmezler.
Oh, yes, they do.	Yo, hayır, ederler.

Yes ile başlayan bu cümleler ile ilk cümlede belirtilen şeye karşı çıkıldığı söylendiği için olumsuz bir anlam taşımaktadırlar. Bu bakımdan Türkçe anlamları "hayır" olumsuz sözcüğü ile verilmiştir.

Your son didn't go there.	Oğlun oraya gitmedi.
Oh, yes, he did.	Yo, hayır, gitti.
You haven't any money.	Hiç paran yok.
Yes, I have.	Hayır, var.

She didn't answer our letters.	Mektuplarımıza cevap vermedi.
But she did.	Ama verdi. (Ama cevap verdi.)
The postmen don't bring heavy parcels.	Postacılar ağır paketleri getirmezler.
But they do.	Ama getirirler.
The manager won't accept your offer.	Müdür teklifini kabul etmeyecek.
Oh. yes, he will.	Yo, hayır, edecek.
I haven't seen them before.	Onları daha önce görmedim.
Yes, you have.	Hayır, gördün.
You can't understand it.	Onu anlayamazsın.
Yes, I can.	Hayır, anlayabilirim.
The nurses aren't staying at the hospital.	Hemşireler otelde kalmıyorlar.
But they are.	Ama kalıyorlar.

söylenenlere yapılan eklemeler

Olumlu cümlelere yapılan olumlu eklemeler **so** ile başlar ve ek cümle, esas cümledeki yardımcı fiil ile, şayet yardımcı fiil yoksa **do** ile kurulur.

Mr Miller comes late.	Mr Miller geç gelir.
So does Mary.	Mary de. (Mary de öyle.)
The boys like playing in the sea.	Erkek çocuklar denizde oynamayı severler.
So do the girls.	Kızlar da. (Kızlar da severler.)
Mr Miller came late.	Mr Miller geç geldi.
So did Mary.	Mary de.
Mr Miller can come late.	Mr Miller geç gelebilir.
So can Mary.	Mary de.
They can take whatever they want.	Her ne isterlerse alabilirler.
So can we.	Biz de.
They arrived yesterday.	Dün geldiler.

So did my uncle.	Amcam da.
The birds are in cages.	Kuşlar kafeslerdedir.
So are the rabbits.	Tavşanlar da.
The boys were tired.	Çocuklar yorgundu.
So were their parents.	Anne babaları da.
Mr Smith's son could climb very steep hills.	Bay Smith'in oğlu çok dik tepelere tırmanabilirdi.
So could my son.	Oğlum da.
They will be in the fields tomorrow.	Yarın tarlalarda olacaklar.
So will Norman.	Norman da.
I need some rest.	Biraz istirahata ihtiyacım var.
So do they.	Onların da.

Olumsuz cümleye yapılacak olumsuz eklemeler **nor** veya **neither** ile yapılır.

His father can't walk all this way.	Babası bütün bu yolu yürüyemez.
Nor can his mother.	Annesi de. (Annesi de yürüyemez.)
They don't like ice-cream.	Dondurma sevmezler.
Neither do I.	Ben de. (Ben de sevmem.)
She won't buy a pair of shoes.	Bir çift ayakkabı almayacak.
Neither will her sister.	Kız kardeşi de.
He didn't come late.	Geç gelmedi.
Nor did the others.	Diğerleri de.
We mustn't put the rubbish in the street. Neither must your neighbours.	Çöpü sokağa koymamalıyız. Komşularınız da.
Helen hasn't any friends in Turkey.	Helen'in Türkiye'de hiç arkadaşı yok.
Neither has Dora.	Dora'nın da.
The key wasn't in my wallet.	Anahtar cüzdanımda değildi.

Nor was the money.   Para da.

Olumlu cümleye olumsuz eklemeler "ama, fakat" anlamında **but** ile baş-
lar ve yine ilk cümledeki yardımcı fiil, şayet yoksa, **do,** kullanılır. Bu tür
ekleme ilk cümleye karşı olan ve ona uyulmadığını belirten bir eklemedir.

She can learn easily.   O kolayca öğrenebilir.
8ut I can't.   Fakat ben öğrenemem.

You have a lot of money.   Çok paran var.
But he hasn't.   Ama onun yok.

The guests liked historical   Misafirler tarihi yerleri beğendiler.
places.
But I didn't.   Ama ben beğenmedim.

The children make a lot of   Çocuklar çok gürültü yaparlar.
noise.
But we don't.   Ama biz yapmayız.

The teacher spoke to us.   Öğretmen bizimle konuştu.
But the headmaster didn't.   Ama müdür konuşmadı.

Your son is a very intelligent   Oğlunuz çok akıllı bir çocuk.
boy.
But theirs isn't.   Ama onlarınki değil.

Bütün bu cümleler ve onlara yapılan eklemeler aynı kişi tarafından söyle-
niyor olabileceği gibi ilk cümleyi söyleyenle buna eklemeyi yapan deği-
şik kişiler de olabilir.

The doctors are ready.   Doktorlar hazır.
But the nurses aren't.   Ama hemşireler değil.

Bu örnekte **The doctors are ready.** cümlesini söyleyen kişi cümleyi bitir-
dikten sonra **But the nurses aren't.** sözünü de kendisi söylemiş olabilir.

İkinci bir şekil, ilk cümleyi bir şahıs söylemiş, onu dinleyen diğer kişi de
eklemeyi yapmış olabilir.

The cinemas were crowded.	Sinemalar kalabalıktı.
But the libraries weren't.	Ama kitaplıklar değildi.
The girls are reading their lessons.	Kızlar derslerini okuyorlar.
But the boys aren't.	Ama erkek çocuklar okumuyorlar.
All the people went for a swim.	Herkes yüzmeye gitti.
But I didn't.	Ama ben gitmedim.

Olumsuz cümleleri izleyen ve olumlu halde yapılan ekleme de ilk cümleye karşı olan ve ona uyulmadığını gösteren ifade şeklidir.

She can't learn English.	O İngilizce öğrenemez.
But we can.	Ama biz öğrenebiliriz.
They don't like sweet tea.	Onlar şekerli çay sevmezler.
But I do.	Ama ben severim.
I don't understand them.	Onları anlamam.
But he does.	Ama o anlar.
Hilda hasn't any money.	Hilda'nın hiç parası yok.
But he has.	Ama onun var.
The spectators didn't like the game.	Seyirciler oyunu beğenmediler.
But the referee did.	Ama hakem beğendi.
His father won't help us.	Babası bize yardım etmeyecek.
But his mother will.	Ama annesi edecek.
They couldn't change the plan.	Planı değiştiremezlerdi.
But we could.	Ama biz değiştirebilirdik.
She needn't clean the tables.	Masaları temizlemek zorunda değil.
But we must.	Ama biz temizlemeliyiz.
I haven't seen a circus in my country.	Ülkemde hiç sirk görmedim.
But they have.	Ama onlar gördüler.

Ekleme cümlelerinin hepsinde özne vurgulu olarak söylenir. Yardımcı fiil de kısaltılmış şekliyle değil tam ve vurgulu olarak okunur.

QUESTION TAGS-SORU EKLERİ (DEĞİL Mİ?)

Bir sözün dinleyici tarafından tasdik edilmesi, onayının alınması için bu cümlenin sonuna Türkçede "değil mi?" sorusu eklenir. Bu soru Türkçede hiç değişmez. Her türlü cümlenin arkasında aynı şekliyle kullanılır.

İngilizcede durum değişiktir. Bir cümle için kurulacak "değil mi?" yapısı o cümlede bulunan yardımcı fiil, yardımcı fiil yoksa **do**, ile yapılır. Özne olarak da cümledeki özne alınır. Şayet özne bir isimse ona uygun zamir kullanılır. Ayrıca, cümle olumluysa "değil mi?" olumsuz, cümle olumsuzsa "değil mi?" olumlu halde bulunur.

Yardımcı fiil ile **not** daima kısaltılmış halde kullanılır.

She is a teacher, isn't she?	O bir öğretmendir, değil mi?
She is not a teacher, is she?	O bir öğretmen değildir, değil mi?
He is English, isn't he?	O İngilizdir, değil mi?
He isn't English, is he?	O İngiliz değildir, değil mi?
Bernard is a good student, isn't he?	Bernard iyi bir öğrencidir, değil mi?
Bernard isn't a good student, is he?	Bernard iyi bir öğrenci değildir, değil mi?
They are waiting for you, aren't they?	Seni bekliyorlar, değil mi?
They aren't waiting for you, are they?	Seni beklemiyorlar, değil mi?
The tourists like the climate in Turkey, don't they?	Turistler Türkiye'deki iklimi severler, değil mi?
The tourists don't like the climate in Turkey, do they?	Turistler Türkiye'deki iklimi sevmezler, değil mi?
She came yesterday, didn't she?	Dün geldi, değil mi?
Mary came yesterday, didn't she?	Mary dün geldi, değil mi?
She will accept the offer, won't she?	Teklifi kabul edecek, değil mi?

She won't accept the offer, will she?	Teklifi kabul etmeyecek, değil mi?
You speak German, don't you?	Almanca bilirsiniz, değil mi?
You don't speak German, do you?	Almanca bilmezsiniz, değil mi?
The priests were angry, weren't they?	Papazlar kızgındı, değil mi?
The priests weren't angry, were they?	Papazlar kızgın değildi, değil mi?
The nurse must take care of the wounded soldiers, mustn't she?	Hemşire yaralı askerlere bakmalı, değil mi?
We could swim to that island, couldn't we?	Şu adaya yüzebilirdik, değil mi?
Christine can go there alone, can't she?	Christine oraya yalnız gidebilir, değil mi?
His father has a new car, hasn't he?	Babasının yeni bir otomobili var, değil mi?
The doctor came by train, didn't he?	Doktor trenle geldi, değil mi?
Mrs Green cooked the meat, didn't she?	Bayan Green eti pişirdi, değil mi?

Question tag (soru eki) konusunda örnekler üzerinde bir özetleme yapalım:

Türkçedeki "değil mi?" karşılığı olan question tag bir cümlede söylenen şeyin dinleyen tarafından onaylanması istendiği zaman kullanılır.

İngilizcede question tag esas cümlenin içindeki yardımcı fiil ile kurulur. Özne olarak da yine esas cümlenin öznesi alınır. Bu özne bir isimse question tag'da bu isme uygun zamir kullanılır.

Helen is writing a letter, isn't she?	Helen bir mektup yazıyor, değil mi?

Bu örnekte görüldüğü gibi is yardımcı fiili "değil mi?" yapısında yer almış ve Helen karşılığı olarak she kullanılmıştır.

Cümle olumluysa question tag olumsuz olur kuralı uyarınca yukarıdaki "değil mi?" sözü de olumsuz olmuştur. Isn't she?

Cümle olumsuz olursa **question tag** olumlu olur.

They aren't working for the government, are they?	Hükümet için çalışmıyorlar, değil mi?

Bu örnekte cümle olumsuz olduğu için soru ekinde olumsuzluk yoktur, yani olumsuzluk belirten not bulunmamaktadır. **Are they?**

Cümlede is **(was, were), have (has), will, can, must** gibi yardımcı fiiller varsa **question tags** bunlarla yapılır. Yoksa **do** kullanılır. Cümle geçmiş zaman halindeyse doğal olarak **do** yerine **did** alır.

She mustn't smoke here, must she?	Burada sigara içmemeli, değil mi?
The girl must help her mother, mustn't she?	Kız annesine yardım etmeli, değil mi?
My son will be handsome, won't he?	Oğlum yakışıklı olacak, değil mi?
He won't be a doctor, will he?	Doktor olmayacak, değil mi?
They were in the other room, weren't they?	Diğer odadaydılar, değil mi?
The students weren't in the classroom, were they?	Öğrenciler sınıfta değildiler değil mi?
We have eaten all the food, haven't we?	Bütün yiyeceği yedik, değil mi?
We haven't any books in English, have we?	Hiç İngilizce kitabımız yok, değil mi?
He can drink ten glasses of beer, can't he?	On bardak bira içebilir, değil mi?
The policeman can't catch the thief, can he?	Polis hırsızı yakalayamaz, değil mi?
He shouldn't take your slippers, should he?	Terliklerinizi almamalıydı, değil mi?
The young man should be more polite, shouldn't he?	Delikanlı daha terbiyeli olmalıydı, değil mi?
Doris doesn't go to the hospital on Sundays, does she?	Doris pazar günleri hastaneye gitmez, değil mi?

They learn English in one year, don't they?	Bir yılda İngilizce öğrenirler, değil mi?
The women don't go to the fields, do they?	Kadınlar tarlalara gitmezler, değil mi?
The postman brought two letters, didn't he?	Postacı iki mektup getirdi, değil mi?
He didn't swim in the swimming pool, did he?	Yüzme havuzunda yüzmedi, değil mi?
Elizabeth sang a Turkish song, didn't she?	Elizabeth bir Türkçe şarkı söyledi, değil mi?
The old woman didn't eat too much, did she?	Yaşlı kadın çok fazla yemedi, değil mi?

I am ile kurulmuş bir cümle için yapılacak question tag bir özellik gösterir. Bunda aren't kullanılır.

I am your best friend, aren't I?	Ben senin en iyi arkadaşınım, değil mi?
I am older than your father, aren't I?	Ben senin babandan yaşlıyım, değil mi?
I am learning very well, aren't I?	Çok iyi öğreniyorum, değil mi?
I am doing my best, aren't I?	Elimden geleni yapıyorum, değil mi?

İlk cümle olumsuzsa question tag normal olarak, yani ilk cümledeki am kullanılarak yapılır.

I'm not their servant, am I?	Onların uşağı değilim, değil mi?
I'm not disturbing you, am I?	Seni rahatsız etmiyorum, değil mi?
I'm not a bad student, am I?	Fena bir öğrenci değilim, değil mi?
I'm not dialing the wrong number, am I?	Yanlış numarayı çevirmiyorum, değil mi?

TENSES - ZAMANLAR

Fiiller **(verbs)** yapılan eylemleri gösteren sözcüklerdir. Fiiller bu eylemleri gösterirken bunların ne zaman yapıldığını da belirtirler. Örneğin bir hareketin eskiden mi yapılmış olduğu, şimdi mi yapılmakta olduğu veya gelecekte mi yapılacağı o fiilin yapısı ile belirtilir. İşte fiillerin bu durumu belirtmek için aldığı şekillere zamanlar veya fiil zamanları **(tenses)** denir.

İngilizcede zamanlar dört ana gruba ayrılabilir:

1. **the present tenses** - şimdiki zamanlar

2. **the past tenses** - geçmiş zamanlar

3. **the perfect tenses** - bitmiş zamanlar

4. **the future tenses** - gelecek zamanlar

Bunları sırayla ele alarak ayrıntılı biçimde inceleyelim:

THE PRESENT TENSES - ŞİMDİKİ ZAMANLAR

İngilizcede şimdiki zamanda olan eylemleri göstermek için iki fiil zamanı vardır. Bunlar şunlardır:

1. **the present continuous tense** - şimdiki zaman

2. **the simple present tense** - geniş zaman

256

THE PRESENT CONTINUOUS TENSE - ŞİMDİKİ ZAMAN

Sözün söylendiği anda devam etmekte olan eylemleri gösterdiği için ŞİMDİKİ SÜREKLİ ZAMAN olarak da isimlendirilen bu zaman biçimi İngilizcede kök halindeki fiile **ing** eklenmesiyle meydana gelen "**present participle** şimdiki zaman ortacı" ve cümlenin öznesine uygun **to be** fiilinden oluşur. Tekil öznelerle **to be** fiilinin **is** şekli, çoğul öznelerle **are** şekli kullanılır. **I** öznesi ile kullanılan şekil **am**'dir.

fiil kökü	şimdiki zaman biçimi
go	going
walk	walking
sleep	sleeping
work	working
write	writing
run	running

özne	to be fiili
she	is
we	are
the man	is
the boys	are
I	am
they	are
he	is
Frank	is

olumlu hal

Olumlu bir şimdiki zaman cümlesi özne, özneye uygun **to be** fiili, **ing** eki almış fiil ve diğer sözcükler şeklinde sıralanır. Bu cümlelerin kuruluşunu aşağıdaki örneklerde inceleyiniz.

She is sleeping.	Uyuyor.
You are working.	Çalışıyorsun.
I am writing.	Yazıyorum.
They are playing.	Oynuyorlar.
He is running.	Koşuyor.
We are waiting.	Bekliyoruz.

We are waiting for the postman.	Postacıyı bekliyoruz.
He is running to the gate.	Kapıya koşuyor.
I am writing a letter.	Bir mektup yazıyorum.
You are learning English.	İngilizce öğreniyorsun.
They are walking in the park.	Parkta yürüyorlar.
The girls are reading magazines.	Kızlar dergiler okuyorlar.

olumlu şimdiki zaman cümlesi

özne	**to be** fiili	şimdiki zaman ortacı (**ing** eki almış fiil)	diğer sözcükler
I	am	sleeping	in my room.
You	are	talking	to Tom.
He	is	going	to school.
She	is	singing	a song.
We	are	eating	bananas.
You	are	shutting	the window.
They	are	working	in the fields.

258

olumsuz

Şimdiki zaman halinde bulunan bir cümleyi olumsuz şekle sokmak için to be fiilinden sonra **not** getirilir.

She is sleeping.	Uyuyor.
She is not sleeping.	Uyumuyor.

You are not walking.	Yürümüyorsun.
He is not singing.	Şarkı söylemiyor.
We are not reading.	Okumuyoruz.
I am not running.	Koşmuyorum.
They are not standing.	Ayakta durmuyorlar.
It is not eating.	Yemiyor.

I am not touching the glass.	Bardağa dokunmuyorum.
She is not opening the box.	Kutuyu açmıyor.
We are not bringing the flowers.	Çiçekleri getirmiyoruz.
Mary is not counting the money.	Mary parayı saymıyor.

olumsuz şimdiki zaman cümlesi

özne	**to be** fiili	**not**	şimdiki z. ortacı (**ing** eki almış fiil)	diğer sözcükler
I	am	not	teaching	history.
You	are	not	watching	television.
He	is	not	buying	any chocolates.
She	is	not	eating	a sweet.
We	are	not	giving	them any food.
You	are	not	washing	your hands.
They	are	not	building	a new bridge.

Şimdiki zaman cümlesini soru haline sokmak için **to be** fiili öznenin önüne getirilir.

She is sleeping.	Uyuyor.
Is she sleeping?	Uyuyor mu?
Are you working?	Çalışıyor musun?
Is he smoking?	Sigara mı içiyor?
Are they singing?	Şarkı mı söylüyorlar?
Are we talking?	Konuşuyor muyuz?
Am I running?	Koşuyor muyum?
Is she resting?	İstirahat mı ediyor?
Am I drawing a map?	Bir harita mı çiziyorum?
Is he running after the cat?	Kedinin arkasından mı koşuyor?
Are they teaching French?	Fransızca mı öğretiyorlar?
Is Emma making tea?	Emma çay mı yapıyor?

soru halinde şimdiki zaman cümlesi

to be fiili	özne	şimdiki zaman ortacı (**ing** eki almış fiil)	diğer sözcükler
Am	I	talking	so loudly?
Are	you	taking	a photo?
Is	she	making	coffee?
Is	he	breaking	the vase?
Are	we	drinking	tea or coffee?
Are	they	pointing	to the nurse?

olumsuz soru

Olumsuz soru haline sokmak için soru halinde bulunan şimdiki zaman cümlesinde özne ile şimdiki zaman ortacı arasına **not** konulur.

Is she sleeping?	Uyuyor mu?
Is she not sleeping?	Uyumuyor mu?

Are you not going?	Gitmiyor musun?
Is he not drinking?	İçmiyor mu?
Are they not coming?	Gelmiyorlar mı?
Are we not speaking?	Konuşmuyor muyuz?
Is she not swimming?	Yüzmüyor mu?
Am I not answering?	Cevap vermiyor muyum?

Is she not cleaning the kitchen?	Mutfağı temizlemiyor mu?
Are you not coming with us?	Bizimle gelmiyor musunuz?
Are they not washing the plates?	Tabakları yıkamıyorlar mı?
Is he not bringing the slippers?	Terlikleri getirmiyor mu?

olumsuz soru halinde şimdiki zaman cümlesi

to be fiili	özne	not	şimdiki zaman ortacı	diğer sözcükler
Am	I	not	learning	correctly?
Are	you	not	folding	the paper?
Is	he	not	following	the guide?
Is	she	not	listening	to her mother?
Are	we	not	sending	a telegram?
Are	you	not	lighting	a cigarette?
Are	they	not	taking	the plates away?

to be ile şahıs zamirleri ve **not** kaynaşması

	kaynaşma şekli	okunuşu
is not	isn't	/izınt/
are not	aren't	/a:nt/
I am	I'm	/aym/
you are	you're	/yuı/
he is	he's	/hi:z/
she is	she's	/şi:z/
it is	it's	/its/
we are	we're	/wiı/
you are	you're	/yuı/
they are	they're	/deyı/

Olumlu şimdiki zaman cümlelerindeki **to be** fiili ile zamir kaynaştırmasını aşağıda cümle içinde de görelim.

I'm taking the suitcase to the cellar.	Bavulu bodruma götürüyorum.
You're reading a newspaper.	Bir gazete okuyorsun.
He's waiting for his wife.	Karısını bekliyor.
She's filling the bottle with milk.	Şişeyi sütle dolduruyor.
It's running towards the hens.	Tavuklara doğru koşuyor.
We're teaching them how to repair bicycles.	Onlara bisikletlerin nasıl tamir edildiğini öğretiyoruz.
You're standing on the dirty carpet.	Kirli halının üzerinde duruyorsun.
They're holding my umbrella.	Benim şemsiyemi tutuyorlar.
I'm changing all the old and dirty curtains.	Bütün eski ve kirli perdeleri değiştiriyorum.

Olumsuz şimdiki zaman cümlelerinde kaynaştırma zamirle **to be** fiilinde olabileceği gibi **to be** ile **not** arasında da yapılabilir. Sadece **I am not** sözünde **am** ile **not** birleşemez. Bu durumda kaynaşma **I'm not** şeklinde olur.

I'm not writing your name.	Adını yazmıyorum.
You aren't listening to the music.	Müziği dinlemiyorsun.
You're not listening to the music.	Müziği dinlemiyorsun.
He isn't drinking the milk.	Sütü içmiyor.
He's not drinking the milk.	Sütü içmiyor.
She isn't counting the money.	Parayı saymıyor.
She's not counting the money.	Parayı saymıyor.
It isn't eating the meat.	Eti yemiyor.
It's not eating the meat.	Eti yemiyor.
We aren't helping them.	Onlara yardım etmiyoruz.
We're not helping them.	Onlara yardım etmiyoruz.
You aren't learning anything.	Hiçbir şey öğrenmiyorsunuz.
You're not learning anything.	Hiçbir şey öğrenmiyorsunuz.
They aren't giving us any food.	Bize hiç yiyecek vermiyorlar.
They're not giving us any food.	Bize hiç yiyecek vermiyorlar.

Olumsuz soru halinde kaynaşma **to be** ile **not** arasında olur. Sadece **Am I not** yapısının kaynaşma şekli bir ayrıcalık gösterir. Bu, **aren't I** şeklinde yapılır.

Aren't I serving you well?	Size iyi hizmet etmiyor muyum?
Aren't you coming to the cinema?	Sinemaya gelmiyor musun?
Isn't he sleeping in his bed?	Yatağında uyumuyor mu?
Isn't she taking a bath?	Banyo yapmıyor mu?
Isn't it falling from the wall?	Duvardan düşmüyor mu?
Aren't we growing potatoes of good quality?	İyi kalite patates yetiştirmiyor muyuz?
Aren't they leaving the football ground?	Futbol alanını terketmiyorlar mı?

fiile (ing) ilave ederken uyulacak kurallar

Fiilin son harfi **e** ise bu fiile **ing** eklenirken **e** harfi kalkar.

give	giving
love	loving
come	coming
take	taking

Fiilin sonu **ee** şeklinde bitiyorsa fiilde hiç değişiklik yapmadan **ing** getirilir.

agree	agreeing
see	seeing

Tek heceli bir fiil ortasında bir tek sesli harf varsa ve fiil sessiz bir tek harfle bitiyorsa bu fiile **ing** eklenirken son harf çift yazılır.

dig	digging
put	putting
run	running
hit	hitting
stop	stopping
swim	swimming

İki veya daha fazla heceli fiillerden son hecesinde tek bir sessiz bulunan ve sonu tek bir sessiz olan bir fiilde vurgu son hecedeyse sondaki sessiz harf çift yazılır.

begin	beginning
forbid	forbidding
prefer	preferring

264

Sonu l ile biten bir fiilde l'den önce tek bir sesli varsa l harfi çift yazılır.

travel	travelling
compel	compelling

Sonu ie ile biten bazı fiillere ing eklenirken ie yerine y konulur.

lie	lying
tie	tying
die	dying

She is giving me a souvenir.	Bana bir hatıra (eşyası) veriyor.
We're taking the old carpets.	Eski halıları alıyoruz.
Tom is putting the vase on the table.	Tom vazoyu masanın üzerine koşuyor.
The man is hitting the boy.	Adam çocuğa vuruyor.
The policeman is stopping the cars.	Polis otomobilleri durduruyor.
They are running towards the river.	Nehire doğru koşuyorlar.
You are swimming in a dangerous place.	Tehlikeli bir yerde yüzüyorsunuz.
It is beginning to rain.	Yağmur yağmaya başlıyor.
She is travelling around the world.	Dünyanın çevresinde seyahat ediyor. (Dünya turu yapıyor.)
The wounded man is dying.	Yaralı adam ölüyor.
I'm tying a ribbon around his neck.	Boynuna bir kurdela bağlıyorum.

ŞİMDİKİ ZAMANIN KULLANILDIĞI YERLER

1. Sözün söylendiği anda devam etmekte olan eylemleri anlatmak için kullanılır.

She is writing a letter now.	Şimdi bir mektup yazıyor.
We are watching television.	Televizyon seyrediyoruz.
He is sleeping in his room.	Odasında uyuyor.
The girl is playing with her doll.	Kız bebeği ile oynuyor.
It is raining.	Yağmur yağıyor.
My son is watching television now.	Oğlum şimdi televizyon seyrediyor.

Bu gibi cümlelerde **now, at present, at this moment** gibi "şimdi, şu anda" anlamında sözcüklere sık sık rastlanır.

At present the farmers are digging their cotton fields.	Şu anda çiftçiler pamuk tarlalarını kazıyorlar.
Now the aeroplanes are flying over the mountain.	Şimdi uçaklar dağın üzerinde uçuyorlar.
At this moment all the students are listening to the teacher.	Şu anda bütün öğrenciler öğretmeni dinliyorlar.
Is she studying now?	Şimdi çalışıyor mu?
What is she reading?	Ne okuyor?
What are they doing just now?	Tam şimdi ne yapıyorlar?
Why are they waiting in the garden?	Niçin bahçede bekliyorlar?
Why aren't they waiting in the garden?	Niçin bahçede beklemiyorlar?
What are you doing?	Ne yapıyorsun?
I am counting the plates.	Tabakları sayıyorum.

2. Sözün söylendiği anda yapılıyor olmasa bile o sıralarda yapılmasına devam edilen eylemleri anlatmak için kullanılır.

He is planting roses in his garden.	Bahçesine güller ekiyor.
I am learning English.	İngilizce öğreniyorum.
They are publishing books about Turkey.	Türkiye hakkında kitaplar yayınlıyorlar.
She is making a dress for my sister.	Kız kardeşim için bir elbise yapıyor.
We are building another bridge.	Başka bir köprü inşa ediyoruz.
I am reading a novel.	Bir roman okuyorum.

3. Yakın bir gelecekte yapılması planlanmış eylemler çoğu zaman şimdi-ki zaman kipiyle anlatılır. Bu cümleler içinde **today, tonight, this eve-ning, tomorrow, this week, next week** gibi gelecek zaman işaret eden sözcüklere çok yer verilir.

We are going to London tonight.	Bu akşam Londra'ya gidiyoruz.
They are coming to Istanbul next week.	Gelecek hafta İstanbul'a geliyorlar.
What are you doing today?	Bugün ne yapıyorsun?
She is leaving tomorrow.	Yarın ayrılıyor.
The bus is starting at one o'clock.	Otobüs saat birde hareket ediyor.
He is going to Germany next month.	Gelecek ay Almanya'ya gidiyor.
Is she coming with you tonight?	Bu akşam sizinle geliyor mu?
The birds are leaving our town soon.	Kuşlar yakında kasabamızdan ayrılı-yorlar.
I'm meeting Helga tonight.	Bu akşam Helga'yla buluşuyorum.
We're changing the curtains tomorrow.	Perdeleri yarın değiştiriyoruz.
He is playing chess with Martin this afternoon.	Martin'le bu akşamüstü satranç oynuyor.

4. **Always** gibi süreklilik ve sıklık gösteren birkaç zarfla kullanılan şimdi-ki zaman cümlelerinde sözü söyleyen tarafından o eylemin yapılmasın-dan memnun olmayış anlamı vardır.

He is always making the same mistake.	Daima aynı hatayı yapıyor.
We are always waiting for the others.	Hep biz başkalarını bekliyoruz.
She is frequently writing to her fiancé.	Nişanlısına sık sık yazıyor.
We're always helping them.	Onlara hep yardım ediyoruz.
I am always working here.	Hep burada çalışıyorum.

Bu örneklerdeki eylemlerin sözü söyleyenin hoşuna gitmediği, bunların yapılmasını gereksiz bulduğu için kızdığı anlamı ifade edilmektedir. Örne-ğin, **We are always waiting for the others.** cümlesinde "Hep biz başka-larını bekliyoruz. Diğerlerini hep beklememiz gerekiyor. Diğerlerini hep beklemekten bıktık." anlamı vardır.

He is always working in the garden.	Hep bahçede çalışıyor.

cümlesinde de onun bahçede devamlı olarak çalışmasının anlamsız ve gereksiz olduğu şikâyeti yapılmaktadır.

şimdiki zaman halinde bulunmayan (ing almayan) fiiller

İngilizcede bazı fiiller vardır ki bunlar şu anda yapılan bir hareketi bildiriyor bile olsalar şeklen şimdiki zaman halinde bulunmaz, yani **ing** takısı almazlar. Geniş zaman halinde bulunurlar.

Bu tip fiiller genellikle insanların istek ve iradeleri dışında kendiliğinden olan, çaba gerektirmeyen, duyu, his, düşünme fiilleridir.

Bunu bir örnek üzerinde görelim:

See "görmek" fiili **ing** almayan bir fiildir. Bu fiil bir kimsenin istek, irade ve kararı ile yapılan, bir çaba sonucu gerçekleşen bir eylem değildir. Göz açık olduğu sürece otomatikman meydana gelmektedir. Buna karşın **look** "bakmak" fiili bir kimsenin isteği sonucu olan bir eylemdir.

We see children in the garden; they are looking at us.	Bahçede çocuklar görüyoruz; onlar bize bakıyorlar.

Aşağıdaki listede **ing** almayan başlıca fiiller görülmektedir.

have	sahip olmak
see	görmek
hear	işitmek
notice	farkına varmak
smell	kokusunu duymak
feel	hissetmek
believe	inanmak
think	zannetmek

know	bilmek
understand	anlamak
remember	hatırlamak
forget	unutmak
suppose	farzetmek
mean	demek istemek
want	istemek
wish	arzu etmek
forgive	affetmek
love	sevmek
hate	nefret etmek
like	sevmek, hoşlanmak
care	önem vermek
seem	görünmek
belong to	ait olmak
contain	içine almak
possess	sahip olmak
desire	arzu etmek

Bir liste halinde gördüğümüz bu fiillerle yapılmış örnek cümleleri aşağıda inceleyiniz.

She has four sisters.	Dört kız kardeşi var.
I have only one table.	Sadece bir masam var.
You see a horse in the field now.	Şimdi tarlada bir at görüyorsunuz.
Do you hear the noise?	Gürültüyü işitiyor musun?
Does she notice the missing part?	Eksik kısmın farkına varıyor mu?
We smell something burning.	Yanan bir şey kokusu duyuyoruz.
She feels better today.	Bugün kendisini daha iyi hissediyor.
I don't believe you.	Sana inanmıyorum.
They think we won't keep our promise.	Bizim vaadimizi tutmayacağımızı zannediyorlar.
I know you are in a hurry.	Acelen olduğunu biliyorum.
The girl understands them now.	Kız şimdi onları anlıyor.
Do you remember the small hotel in Brighton?	Brighton'daki küçük oteli hatırlıyor musun?
I forget the new words quickly.	Yeni sözcükleri çabuk unutuyorum.

We suppose the enemy will attack attack in the morning.	Düşmanın sabahleyin hücum edeceğini zannediyoruz.
What does this word mean?	Bu sözcük ne anlamına geliyor?
She doesn't want to work in the fields.	Tarlalarda çalışmak istemiyor.
We wish you a pleasant journey.	Size güzel bir seyahat diliyoruz.
They forget to give us the key.	Anahtarı bize vermeyi unutuyorlar.
They love their countries.	Ülkelerini seviyorlar.
I hate working in the kitchen.	Mutfakta çalışmaktan nefret ediyorum.
She likes her dog very much.	Köpeğini çok seviyor.
They don't care about our health.	Bizim sağlığımıza önem vermiyorlar.
It seems to be a valuable thing.	Kıymetli bir şey gibi görünüyor.
Do all these buildings belong to that old man?	Bütün bu binalar şu yaşlı adama mı ait oluyor?
This tank contains forty litres of petrol.	Bu depo kırk litre petrol alıyor.
David possesses twenty restaurants in London.	David Londra'da yirmi lokantaya sahip bulunuyor.
I wish happiness for you and your family.	Size ve ailenize mutluluk diliyorum.

(ing) almayan fiillerin ayrıcalık gösterenleri

Listede gördüğümüz fiillerden **feel** fiili **ing** almış halde de kullanılabilir.

How do you feel?	(Kendini) nasıl hissediyorsun?
How are you feeling?	(Kendini) nasıl hissediyorsun?
I feel quite well.	(Kendimi) çok iyi hissediyorum.
I am feeling quite well.	(Kendimi) çok iyi hissediyorum.

Bunun dışında listede görülen fiillerden bazıları değişik anlamlarda kullanıldıklarında **ing** alabilirler. Örneğin, **see** fiili resmi bir görüşme yapmak için "buluşmak, görüşmek" anlamında kullanıldığında **ing** alır.

| I am seeing the new manager this afternoon. | Yeni müdürle bu akşam buluşuyorum. (Görüşüyorum.) |
| She is seeing the doctor tomorrow. | Doktorla yarın görüşüyor. |

Turistik ziyaret yapma anlamında kullanıldığında da **see** fiili yine **ing** alabilir.

We are seeing the interesting parts of the city.	Şehrin ilginç kısımlarını ziyaret ediyoruz.

Bunun dışında **see** ile çeşitli sözcüklerin birleşmesinden oluşan deyimlerde **see** fiili **ing** alabilir. **See about, see off** gibi.

Think fiili akıldan geçen şeyleri bir fikir beyan etmeksizin söylerken **ing** alır.

What is she thinking about?	Neyi düşünüyor?
She is thinking about her children.	Çocuklarını düşünüyor.

Bir fikir belirtme söz konusu olduğunda **think** fiili **ing** almaz.

I think they are too big for our room.	Zannederim (bence) onlar bizim odamız için fazla büyük.
What do you think of the new furniture?	Yeni mobilya hakkında ne düşünüyorsunuz?

Have fiili "sahip olmak" anlamında kullanıldığında **ing** almaz. Ancak çeşitli sözcüklerle oluşturduğu anlamlarda kullanıldığında **ing** alabilir.

She is having breakfast now.	Şimdi kahvaltı ediyor.
They are having a pleasant time at the camp.	Kampta hoş vakit geçiriyorlar.
I'm having a bath.	Banyo yapıyorum.

Bir şeyden zevk alma anlamında kullanıldığında **like** fiili **ing** alabilir. Aynı anlam için **like, ing**'siz olarak da kullanılabilir. Anlamları aynıdır.

How are you liking your new house?	Yeni evinden hoşlanıyor musun?
Do you like horse races?	At yarışlarından hoşlanıyor musun?

the present continuous tense - şimdiki zaman çekim tablosu

affirmative - olumlu

I am eating.	Yiyorum.
You are eating.	Yiyorsun.
He is eating.	Yiyor.
She is eating.	Yiyor.
It is eating.	Yiyor.
We are eating.	Yiyoruz.
You are eating.	Yiyorsunuz.
They are eating.	Yiyorlar.

negative - olumsuz

I am not eating.	Yemiyorum.
You are not eating.	Yemiyorsun.
He is not eating.	Yemiyor.
She is not eating.	Yemiyor.
It is not eating.	Yemiyor.
We are not eating.	Yemiyoruz.
You are not eating.	Yemiyorsunuz.
They are not eating.	Yemiyorlar.

interrogative - soru

Am I eating?	Yiyor muyum?
Are you eating?	Yiyor musun?
Is he eating?	Yiyor mu?
Is she eating?	Yiyor mu?
Is it eating?	Yiyor mu?
Are we eating?	Yiyor muyuz?
Are you eating?	Yiyor musunuz?
Are they eating?	Yiyorlar mı?

negative interrogative - olumsuz soru

Am I not eating?	Yemiyor muyum?
Are you not eating?	Yemiyor musun?
Is he not eating?	Yemiyor mu?
Is she not eating?	Yemiyor mu?
Is it not eating?	Yemiyor mu?
Are we not eating?	Yemiyor muyuz?
Are you not eating?	Yemiyor musunuz?
Are they not eating?	Yemiyorlar mı?

THE SIMPLE PRESENT TENSE - GENİŞ ZAMAN

Her zaman yapılan, her zaman tekrarlanan eylemleri anlatmak için kullanılır. Yapılışı öznenin yanına fiili kök halinde, yani önündeki **to** kaldırılmış olarak getirmek suretiyle olur.

özne	fiil
they	write
we	drink
the students	read
you	walk
my dogs	run
the women	like

Özne tekil olduğu zaman fiile **s** harfi eklenir.

he	speaks
it	runs
the girl	learns
John	works
the student	reads
the woman	likes

Aşağıda tekil ve çoğul özne ile geniş zaman halindeki fiilin kullanılışını birlikte vererek görelim:

the children	play
the child	plays

his daughters	sleep
his daughter	sleeps
the soldiers	wait
the soldier	waits
the men	smoke
the man	smokes
Harold and Emma	eat
Harold	eats

Fakat I öznesi tekil olduğu halde onunla kullanılan fiile s eklenmez.

I	learn
I	pay

Fiile s eklenmesi kuralı, bu sözcüğün son harfinin durumuna göre küçük bir değişikliğe uğrar. Fiilin sonu o, x, ch, ss, sh harfleriyle bitiyorsa bu fiile s eklenmek gerektiğinde sadece s değil es eklenir.

go	goes
do	does
box	boxes
fix	fixes
catch	catches
watch	watches
kiss	kisses
miss	misses
fish	fishes
push	pushes

Sonu y ile biten fiile s eklenirken yine sadece s değil es eklenir. Ayrıca, y harfinden önce sessiz bir harf varsa y harfi kalkar, yerine i gelir.

carry	carries
dry	dries
cry	cries

Fiilde **y** harfinden önceki harf sesli bir harfse bu durumda fiile sadece **s** eklenir.

pay	**pays**
say	**says**
play	**plays**
obey	**obeys**

olumlu hal

Geniş zaman halinde olumlu cümlelerin yukarıda verdiğimiz kurallara göre yapılışını Türkçe karşılıklarıyla görelim.

They write.	Onlar yazarlar.
She writes.	O yazar.
We read the paper.	Biz gazeteyi okuruz.
He reads the paper.	O gazeteyi okur.
Mary reads the paper.	Mary gazeteyi okur.
The soldiers run to the bridge.	Askerler köprüye koşarlar.
The soldier runs to the bridge.	Asker köprüye koşar.
I pay ten dollars for the book.	Kitap için on dolar öderim.
She pays ten dollars for the book.	Kitap için on dolar öder.
Norman buys carpets from Turkey.	Norman Türkiye'den halılar satın alır.
The tourists buy carpets from Turkey.	Turistler Türkiye'den halılar satın alır.
The teacher carries the suitcase himself.	Öğretmen bavulu kendisi taşır.
African women carry the baskets on their heads.	Afrika'lı kadınlar sepetleri başlarının üzerinde taşırlar.
My son brings the plates into the kitchen.	Oğlum tabakları mutfağa getirir.
My sons bring the plates into the kitchen.	Oğullarım tabakları mutfağa getirirler.
We answer the letters at once.	Mektuplara derhal cevap veririz.
The teacher answers them.	Öğretmen onlara cevap verir.

The baby plays on the ground.	Bebek yerde oynar.
The children play in the garden.	Çocuklar bahçede oynarlar.
I turn the key slowly.	Anahtarı yavaşça döndürürüm.
She turns the key slowly.	Anahtarı yavaşça döndürür.
Hilda rests in her room.	Hilda odasında istirahat eder.
Her mother works in the garden.	Onun annesi bahçede çalışır.
The workman repairs the heater.	İşçi ısıtıcıyı tamir eder.
The workmen repair the heater.	İşçiler ısıtıcıyı tamir ederler.

olumlu geniş zaman cümlesi

özne	yalın halde fiil	diğer sözcükler
His father	goes	to the factory six days a week.
The boys	climb	the trees.
Doris	cleans	the windows every day.
I	want	some more bread.
They	speak	English very well.
The students	write	ten sentences every day.
My mother	cooks	vegetable soup sometimes.
The man	carries	the wood to the stove.

olumsuz

Geniş zaman halinde bulunan bir cümleyi olumsuz hale sokmak için fiilin önüne **do not** sözcükleri getirilir.

They go.	Giderler.
They do not go.	Gitmezler.

We learn.	Öğreniriz.
We do not learn.	Öğrenmeyiz.

The students come late.	Öğrenciler geç gelirler.
The students do not come late.	Öğrenciler geç gelmezler.
The doctors wait in the hospital.	Doktorlar hastanede beklemezler.
The doctors do not wait in the hospital.	Doktorlar hastanede beklemezler.
My friends help me.	Arkadaşlarım bana yardım ederler.
My friends do not help me.	Arkadaşlarım bana yardım etmezler.

Yukarıdaki örneklerde çoğul öznelerle yapılmış geniş zaman cümleleri-
nin **do not** ilavesiyle olumsuz hale getirilişini görüyoruz. Şimdi, özne te-
kil olduğu zaman nasıl bir durum olacağını görelim:

Öznesi tekil bir geniş zaman cümlesi olumsuz hale sokulurken iki değiş-
me olur:

> 1. Cümleye **does not** getirilir.
> 2. Fiile eklenmiş olan **s** kalkar.

He drinks orange juice.	Portakal suyu içer.
He does not drink orange juice.	Portakal suyu içmez.
The girl looks at the map.	Kız haritaya bakar.
The girl does not look at the map.	Kız haritaya bakmaz.
Dick brings food for the cat.	Dick kediye yiyecek getirir.
Dick does not bring food for the cat.	Dick kediye yiyecek getirmez.
She goes to school every day.	Her gün okula gider.
She does not go to school every day.	Her gün okula gitmez.
The engineer repairs the machine.	Mühendis makineyi tamir eder.
The engineer does not repair the machine.	Mühendis makineyi tamir etmez.

The girls make a hat.	Kızlar bir şapka yaparlar.
The girl makes a hat.	Kız bir şapka yapar.
The girls do not make a hat.	Kızlar bir şapka yapmazlar.
The girl does not make a hat.	Kız bir şapka yapmaz.
The cats jump over the wall.	Kediler duvarın üzerinden atlar.
The cat jumps over the wall.	Kedi duvarın üzerinden atlar.
The cats do not jump over the wall.	Kediler duvarın üzerinden atlamaz.
The cat does not jump over the wall.	Kedi duvarın üzerinden atlamaz.
They pay a lot of money.	Çok para öderler.
He pays a lot of money.	Çok para öder.
They do not pay much money.	Çok para ödemezler.
He does not pay much money.	Çok para ödemez.

do ve does ile not sözcüklerinin kaynaşması

Not sözcüğünün birçok yardımcı fiille kaynaştığını biliyoruz. Yukarıda gördüğümüz olumsuz cümlelerde de do ve does ile kaynaşır.

do not /du: not/   don't /dount/
does not /daz not/ doesn't /dazınt/

The drivers eat in this restaurant.	Şoförler bu lokantada yerler.
The driver eats in this restaurant.	Şoför bu lokantada yer.
The drivers do not eat in this restaurant.	Şoförler bu lokantada yemezler.
The driver does not eat in this restaurant.	Şoför bu lokantada yemez.
They sing old songs.	Eski şarkılar söylerler.
She sings old songs.	Eski şarkılar söyler.
They don't sing old songs.	Eski şarkılar söylemezler.
She doesn't sing old songs.	Eski şarkılar söylemez.

His friends visit him often.	Arkadaşları onu sık sık ziyaret eder.
His friend visits him often.	Arkadaşı onu sık sık ziyaret eder.
His friends don't visit him often.	Arkadaşları onu sık sık ziyaret etmez.
His friend doesn't visit him often.	Arkadaşı onu sık sık ziyaret etmez.

The passengers get on the bus.	Yolcular otobüse binerler.
The passenger gets on the bus.	Yolcu otobüse biner.
The passengers don't get on the bus.	Yolcular otobüse binmezler.
The passenger doesn't get on the bus.	Yolcu otobüse binmez.

Anita and Betty sweep the room.	Anita ve Betty odayı süpürürler.
Anita sweeps the room.	Anita odayı süpürür.
Anita and Betty don't sweep the room.	Anita ve Betty odayı süpürmezler.
Anita doesn't sweep the room.	Anita odayı süpürmez.

olumsuz geniş zaman cümlesi

özne	do not veya doesn't	yalın halde fiil	diğer sözcükler
The policeman	doesn't	carry	a rifle.
We	don't	drink	beer in the morning
His son	doesn't	help	him in the shop.
Martin	doesn't	like	my dog.
They	don't	buy	second hand cars.
The waiters	don't	bring	the plates on a tray.
The waiter	doesn't	bring	the plates on a tray.
I	don't	work	on Saturdays.

soru

Geniş zaman cümlesini soru yapmak için cümlenin başına **do** sözcüğü getirilir.

They write the word on the blackboard.	Sözcüğü karatahtaya yazarlar.
Do they write the word on the blackboard?	Sözcüğü karatahtaya mı yazarlar?
We watch television every night.	Her akşam televizyon seyrederiz.
Do we watch television every night?	Her akşam televizyon mu seyrederiz?
The birds fly to other countries.	Kuşlar diğer ülkelere uçarlar.
Do the birds fly to other countries?	Kuşlar diğer ülkelere mi uçarlar?
The trucks make a big noise all day long.	Kamyonlar bütün gün boyunca büyük bir gürültü yaparlar.
Do the trucks make a big noise all day long?	Kamyonlar bütün gün boyunca büyük bir gürültü yaparlar mı?
Her friends wait for her in front of the door.	Arkadaşları onu kapının önünde beklerler.
Do her friends wait for her in front of the door?	Arkadaşları onu kapının önünde beklerler?

Bu örneklerde öznelerin hepsi çoğuldur. Bu bakımdan soru yapılırken hepsinin önüne **do** getirilmiştir. Öznenin tekil olması halinde iki önemli değişiklik olur.

1. Cümlenin başına **does** getirilir.
2. Fiildeki **s** kalkar.

The woman comes late.	Kadın geç gelir.
Does the woman come late?	Kadın geç mi gelir?
He speaks French.	O Fransızca konuşur.
Does he speak French?	O Fransızca konuşur mu?

281

Christine looks at the butterfly.	Christine kelebeğe bakar.
Does Christine look at the butterfly?	Christine kelebeğe mi bakar?

The baby drinks a bottle of milk.	Bebek bir şişe süt içer.
Does the baby drink a bottle of milk?	Bebek bir şişe süt mü içer?

She remembers our names.	İsimlerimizi hatırlar.
Does she remember our names?	İsimlerimizi hatırlar mı?

The teachers give us four maps.	Öğretmenler bize dört harita verirler.
The teacher gives us four maps.	Öğretmen bize dört harita verir.
Do the teachers give us four maps?	Öğretmenler bize dört harita mı verirler?
Does the teacher give us four maps?	Öğretmen bize dört harita mı verir?

They wear brown coats.	Kahverengi ceket giyerler.
He wears a brown coat.	Kahverengi bir ceket giyer.
Do they wear brown coats?	Kahverengi ceketler mi giyerler?
Does he wear a brown coat?	Kahverengi bir ceket mi giyer?

soru halinde geniş zaman cümlesi

do veya does	özne	yalın halde fiil	diğer sözcükler
Do	you	remember	his childhood?
Does	she	write	to you every month?
Do	they	keep	their promise?
Do	the students	come	to school late?
Does	Audrey	teach	English or French?
Do	I	make	too many mistakes?
Does	the mechanic	repair	the car quickly?
Does	your son	stay	at this hotel?

olumsuz soru

Soru halinde bulunan geniş zaman cümlesini olumsuz soru haline sokmak için fiilin önüne **not** getirilir.

Do you drink wine?	Şarap içer misin?
Do you not drink wine?	Şarap içmez misin?
Does she wash the dishes after dinner?	Bulaşıkları yemekten sonra yıkar mı?
Does she not wash the dishes after dinner?	Bulaşıkları yemekten sonra yıkar mı?
Do the barbers work on Sunday?	Berberler pazar günü çalışırlar mı?
Do the barbers not work on Sunday?	Berberler pazar günü çalışmazlar mı?
Does the bookseller make a discount?	Kitapçı bir indirim yapar mı?
Does the bookseller not make a discount?	Kitapçı bir indirim yapmaz mı?

Do (does) ile **not** olumsuz cümlede olduğu gibi olumsuz soru cümlesinde de kaynaşmış olarak kullanılabilirler. Bu durumda cümlenin başına gelirler.

Does she not come here?	Buraya gelmez mi?
Doesn't she come here?	Buraya gelmez mi?
Do they not learn the rules?	Kuralları öğrenmezler mi?
Don't they learn the rules?	Kuralları öğrenmezler mi?
Don't we change the furniture often?	Mobilyayı sık sık değiştirmez miyiz?
Don't the tourists understand you?	Turistler sizi anlamazlar mı?
Doesn't Gerald speak German?	Gerald Almanca bilmez mi?
Doesn't the young man go to school?	Delikanlı okula gitmez mi?
Don't they clean their shoes?	Ayakkabılarını temizlemezler mi?
Don't you smoke in the bedroom?	Yatak odasında sigara içmez misin?
Don't I give them enough food?	Onlara yeterli yiyecek vermem mi?

olumsuz soru halinde geniş zaman cümlesi

don't veya doesn't	özne	yalın halde fiil	diğer sözcükler
Don't	we	give	them too much?
Doesn't	she	help	her mother?
Doesn't	Frank	follow	his friends?
Don't	they	send	him to school?
Doesn't	the boy	understand	the reading piece?
Doesn't	he	play	in the garden?
Don't	the lions	eat	grass?
Don't	you	receive	his letters?

GENİŞ ZAMANIN KULLANILDIĞI YERLER

1. Geniş zaman esas olarak, her zaman yapılan, tekrarlanması olağan olan veya usulden olan eylemleri gösterir.

He visits his mother every Sunday.	Annesini her pazar ziyaret eder.
The sun rises in the east.	Güneş doğudan doğar.
I smoke twenty cigarettes a day.	Günde yirmi sigara içerim.
These birds come to Turkey in the spring.	Bu kuşlar Türkiye'ye baharda gelirler.
We usually go to Bodrum in the summer.	Biz genellikle Bodrum'a yazın gideriz.
Water is necessary for life.	Su hayat için gereklidir.
They get up early in the morning.	Sabahleyin erken kalkarlar.
We shave every day.	Her gün tıraş oluruz.

Örneklerde görüldüğü gibi her zaman tekrarlanan bu eylemleri anlatırken sıklık zarfları denen zarflar sık sık kullanılır. Genellikle fiillerin önünde yer alan bu zarfların önemli olanlarını verelim.

often	sık sık	**occasionally**	arada sırada
usually	genellikle	**regularly**	düzenli olarak
always	her zaman	**every**	her
sometimes	bazan	**once (twice etc.)**	bir kere (iki kere)
generally	genellikle	**seldom**	nadiren, seyrek
never	asla, hiç	**frequently**	sık sık

They usually come on Friday.	Genellikle cuma günü gelirler.
We sometimes go fishing in the winter.	Bazan kışın balık tutmağa gideriz.
You seldom see them in the street.	Onları nadiren sokakta görürsünüz.
My daughters go to the cinema once a week.	Kızlarım sinemaya haftada bir kere giderler.
Do you always take your son to football matches?	Oğlunu daima futbol maçlarına götürür müsün?
Harold doesn't generally join us.	Harold genellikle bize katılmaz.
Tourists occasionally stop here and buy some vases.	Turistler arada sırada burada dururlar ve birkaç vazo alırlar.
Do they often spend their holidays in Italy?	Tatillerini sık sık İtalya'da geçirirler mi?
We don't buy new clothes every year.	Her yıl yeni elbiseler almayız.
How often does she write to you?	Sana ne kadar sık yazar?

Sıklık zarfları arasında bulunan **never** olumsuz bir anlam taşır. İçinde bulunduğu olumlu cümleyi olumsuz yapar.

We go there.	Oraya gideriz.
We never go there.	Oraya hiç (asla) gitmeyiz.
They never believe us.	Bize hiç inanmazlar.
My father never takes us to the theatre.	Babam bizi tiyatroya hiç götürmez.
She never tells lies.	O hiç yalan söylemez.
You never understand me.	Beni hiç anlamazsın.

2. Tiyatrodaki hareketlerin yazıyla anlatımında geniş zaman kullanılır.

The actor takes a glass and puts some water into it.	Aktör bir bardak alır ve onun içine biraz su koyar.
The door opens and a policeman comes in.	Kapı açılır ve bir polis içeri girer.

3. Tarihi olayların canlı bir şekilde anlatılmasında geniş zaman kullanılır.

The English army makes a final attack and the city surrenders.	İngiliz ordusu son bir hücum yapar ve şehir teslim olur.
The war goes on for four years.	Savaş dört yıl devam eder.

4. Bir seyahat veya gezinin programı geniş zaman halinde verilir.

We start at 10.30 and arrive in Birmingham at 13.45.	10.30'da hareket edeceğiz ve Birmingham'a 13.45'de varacağız.
After the museum we visit two pubs and have a light meal in one of them.	Müzeden sonra iki birahaneyi ziyaret edeceğiz ve onların birinde hafif bir yemek yiyeceğiz.
The show begins at 4.30.	Şov 4.30'da başlıyor.

5. Masal anlatımında geniş zaman kullanılır.

One day the old woman goes to the town. She takes some eggs to the market. She sells them and buys some clothes with the money.	Bir gün yaşlı kadın kasabaya gider. Pazara biraz yumurta götürür. Onları satar ve parayla birkaç elbise alır.

6. Şimdiki zaman konusunda görüldüğü gibi bazı fiiller **ing** eki almadıkları için bunlar geniş zaman biçiminde kullanılırlar. Ancak verdikleri anlam şimdiki zamandır.

I see a man in the room now.	Şimdi odada bir adam görüyorum.
Do you hear the sound?	Sesi işitiyor musun?
We don't want to eat now.	Şimdi yemek istemiyoruz.
She doesn't know their names.	Onların isimlerini bilmiyor.

7. Zaman cümleciklerinde geniş zaman kullanılır. Bu yapıda zaman bildiren başlıca sözcükler şunlardır:

when	as
while	till (until)
after	as soon as
before	whenever

When my friends come, we'll go to the cinema.	Arkadaşlarım geldiği zaman sinemaya gideceğiz.
After I finish my homework, I'll go to bed.	Ev ödevimi bitirdikten sonra yatacağım.
Before the teacher opens the door, the students will clean the blackboard.	Öğretmen kapıyı açmadan önce öğrenciler karatahtayı temizleyecekler.
As soon as I receive the letter, I'll write an answer.	Mektubu alır almaz bir cevap yazacağım.
You'll see the new shop as you walk to the chemist's.	Eczaneye giderken yeni dükkânı göreceksin.

8. Geniş zaman şart cümlelerinin birinci tipinde if ile başlayan bölümde kullanılır.

If they come, they'll call on us.	Gelirlerse bize uğrayacaklar.
The teacher will see you if you sit here.	Burada oturursan öğretmen seni görecek.
If I give you some money, will you pay your debts?	Sana biraz para verirsem borçlarını ödeyecek misin?
She can pass her exams, if she works hard.	Çok çalışırsa sınavlarını geçebilir.

the simple present tense - geniş zaman çekim tablosu

affirmative - olumlu

I sleep.	Uyurum.
You sleep.	Uyursun.
He sleeps.	Uyur.
She sleeps.	Uyur.
It sleeps.	Uyur.
We sleep.	Uyuruz.
You sleep.	Uyursunuz.
They sleep.	Uyurlar.

negative - olumsuz

I do not sleep.	Uyumam.
You do not sleep.	Uyumazsın.
He does not sleep.	Uyumaz.
She does not sleep.	Uyumaz.
It does not sleep.	Uyumaz.
We do not sleep.	Uyumayız.
You do not sleep.	Uyumazsınız.
They do not sleep.	Uyumazlar.

interrogative - soru

Do I sleep?	Uyur muyum?
Do you sleep?	Uyur musun?
Does he sleep?	Uyur mu?
Does she sleep?	Uyur mu?
Does it sleep?	Uyur mu?
Do we sleep?	Uyur muyuz?
Do you sleep?	Uyur musunuz?
Do they sleep?	Uyurlar mı?

negative interrogative - olumsuz soru

Do I not sleep?	Uyumam mı?
Do you not sleep?	Uyumaz mısın?
Does he not sleep?	Uyumaz mı?
Does she not sleep?	Uyumaz mı?
Does it not sleep?	Uyumaz mı?
Do we not sleep?	Uyumaz mıyız?
Do you not sleep?	Uyumaz mısınız?
Do they not sleep?	Uyumazlar mı?

THE PAST TENSES-GEÇMİŞ ZAMANLAR

İngilizcede geçmiş zamanda yapılmış eylemleri anlatmak için esas olarak iki zaman vardır.

    1. the simple past tense - di'li geçmiş zaman
    2. the past continuous tense - sürekli geçmiş zaman

Türkçeye geçmiş zaman gibi çevrilen "**the present perfect tense** - şimdiki bitmiş zaman" ve onun diğer şekilleri gerçek bir geçmiş zaman olmayıp şimdiki zamanla ilgilidirler. Bu konu ileride **the perfect tenses** bölümünde açıklanmaktadır.

THE SIMPLE PAST TENSE - Dİ'Lı GEÇMİŞ ZAMAN

Geçmişte yapılıp bitmiş bir eylemi anlatmak için kullanılan bu zaman, fiilin geçmiş zaman için kullanılan şeklinin özne önüne getirilmesiyle oluşur.

Bir fiilin geçmiş zaman için kullanılan şeklinin ne olduğunu "olağan fiiller" konusunda kısaca gördük. Burada bir daha tekrarlayalım:

İngilizcede fiiller geçmiş zaman şekillerinin yapılması bakımından iki gruba ayrılırlar. İngilizcede bütün fiiller bu iki gruptan birine girerler.

    1. regular verbs - düzenli fiiller

    2. irregular verbs - düzensiz fiiller

düzenli fiiller

Düzenli fiiller grubundan bir fiili geçmiş zaman anlamında kullanmak için kök halindeki fiile **ed** takısı eklenir. Eğer fiil **e** harfi ile bitiyorsa sadece **d** eklenir.

fiil	geçmiş zaman şekli
want	wanted
play	played
work	worked
talk	talked
like	liked
listen	listened
close	closed
love	loved

Aşağıda geniş zaman halindeki basit cümlelerin geçmiş zaman haline nasıl geçtiğini görmekteyiz.

I want.
İsterim.

I wanted.
istedim.

They play.
Oynarlar.

They played.
Oynadılar.

He works.
Çalışır.

He worked.
Çalıştı.

She talks.
Konuşur.

She talked.
Konuştu.

We like.	**We liked.**
Severiz.	Sevdik.
The girl listens.	**The girl listened.**
Kız dinler.	Kız dinledi.
You close the door.	**You closed the door.**
Kapıyı kaparsınız.	Kapıyı kapadınız.
She loves you.	**She loved you.**
Seni sever.	Seni sevdi.

Bazı fiillere **ed** eklenirken son harfleri çift yazılır. **stop - stopped, travel travelled, compel - compelled.** Son harf **y**'den önce sessiz harf varsa **y** harfi **i** olur. **carry - carried, cry - cried.**

düzensiz fiiller

Düzenli fiiller grubunda bulunan fiillerin sonlarına **ed** getirmek suretiyle geçmiş zaman haline girmelerine karşın düzensiz fiiller grubundaki fiillerin durumu değişiktir. Onlar sonlarına belirli ekler getirilmek suretiyle geçmiş zaman haline girmezler. Onların bu amaçla kullanılan değişik şekilleri vardır. Aşağıda bazı düzensiz fiilleri ve bunların geçmiş zaman için kullanılan şekillerini görüyoruz.

go	**went**
see	**saw**
drink	**drank**
give	**gave**
write	**wrote**
bring	**brought**
buy	**bought**
sell	**sold**

dig	dug
begin	began
tell	told
swim	swam
know	knew
speak	spoke
take	took
sit	sat
eat	ate

Aşağıdaki örneklerde düzensiz fiiller grubundan olan fiillerle yapılmış geniş zaman cümlelerini ve karşılarında aynı fiilin geçmiş zaman şeklinin kullanıldığı geçmiş zaman cümlelerini görüyoruz.

I go. Giderim.	**I went.** Gittim.
They see. Görürler.	**They saw.** Gördüler.
He drinks. İçer.	**He drank.** İçti.
We write letters. Mektuplar yazarız.	**We wrote letters.** Mektuplar yazdık.
She brings some roses. Birkaç gül getirir.	**She brought some roses.** Birkaç gül getirdi.
Mary teaches English. Mary İngilizce öğretir.	**Mary taught English.** Mary İngilizce öğretti.
The man buys a car. Adam bir araba alır.	**The man bought a car.** Adam bir araba aldı.

293

The boy digs a hole.	The boy dug a hole.
Çocuk bir çukur kazar.	Çocuk bir çukur kazdı.

The teacher tells a story.	The teacher told a story.
Öğretmen bir hikâye anlatır.	Öğretmen bir hikâye anlattı.

The children swim in the sea.	The children swam in the sea.
Çocuklar denizde yüzer.	Çocuklar denizde yüzdü.

My mother takes a plate.	My mother took a plate.
Annem bir tabak alır.	Annem bir tabak aldı.

We sit in the kitchen.	We sat in the kitchen.
Mutfakta otururuz.	Mutfakta oturduk.

The carpenter makes a table.	The carpenter made a table.
Marangoz bir masa yapar.	Marangoz bir masa yaptı.

The girls eat some apples.	The girls ate some apples.
Kızlar birkaç elma yer.	Kızlar birkaç elma yediler.

İngilizcede düzensiz fiiller sayıca çok değildir. Fakat en çok kullanılan fiiller bu grubun içindedir. Bunların tam bir listesi bölüm sonunda görülmektedir.

İngilizcede düzensiz bir fiili öğrenirken bunun geçmiş zaman şeklini de birlikte bellemelidir. Örneğin, "**see** - görmek" fiilini öğrenirken onun geçmiş zaman şeklinin **saw** olduğu da aynı zamanda öğrenilmelidir.

Düzensiz fiillerin geçmiş zaman şekilleri (ve biraz ileride göreceğimiz **perfect** zamanların yapımında kullanılan üçüncü şekilleri) tamamen gelişigüzel olmayıp içlerinden bazılarının belirli değişikliklere uyarak şekillendiği doğruysa da bu çeşitli kuralları öğrenmeğe çalışmak yerine fiillerin geçmiş zaman şekillerini olduğu gibi ve kök fiille birlikte bellemek daha uygun olur.

Olumlu şekillerini gördüğümüz geçmiş zaman cümlelerinde fiilin her türlü özne ile aynı kaldığı, düzenli fiilse **ed** eki almış şeklinin, düzensiz fiilse ona ait geçmiş zaman şeklinin hiç değişmediği görülmektedir.

I went to the bus stop.	Otobüs durağına gittim.
He went to the bus stop.	Otobüs durağına gitti.
They went to the bus stop.	Otobüs durağına gittiler.
Ingrid went to the bus stop.	Ingrid otobüs durağına gitti.

You wanted a napkin.	Bir peçete istedin.
She wanted a napkin.	Bir peçete istedi.
The girl wanted a napkin.	Kız bir peçete istedi.
We wanted a napkin.	Bir peçete istedik.

olumlu geçmiş zaman cümle kalıbı

özne	fiilin geçmiş zaman şekli	diğer sözcükler
She	went	to school.
The boy	played	in the garden.
We	ate	your eggs.
The baby	slept	in my bed.
They	walked	to the station.
Andrew	worked	in a factory.
I	learnt	English in England.
You	took	my umbrella.

olumsuz

Geçmiş zaman halindeki cümlelerin olumsuz yapılması cümlede şu iki değişiklikle gerçekleşir.

1. Fiilin önüne **did not** getirilir.

2. Fiil ilk şekline, yani kök haline döner.

I went.	Gittim.
I did not go.	Gitmedim.

She walked.	Yürüdü.
She did not walk.	Yürümedi.

They sold the house.	Evi sattılar.
They did not sell the house.	Evi satmadılar.

Philip stopped the car.	Philip otomobili durdurdu.
Philip did not stop the car.	Philip otomobili durdurmadı.

The baby cried.	Bebek ağladı.
The baby did not cry.	Bebek ağlamadı.

Örneklerde görüldüğü gibi cümledeki fiil düzenli bir fiilse bu cümle olumsuz yapılınca fiildeki **ed** eki kalkarak fiil kök haline dönmüş, fiil düzensiz bir fiilse bu fiilin geçmiş zaman şekli yerine kök şekli kullanılmıştır.

did ile not kaynaşması

Olumsuz cümlelerde kullanılan **did** ile **not** çoğu zaman kaynaştırılarak kullanılırlar.

did not /did not/   **didn't** /didınt/

We swam in the lake.	Gölde yüzdük.
We didn't swim in the lake.	Gölde yüzmedik.

Mary liked the flowers.	Mary çiçekleri beğendi.
Mary didn't like the flowers.	Mary çiçekleri beğenmedi.

He changed his hat.	Şapkasını değiştirdi.
He didn't change his hat.	Şapkasını değiştirmedi.

I drank a bottle of milk.	Bir şişe süt içtim.
I didn't drink a bottle of milk.	Bir şişe süt içmedim.

	Your brother broke the vase.	Erkek kardeşin vazoyu kırdı.
	Your brother didn't break the vase.	Erkek kardeşin vazoyu kırmadı.
	She carried the books to the library.	Kitapları kitaplığa taşıdı.
	She didn't carry the books to the library.	Kitapları kitaplığa taşımadı.
	The postman saw your son in the post office.	Postacı oğlunu postanede gördü.
	The postman didn't see your son in the post office.	Postacı oğlunu postanede görmedi.
	The waiter helped the old woman.	Garson yaşlı kadına yardım etti.
	The waiter didn't help the old woman.	Garson yaşlı kadına yardım etmedi.

olumsuz geçmiş zaman cümlesi

özne	did not veya didn't	yalın halde fiil	diğer sözcükler
Emma	didn't	work	in a restaurant.
We	didn't	carry	the bags.
They	didn't	obey	the rules.
She	didn't	know	my name.
The inspector	didn't	see	the papers.
I	didn't	eat	much bread.
The doctors	didn't	understand	her illness.
Our teachers	didn't	come	on Saturday.

Geçmiş zaman halinde olumlu bir cümleyi soru haline sokmak için iki şey yapılır.

1. Cümlenin başına **did** getirilir.
2. Cümledeki fiil ilk şekline, yani kök haline döner.

She went to school.	Okula gitti.
Did she go to school?	Okula gitti mi?
We ate bananas.	Muz yedik.
Did we eat bananas?	Muz yedik mi?
Mary cleaned the tables.	Mary masaları temizledi.
Did Mary clean the tables?	Mary masaları temizledi mi?
They closed the windows.	Pencereleri kapattılar.
Did they close the windows?	Pencereleri kapattılar mı?
I made some mistakes.	Birkaç hata yaptım.
Did I make any mistakes?	Hiç hata yaptım mı?
The cook washed the vegetables.	Aşçı sebzeleri yıkadı.
Did the cook wash the vegetables?	Aşçı sebzeleri yıkadı mı?
You saw them at the door.	Onları kapıda gördün.
Did you see them at the door?	Onları kapıda gördün mü?
The woman sold her ring.	Kadın yüzüğünü sattı.
Did the woman sell her ring?	Kadın yüzüğünü sattı mı?
His sister opened the door.	Kız kardeşi kapıyı açtı.
Did his sister open the door?	Kız kardeşi kapıyı açtı mı?
The sailors swam to the shore.	Gemiciler sahile yüzdüler.
Did the sailors swim to the shore?	Gemiciler sahile yüzdüler mi?
My mother received a letter yesterday.	Annem dün bir mektup aldı.
Did my mother receive a letter yesterday?	Annem dün bir mektup aldı mı?

Geçmiş zaman konusunda hatırda tutulacak önemli noktalardan biri öznenin tekil veya çoğul olmasıyla fiilde bir değişme olmadığı, diğeri, cümleye **did** veya **did not** girince fiilin kök haline döndüğüdür.

They brought a tray.	Bir tepsi getirdiler.
She brought a tray.	Bir tepsi getirdi.

They didn't bring a tray.	Bir tepsi getirmediler.
She didn't bring a tray.	Bir tepsi getirmedi.

Did they bring a tray?	Bir tepsi getirdiler mi?
Did she bring a tray?	Bir tepsi getirdi mi?

soru halinde geçmiş zaman cümlesi

did	özne	yalın halde fiil	diğer sözcükler
Did	she	tell	you the truth?
Did	we	speak	correctly?
Did	Helen	begin	to do her homework?
Did	you	study	your lessons?
Did	they	finish	the building?
Did	the cats	eat	the meat?
Did	he	listen	to the music?
Did	your son	marry	again?

olumsuz soru

Soru halindeki geçmiş zaman cümlesini olumsuz soru haline sokmak için fiilin önüne **not** getirilir.

Did you see my son?	Oğlumu gördün mü?
Did you not see my son?	Oğlumu görmedin mi?

Did she invite you?	Sizi davet etti mi?
Did she not invite you?	Sizi davet etmedi mi?

Did they understand the letter?	Mektubu anladılar mı?
Did they not understand the letter?	Mektubu anlamadılar mı?

Olumsuz cümlede olduğu gibi olumsuz soru cümlesinde de **did not** kaynaştırılır.

Did he eat the eggs?	Yumurtaları yedi mi?
Didn't he eat the eggs?	Yumurtaları yemedi mi?

Did the nurse bring the pills?	Hemşire hapları getirdi mi?
Didn't the nurse bring the pills?	Hemşire hapları getirmedi mi?

Did the children wait for the bus?	Çocuklar otobüsü beklediler mi?
Didn't the children wait for the bus?	Çocuklar otobüsü beklemediler mi?

Did we pay our debt in time?	Borcumuzu vaktinde ödedik mi?
Didn't we pay our debt in time?	Borcumuzu vaktinde ödemedik mi?

olumsuz soru halinde geçmiş zaman cümlesi

didn't	özne	yalın halde fiil	diğer sözcükler
Didn't	you	correct	the wrong words?
Didn't	she	ring	the bell?
Didn't	they	bring	their food?
Didn't	the tourist	see	the bridge?
Didn't	I	give	you the tooth brush?
Didn't	Helen	write	the letter in ink?
Didn't	the dentist	pay	the rent last month?

GEÇMİŞ ZAMANIN KULLANILDIĞI YERLER

1. Geçmiş zaman kipi geçmiş bir zaman içinde yapılıp bitmiş eylemleri anlatmak için kullanılır. Bu anlatışta çoğu kez eylemin yapıldığı zamanı belirten bir zaman zarfı olur.

She went to the library yesterday.	Dün kitaplığa gitti.
We saw them last week.	Onları geçen hafta gördük.
The birds left England in September.	Kuşlar İngiltere'yi eylülde terkettiler.
I met Frank this morning.	Frank'a bu sabah rastladım.
When did she telephone you?	Sana ne zaman telefon etti?
What time did you get up?	Saat kaçta kalktın?
We arrived in Paris after six o'clock.	Paris'e saat altıdan sonra vardık.

Eylemin yapıldığı yer belirtildiği zaman yine geçmiş zaman kipi kullanılır.

They saw us in the ferryboat.	Bizi arabalı vapurda gördüler.
They killed the elephant in the forest.	Fili ormanda öldürdüler.
We worked in a leather factory.	Bir deri fabrikasında çalıştık.

2. Zamanı verilmeyen, ancak geçmiş bir zaman aralığı içinde yapılıp bitmiş bir eylemi anlatmak için de geçmiş zaman kipi kullanılır.

She stayed at this hospital for two months.	Bu hastanede iki ay kaldı. (Şimdi kalmıyor.)
Our family lived in Dublin before the war.	Savaştan önce ailemiz Dublin'de yaşadı. (Şimdi yaşamıyor.)
I studied English in London with my sister.	Kız kardeşimle Londra'da İngilizce çalıştım. (Şimdi çalışmıyorum.)
We worked in Germany for sixteen years.	On altı yıl Almanya'da çalıştık.

3. Geçmişte alışkanlık halinde tekrarlanan eylemler de geçmiş zaman ile anlatılır.

We always ate fruit after dinner.	Akşam yemeğinden sonra hep meyve yerdik.
They usually came late.	Onlar ekseriya geç gelirlerdi.
The students never helped each other.	Öğrenciler birbirlerine hiç yardım etmezlerdi.
She sometimes brought us a bunch of grapes from their vineyard.	Bazen bize bağlarından bir salkım üzüm getirirdi.

4. Bir hikâye anlatımında da yukarıdaki şekilde kullanılan geçmiş zaman kipinde fiiller bazan Türkçeye sürekli geçmiş zaman gibi çevrilebilirler.

The King was a bad man but he loved his country.	Kral fena bir adamdı fakat ülkesini seviyordu.
He knew there were many golden rings under the floor.	Döşemenin altında birçok altın yüzükler olduğunu biliyordu.
Dora was a lazy girl but we all liked her.	Dora tembel bir kızdı fakat hepimiz onu seviyorduk.

Şart cümlelerinin ikinci tipinde geçmiş zaman kipi kullanılır. (Bunu **if** ile şart cümleleri konusunda daha etraflı görmekteyiz.) Bu durumda geçmiş zaman cümlelerinin Türkçeye geniş zaman gibi çevrildiğine dikkat ediniz.

If she studied her lessons, she would pass her exams.	Derslerine çalışsa sınavlarını geçer.
If you ran quickly, you would catch the bus.	Hızlı koşsan otobüse yetişirsin.
If I opened the door, the dog would come out.	Kapıyı açsam köpek dışarı çıkar.
They would meet you if you came early.	Erken gelseniz sizi karşılarlar.
He would go to the cinema if it rained.	Yağmur yağsa sinemaya gider.

5. "**Subjunctive mood**-Dilek kipi" konusunda geçmiş zamanın **as if, as though, wish, only, it is time, would sooner, would better** ile kullanılışını etraflı olarak görebilirsiniz.

affirmative - olumlu

I went.	Gittim.
You went.	Gittin.
He went.	Gitti.
She went.	Gitti.
It went.	Gitti.
We went.	Gittik.
You went.	Gittiniz.
They went.	Gittiler.

negative - olumsuz

I did not go.	Gitmedim.
You did not go.	Gitmedin.
He did not go.	Gitmedi.
She did not go.	Gitmedi.
It did not go.	Gitmedi.
We did not go.	Gitmedik.
You did not go.	Gitmediniz.
They did not go.	Gitmediler.

interrogative - soru

Did I go?	Gittim mi?
Did you go?	Gittin mi?
Did he go?	Gitti mi?
Did she go?	Gitti mi?
Did it go?	Gitti mi?
Did we go?	Gittik mi?
Did you go?	Gittiniz mi?
Did they go?	Gittiler mi?

negative interrogative - olumsuz soru

Did I not go?	Gitmedim mi?
Did you not go?	Gitmedin mi?
Did he not go?	Gitmedi mi?
Did she not go?	Gitmedi mi?
Did it not go?	Gitmedi mi?
Did we not go?	Gitmedik mi?
Did you not go?	Gitmediniz mi?
Did they not go?	Gitmediler mi?

THE PAST CONTINUOUS TENSE
SÜREKLİ GEÇMİŞ ZAMAN

Bir hareketin geçmiş bir zamanda bir süre devam ettiğini belirtmek için kullanılan sürekli geçmiş zaman kipi, **ing** eki almış fiil ile bunun önünde **to be** fiilinin geçmiş zaman şekli olan **was (were)** kullanılarak oluşturulur.

Bu zamanın şekil bakımından şimdiki zamanla tek farkı **is** yerine **was,** **are** yerine **were** gelmesidir. Fiil her iki zamanda da aynı, yani **ing** almış durumdadır.

Aşağıdaki örneklerde şimdiki zaman cümleleri ile bu cümlelerdeki fiillerle yapılmış sürekli geçmiş zaman cümlelerini karşılıklı görüyoruz.

şimdiki zaman	sürekli geçmiş zaman
She is writing a letter. Bir mektup yazıyor.	**She was writing a letter.** Bir mektup yazıyordu.
Martin is eating a biscuit. Martin bir bisküvi yiyor.	**Martin was eating a biscuit.** Martin bir bisküvi yiyordu.
We are counting the money. Parayı sayıyoruz.	**We were counting the money.** Parayı sayıyorduk.
They are running to the gate. Kapıya koşuyorlar.	**They were running to the gate.** Kapıya koşuyorlardı.
The man is waiting at the door. Adam kapıda bekliyor.	**The man was waiting at the door.** Adam kapıda bekliyordu.
Your friends are going to the museum. Arkadaşlarınız müzeye gidiyor.	**Your friends were going to the museum.** Arkadaşlarınız müzeye gidiyordu.

Örnek cümlelerde de görüldüğü gibi özne tekil olduğu zaman **was,** çoğul olduğu zaman **were** yardımcı fiili **ing** eki almış esas fiil önünde yer almaktadır.

Mary was learning French.	Mary Fransızca öğreniyordu.
She was cleaning the kitchen.	Mutfağı temizliyordu.
We were playing in the corridor.	Koridorda oynuyorduk.
They were sleeping under the trees.	Ağaçların altında uyuyorlardı.
The horses were running to the water.	Atlar suya koşuyorlardı.
Mr Green was reading a newspaper.	Mr Green bir gazete okuyordu.
I was working in the workshop.	Atölyede çalışıyordum.
The soldiers were resting by the river.	Askerler nehirin yanında istirahat ediyorlardı.
The doctor was examining the patients.	Doktor hastaları muayene ediyordu.

olumlu sürekli geçmiş zaman cümlesi

özne	was veya were	ing almış fiil	diğer sözcükler
She	was	waiting	for her husband.
Norman	was	having	a cup of coffee.
We	were	correcting	the examination papers.
They	were	eating	bread and cheese.
The girls	were	washing	their blouses.
He	was	looking	at the clouds.
His mother	was	cooking	the food.

olumsuz

Sürekli geçmiş zaman cümlesini olumsuz hale sokmak için **was** ve **were** sözcüklerinden sonra **not** getirmek gerekir.

She was walking to the cupboard. Dolaba yürüyordu.
She was not walking to the cup-   Dolaba yürümüyordu.
board.

We were sitting on a bench.   Bir sıra üzerinde oturuyorduk.
We were not sitting on a bench.   Bir sıra üzerinde oturmuyorduk.

Bilindiği gibi **was** ve **were** yardımcı fiilleri de **not** ile kaynaştırılarak bir kısaltma yapılabilir.

He was swimming to the boat.   Kayığa yüzüyordu.
He wasn't swimming to the boat.   Kayığa yüzmüyordu.

They were listening to the radio.   Radyoyu dinliyorlardı.
They weren't listening to the   Radyoyu dinlemiyorlardı.
radio.

Mary was making a pillow.   Mary bir yastık yapıyordu.
Mary wasn't making a pillow.   Mary bir yastık yapmıyordu.

The workers were playing football.   İşçiler futbol oynuyorlardı.
The workers weren't playing   İşçiler futbol oynamıyorlardı.
football.

She wasn't learning German.   Almanca öğrenmiyordu.
The woman wasn't following   Kadın köpeği izlemiyordu.
the dog.

The aeroplanes weren't flying   Uçaklar Londra'ya doğru uçmuyor-
towards London.   lardı.
We weren't living in Brighton   O zaman Brighton'da oturmuyor-
then.   duk.
The girl wasn't playing the   Kız piyano çalmıyordu.
piano.
They weren't going to the   Tiyatroya gitmiyorlardı.
theatre.
The man and the woman weren't   Adam ve kadın parkta yürümüyor-
walking in the park.   lardı.
The student wasn't reading his   Öğrenci kitaplarını okumuyordu.
books.

olumsuz sürekli geçmiş zaman cümlesi

özne	wasn't veya weren't	ing almış fiil	diğer sözcükler
I	wasn't	expecting	you.
She	wasn't	reading	your newspaper.
They	weren't	waiting	for your sister.
The girl	wasn't	washing	her stockings.
Your sons	weren't	doing	their homework.
Mr Brown	wasn't	playing	cards.
We	weren't	feeding	the rabbits.

soru

Olumlu bir sürekli geçmiş zaman cümlesini soru haline sokmak için **was** ve **were** fiilin önünden alınarak cümlenin başına getirilir.

He was writing a story.   Bir hikâye yazıyordu.
Was he writing a story?   Bir hikâye mi yazıyordu?

They were counting the boxes?   Kutuları sayıyorlardı.
Were they counting the boxes?   Kutuları mı sayıyorlardı?

The maid was cleaning the glass. Hizmetçi bardağı temizliyordu.
Was the maid cleaning the glass? Hizmetçi bardağı mı temizliyordu?

The teacher was drawing a map.   Öğretmen bir harita çiziyordu.
Was the teacher drawing a map?   Öğretmen bir harita mı çiziyordu?

The drivers were waiting at   Şoförler hudutta bekliyorlardı.
the frontier.
Were the drivers waiting at   Şoförler hudutta mı bekliyorlardı?
the frontier?

You were telling them the truth.	Onlara gerçeği söylüyordun.
Were you telling them the truth?	Onlara gerçeği mi söylüyordun?

She was making a cake.	Bir pasta yapıyordu.
Was she making a cake?	Bir pasta mı yapıyordu?

Were the buses going to the terminal?	Otobüsler terminale mi gidiyorlardı?
Was the old man waiting for his son?	Yaşlı adam oğlunu mu bekliyordu?
Was he helping the tourists?	Turistlere yardım mı ediyordu?
Were they sitting on our beds?	Yataklarımızın üzerinde mi oturuyorlardı?
Was Christine talking to her father?	Christine babasıyla mı konuşuyordu?
Were the children throwing stones at the windows?	Çocuklar pencerelere taş mı atıyorlardı?
Were you sweeping the floor?	Yeri süpürüyor muydun?
Was she drinking wine?	Şarap mı içiyordu?

soru halinde sürekli geçmiş zaman cümlesi

was veya were	özne	ing almış fiil	diğer sözcükler
Was	Hilda	singing	a song?
Was	the boy	carrying	a basket?
Were	they	drinking	beer or wine?
Was	the telephone	ringing	again and again?
Were	the boys	stealing	cakes?
Were	you	sleeping	in your room?
Was	she	ironing	the trousers?

olumsuz soru

Soru halindeki sürekli geçmiş zaman cümlesinde fiilin önüne **not** getirilirse olumsuz soru meydana gelir.

Was she powdering her face?	Yüzünü mü pudralıyordu?
Wasn't she powdering her face?	Yüzünü pudralamıyor muydu?

Were they making a basket?	Bir sepet mi yapıyorlardı?
Weren't they making a basket?	Bir sepet yapmıyorlar mıydı?

Was the teacher writing the new words?	Öğretmen yeni sözcükleri yazıyor muydu?
Wasn't the teacher writing the new words?	Öğretmen yeni sözcükleri yazmıyor muydu?

Bu cümlelerde **was** ve **were** ile **not** kaynaştırılabilir.

Was the man catching fish?	Adam balık mı tutuyordu?
Wasn't the man catching fish?	Adam balık tutmuyor muydu?

Were the children playing in the park?	Çocuklar parkta mı oynuyorlardı?
Weren't the children playing in the park?	Çocuklar parkta oynamıyorlar mıydı?

Were you staying in a cheap hotel?	Ucuz bir otelde mi kalıyordunuz?
Weren't you staying at a cheap hotel?	Ucuz bir otelde kalmıyor muydunuz?

Was John waiting for his mother?	John annesini mi bekliyordu?
Wasn't John waiting for his mother?	John annesini beklemiyor muydu?

Was your daughter working in a bank?	Kızın bir bankada mı çalışıyordu?
Wasn't your daughter working in a bank?	Kızın bir bankada çalışmıyor muydu?

Were the policemen stopping the cars?	Polisler otomobilleri durduruyorlar mıydı?
Weren't the policemen stopping the cars?	Polisler otomobilleri durdurmuyorlar mıydı?

olumsuz soru halinde sürekli geçmiş zaman cümlesi

wasn't veya weren't	özne	ing almış fiil	diğer sözcükler
Wasn't	she	sleeping	in the living room?
Wasn't	the girl	washing	the dishes?
Weren't	the students	doing	their homework?
Wasn't	he	taking	his medicine?
Weren't	your friends	coming	with you?
Weren't	they	learning	Turkish?
Wasn't	Betty	working	in a restaurant?

SÜREKLI GEÇMİŞ ZAMANIN KULLANILDIĞI YERLER

1. Geçmişte bir eylem yapılmakta iken onunla ilişkili ikinci bir eylem de yapılmışsa devamlı yapılan eylemi göstermek için sürekli geçmiş zaman, diğeri için geçmiş zaman kullanılır. Geçmiş zaman halindeki kısım "zaman" anlamında **when** sözcüğü ile başlar.

Sürekli geçmiş zaman ve geçmiş zaman cümlelerinin tek cümle halinde birleşmesini görmeden önce daha kolay anlaşılması için, geçmiş zaman kısmının **when** ile yapısını inceleyelim.

I came	geldim.
when I came	geldiğim zaman ....
when I saw	gördüğüm zaman ....
when I got up	kalktığım zaman ....

Bu cümlelerin Türkçelerinde "zaman" sözcüğü yerine başka ekler kullanılarak da aynı anlam verilebilir.

when I came	geldiğim zaman ...., geldiğim anda, geldiğimde, ben gelince
when he saw me	beni görünce ....
when they began	başladıklarında ....
when the bus arrived	otobüs geldiğinde ....
when the man came in	adam girdiğinde ....

Yapılıp bitmiş bir eylemi gösteren ve **when** ile başlamış bu gibi geçmiş zaman cümleleri bu eylemlerin yapıldığı anda devam etmekte olan sürekli geçmiş zaman cümleleriyle aşağıdaki örneklerde görüldüğü gibi birleşirler.

when I saw	gördüğüm zaman ....
when I saw him	onu gördüğüm zaman ....
He was reading a book.	Bir kitap okuyordu.
When I saw him he was reading a book.	Onu gördüğüm zaman bir kitap okuyordu.

Bu cümlede okuma eyleminin geçmişte bir süre devamlı olarak yapıldığı, görme eyleminin ise okuma eyleminin sürdüğü bir anda yapılıp bittiği anlatılmaktadır. Yani okuma eylemi görme eyleminin öncesinde de sonrasında da devam etmektedir.

when her father came	babası geldiğinde ....
She was sleeping.	Uyuyordu.
When her father came she was sleeping.	Babası geldiğinde uyuyordu.

Bu iki bölümlü cümlelerde **when** ile başlayan kısım cümlenin başında olabileceği gibi sonunda da olabilir. Önde bulunan eylemin daha vurgulu olarak belirtildiği anlaşılır. Türkçe çevirisinde bir fark olmaz.

When she saw me I was talking to a friend.	Beni gördüğünde bir arkadaşla konuşuyordum.
I was talking to a friend when she saw me.	Beni gördüğünde bir arkadaşla konuşuyordum.
It was raining when we went out.	Dışarı çıktığımızda yağmur yağıyordu.
When we went out it was raining.	Dışarı çıktığımızda yağmur yağıyordu.

When the students came in the classroom, the teacher was drawing a map on the blackboard.	Öğrenciler sınıfa girdiklerinde öğretmen tahtaya bir harita çiziyordu.
We were sitting by the fire when the man opened the door.	Adam kapıyı açtığı zaman biz ocağın yanında oturuyorduk.
The girl was washing her face when her mother called.	Annesi seslendiği zaman kız yüzünü yıkıyordu.
When the rain stopped, the house was still burning.	Yağmur durduğu zaman ev hâlâ yanıyordu.
They were eating sandwiches in the restaurant when the fight began.	Kavga başladığında onlar lokantada sandviç yiyorlardı.
When I opened the curtains, the sun was shining.	Perdeleri açtığım zaman güneş parlıyordu.
My son was still sleeping when I arrived at his house.	Evine vardığımda oğlum hâlâ uyuyordu.

Bu tip cümlelerde sürekli geçmiş zaman bölümü önünde "iken, esnasında" anlamında **while** sözcüğü de kullanılır.

The man put out the light while we were reading our books.	Biz kitaplarımızı okurken adam ışığı söndürdü.
I heard a noise while I was passing by their house.	Evlerinin yanından geçerken bir gürültü işittim.

2. Geçmişte bir eylem sürekli olarak yapılmaktayken diğer bir eylem de aynı zamanda sürekli olarak yapılmaktaysa her ikisi de sürekli geçmiş zaman halinde söylenir.

Anita was reading a newspaper while her husband was watching television.	Kocası televizyon seyrediyorken Anita bir gazete okuyordu.
I was walking through the forest, and my dog was following me.	Ormanın içinde yürüyordum, köpeğim beni izliyordu.
While we were playing in the garden, my grandmother was watering the flowers.	Biz bahçede oynuyorken büyükannem çiçekleri suluyordu.
They were thinking of their sons while they were working in the fields.	Tarlalarda çalışıyorlarken oğullarını düşünüyorlardı.

3. **Always** ile sürekli geçmiş zaman kullanıldığında bir hareketin sık sık tekrarlanmış olduğu ve sözü söyleyenin bu durumdan şikâyetçi bulunduğu anlatılmış olur.

She was always complaining about her illness.	Hep hastalığından şikâyet ediyordu.
They were always coming late.	Hep geç geliyorlardı.
His wife was always telling him not to drink too much.	Karısı ona hep çok içmemesini söylüyordu.

4. Belli bir zamanda bir hareketin yapılıyor oluşu sürekli geçmiş zamanla anlatılır.

At six o'clock he was sitting with his friends in a cafe.	Saat altıda arkadaşlarıyla bir kafede oturuyordu.
They were watching television at ten o'clock.	Saat onda televizyon seyrediyorlardı.
She was washing the dishes during lunch time.	Öğlen yemeği esnasında bulaşıkları yıkıyordu.

314

the past continuous tense - sürekli geçmiş zaman çekim tablosu

affirmative - olumlu

I was walking.	Yürüyordum.
You were walking.	Yürüyordun.
He was walking.	Yürüyordu.
She was walking.	Yürüyordu.
It was walking.	Yürüyordu.
We were walking.	Yürüyorduk.
You were walking.	Yürüyordunuz.
They were walking.	Yürüyorlardı.

negative - olumsuz

I was not walking.	Yürümüyordum.
You were not walking.	Yürümüyordun.
He was not walking.	Yürümüyordu.
She was not walking.	Yürümüyordu.
It was not walking.	Yürümüyordu.
We were not walking.	Yürümüyorduk.
You were not walking.	Yürümüyordunuz.
They were not walking.	Yürümüyorlardı.

interrogative - soru

Was I walking?	Yürüyor muydum?
Were you walking?	Yürüyor muydun?
Was he walking?	Yürüyor muydu?
Was she walking?	Yürüyor muydu?
Was it walking?	Yürüyor muydu?
Were we walking?	Yürüyor muyduk?
Were you walking?	Yürüyor muydunuz?
Were they walking?	Yürüyorlar mıydı?

negative interrogative - olumsuz soru

Was I not walking?	Yürümüyor muydum?
Were you not walking?	Yürümüyor muydun?
Was he not walking?	Yürümüyor muydu?
Was she not walking?	Yürümüyor muydu?
Was it not walking?	Yürümüyor muydu?
Were we not walking?	Yürümüyor muyduk?
Were you not walking?	Yürümüyor muydunuz?
Were they not walking?	Yürümüyorlar mıydı?

THE PERFECT TENSES-BİTMİŞ ZAMANLAR

Geçmişte yapılmış eylemlerin yapılma zamanını ve şeklini değil o eylemlerin etki ve sonucunu anlatmak için kullanılan bir fiil zamanı olan bitmiş zamanlar şunlardır:

1. **the present perfect tense** - şimdiki bitmiş zaman

2. **the present perfect continuous tense** - sürekli şimdiki bitmiş zaman

3. **the past perfect tense** - geçmişte bitmiş zaman

4. **the past perfect continuous tense** - sürekli geçmişte bitmiş zaman

5. **the future perfect tense** - gelecekte bitmiş zaman

6. **the future perfect continuous tense** - sürekli gelecekte bitmiş zaman

Bunları sırasıyla ele alarak inceleyelim.

THE PRESENT PERFECT TENSE - ŞİMDİKİ BİTMİŞ ZAMAN

Geçmişte yapılmış bir eylemin şimdiki sonuç veya etkisini bildiren, bu bakımdan geçmişle şimdiki zamanın bir nevi karışımı olan şimdiki bitmiş zaman biçim olarak şu şekilde meydana getirilir:

1. **Have** fiili bir yardımcı fiil olarak kullanılır.
2. Esas fiil olarak fiilin "**past participle** - geçmiş zaman ortacı" kullanılır.

şimdiki bitmiş zaman cümlesinde (have) yardımcı fiili

Have fiilinin yardımcı bir fiil olarak esas fiil önünde kullanılışı şöyle olur: Özne tekilse **has**, çoğulsa **have** fiilin önünde yer alır.

> (tekil) **He (the man, Boris, my son) HAS**
> (çoğul) **They (we, the children, his sisters) HAVE**

şimdiki bitmiş zaman cümlesinde esas fiil

Geçmiş zaman konusunda, fiillerin geçmiş zaman yapılarının nasıl meydana getirildiğini gördük. Bunlardan **"regular verbs** - düzenli fiiller" sonlarına **ed** alarak geçmiş zaman haline giriyorlardı. **"Irregular verbs** - düzensiz fiiller" ise geçmiş zaman anlamı vermek için değişik şekillere sahiptiler. Şimdiki bitmiş zaman yapımı için fiillerin bir üçüncü şekilleri vardır. Buna **"past participle** - geçmiş zaman ortacı" denir.

Düzenli fiillerin geçmiş zaman biçimleriyle geçmiş zaman ortaçları aynıdır. Her ikisi de fiile **ed** ilavesiyle yapılmıştır. Aşağıda birkaç düzenli fiili üç şekliyle görelim:

düzenli fiiller

kök hali	geçmiş zaman biçimi	üçüncü şekli
want	wanted	wanted
like	liked	liked
play	played	played
stop	stopped	stopped
open	opened	opened
talk	talked	talked
cry	cried	cried

close	closed	closed
travel	travelled	travelled

Geçmiş zaman konusunda da açıklandığı gibi fiilin son harfi **e** ise buna sadece **d** eklenmektedir. **Stop** ve **travel** gibi bazı fiillere **ed** eklenirken son harfler ikileşmekte, önünde sessiz bir harf bulunan **y** harfleri ise **i** yapıldıktan sonra **ed** eklenmektedir.

Düzensiz fiillerin geçmiş zaman için olan biçimleriyle şimdiki bitmiş zaman yapımı için kullanılan üçüncü şekilleri, yani geçmiş zaman ortaçları değişiktir. Bu bakımdan bir düzensiz fiili öğrenirken bunun geçmiş zaman şekliyle, şimdiki bitmiş zamanda kullanılan üçüncü şeklini de bellemek gereklidir.

Aşağıda birkaç düzensiz fiili üç şekliyle görelim.

düzensiz fiiller

kök hali	geçmiş zaman biçimi	üçüncü şekli
go	went	gone
see	saw	seen
drink	drank	drunk
give	gave	given
write	wrote	written
begin	began	begun
swim	swam	swum
know	knew	known
eat	ate	eaten
sit	sat	sat
take	took	taken
tell	told	told

teach	taught	taught
bring	brought	brought
cut	cut	cut
do	did	done
hit	hit	hit
pay	paid	paid
shut	shut	shut
stand	stood	stood

Yukarıda verdiğimiz birkaç düzensiz fiil arasında bazılarının her üç şeklinin değişik olduğunu (**go, went, gone**), bazılarının ikinci ve üçüncü şekillerinin aynı olduğunu (**tell, told, told**), bazılarının ise her üç şeklinin aynı olduğunu (**cut, cut, cut**) görmekteyiz.

Şimdiki bitmiş zaman cümlesinin fiilin üçüncü şekliyle özneye uygun **have** yardımcı fiilinden oluşacağını öğrendiğimize göre cümlelerimizi kurabiliriz. Bu cümlelerde fiilin üç şeklini görmek ve anlam olarak açıklamasını yapmak için aynı fiili üç zaman içinde kullanıyoruz.

I see the rabbits every day.	Tavşanları her gün görürüm.
I saw the rabbits yesterday.	Tavşanları dün gördüm.
I have seen the rabbits.	Tavşanları gördüm. (Tavşanları görmüş durumdayım.)
You take the cups from the shelf.	Fincanları raftan alırsın.
You took the cups from the shelf.	Fincanları raftan aldın.
You have taken the cups from the shelf.	Fincanları raftan aldın. (Fincanları raftan almış durumdasın.)
He eats oranges and bananas.	Portakal ve muz yer.
He ate oranges and bananas.	Portakal ve muz yedi.
He has eaten oranges and bananas.	Portakal ve muz yedi. (Portakal ve muz yemiş durumda.)

Andrew tells them the truth.	Andrew onlara gerçeği söyler.
Andrew told them the truth.	Andrew onlara gerçeği söyledi.
Andrew has told them the truth.	Andrew onlara gerçeği söyledi. (Andrew onlara gerçeği söylemiş durumda.)

Örneklerde şimdiki bitmiş zaman cümlelerinde özne tekil olduğunda **has**, çoğul olduğunda **have** kullanıldığını ve bunları fiilin üçüncü şeklinin izlediğini görüyoruz.

Konunun başında şimdiki bitmiş zamanın geçmişte yapılmış bir eylemin şu andaki etkisi veya sonucunu anlattığını, bu bakımdan da bir nevi şimdiki zaman anlamı taşıdığını belirtmiştik. İleride, verdiği anlamlar konusunda daha geniş bilgi verilecek olan şimdiki bitmiş zamanın Türkçeye yukarıdaki örneklerde görüldüğü gibi "durumda" sözüyle çevrilerek eylemin şu andaki sonucu anlattığı belirtilmiştir.

She has seen the new car.	Yeni arabayı gördü. (Yeni arabayı görmüş durumda.)

cümlesi "Yeni arabayı görmüş durumda bulunuyor. Şimdi yeni arabayı görmüş ve bilir haldedir." anlamını taşımaktadır.

The present perfect - şimdiki bitmiş zaman cümlelerinin olumlu, olumsuz, soru biçimlerini öğrenmek için vereceğimiz örneklerde bu anlam durumunu bilmeniz için bu kadar açıklamayla yetinerek daha detaylı öğretimini ileriye bırakıyoruz.

We have closed all the windows.	Bütün pencereleri kapadık. (Bütün pencereleri kapamış durumdayız. Şimdi bütün pencereler kapalı.)
She has finished the book.	Kitabı bitirmiş durumda.
They have heard the noise.	Gürültüyü işitmiş durumdalar.
I have found my key.	Anahtarımı bulmuş durumdayım.
You have paid your debt.	Borcunu ödemiş durumdasın.
Mary has made two cakes.	Mary iki pasta yapmış durumda.
We have talked to the manager.	Müdürle konuşmuş durumdayız.
The men have worked all day long.	Adamlar bütün gün çalışmış durumdalar.
The man has worked all day long.	Adam bütün gün çalışmış durumda.
The baby has drunk the milk.	Bebek sütü içmiş durumda.
I have opened the box.	Kutuyu açmış durumdayım.

olumlu şimdiki bitmiş zaman cümlesi

özne	have veya has	fiilin üçüncü şekli	diğer sözcükler
He	has	written	many letters.
Your father	has	repaired	the toy.
They	have	filled	the form.
We	have	done	our homework.
Dick	has	given	the pencils to them.
My husband	has	taken	the keys with him.
You	have	seen	the film twice.

olumsuz

Şimdiki bitmiş zaman cümlesini olumsuz hale sokmak için **have (has)** yardımcı fiilinden sonra **not** sözcüğü getirilir.

He has learnt many words.	Birçok sözcük öğrendi. (Birçok sözcük öğrenmiş durumda.)
He has not learnt many words.	Birçok sözcük öğrenmedi. (Birçok sözcük öğrenmiş durumda değil.)
They have understood the instructions.	Talimatı anladılar. (Talimatı anlamış durumdalar.)
They have not understood the instructions.	Talimatı anlamadılar. (Talimatı anlamış durumda değiller.)

Bu cümlelerde de **have (has)** ile **not** kaynaştırılabilir.

have not	**haven't** /hevınt/
has not	**hasn't** /hezınt/

She has seen your brother.	Senin kardeşini görmüş durumda.
She hasn't seen your brother.	Senin kardeşini görmüş durumda değil.
Bernard has finished his work.	Bernard işini bitirmiş durumda.
Bernard hasn't finished his work.	Bernard işini bitirmiş durumda değil.
They have read two stories.	İki öykü okumuş durumdalar.
They haven't read two stories.	İki öykü okumuş durumda değiller.
He has bought a new bag.	O yeni bir çanta almış durumda.
He hasn't bought a new bag.	O yeni bir çanta almış durumda değil.
We have seen the film.	Filmi görmüş durumdayız.
We haven't seen the film.	Filmi görmüş durumda değiliz.
The women haven't sent their children to school.	Kadınlar çocuklarını okula göndermiş durumda değiller.
Emma hasn't brought her homework.	Emma ev ödevini getirmiş durumda değil.
The waiter hasn't taken away the plates.	Garson tabakları götürmüş durumda değil.
The waiters haven't served us very well.	Garsonlar bize çok iyi hizmet etmiş değiller.

olumsuz şimdiki bitmiş zaman cümlesi

özne	haven't veya hasn't	fiilin üçüncü şekli	diğer sözcükler
Helen	hasn't	sent	me any letters.
The girls	haven't	opened	the doors.
We	haven't	changed	our minds.
Dick's son	hasn't	studied	his lessons.
They	havew't	helped	their friends.
You	haven't	left	the keys at home.
He	hasn't	obeyed	the rules.

soru

Şimdiki bitmiş zaman cümlelerini soru haline getirmek için **have (has)** yardımcı fiilleri cümlenin başına alınır.

She has taken your pencil.	Senin kalemini aldı. (Senin kalemini almış durumda.)
Has she taken your pencil?	Senin kalemini aldı mı? (Senin kalemini almış durumda mı?)
We have followed the instructions.	Talimatı izledik. (Talimatı izlemiş durumdayız.)
Have we followed the instructions?	Talimatı izledik mi? (Talimatı izlemiş durumda mıyız?)
Gloria has answered all the questions.	Gloria bütün sorulara cevap vermiş durumda.
Has Gloria answered all the guestions?	Gloria bütün sorulara cevap vermiş durumda mı?
I have put my pencil in a box.	Kalemimi bir kutuya koymuş durumdayım.
Have I put my pencil in a box?	Kalemimi bir kutuya koymuş durumda mıyım?
You have bought a new coat.	Yeni bir ceket almış durumdasın.
Have you bought a new coat?	Yeni bir ceket almış durumda mısın?
Her father has understood all the conversation.	Babası bütün konuşmayı anlamış durumda.
Has her father understood all the conversation?	Babası bütün konuşmayı anlamış durumda mı?
Have they brought their records?	Plaklarını getirmiş durumdalar mı?
Has the man's dog eaten your food?	Adamın köpeği sizin yiyeceğinizi yemiş durumda mı?
Have you heard of their invention?	Onların buluşunu duymuş durumda mısın?
Have the officials invited you?	Memurlar seni davet ettiler mi?
Has the cat taken your slippers to the kitchen?	Kedi senin terliklerini mutfağa götürmüş durumda mı?
Have they learnt the new rules?	Yeni kuralları öğrenmiş durumdalar mı?

soru halinde şimdiki bitmiş zaman cümlesi

have veya has	özne	fiilin üçüncü şekli	diğer sözcükler
Have	you	slept	all day long?
Has	he	waited	in the living-room?
Has	Mary	cooked	the meal herself?
Have	the boys	cleaned	their rooms?
Has	she	spoken	to the headmaster?
Have	your friends	left	you alone?
Has	Dick	bought	a new tie?

olumsuz soru

Şimdiki bitmiş zaman cümlesini olumsuz soru haline getirmek için soru halindeki cümlede fiilin önüne **not** getirilir.

Have you seen?	Gördün mü? (Görmüş durumda mısın?)
Have you not seen?	Görmedin mi? (Görmüş durumda değil misin?)
Has he repaired the bicycle?	Bisikleti tamir etmiş durumda mı?
Has he not repaired the bicycle?	Bisikleti tamir etmiş durumda değil mi?

Olumsuz soru cümlelerinde **have (has)** ile **not** kaynaştırılabilir.

Has she telephoned you?	Size telefon etmiş durumda mı?
Hasn't she telephoned you?	Size telefon etmiş durumda değil mi?
Have they broken the door?	Kapıyı kırmış durumdalar mı?
Haven't they broken the door?	Kapıyı kırmış durumda değiller mi?
Have the waiters brought the trays?	Garsonlar tepsileri getirmiş durumdalar mı?
Haven't the waiters brought the trays?	Garsonlar tepsileri getirmiş durumda değiller mi?

Has your son played with their children?	Oğlun onların çocuklarıyla birlikte oynamış durumda mı?
Hasn't your son played with their children?	Oğlun onların çocuklarıyla birlikte oynamış değil mi?
Has he worked as a mechanic?	Bir teknisyen olarak mı çalışmış durumda?
Hasn't he worked as a mechanic?	Bir teknisyen olarak çalışmış durumda değil mi?
Have we answered them correctly?	Onları doğru cevaplandırmış durum da mıyız?
Haven't we answered them correctly?	Onları doğru cevaplandırmış durumda değil miyiz?
Hasn't she finished the work in time?	İşi vaktinde bitirmiş durumda değil mi?
Hasn't Betty cooked the meal well?	Betty yiyeceği iyi pişirmiş durumda değil mi?
Haven't the children liked the play?	Çocuklar piyesi beğenmiş durumda değiller mi?
Haven't you put the saucers in the cupboard?	Tabakları dolaba koymuş durumda değil misiniz?
Hasn't your son invited my daughter?	Oğlun benim kızımı davet etmiş durumda değil mi?
Haven't they forgotten to bring their cameras?	Fotoğraf makinelerini getirmeyi unutmuş durumda değiller mi?

olumsuz soru halinde şimdiki bitmiş zaman cümlesi

haven't veya hasn't	özne	fiilin üçüncü şekli	diğer sözcükler
Haven't	you	finished	your meal?
Haven't	they	left	the school?
Hasn't	he	written	you a letter?
Haven't	Dora's sons	sent	her any money?
Hasn't	the woman	opened	the door for you?
Hasn't	Audrey	dyed	her hair?
Haven't	I	warned	them?

ŞİMDİKİ BİTMİŞ ZAMANIN KULLANILDIĞI YERLER

1. Şimdiki bitmiş zaman her ne kadar geçmişte yapılmış bir eylemi gösteriyorsa da esas verdiği anlam geçmişte yapılmış bu eylemin şimdiki zamanda sonucu veya etkisidir. Anlatılan, geçmişteki olayın ne zaman ve nasıl yapıldığı değil, bu olayın şu anda var olan etki ve sonuç uzantısıdır.

Bunu geçmiş zaman kipiyle şöyle karşılaştırabiliriz:

We cleaned the tables last week.   Masaları geçen hafta temizledik.

Bu cümlede geçen hafta temizleme hareketi yaptığımız anlatılmaktadır. Bu olayın halihazırla bir ilgisi yoktur. Anlatılan, böyle bir hareketin yapılmış olmasıdır.

We have cleaned the tables.   Masaları temizledik. (Masaları temizlemiş durumdayız.)

cümlesinde anlatılan şey ise, masaları temizleme gibi bir harekette bulunmuş olmamız değil, şu anda masaların temiz durumda oluşudur.

Şimdiki bitmiş zamanın en önemli özelliği geçmişte yapılmış eylemin yapılış şeklini değil, bu eylemin şimdiki zamana kadar uzanan sonuç ve etkisini gösteriyor olmasıdır.

She has done her homework.   Ev ödevini yaptı. (Ev ödevi şimdi hazır.)

He has opened the windows.   Pencereleri açtı. (Pencereleri açmış durumda. Pencereler şimdi açık.)

I have filled the bottle with milk.   Şişeyi sütle doldurdum. (Şişeyi sütle doldurmuş durumdayım. Şimdi şişe süt dolu.)

They have cancelled the party.   Ziyafeti iptal ettiler. (Ziyafeti iptal etmiş durumdalar. Şu anda ziyafet iptal edilmiş durumda.)

He has turned on the electric stove.   Elektrik sobasını açtı. (Elektrik sobası şimdi açık durumda.)

She has read these books.   Bu kitapları okudu. (Bu kitapları okumuş durumda. Simdi onlar hakkında bilgisi var.)

Helen has posted the letter.   Helen mektubu postaladı. (Mektup postalanmış durumda.)

The students have seen the lion in the zoo.	Öğrenciler hayvanat bahçesindeki aslanı gördüler. (Şimdi aslanı tanıyorlar.)
The gardener has planted new flowers.	Bahçıvan yeni çiçekler dikti. (Yeni çekler şimdi dikilmiş durumda.)
I have eaten the cake in the kitchen.	Mutfaktaki pastayı yedim. (Pastayı yemiş durumdayım. Şimdi pasta yok.)

2. Bir eylemin hemen biraz önce yapıldığı anlatılırken şimdiki bitmiş zaman **just** ile kullanılır.

She has just met her husband.	Biraz önce kocasına rastladı.
They have just gone out.	Biraz önce çıktılar.
We have just finished lunch.	Öğlen yemeğini henüz bitirdik.
He has just left the house.	Evden biraz önce ayrıldı.
Has she just cleaned the floor?	Yeri az önce mi temizledi?

3. Kesin oluş zamanı bilinmeyen veya söylenmesine gerek duyulmayan hallerde şimdiki bitmiş zaman kullanılır.

I have been to England.	İngiltere'de bulundum. (İngiltere'de bulunmuş durumdayım. İngiltere'yi biliyorum.)
We have learnt all his ideas.	Onun bütün fikirlerini öğrendik. Bütün fikirlerini şimdi biliyoruz.)
The King has visited a lot of countries.	Kral birçok ülkeleri ziyaret etmiş durumda.

Bu cümlelerdeki eylemlerin yapılış zamanı cümle içinde verilecek olursa bu cümlelerin geçmiş zaman haline dönüşmesi şarttır. Zira zaman belirtildiğinde eylemin şimdiki zamanla ilgisi kalkar, eylemin geçmiş zaman içinde yapılışı anlatılmış olur.

I went to England two years ago.	İngiltere'ye iki yıl önce gittim.
The King visited a lot of countries last year.	Kral geçen yıl birçok ülkeleri ziyaret etti.

4. **Yet, lately, recently** sözcükleri geçmişte yapılmış bir eylemi şimdiki zamana bağlayan bir anlam taşıdıkları için şimdiki bitmiş zamanla kullanılırlar.

She hasn't visited her father lately.	Son zamanlarda babasını ziyaret etmedi. (Ziyaret etmiş durumda değil.)
We have seen some changes recently.	Yakınlarda bazı değişiklikler gördük.
They have not finished the building yet.	Binayı henüz bitirmediler. (Bina henüz bitmiş durumda değil.)

Cümlede **this morning (afternoon, week, month, year), today, tonight** gibi zamanı şimdiye bağlayan zaman zarfları olduğunda da şimdiki bitmiş zaman kullanılır. Zira bu zarflar eylemin sonucunu ve etkisini şimdiki zamana bağlarlar.

We have seen a lot of tourists this summer.	Bu yaz çok turist gördük. (Bu yaz çok turist görmüş durumdayız.)
Have you read the papers this morning?	Bu sabah gazeteleri okudun mu?
Has Helen seen Robert today?	Helen bugün Robert'i gördü mü?
I haven't telephoned them this week.	Bu hafta onlara telefon etmedim.

Fakat içinde bu zaman sözcükleri olduğu halde eylemin belli bir zamanda yapıldığı ifade ediliyorsa geçmiş zaman kipi kullanılır.

5. Geçmişte başlamış halen de devam etmekte olan bir durumu anlatmak için kullanılır.

He has lived in Ankara for two years.	İki yıldır Ankara'da oturdu. (Halen orada)
She has known Mr Green for ten years.	Bay Green'i on yıldır tanıdı. (On yıldır tanıyor.)
We have been here for three hours.	Üç saattir buradayız. (Halen de buradayız.)
I have studied German for six months.	Altı aydır Almanca çalıştım. (Halen de çalışıyorum.)
My son has never seen a lion.	Oğlum hiç aslan görmedi. (Aslan görmüş durumda değil.)
They have always obeyed the rules.	Daima kurallara itaat ettiler.
I have been here for five months.	Beş aydır buradayım.

How long have you been here?	Ne kadardır buradasın?
How long has she been in Istanbul?	Ne kadardır İstanbul'da?

Bu tip cümleler geçmiş zaman halinde olsalar, geçmişte bitmiş, halen devam etmeyen eylemleri gösteriyor olurlar.

6. **Ever** ve **never** zarfları çoğu kez soru veya olumsuz halde şimdiki bitmiş zaman cümlelerinde kullanılırlar.

I have never seen a crocodile.	Hiç timsah görmedim. (Şimdiye kadar timsah görmüş değilim.)
She has never studied her lessons.	Derslerini hiç (hiçbir zaman) çalışmadı. (Hiçbir zaman çalışmış değil.)
We have never given them enough food.	Onlara hiçbir zaman yeterli yiyecek vermedik.
They have never been to New York.	New York'a hiç gitmediler.
Have you ever tried to paint the walls?	Duvarları boyamayı hiç denediniz mi?
Have they ever shown you their apartment?	Size dairelerini hiç gösterdiler mi?
Has Ingrid ever visited your office?	Ingrid büronuzu hiç ziyaret etti mi?

7. **Already** de şimdiki bitmiş zaman cümlelerinde sık kullanılır.

They have already taken photos of the military zone.	Askeri bölgenin fotoğraflarını halen çekmiş durumdalar. (Çektiler bile.)
She has already answered half of the questions.	Halen soruların yarısını cevaplandırmış durumda.
I have already eaten my apple.	Elmamı çoktan yedim.

8. **Since** ve **for** şimdiki bitmiş zaman yapısında çok kullanılan iki edattır. **For** belli bir süre belirtir.

I have lived in Paris for two years.	Paris'te iki yıldır oturmaktayım. (Halen oradayım.)

She has studied English for eight months.	Sekiz aydır İngilizce öğrenmekte. (Halen öğreniyor.)

Since bir zamanın başlangıç noktasını belirtir. O noktadan sözün söylendiği ana kadar olan zamanı gösterir.

I have lived in Paris since 1994.	1994'den beri Paris'te oturmaktayım. (Halen oradayım.)
She has studied English since last January.	Geçen ocak ayından beri İngilizce öğrenmekte. (Halen öğreniyor.)
for	için, süreyle
since	......den beri
for ten days	on gün için, on gün süreyle, on gündür
for a week	bir haftadır
for a year	bir yıldır
since five o'clock	saat beşten beri
since morning	sabahtan beri
since Saturday	cumartesiden beri
since November	kasımdan beri
The farmers have prayed for rain since April.	Çiftçiler nisandan beri yağmur için dua etmekteler. (Halen ediyorlar.)
We have not eaten anything for two days.	İki gündür bir şey yemedik.
She has been in Ankara for three weeks.	Üç haftadır Ankarada'dır.
Mary has been here since one o'clock.	Mary saat birden beri buradadır.
They have not eaten anything since morning.	Sabahtan beri bir şey yemediler.
It has not rained since May.	Mayıstan beri yağmur yağmadı.
I have not seen you for four months.	Seni dört aydır görmedim.
I have not seen you since last year.	Seni geçen yıldan beri görmedim.

9. **Have been to** ve **have gone to** şu anlamlardadır:

Have been to bir yerde bulunmuş olmak, o yerde eskiden bir süre kalmış olmak anlamını verir.

I have been to Berlin.	Berlin'de bulundum.
She has been to Madrid.	Madrid'te bulundu.

Bu cümlelerde o yerlerde vaktiyle bulunulduğu, o yerleri biliyor olunduğu anlamı vardır. Fakat halen şimdi de o yerlerde olunduğu anlamı yoktur.

Have gone to ise halen o yerde oluşu anlatır.

They have gone to London.	Londra'ya gittiler. (Londra'ya gitmiş durumdalar. Halen Londra'da bulunuyorlar.
He has gone to Istanbul.	İstanbul'a gitti.

the present perfect tense - şimdiki bitmiş zaman çekim tablosu

affirmative - olumlu

I have seen.	Gördüm.
You have seen.	Gördün.
He has seen.	Gördü.
She has seen.	Gördü.
It has seen.	Gördü.
We have seen.	Gördük.
You have seen.	Gördünüz.
They have seen.	Gördüler.

negative - olumsuz

I have not seen.	Görmedim.
You have not seen.	Görmedin.
He has not seen.	Görmedi.
She has not seen.	Görmedi.
It has not seen.	Görmedi.
We have not seen.	Görmedik.
You have not seen.	Görmediniz.
They have not seen.	Görmediler.

interrogative - soru

Have I seen?	Gördüm mü?
Have you seen?	Gördün mü?
Has he seen?	Gördü mü?
Has she seen?	Gördü mü?
Has it seen?	Gördü mü?
Have we seen?	Gördük mü?
Have you seen?	Gördünüz mü?
Have they seen?	Gördüler mi?

negative interrogative - olumsuz soru

Have I not seen?	Görmedim mi?
Have you not seen?	Görmedin mi?
Has he not seen?	Görmedi mi?
Has she not seen?	Görmedi mi?
Has it not seen?	Görmedi mi?
Have we not seen?	Görmedik mi?
Have you not seen?	Görmediniz mi?
Have they not seen?	Görmediler mi?

THE PRESENT PERFECT CONTINUOUS TENSE
SÜREKLİ ŞİMDİKİ BİTMİŞ ZAMAN

Bu fiil zamanı daha önce görmüş olduğumuz "**the present perfect tense** şimdiki bitmiş zaman"ın sürekli halidir. Yine onun gibi geçmişte başlayıp şimdiye kadar devam eden veya henüz bitmiş eylemleri anlatmak için kullanılır.

Bu zaman şimdiki bitmiş zaman yapısına benzer.

1. Öznenin yanına tekilse **has**, çoğulsa **have** getirilir.

2. **Have (has)** den sonra **to be** fiilinin "**past participle** - geçmiş zaman ortacı" yer alır.

3. Esas fiil **ing** almış olarak bunları izler.

have + been + fiil (ing)

She has lived in Dublin for nine months.	Dokuz aydır Dublin'de oturmakta.
She has been living in Dublin for nine months.	Dokuz aydır Dublin'de oturmakta.

Görüldüğü gibi Türkçeye aynı şekilde çevrilen iki zaman şeklinden sürekli şimdiki bitmiş zaman diğerine nazaran daha devamlı ve kesintisiz yapılan bir eylemi gösterir.

She has been reading since four o'clock.	Saat dörtten beri okumakta.
We have been resting in the waiting room.	Oturma odasında istirahat etmekteyiz.
John has been standing in front of the information office.	John danışma bürosunun önünde durmakta.
They have been learning German for two years.	İki yıldır Almanca öğrenmekteler.

His son has been playing in their garden.	Oğlu onların bahçesinde oynamakta.
The students have been studying their lessons since four o'clock.	Öğrenciler saat dörtten beri derslerine çalışmaktalar.
The students have been studying their lessons for four hours.	Öğrenciler dört saattir derslerine çalışmaktalar.

Türkçeye çevrilişleri bakımından aynı gibi görünen sürekli şimdiki bitmiş zamanla şimdiki zaman arasında fark vardır. Şimdiki zaman şu anda olan bir eylemi gösterir.

He is sleeping on the sofa.	Divanda uyuyor.
I'm writing a letter to Helen.	Helen'e bir mektup yazıyorum.

Bu cümlelerde uyuma ve yazma eylemlerinin şu anda yapılmakta olduğu anlatılmaktadır.

He has been sleeping on the sofa.	Divanda uyumakta.
I have been writing letters since two o'clock.	Saat ikiden beri mektuplar yazmaktayım.

cümlelerinde ise uyuma ve yazma eylemlerinin daha önceden başlamış olduğu ve kesintisiz olarak halen de devam ettiği ifade edilmektedir.

My father has been working in the same factory for twenty-two years.	Babam yirmi iki yıldır aynı fabrikada çalışmakta.
I have been mending your socks.	Çoraplarını tamir etmekteyim.
Tom has been digging holes in the backyard.	Tom arka bahçede çukurlar kazmakta.
It has been raining for weeks.	Haftalardır yağmur yağmakta.
You have been staying in this hotel since Christmas.	Noel'den beri bu otelde kalmaktasınız.
You have been looking at my newspaper.	Benim gazeteme bakmaktasın.
They have been making the same mistakes again.	Tekrar aynı hataları yapmaktalar.
The woman has been waiting for her son.	Kadın oğlunu beklemekte.

He has been reading the book you gave him.

Ona verdiğin kitabı okumakta.

I have been writing letters to my friends.

Arkadaşlarıma mektuplar yazmakta-yım.

Dick has been talking about his hunting experiences.

Dick avcılık deneyimlerine dair ko-nuşmakta.

olumlu sürekli şimdiki bitmiş zaman cümlesi

özne	have veya has	been	ing almış fiil	diğer sözcükler
We	have	been	waiting	in the lobby.
The house	has	been	burning	since yesterday.
You	have	been	working	too much.
They	have	been	watching	television.
The cat	has	been	looking	at the hole.
She	has	been	living	in Ankara.
I	have	been	sitting	by the fire.

olumsuz

Sürekli şimdiki bitmiş zaman cümlesini olumsuz yapmak için have (has) ile been arasına not getirilir.

They have been waiting for their daughters.

Kızlarını beklemekteler.

They have not been waiting for their daughters.

Kızlarını beklemiyorlar. (Kızlarını beklemekte değiller.)

She has been making gloves for me.

Benim için eldivenler yapmakta.

She has not been making gloves for me.

Benim için eldivenler yapmakta değil.

337

Bu cümlelerde **have (has)** ile **not** kaynaştırılabilir.

We have been looking at your pictures.	Resimlerinize bakmaktayız.
We haven't been looking at your pictures.	Resimlerinize bakmakta değiliz.
The girl has been learning English for ten months.	Kız on aydır İngilizce öğrenmekte.
The girl hasn't been learning English for ten months.	Kız on aydır İngilizce öğrenmekte değil.
The farmers have been praying for rain.	Çiftçiler yağmur için dua etmekteler.
The farmers haven't been praying for rain.	Çiftçiler yağmur için dua etmekte değiller.
The water has been boiling for a long time.	Su uzun süredir kaynamakta.
The water hasn't been boiling for a long time.	Su uzun süredir kaynamakta değil.
His mother has been waiting in front of the window.	Annesi pencerenin önünde beklemekte.
His mother hasn't been waiting in front of the window.	Annesi pencerenin önünde beklemekte değil.
The horses have been running all day long.	Atlar bütün gün koşmaktalar.
The horses haven't been running all day long.	Atlar bütün gün koşmakta değiller.
My father has been working in the garden since eight o'clock.	Babam saat sekizden beri bahçede çalışmakta.
My father hasn't been working in the garden since eight o'clock.	Babam saat sekizden beri bahçede çalışmakta değil.
We haven't been watching them.	Onları seyretmekte değiliz.
She hasn't been preparing food for us.	Bizim için yiyecek hazırlamakta değil.
Robert hasn't been sleeping in your bed.	Robert senin yatağında uyumakta değil.
They haven't been waiting for the manager.	Müdürü beklemekte değiller.

olumsuz sürekli şimdiki bitmiş zaman cümlesi

özne	haven't veya hasn't	been	ing almış fiil	diğer sözcükler
I	haven't	been	watching	your house.
You	haven't	een	doing	the homework.
The man	hasn't	been	repairing	your water tank.
She	hasn't	been	trying	to learn English.
He	hasn't	been	living	in London.
They	haven't	been	working	very hard.
Tom	hasn't	been	sending	flowers to his girl.

soru

Bu fiil zamanını soru haline sokmak için yapılacak şey **have (has)** yardımcı fiilini cümlenin başına almaktır.

He has been sleeping for six hours. Altı saattir uyumakta.

Has he been sleeping for six hours? Altı saattir uyumakta mı?

His son has been working at the post office. Oğlu postanede çalışmakta.

Has his son been working at the post office? Oğlu postanede mi çalışmakta?

We have been studying French for a long tlme. Uzun zamandır Fransızca çalışmaktayız.

Have we been studying French for a long time? Uzun zamandır Fransızca mı çalışmaktayız?

They have been making weapons for the army.	Ordu için silahlar yapmaktalar.
Have they been making weapons for the army?	Ordu için silahlar mı yapmaktalar?

Cyril has been washing the dishes.	Cyril bulaşıkları yıkamakta.
Has Cyril been washing the dishes?	Cyril bulaşıkları mı yıkamakta?

You have been drinking too much lately.	Son zamanlarda çok içmektesin.
Have you been drinking too much lately?	Son zamanlarda çok mu içmektesin?

Has my daughter been staying at the same hotel?	Kızım aynı otelde mi kalmakta?
Have they been waiting for their friends?	Arkadaşlarını mı beklemekteler?
Have the teachers been teaching the same subjects?	Öğretmenler aynı konuları mı öğretmekteler?
Has Mary been talking about her success all the time?	Mary hep başarısından mı söz etmekte?
Has it been raining still?	Hâlâ yağmur yağmakta mı?
Have the pilots been waiting for the weather forecast?	Pilotlar hava raporunu mu beklemekteler?

soru halinde sürekli şimdiki bitmiş zaman cümlesi

have veya has	özne	been	ing almış fiil	diğer sözcükler
Have	you	been	writing	letters?
Has	she	been	living	in London?
Has	Jane	been	cleaning	the house?
Have	they	been	praying	for good luck?
Has	your sister	been	resting	in the bedroom?
Has	the cat	been	sleeping	in your lap?
Have	the girls	been	watching	television?

olumsuz soru

Soru halindeki bir sürekli şimdiki bitmiş zaman cümlesini olumsuz soru haline sokmak için **been** önüne **not** getirilir.

Have you been writing letters to your friends?	Arkadaşlarına mektuplar mı yazmaktasın?
Have you not been writing letters to your friends?	Arkadaşlarına mektuplar yazmakta değil misin?
Has she been weeping for him?	Onun için ağlamakta mı?
Has she not been weeping for him?	Onun için ağlamakta değil mi?

Bu cümlelerde de **have (has) not** ile kaynaştırılabilir.

Hasn't he been waiting for us?	Bizi beklemekte değil mi?
Haven't the children been watching television?	Çocuklar televizyon seyretmekte değiller mi?
Hasn't the driver been driving for more than ten hours?	Şoför on saatten fazla oto sürmekte değil mi?
Haven't you been talking to her since lunch time?	Onunla öğle yemeği vaktinden beri konuşmakta değil misin?
Haven't you been learning English?	İngilizce öğrenmekte değil misin?

olumsuz soru halinde sürekli şimdiki bitmiş zaman cümlesi

haven't veya hasn't	özne	been	ing almış fiil	diğer sözcükler
Haven't	they	been	playing	in the park?
Hasn't	your son	been	studying	his lessons?
Hasn't	Tom	been	doing	his homework?
Haven't	you	been	staying	in the hotel?
Hasn't	the nurse	been	preparing	medicines?
Hasn't	he	been	living	in Eastbourne?
Haven't	we	been	swimming	for several hours?

SÜREKLİ ŞİMDİKİ BİTMİŞ ZAMANIN KULLANILDIĞI YERLER

1. Geçmişte başlayıp halen devam etmekte olan veya yine geçmişte başlayıp biraz önce tamamlanmış olan eylemler sürekli şimdiki bitmiş zamanla anlatılır.

We have been walking for ten hours.	On saattir yürümekteyiz.
They have been sleeping since two o'clock.	Saat ikiden beri uyumaktalar.
He has been crying for half an hour.	Yarım saattir ağlamakta.
You have been working without a rest.	Dinlenmeden çalışmaktasınız.

Bu tip cümleler şimdiki bitmiş zamanla da anlatılabilir. Anlam hemen hemen aynıdır. Fakat sürekli şimdiki bitmiş zamanda daha kesintisiz bir devamlılık anlamı vardır.

We have walked for two hours.	İki saattir yürüdük.
We have been walking for two hours.	İki saattir yürümekteyiz.

2. **Ing** almayan fiillerin sürekli fiil zamanlarında kullanılmadığını biliyoruz. Sürekli şimdiki bitmiş zamanda da fiiller **ing** eki almış olarak kullanıldıklarından bu tip fiiller bu zamanda yer almazlar. **Like, hear, remember, know, love, care** gibi. Yalnız bu tip fiiller arasında olan **wish** ve **want** sürekli şimdiki bitmiş zaman cümlelerinde yer alabilir.

I have been wishing to buy such a ring since my childhood.	Çocukluğumdan beri böyle bir yüzük almayı arzu etmekteyim.

3. Şimdiki bitmiş zamanda olduğu gibi sürekli şimdiki bitmiş zaman cümlelerinde de **since** ve **for** sık görülür.

They have been waiting since five o'clock.	Saat beşten beri beklemekteler.
She has been sleeping for ten hours.	On saattir uyumakta.
We have been working since they came.	Onlar geleliberi çalışmaktayız.
It has been raining for two days.	İki gündür yağmur yağmakta.

the present perfect continuous tense - sürekli şimdiki bitmiş zaman
çekim tablosu

affirmative - olumlu

I have been waiting.	Beklemekteyim. (Bekliyorum.)
You have been waiting.	Beklemektesin.
He has been waiting.	Beklemekte.
She has been waiting.	Beklemekte.
It has been waiting.	Beklemekte.
We have been waiting.	Beklemekteyiz.
You have been waiting.	Beklemektesiniz.
They have been waiting.	Beklemekteler.

negative - olumsuz

I have not been waiting.	Beklemekte değilim. (Beklemiyorum.)
You have not been waiting.	Beklemekte değilsin.
He has not been waiting.	Beklemekte değil.
She has not been waiting.	Beklemekte değil.
It has not been waiting.	Beklemekte değil.
We have not been waiting.	Beklemekte değiliz.
You have not been waiting.	Beklemekte değilsiniz.
They have not been waiting.	Beklemekte değiller.

interrogative - soru

Have I been waiting?	Beklemekte miyim? (Bekliyor muyum?)
Have you been waiting?	Beklemekte misin?
Has he been waiting?	Beklemekte mi?
Has she been waiting?	Beklemekte mi?
Has it been waiting?	Beklemekte mi?
Have we been waiting?	Beklemekte miyiz?
Have you been waiting?	Beklemekte misiniz?
Have they been waiting?	Beklemekteler mi?

negative interrogative - olumsuz soru

Have I not been waiting?	Beklemekte değil miyim?
Have you not been waiting?	Beklemekte değil misin?
Has he not been waiting?	Beklemekte değil mi?
Has she not been waiting?	Beklemekte değil mi?
Has it not been waiting?	Beklemekte değil mi?
Have we not been waiting?	Beklemekte değil miyiz?
Have you not been waiting?	Beklemekte değil misiniz?
Have they not been waiting?	Beklemekte değiller mi?

THE PAST PERFECT TENSE - GEÇMİŞTE BİTMİŞ ZAMAN

Geçmişte bitmiş zaman **had** ile fiilin üçüncü şeklinin birlikte kullanılmasıyla yapılır.

Had bütün şahıslar için aynıdır. Tekil ve çoğul olmalarıyla bir değişikliğe uğramaz.

Bu zaman şimdiki bitmiş zamanın geçmiş halidir. Nitekim aynı yapıdaki **have (has)** yerine onun geçmiş şekli olan **had** kullanılmak suretiyle meydana gelmiştir.

Geçmişte yapılmış bir eylemden önce başka bir eylemin yapılışı anlatılmak istendiğinde ilk eylem geçmişte bitmiş zaman kipiyle söylenir.

Anita had gone when Tom came.   Tom geldiğinde Anita gitmişti.

Burada iki eylem vardır: Birincisi, **Anita**'nın gitmesi, ikincisi, **Tom**'un gelmesi. İlk eylem, yani **Anita**'nın gidişi önce, **Tom**'un gelmesi ondan sonra olmuştur. İkinci eylemin meydana geldiği anda bitmiş olan ilk eylem geçmişte bitmiş zamanla anlatılır.

present perfect tense (şimdiki bitmiş zaman)	past perfect tense (geçmişte bitmiş zaman)
I have seen. Gördüm.	**I had seen.** Görmüştüm.
She has left. Terketti.	**She had left.** Terketmişti.
You have worked. Çalıştın.	**You had worked.** Çalışmıştın.
He has written. Yazdı.	**He had written.** Yazmıştı.

They have begun. Başladılar.	**They had begun.** Başlamışlardı.
Mary has gone. Mary gitti.	**Mary had gone.** Mary gitmişti.
The girls have finished. Kızlar bitirdiler.	**The girls had finished.** Kızlar bitirmişlerdi.

I have finished the work.	İşi bitirdim. (İşi bitirmiş durumda-yım. İş bitmiş halde.)
I had finished the work.	İşi bitirmiştim.
I had finished the work when the the doctor came.	Doktor geldiği zaman işi bitirmiştim.
She has left the hospital.	Hastaneden ayrıldı. (Ayrılmış durumda.)
She had left the hospital.	Hastaneden ayrılmıştı.
She had left the hospital when the patients came.	Hastalar geldiği zaman o hastane-den ayrılmıştı.
They have seen the suspension bridge.	Asma köprüyü gördüler.
They had seen the suspension bridge.	Asma köprüyü görmüşlerdi.
They had seen the suspension bridge before they took the sightseeing tour.	Şehir turu yapmadan önce asma köprüyü görmüşlerdi.
Mary has cleaned the bathroom.	Mary banyoyu temizledi.
Mary had cleaned the bathroom.	Mary banyoyu temizlemişti.
Mary had cleaned the bathroom when we came.	Biz geldiğimiz zaman Mary banyoyu temizlemişti.
He has changed the curtains.	Perdeleri değiştirdi.
He had changed the curtains.	Perdeleri değiştirmişti.
He had changed the curtains before we rented the house.	Biz evi kiralamadan önce perdeleri değiştirmişti.

346

Bilindiği gibi şimdiki bitmiş zaman cümlesinde eylemin oluş zamanını gösteren bir sözcük kullanmak mümkün değildir. Şayet kullanılırsa bu durum şimdiki bitmiş zamanla değil geçmiş zaman kipiyle anlatılır. Halbuki şimdiki bitmiş zamanın geçmiş şekli olan geçmişte bitmiş zaman için böyle bir durum yoktur. Onunla eylemin oluş zamanını gösteren bir sözcük kullanılabilir.

She has seen your brother.	Erkek kardeşini gördü. (Şimdiki bitmiş zaman)
She saw your brother yesterday.	Dün erkek kardeşini gördü. (geçmiş zaman)
She had seen your brother at the party last week.	Erkek kardeşini geçen hafta ziyafette görmüştü. (geçmişte bitmiş zaman)
We had finished our food when the guests came.	Misafirler geldiği zaman yiyeceğimizi bitirmiştik.
She had left the house before her father came.	Babası gelmeden önce evi terketmişti.
When I saw him he had begun to work in a restaurant.	Onu gördüğüm zaman bir lokantada çalışmaya başlamıştı.
He had lost all his money when he opened the new shop.	Yeni dükkânı açtığı zaman parasının hepsini kaybetmişti.
She had changed the colour of her hair when I met her.	Ona rastladığım zaman saçının rengini değiştirmişti.
They had lived in London since they came to England.	İngiltereye geldiklerinden beri Londra'da oturmuşlardı.
He had sold his house before his son came.	Oğlu gelmeden önce evini satmıştı.
Tom had died two years ago, so we didn't see him.	Tom iki yıl önce ölmüştü. Bu yüzden onu görmedik.
We didn't see the fisherman because he had left twenty days ago.	Balıkçıyı görmedik, çünkü yirmi gün önce ayrılmıştı.
It had started raining when we opened the door.	Kapıyı açtığımız zaman yağmur yağmaya başlamıştı.
The waiters had started to clean all the tables because it was half past eleven.	Garsonlar bütün masaları temizlemeye başlamışlardı, çünkü saat on bir buçuktu.

olumlu geçmişte bitmiş zaman cümlesi

özne	had	fiilin 3. şekli	diğer sözcükler
She	had	prepared	the meal when the guests arrived.
We	had	heard	the news before she wrote to us.
They	had	died	before the earthquake.
Gerald	had	met	the players before the match.
I	had	finished	the homework when they came.
The man	had	gone	before the policeman came.
You	had	learnt	English before you went to England.

olumsuz

Geçmişte bitmiş zaman cümlesini olumsuz yapmak için **had** yardımcı fii-
linden sonra **not** getirilir.

She had died before the winter.	Kıştan önce ölmüştü.
She had not died before the winter.	Kıştan önce ölmemişti.
We had sold the house when the other buyers came.	Diğer alıcılar geldiğinde biz evi satmıştık.
We had not sold the house when the other buyers came.	Diğer alıcılar geldiği zaman evi satmamıştık.

Bu cümlelerde de **had** ile **not** kaynaştırılır.

My wife had not seen the farm.	Karım çiftliği görmemişti.
My wife hadn't seen the farm.	Karım çiftliği görmemişti.
We had learnt their names before we came here.	Buraya gelmeden önce isimlerini öğrenmiştik.
We hadn't learnt their names before we came here.	Buraya gelmeden önce isimlerini öğrenmemiştik.

| The play had started when we entered the theatre. | Tiyatroya girdiğimizde oyun başlamıştı. |
| The play hadn't started when we entered the theatre. | Tiyatroya girdiğimizde oyun başlamamıştı. |

| Emma had learnt some German before she went to Germany. | Almanya'ya gitmeden önce Emma biraz Almanca öğrenmişti. |
| Emma hadn't learnt any German before she went to Germany. | Almanya'ya gitmeden önce Emma hiç Almanca öğrenmemişti. |

I hadn't repaired the car when you telephoned.	Sen telefon ettiğin zaman arabayı tamir etmemiştim.
My son hadn't come before the rain started.	Yağmur başlamadan önce oğlum gelmemişti.
She hadn't understood the subject before I explained it.	Onu ben açıklamadan önce konuyu anlamamıştı.
They hadn't come home before ten o'clock.	Saat ondan önce eve gelmemişlerdi.
We hadn't taken lessons before we went to England.	İngiltere'ye gitmeden önce ders almamıştık.
Dora hadn't drunk her tea when the waiter took the cups.	Garson fincanları aldığı zaman Dora çayını içmemişti.
His son hadn't done his military duty when he married.	Onun oğlu evlendiği zaman askerliğini yapmamıştı.

olumsuz geçmişte bitmiş zaman cümlesi

özne	hadn't	fiilin 3. şekli	diğer sözcükler
We	hadn't	seen	them when we entered the hall.
She	hadn't	typed	the report before he cami in.
They	hadn't	brought	their children when they visited us.
Doris	hadn't	posted	the letter when her husband telephoned.
I	hadn't	answered	her first letter when I received another.
Mr Miller	hadn't	forgotten	to send her a present before Christmas.
They	hadn't	finished	their meals when the train arrived.

Geçmişte bitmiş zaman cümlesini soru haline sokmak için **had** yardımcı fiili cümlenin başına getirilir.

She had bought a hat.	Bir şapka almıştı.
Had she bought a hat?	Bir şapka mı almıştı?
They had opened the doors.	Kapıları açmışlardı.
Had they opened the doors?	Kapıları açmışlar mıydı?
The postman had brought two letters.	Postacı iki mektup getirmişti.
Had the postman brought two letters?	Postacı iki mektup mu getirmişti?
You had written four letters when the postman came.	Postacı geldiğinde dört mektup yazmıştın.
Had you written four letters when the postman came?	Postacı geldiğinde dört mektup mu yazmıştın?
The secretary had left the office when the manager telephoned.	Müdür telefon ettiği zaman sekreter bürodan ayrılmıştı.
Had the secretary left the office when the manager telephoned?	Müdür telefon ettiği zaman sekreter bürodan ayrılmış mıydı?
Had the woman cooked the food when the children got up?	Çocuklar uyandıkları zaman kadın yiyeceği pişirmiş miydi?
Had they learnt the truth before they saw it in the newspaper?	Onu gazetede görmeden önce gerçeği öğrenmiş miydiler?
Had the students done the homework before they went to the cinema?	Öğrenciler sinemaya gitmeden önce ev ödevlerini yapmış mıydılar?
Had you taken your medicine when you started to eat?	Yemeye başlamadan önce ilacını almış mıydın?
Had Mary got on the bus when it began to rain?	Yağmur yağmaya başladığı zaman Mary otobüse binmiş miydi?

soru halinde geçmişte bitmiş zaman cümlesi

had	özne	fiilin 3. şekli	diğer sözcükler
Had	they	seen	an elephant before they visited the zoo?
Had	she	received	the letter when you talked to her?
Had	you	finished	your work when the guests arrived?
Had	we	lost	everything before the war started?
Had	Mary	lost	her ring before the summer vacation?
Had	you	left	the classroom when the teacher came?
Had	he	done	the exercises before dinner?

olumsuz soru

Olumsuz soru haline sokmak için esas fiilin önüne **not** getirilir.

Had she seen a lion?	Bir aslan görmüş müydü?
Had she not seen a lion?	Bir aslan görmemiş miydi?

Had they reached the river?	Nehire varmışlar mıydı?
Had they not reached the river?	Nehire varmamışlar mıydı?

Bu cümlelerde de **had** ile **not** kaynaştırılabilir.

Had he learnt English?	İngilizce öğrenmiş miydi?
Hadn't he learnt English?	İngilizce öğrenmemiş miydi?

Had the waiter prepared the tables before the customers arrived?	Müşteriler gelmeden önce garson masaları hazırlamış mıydı?
Hadn't the waiter prepared the tables before the customers arrived?	Müşteriler gelmeden önce garson masaları hazırlamamış mıydı?

Had your mother died before 1980?	Annen 1980'den önce ölmüş müydü?
Hadn't your mother died before 1980?	Annen 1980'den önce ölmemiş miydi?

Had the soldiers repaired the bridge when the enemy attacked?	Düşman saldırdığı zaman askerler köprüyü tamir etmişler miydi?
Hadn't the soldiers repaired the bridge when the enemy attacked?	Düşman saldırdığı zaman askerler köprüyü tamir etmemişler miydi?

Hadn't the players changed their shorts when the second half began?	İkinci yarı başladığında oyuncular şortlarını değiştirmemiş miydiler?
Hadn't the drivers rested before they started again?	Tekrar hareket etmeden önce şoförler istirahat etmemiş miydiler?
Hadn't we decided not to eat too much when we came to the restaurant?	Lokantaya geldiğimiz zaman çok fazla yememeye karar vermemiş miydik?
Hadn't she learnt French before she went to France?	Fransa'ya gitmeden önce Fransızca öğrenmemiş miydi?

olumsuz soru halinde geçmişte bitmiş zaman

hadn't	özne	fiilin 3. şekli	diğer sözcükler
Hadn't	the man	painted	the walls before he moved in?
Hadn't	she	given	you a present when she left Turkey?
Hadn't	the rain	stopped	when you went out?
Hadn't	they	caught	the thief when the policeman came?
Hadn't	we	met	them before the party?
Hadn't	he	lived	in Berlin before 1990?
Hadn't	you	locked	the door when you went to bed?

GEÇMİŞTE BİTMİŞ ZAMANIN KULLANILDIĞI YERLER

1. Şimdiki bitmiş zaman nasıl geçmiş zamanda yapılmış bir eylemin şu andaki sonuç ve etkisini anlatmak suretiyle geçmişi şimdiki zamana bağlıyorsa geçmişte bitmiş zaman da geçmişte olan bir eylemi yine geçmişte olan bir noktaya bağlamaktadır. Bu noktadan önce o eylemin yapılması bitmiş durumdadır. Bu an çoğu zaman ikinci bir eylemin yapıldığı zamandır.

Doris had eaten the cake when   Erkek kardeşi geldiği zaman Doris
her brother came.   pastayı yemişti.

Bu cümlede iki eylem vardır: Birincisi, Doris'in pastayı yemesi, ikincisi, erkek kardeşinin gelişi. Burada önce yapılan eylem pastanın yenmesidir. İşte bu geçmişte bitmiş zamanla anlatılmaktadır.

Doris had eaten the cake.   Doris pastayı yemişti.

İkinci eylem, ilk eylemin yapılışının bittiği noktadır. İlk eylem ikincisinin yapıldığı ana kadar uzamış veya ondan biraz önce bitmiştir. İkinci eylem geçmiş zamanla ifade edilir.

Her brother came.   Erkek kardeşi geldi.

Yeme işinin gelme eylemi ile noktalandığını gösteren sözcük **when** geçmiş zaman cümlesinin başına gelmektedir.

When her brother came .... erkek kardeşi geldiği zaman
                                       (.... geldiğinde, ... geldiği an)
They had married when the   Kraliçe İspanya' dan döndüğünde
queen came back from Spain.   onlar evlenmişlerdi.
When the rain stopped we had   Yağmur durduğu zaman şehre var-
arrived in the city.   mıştık.
After she had written the letter   Mektubu yazdıktan sonra postaneye
she went to the post office.   gitti.
After they had gone we cleaned   Onlar gittikten sonra evi temizledik.
the house.

The boys had broken the window when I ran to the backyard.

Arka bahçeye koştuğum zaman çocuklar pencereyi kırmışlardı.

When we finished the repairs the passengers had got on the bus.

Tamir etmeyi bitirdiğimiz zaman yolcular otobüse binmişlerdi.

As soon as the man had finished the book he put it on the shelf.

Adam kitabı bitirir bitirmez onu rafın üzerine koydu.

He had disappeared when the police car arrived.

Polis otomobili geldiğinde o gözden kaybolmuştu.

2. Şimdiki bitmiş zaman cümlesinde eylemin oluş zamanı ve yerini belirtmek mümkün değildir. Zira bu, otomatikman eylemin şimdiki sonucunu değil oluş şeklini gözönüne getirdiğinden bunu geçmiş zaman kipiyle vermek gerekir. Fakat şimdiki bitmiş zamanın geçmiş şekli olan geçmişte bitmiş zaman cümlesinde eylemin yeri ve zamanı belirtilebilir.

We had seen them last week.

Onları geçen hafta görmüştük.

You had kept the money in a small box.

Parayı küçük bir kutuda muhafaza etmiştiniz.

3. İlk eylemin, ikincisinin oluşundan biraz önce yapıldığını anlatmak için bu yapı içinde **just** kullanılır.

She had just gone out when they came.

Onlar geldiğinde o henüz çıkmıştı.

When we arrived the train had just departed.

Biz vardığımızda tren henüz hareket etmişti.

4. Bir dizi olay hikâye edilirken ilk olarak belirtilen noktadan önceki eylemler geçmişte bitmiş zamanla anlatılır.

My son won the first prize. He had worked very hard. He had attended some courses, and had taken private lessons. He had not wasted any time on entertainments.

Oğlum birinci ödülü kazandı. Çok çalışmıştı. Bazı kurslara devam etmişti, ve özel dersler almıştı. Eğlence için hiç vakit ziyan etmemişti.

5. **I wish, ıf only, would rather, would sooner** gibi deyimlerle kullanılan geçmişte bitmiş zaman gerçekleşmemiş arzu ve istekleri belirtirken bir dilek kipi görevi yapar.

I wish you had seen that film.	O filmi görmüş olmanı isterdim. (Keşke o filmi görseydin.)
If only she had learnt some English.	Keşke biraz İngilizce öğrenseydi.
If only the man had punished his children.	Keşke adam çocuklarını cezalandır-saydı.
I would rather Doris had not gone there alone.	Keşke Doris oraya yalnız gitmesey-di.
I would sooner they had taken precautions.	Keşke önlem alsaydılar.

6. Geçmişte bitmiş zaman dolaylı anlatımda çok kullanılır. Şimdiki bitmiş zaman cümleleri dolaylı anlatım şekline dönüştürüldüğünde geçmişte bitmiş zaman kipi kullanılır.

He said, "I have learnt some English."	"Biraz İngilizce öğrenmiş durumda-yım." dedi.
He said that he had learnt some English.	Biraz İngilizce öğrenmiş durumda olduğunu söyledi.

Geçmiş zaman halindeki cümleler de dolaylı anlatım şekline dönüştürül-düğünde yine geçmişte bitmiş zaman kipi kullanılır.

He said, "I learnt some English."	"Biraz İngilizce öğrendim." dedi.
He said that he had learnt some English.	Biraz İngilizce öğrendiğini söyledi.

Dolaylı anlatım konusu ileride ele alınarak geniş bilgi verilmektedir.

the past perfect tense - geçmişte bitmiş zaman çekim tablosu

affirmative - olumlu

I had broken.	Kırmıştım.
You had broken.	Kırmıştın.
He had broken.	Kırmıştı.
She had broken.	Kırmıştı.
It had broken.	Kırmıştı.
We had broken.	Kırmıştık.
You had broken.	Kırmıştınız.
They had broken.	Kırmışlardı.

negative - olumsuz

I had not broken.	Kırmamıştım.
You had not broken.	Kırmamıştın.
He had not broken.	Kırmamıştı.
She had not broken.	Kırmamıştı.
It had not broken.	Kırmamıştı.
We had not broken.	Kırmamıştık.
You had not broken.	Kırmamıştınız.
They had not broken.	Kırmamışlardı.

interrogative - soru

Had I broken?	Kırmış mıydım?
Had you broken?	Kırmış mıydın?
Had he broken?	Kırmış mıydı?
Had she broken?	Kırmış mıydı?
Had it broken?	Kırmış mıydı?
Had we broken?	Kırmış mıydık?
Had you broken?	Kırmış mıydınız?
Had they broken?	Kırmış mıydılar?

negative interrogative - olumsuz soru

Had I not broken?	Kırmamış mıydım?
Had you not broken?	Kırmamış mıydın?
Had he not broken?	Kırmamış mıydı?
Had she not broken?	Kırmamış mıydı?
Had it not broken?	Kırmamış mıydı?
Had we not broken?	Kırmamış mıydık?
Had you not broken?	Kırmamış mıydınız?
Had they not broken?	Kırmamış mıydılar?

THE PAST PERFECT CONTINUOUS -
SÜREKLİ GEÇMİŞTE BİTMİŞ ZAMAN

Geçmişte bitmiş zamanın sürekli şeklidir. Biçim olarak **had been** yardımcı fiilleriyle şimdiki zaman ortacı, yani **ing** eki almış fiilden oluşur. Tekil, çoğul her türlü özne için fiillerde bir değişme olmaz. Hep aynı kalır.

> **I had been .... ing**
> **She had been .... ing**
> **You had been .... ing**
> **They had been .... ing**

Sürekli geçmişte bitmiş zaman, geçmişte bir eylemin yine geçmişteki belli bir noktaya kadar sürekli olarak yapıldığını gösterir. Geçmişte bitmiş zamanla farkı daha fazla bir devamlılık göstermesidir.

He had repaired the radio.	Radyoyu tamir etmişti.
He had been repairing the radio.	Radyoyu tamir etmekteydi.
They had worked on a project.	Bir proje üzerinde çalışmışlardı.
They had been working on a project.	Bir proje üzerinde çalışmaktaydılar.
She had swept the floor.	Yeri süpürmüştü.
She had been sweeping the floor.	Yeri süpürmekteydi.
We had slept in the train.	Trende uyumuştuk.
We had been sleeping in the train.	Trende uyumaktaydık.
The aeroplanes had flown over the clouds.	Uçaklar bulutların üzerinden uçmuşlardı.
The aeroplanes had been flying over the clouds.	Uçaklar bulutların üzerinden uçmaktaydılar.
I had learnt German.	Almanca öğrenmiştim.
I had been learning German.	Almanca öğrenmekteydim.

We had been waiting in the street since four o'clock.

Saat dörtten beri sokakta beklemekteydik.

She had been writing letters since morning.

Sabahtan beri mektuplar yazmaktaydı.

They had been studying English for one year.

Bir yıldır İngilizce çalışmaktaydılar.

The students had been playing in the park for two hours.

Öğrenciler iki saattir parkta oynamaktaydılar.

olumlu sürekli geçmişte bitmiş zaman cümlesi

özne	had been	ing almış fiil	diğer sözcükler
We	had been	working	since breakfast time.
They	had been	resting	for a tong time.
She	had been	cooking	in the kitchen when they came.
The woman	had been	waiting	for more than an hour.
Mary	had been	living	in Boston since 1994.
Our son	had been	running	after the horse.
The waiter	had been	washing	the plates when I came.

olumsuz

Bu zamanı olumsuz yapmak için **had** yardımcı fiilinden sonra **not** getirilir.

They had not been working when we saw them.

Onları gördüğümüz zaman çalışmakta değillerdi. (çalışmıyorlardı)

She had not been picking flowers.

Çiçek toplamakta değildi. (toplamıyordu)

Bu cümlelerdeki **had** ile **not** kaynaştırılabilir.

We hadn't been trying to cheat the peasants.	Çiftçileri kandırmaya çalışmakta değildik.
He hadn't been sleeping for ten hours.	On saattir uyamakta değildi.
You hadn't been writing stories for the last two years.	Son iki yıldır hikâyeler yazmakta değildiniz.
She hadn't been reading the books I gave you.	Size verdiğim kitapları okumakta değildi.
Allan hadn't been waiting for his friends.	Allan arkadaşlarını beklemekte değildi.
Your son hadn't been studying his lessons.	Oğlunuz derslerine çalışmakta değildi.

olumsuz sürekli geçmişte bitmiş zaman cümlesi

özne	hadn't been	ing almış fiil	diğer sözcükler
We	hadn't been	writing	letters.
You	hadn't been	trying	to make better things.
She	hadn't been	sleeping	since eight o'clock.
The girl	hadn't been	mending	the stockings.
They	hadn't been	fighting	for their country.
I	hadn't been	learning	French for eight months.
My son	hadn't been	cleaning	the machine for two hours.

soru

Soru haline getirmek için **had** yardımcı fiili cümlenin başına getirilir.

They had been working in the garden when we came home.	Biz eve geldiğimizde onlar bahçede çalışmaktaydılar.

Had they been working in the garden when we came home?	Biz eve geldiğimizde onlar bahçede çalışmakta mıydılar?
Had she been reading the novel at that time of the night?	Gecenin o saatinde o romanı okumakta mıydı?
Had you been sleeping when the fire broke out?	Yangın çıktığı vakit uyumakta mıydın?
Had the receptionist been writing the names in a list?	Resepsiyon memuru isimleri bir listeye mi yazmaktaydı?
Had he been painting the walls when it began to rain?	Yağmur yağmaya başladığında o duvarları boyamakta mıydı?
Had the soldiers been cleaning their guns when the general came?	General geldiğinde askerler silahlarını temizlemekte miydiler?
Had the students been writing the same sentences again and again?	Öğrenciler tekrar tekrar aynı cümleleri mi yazmaktaydılar?

soru halinde sürekli geçmişte bitmiş zaman cümlesi

had	özne	been	ing almış fiil	diğer sözcükler
Had	you	been	swimming	during the lunch time?
Had	they	been	eating	our food when we were out?
Had	she	been	learning	English in England?
Had	Mary	been	crying	for her broken toy?
Had	your son	been	playing	until late hours?
Had	the man	been	sleeping	when the sun rose?
Had	the hut	been	burning	when the army came?

olumsuz soru

Soru halinde sürekli geçmişte bitmiş zaman cümlesi içindeki **been** sözcüğü önüne **not** getirilirse cümle olumsuz soru haline girer.

Had she been working for you?   Senin için çalışmakta mıydı?

Had she not been working for you?   Senin için çalışmakta değil miydi?

Bu cümlede genellikle **had** ile **not** birleştirilerek bir kaynaşma yapılır.

Hadn't she been working for you?   Senin için çalışmakta değil miydi?

Hadn't you been listening to the radio when your friends came?   Arkadaşların geldiği zaman sen radyoyu dinlemekte değil miydin?

Hadn't they been repairing the car when it began to rain?   Yağmur yağmaya başladığı zaman onlar otomobili tamir etmekte değiller miydi?

Hadn't the workers been working in this factory for ten years?   İşçiler on yıldır bu fabrikada çalışmakta değiller miydi?

Hadn't Susan been writing letters all day long?   Susan bütün gün boyunca mektup yazmakta değil miydi?

Hadn't the teacher been explaining the same thing again and again?   Öğretmen tekrar tekrar aynı şeyi açıklamakta değil miydi?

olumsuz soru halinde sürekli geçmişte bitmiş zaman cümlesi

hadn't	özne	**been**	**ing** almış fiil	diğer sözcükler
Hadn't	they	been	resting	in the cafeteria?
Hadn't	she	been	learning	German for years?
Hadn't	Dora	been	studying	to get a diploma?
Hadn't	we	been	praying	for rain?
Hadn't	his aunt	been	talking	to the maid?
Hadn't	the boy	been	running	in the park all day long?
Hadn't	you	been	trying	to learn English?

SÜREKLİ BİTMİŞ ZAMANIN KULLANILDIĞI YERLER

Sürekli geçmişte bitmiş zaman ile geçmişte bitmiş zaman ilişkisi, şimdiki bitmiş zaman ile sürekli şimdiki bitmiş zaman arasında olan gibidir.

Geçmişte belli bir ana kadar sürmüş bir eylemin sürekli olarak yapılmış olduğu belirtilmek isteniyorsa bu, sürekli geçmişte bitmiş zaman kipiyle anlatılır.

She had been working in the kitchen when Tom came.
Tom geldiği zaman o mutfakta çalışmaktaydı.

Burada Tom'un gelme anından önceki eylemin sürekli olarak yapılmakta olduğu anlatılmaktadır.

She had cleaned the table and the chairs when Tom came.
Tom geldiği zaman o masayı ve sandalyeleri temizlemişti.

I had been studying English for three years when I entered the examinations.
Sınavlara girdiğim zaman üç yıldır İngilizce çalışmaktaydım.

When I visited my friend he had been living in London for two years.
Arkadaşımı ziyaret ettiğim zaman o İngiltere'de iki yıldır oturmaktaydı.

When she went there her friends had been waiting at the bus stop.
Oraya gittiği zaman arkadaşları otobüs durağında beklemekteydiler.

Bugünkü İngilizcede, belli bir geçmiş zaman noktasından daha önce başlamış ve bu noktada sona ermiş eylemleri anlatırken çoğu kez sürekli geçmişte bitmiş zaman yerine de geçmişte bitmiş zaman kullanılması tercih edilmektedir.

He had waited at the bus stop until four o'clock.
Otobüs durağında saat dörde kadar beklemişti.

He had been waiting at the bus stop until four o'clock.
Otobüs durağında saat dörde kadar beklemekteydi.

The car was clean because she had cleaned it for hours.
Otomobil temizdi, çünkü onu saatlerce temizlemişti.

The car was clean because she had been cleaning it for hours.	Otomobil temizdi, çünkü onu saatlerce temizlemekteydi.
They had slept on the bench, so the policeman asked them to leave the park.	Bankın üzerinde uyumuşlardı, bu sebepten polis onlardan parkı terketmelerini istedi.
They had been sleeping on the bench, so the policeman asked them to leave the park.	Bankın üzerinde uyumaktaydılar, bu sebepten polis onlardan parkı terk etmelerini istedi.

Sürekli geçmişte bitmiş zaman cümlelerinin Türkçeye çevrilişi geçmişte devamlı hale çok benzer.

Dora had been sleeping on the sofa when her father came.	Babası geldiği zaman Dora divanda uyumaktaydı.
Dora was sleeping on the sofa when her father came.	Babası geldiği zaman Dora divanda uyuyordu.

İlk cümlede uyuma eyleminin geçmişte başladığı ve babanın geldiği ana kadar sürdüğü anlatılmaktadır. İkinci cümlede ise babanın geldiği esnada Dora'nın içinde bulunduğu eylemin ne olduğu belirtilmektedir.

the past perfect continuous tense
sürekli geçmişte bitmiş zaman çekim tablosu

affirmative - olumlu

I had been waiting.	Beklemekteydim.
You had been waiting.	Beklemekteydin.
He had been waiting.	Beklemekteydi.
She had been waiting.	Beklemekteydi.
It had been waiting.	Beklemekteydi.
We had been waiting.	Beklemekteydik.
You had been waiting.	Beklemekteydiniz.
They had been waiting.	Beklemekteydiler.

negative - olumsuz

I had not been waiting.	Beklemekte değildim.
You had not been waiting.	Beklemekte değildin.
He had not been waiting.	Beklemekte değildi.
She had not been waiting.	Beklemekte değildi.
It had not been waiting.	Beklemekte değildi.
We had not been waiting.	Beklemekte değildik.
You had not been waiting.	Beklemekte değildiniz.
They had not been waiting.	Beklemekte değillerdi.

interrogative - soru

Had I been waiting?	Beklemekte miydim?
Had you been waiting?	Beklemekte miydin?
Had he been waiting?	Beklemekte miydi?
Had it been waiting?	Beklemekte miydi?
Had we been waiting?	Beklemekte miydik?
Had you been waiting?	Beklemekte miydiniz?
Had they been waiting?	Beklemekte miydiler?

negative interrogative - olumsuz soru

Had I not been waiting?	Beklememekte değil miydim?
Had you not been waiting?	Beklemekte değil miydin?
Had he not been waiting?	Beklemekte değil miydi?
Had she not been waiting?	Beklemekte değil miydi?
Had it not been waiting?	Beklemekte değil miydi?
Had we not been waiting?	Beklemekte değil miydik?
Had you not been waiting?	Beklemekte değil miydiniz?
Had they not been waiting?	Beklemekte değiller miydi?

THE FUTURE PERFECT TENSE
GELECEKTE BİTMİŞ ZAMAN

Bu kip, gelecekteki bir zamanda geçmişte kalacak bir eylemi anlatmak için kullanılır. Şekil olarak şu öğelerden meydana gelir:

shall (will) yardımcı fiili + **have** + fiilin 3. şekli

I ve **we** öznesi için **shall** veya **will** kullanılır. Diğer özneler için **will** kullanılır.

I shall have seen.	Görmüş olacağım.
You will have learnt.	Öğrenmiş olacaksınız.
They will have sold.	Satmış olacaklar.
I shall have seen them before nine o'clock.	Onları saat dokuzdan önce görmüş olacağım.
You will have learnt all the regulations soon.	Bütün talimatı yakında öğrenmiş olacaksınız.
They will have sold all their eggs at the market tomorrow.	Yarın pazarda bütün yumurtalarını satmış olacaklar.
The match will have started before we reach there.	Biz oraya varmadan önce maç başlamış olacak.
The flowers will have died before you come back.	Siz dönmeden önce çiçekler ölmüş olacak.
She will have learnt the truth tomorrow.	Yarın gerçeği öğrenmiş olacak.
Edward will have finished the book when you go to his house.	Siz onun evine gittiğiniz zaman Edward kitabı bitirmiş olacak.
The bus will have left when we go there.	Biz oraya gittiğimiz zaman otobüs gitmiş olacak.

Örneklerde de görüldüğü gibi, sözü edilen eylem belli bir zaman geldiğinde yapılıp bitmiş, yani geçmişte kalmış olmaktadır.

Mary will have cooked the meal when her husband comes. Mary kocası geldiği zaman yemeği pişirmiş olacak.

Burada gelme eyleminin yapıldığında pişirme işinin bitirilip geçmişte kalan bir eylem durumunda olacağı anlatılmaktadır.

olumlu gelecekte bitmiş zaman cümlesi

özne	will shall	have	fiilin 3. şekli	diğer sözcükler
She	will	have	seen	the new film next week.
We	shall	have	taken	our diplomas in October.
My son	will	have	paid	his debt before July.
John	will	have	sent	you the present.
The dentist	will	have	taken	out your tooth tomorrow.
His mother	will	have	heard	the news on the radio.
The girl	will	have	reached	the station.

olumsuz

Bu zamanı olumsuz yapmak için **will (shall)** den sonra **not** getirilir.

She will have written the letters before the manager comes. Müdür gelmeden önce mektupları yazmış olacak.

She will not have written the letters before the manager comes. Müdür gelmeden önce mektupları yazmış olmayacak.

They will not have noticed the mistakes before we explain them. Biz onları açıklamadan önce hataları farketmiş olmayacaklar.

368

Will (shall) ile not birleştirilerek kaynaştırma yapılabilir.

He will not have finished his homework when his father comes.	Babası geldiği zaman ev ödevini bitirmiş olmayacak.
He won't have finished his homework when his father comes.	Babası geldiği zaman ev ödevini bitirmiş olmayacak.
We shan't have seen everything until ten o'clock.	Saat ona kadar her şeyi görmüş olmayacağız.
The workers won't have stopped working when the foreman comes.	Ustabaşı geldiği zaman işçiler çalışmayı bırakmış olmayacaklar.
The horses won't have eaten all the grass in the garden.	Atlar bahçedeki bütün otu yemiş olmayacaklar.
She won't have passed her exam in April.	Sınavını nisanda geçmiş olmayacak.

olumsuz gelecekte bitmiş zaman cümlesi

özne	shan't won't	have	fiilin 3. şekli	diğer sözcükler
My father	won't	have	sold	his house then.
Mary	won't	have	left	the house.
He	won't	have	learnt	any English.
The car	won't	have	arrived	in time.
She	won't	have	given	you the letters.
Helen	won't	have	slept	if you come early.
I	shan't	have	washed	the dishes before lunch time.

soru

Bu tip cümleleri soru yapmak için will (shall) cümlenin başına getirilir.

We shall have arrived in Paris at eight o'clock.				Saat sekizde Paris'e varmış olacağız.
Shall we have arrived in Paris at eight o'clock?				Saat sekizde Paris'e varmış olacak mıyız?

Will you have repaired our car before noon?

Otomobilimizi öğlenden önce tamir etmiş olacak mısınız?

Will Frank have missed the train if he comes at seven o'clock?

Saat yedide gelirse Frank treni kaçırmış olacak mı?

Will the teacher have taught the subject within one year?

Öğretmen konuyu bir yıl içinde öğretmiş olacak mı?

Will the neighbours have seen our new furniture before we invite them?

Komşular yeni mobilyalarımızı biz onları davet etmeden önce görmüş olacaklar mı?

soru halinde gelecekte bitmiş zaman cümlesi

will shall	özne	have	fiilin 3. şekli	diğer sözcükler
Will	you	have	finished	your work by six o'clock?
Shall	we	have	answered	the questions?
Will	they	have	met	the newcomers?
Will	the boy	have	read	his book before bedtime?
Will	she	have	washed	the shirts before he comes?
Will	the women	have	eaten	the cakes when we come back?
Will	Gloria	have	bought	the shoes before we warn her?

olumsuz soru

Olumsuz soru yapmak için **will (shall)** ile **not** kaynaştırılarak kullanılır.

Will you have written the letter by five o'clock?	Mektubu saat beşe kadar yazmış olacak mısın?
Won't you have written the letter by five o'clock?	Mektubu saat beşe kadar yazmış olmayacak mısın?
Won't she have cleaned the rooms before nine?	Odaları dokuzdan önce temizlemiş olmayacak mı?
Shan't we have built the house before the summer?	Evi yazdan önce inşa etmiş olmayacak mıyız?
Won't they have received the telegram in the morning?	Sabahleyin telgrafı almış olmayacaklar mı?
Won't the old man have sold his house before June?	Yaşlı adam evini hazirandan önce satmış olmayacak mı?

olumsuz soru halinde gelecekte bitmiş zaman cümlesi

won't shan't	özne	have	fiilin 3. şekli	diğer sözcükler
Won't	they	have	slept	before their mother comes?
Won't	he	have	bought	a new hat?
Won't	Betty	have	finished	her school next year?
Won't	she	have	learnt	the truth from the papers?
Shan't	we	have	carried	our things to the basement?
Won't	the girl	have	washed	the plates before dinner?
Won't	you	have	finished	the book before the holiday?

GELECEKTE BİTMİŞ ZAMANIN KULLANILDIĞI YERLER

Bu kip, bir eylemin gelecekteki belli bir zamandan önce yapılıp tamamlanarak sözü edilen bu zaman noktasında geçmiş bir eylem durumunda kalacağını anlatmak için kullanılır.

He will have eaten your food when you come.	Geldiğinizde sizin yiyeceğinizi yemiş olacak.

Buradaki yemek eylemi gelme hareketinden önce yapılıp bitecek, gelme işi olduğunda yemek eylemi bir geçmiş zaman eylemi durumuna girecektir.

the future perfect tense - gelecekte bitmiş zaman çekim tablosu

affirmative - olumlu

I shall have carried.	Taşımış olacağım.
You will have carried.	Taşımış olacaksın.
He will have carried.	Taşımış olacak.
She will have carried.	Taşımış olacak.
It will have carried.	Taşımış olacak.
We shall have carried.	Taşımış olacağız.
You will have carried.	Taşımış olacaksınız.
They will have carried.	Taşımış olacaklar.

negative - olumsuz

I shan't have carried.	Taşımış olmayacağım.
You won't have carried.	Taşımış olmayacaksın.
He won't have carried.	Taşımış olmayacak.
She won't have carried.	Taşımış olmayacak.
It won't have carried.	Taşımış olmayacak.
We shan't have carried.	Taşımış olmayacağız.
You won't have carried.	Taşımış olmayacaksınız.
They won't have carried.	Taşımış olmayacaklar.

interrogative - soru

Shall I have carried?	Taşımış olacak mıyım?
Will you have carried?	Taşımış olacak mısın?
Will he have carried?	Taşımış olacak mı?
Will she have carried?	Taşımış olacak mı?
Will it have carried?	Taşımış olacak mı?
Shall we have carried?	Taşımış olacak mıyız?
Will you have carried?	Taşımış olacak mısınız?
Will they have carried?	Taşımış olacaklar mı?

negative interrogative - olumsuz soru

Shan't I have carried?	Taşımış olmayacak mıyım?
Won't you have carried?	Taşımış olmayacak mısın?
Won't he have carried?	Taşımış olmayacak mı?
Won't she have carried?	Taşımış olmayacak mı?
Won't it have carried?	Taşımış olmayacak mı?
Shan't we have carried?	Taşımış olmayacak mıyız?
Won't you have carried?	Taşımış olmayacak mısınız?
Won't they have carried?	Taşımış olmayacaklar mı?

THE FUTURE PERFECT CONTINUOUS TENSE -
SÜREKLİ GELECEK BİTMİŞ ZAMAN

Bu zaman **will (shall)** ve **have been** ile **ing** eki almış fiilden meydana gelir. Gelecekteki bir zamanın öncesinden o zamana kadar devam eden bir eylemi anlatmak için kullanılır.

I shall have been learning English when you come to see me.	Beni görmeye geldiğinizde İngilizce öğrenmekte (öğreniyor) olacağım.
They will have been running in the park at four o'clock.	Saat dörtte parkta koşmakta olacaklar.
You will have been working for ten hours when they close the doors. He'll have been watching television when I go to bed.	Onlar kapıları kapadıkları zaman sen on saattir çalışmakta olacaksın. Ben yattığım zaman o televizyon seyretmekte olacak.

olumlu sürekli gelecekte bitmiş zaman cümlesi

ozne	will shall	have been	ing almış fiil	diğer sözcükler
She	will	have been	sleeping	for ten hours when we wake her up.
They	will	have been	waiting	at the door when you go home.
He	will	have been	examining	her when we arrive at his surgery.
I	will	have been	playing	in the garden by seven o'clock.
Mary	will	have been	cooking	in the kitchen when our father comes.
We	shall	have been	working	for twenty years when we retire.

olumsuz

Olumsuz yapmak için will (shall) den sonra not getirilir.

She will have been writing.	Yazmakta olacak.
She will not (won't) have been writing.	Yazmakta olmayacak.
She won't have been writing letters when you see her next time.	Onu gelecek sefer gördüğünde mektuplar yazmakta olmayacak.
I shall not (shan't) have been sleeping when you leave.	Siz ayrıldığınızda ben uyumakta olmayacağım.
They won't have been picking flowers when the sun sets.	Güneş battığında onlar çiçek toplamakta olmayacaklar.
He won't have been working for nothing.	Boşuna çalışmakta olmayacak.

olumsuz sürekli gelecekte bitmiş zaman cümlesi

özne	will shall	not	have	been	ing almış fiil	diğer sözcükler
We	shall	not	have	been	waiting	long.
They	will	not	have	been	digging	holes.
Doris	will	not	have	been	resting	in her room when you arrive.
The boys	will	not	have	been	playing	in the street when you come.
My son	will	not	have	been	teaching	English by the end of April.
This girl	will	not	have	been	studying	her lessons when her father comes.

soru

Sürekli gelecekte bitmiş zaman cümlesini soru haline sokmak için will (shall) cümlenin başına alınır.

375

He will have been waiting for the train.	Treni beklemekte olacak.
Will he have been waiting for the train?	Treni beklemekte mi olacak?
Will they have been learning the new traffic rules when the holiday begins?	Tatil başladığında yeni trafik kurallarını öğrenmekte mi olacaklar?
Shall we have been playing in the park when our father comes?	Babamız geldiğinde parkta oynamakta mı olacağız?
Will the engineer have been working on the project when they start to build the bridge?	Onlar köprüyü inşa etmeye başladıkları zaman mühendis proje üzerinde çalışmakta mı olacak?

soru halinde sürekli geçmişte bitmiş zaman cümlesi

will shall	özne	have been	ing almış fiil	diğer sözcükler
Will	you	have been	sleeping	when we come?
Will	she	have been	washing	the dishes when the guests come?
Shall	I	have been	making	mistakes at the end of the course?
Will	they	have been	sitting	in the doctor's waiting room?
Will	he	have been	doing	his homework when the teacher comes?
Will	the cows	have been	running	in the fields?

olumsuz soru

Olumsuz soru haline sokmak için soru halindeki cümlede **have** yardımcı fiili önüne **not** getirilir.

Will you have been sleeping?	Uyumakta mı olacaksın?
Will you not have been sleeping?	Uyumakta olmayacak mısın?
Will they not have been waiting for us when our train arrives?	Trenimiz vardığında bizi beklemekte olmayacaklar mı?

Shall we not have been digging holes for our flowers when the gardener comes?	Bahçıvan geldiğinde çiçeklerimiz için çukurlar kazıyor olmayacak mıyız?
Will Dick not have been eating his food when his friends leave the restaurant?	Arkadaşları lokantadan ayrıldıkları zaman Dick yiyeceğini yemekte olmayacak mı?
Will the birds not have been singing when the sun rises?	Güneş doğduğu zaman kuşlar ötmekte olmayacaklar mı?

olumsuz soru halinde sürekli geçmişte bitmiş zaman cümlesi

will shall	özne	not	have been	ing almış fiil	diğer sözcükler
Will	she	not	have been	learning	English when her friend comes?
Will	they	not	have been	reading	their books when the lesson begins?
Shall	I	not	have been	standing	at the door when the manager enters?
Will	you	not	have been	swimming	in the pool when your wife calls?
Will	Allan	not	have been	writing	a letter when you telephone?
Will	he	not	have been	sleeping	for hours when the alarm clock rings?

SÜREKLİ GELECEKTE BİTMİŞ ZAMANIN KULLANILDIĞI YERLER

Gelecekteki bir anda, yapılması bitmiş olarak geçmiş bir eylem durumunda kalacak olan bir fiilin o ana kadar yapılışında kesiksiz bir devamlılık varsa ve bu özellikle belirtilmek isteniyorsa bu sürekli gelecekte bitmiş zaman kipiyle anlatılır. Böyle bir süreklilik belirtme gereği yoksa gelecekte bitmiş zaman kipiyle anlatılır. Fakat bugün İngilizcede sürekli gelecekte bitmiş zaman pek kullanılmamaktadır. Onun yerine gelecekte bitmiş zaman kipi tercih edilmektedir.

the future perfect continuous tense - sürekli gelecekte bitmiş zaman
çekim tablosu

affirmative - olumlu

I shall have been waiting.	Beklemekte olacağım.
You will have been waiting.	Beklemekte olacaksın.
He will have been waiting.	Beklemekte olacak.
She will have been waiting.	Beklemekte olacak.
It will have been waiting.	Beklemekte olacak.
We shall have been waiting.	Beklemekte olacağız.
You will have been waiting.	Beklemekte olacaksınız.
They will have been waiting.	Beklemekte olacaklar.

negative - olumsuz

I shall not have been waiting.	Beklemekte olmayacağım.
You will not have been waiting.	Beklemekte olmayacaksın.
He will not have been waiting.	Beklemekte olmayacak.
She will not have been waiting.	Beklemekte olmayacak.
It will not have been waiting.	Beklemekte olmayacak.
We will not have been waiting.	Beklemekte olmayacağız.
You will not have been waiting	Beklemekte olmayacaksınız.
They will not have been waiting.	Beklemekte olmayacaklar.

interrogative - soru

Shall I have been waiting?	Beklemekte mi olacağım?
Will you have been waiting?	Beklemekte mi olacaksın?
Will ha have been waiting?	Beklemekte mi olacak?
Will she have been waiting?	Beklemekte mi olacak?
Will it have been waiting?	Beklemekte mi olacak?
Shall we have been waiting?	Beklemekte mi olacağız?
Will you have been waiting?	Beklemekte mi olacaksınız?
Will they have been waiting?	Beklemekte mi olacaklar?

negative interrogative - olumsuz soru

Shall I not have been waiting?	Beklemekte olacak mıyım?
Will you not have been waiting?	Beklemekte olacak mısın?
Will he not have been waiting?	Beklemekte olacak mı?
Will she not have been waiting?	Beklemekte olacak mı?
Well it not have been waiting?	Beklemekte olacak mı?
Shall we not have been waiting?	Beklemekte olacak mıyız?
Will you not have been waiting?	Beklemekte olacak mısınız?
Will they not have been waiting?	Beklemekte olacaklar mı?

FUTURE TENSES - GELECEK ZAMANLAR

Gelecekte yapılacak eylemleri göstermek için İngilizcede çeşitli fiil zamanları ve şekilleri mevcuttur. Bunları aşağıda gördüğünüz sırada ele alarak inceleyeceğiz.

1. **the future tense** - gelecek zaman

2. **the future continuous tense** - sürekli gelecek zaman

3. **the going to form** - going to ile gelecek zaman

4. **other future forms** - diğer gelecek zaman şekilleri

Bunlar dışında bazı durumlarda gelecek zaman anlamında kullanılabilen şu zamanlar da vardır: a. **the simple present tense** - geniş zaman, b. **the present continuous tense** - şimdiki zaman.

THE FUTURE TENSE - GELECEK ZAMAN

Gelecekte meydana gelecek bir eylemi anlatmak için kullanılan şekillerden biri olan gelecek zaman kipi, kök halinde fiil önünde **will (shall)** yardımcı fiilleri kullanılarak meydana getirilir. I ve **we** zamirleri ile **shall**, diğer bütün öznelerle **will** kullanılacağı gibi bir kural varsa da bu artık uygulanmamakta, bazı özel durumlar dışında **shall** yerine de **will** kullanılmaktadır.

özne	yardımcı fiil	fiil	
I	shall	go	(gideceğim)
he	will	learn	(öğrenecek)
she	will	see	(görecek)
you	will	find	(bulacaksın)
we	shall	write	(yazacağız)
they	will	look	(bakacaklar)
Frank	will	walk	(Frank yürüyecek)
My son	will	sleep	(Oğlum uyuyacak)
The students	will	read	(Öğrenciler okuyacak)

Shall ile belirtilen teklif soruları ile **will** ile belirtilen nazik bir istek veya davet sözlerinin yapılışını ilerideki sayfalarda gelecek zaman soru şeklinin anlatıldığı bölümde ele alacağız.

Shall ve **will** şahıs zamirleriyle birleşerek kaynaşabilirler.

	kaynaşmış şekil
I shall	**I'll** /ayl/
you will	**you'll** /yul/
he will	**he'll** /hiıl/
she will	**she'll** /şiıl/
it will	**it'll** /itıl/
we shall	**we'll** /wiıl/
they will	**they'll** /deyıl/

Shall ve **will** kaynaşmasının özneye **'ll** eklemek suretiyle olduğunu görüyoruz. Bu durumda **I** ve **we** ile **shall** mi yoksa **will** mi kullanıldığı da ortadan kalkmaktadır. Zira kısaltma her ikisini de aynı şekle getirmektedir.

I'll see you at school tomorrow.	Yarın seni okulda göreceğim.
She'll come here next week.	Buraya gelecek hafta gelecek.
They'll change the refrigerator.	Buzdolabını değiştirecekler.
The old man will sell his car.	Yaşlı adam otomobilini satacak.
The trees will blossom in April.	Ağaçlar nisanda çiçek açacaklar.
We'll open the windows after lunch.	Öğlen yemeğinden sonra pencereleri açacağız.
The soldiers will clean their guns.	Askerler silahlarını temizleyecekler.
The baby will sleep in this room.	Bebek bu odada uyuyacak.
She'll help you if you want.	İsterseniz size yardım edecek.
I'll give you a new ruler.	Sana yeni bir cetvel vereceğim.
The boys will bring their school bags.	Çocuklar okul çantalarını getirecekler.
Your students will stay at another hotel.	Sizin öğrencileriniz başka bir otelde kalacaklar.

olumlu gelecek zaman cümlesi

özne	will shall	fiil	diğer sözcükler
I	shall	learn	English in England.
They	will	work	in another section.
The children	will	play	behind the house.
She	will	throw	the old shoes.
We	shall	walk	along the river.
His son	will	help	the other workmen.
Our team	will	win	the cup this year.

olumsuz

Olumlu haldeki bir gelecek zaman cümlesini olumsuz hale sokmak için **will (shall)** den sonra **not** getirilir. **Not** sözcüğü **will (shall)** ile kaynaşır.

| shall not | shan't /şa:nt/ |
| will not | won't /wount/ |

I shall go there with you.	Oraya sizinle gideceğim.
I shall not (shan't) go there with you.	Oraya sizinle gitmeyeceğim.
They will not (won't) learn anything at this school.	Bu okulda bir şey öğrenmeyecekler.
The waiter won't see you here.	Garson burada seni görmeyecek.
Our father won't forgive us.	Babamız bizi affetmeyecek.
The old woman won't buy any food for her cats.	Yaşlı kadın kedileri için hiç yiyecek almayacak.
Her father won't come home tonight.	Babası bu akşam eve gelmeyecek.
We shan't change the place of the furniture.	Mobilyanın yerini değiştirmeyeceğiz.
This key won't open the door.	Bu anahtar kapıyı açmayacak. (açmaz)

olumsuz gelecek zaman cümlesi

özne	won't shan't	kök halde fiil	diğer sözcükler
We	shan't	wait	for the other group.
They	won't	study	German any more.
He	won't	play	with his friends.
I	shan't	listen	do them.
Helen	won't	buy	a new hat this summer.
The train	won't	be	here before nine o'clock.
Your friends	won't	like	to be with us.

Gelecek zaman cümlelerini soru haline sokmak için yapılacak şey cümledeki **will (shall)**'i cümle başına getirmektir. Bu arada **shall I?** ve **will you?** şekillerinin özel anlamlarını bu konunun sonunda (**shall** ve **will**'in özel kullanılışları) bölümünde göreceğinizi hatırlatırız.

He will give us some toys.	Bize birkaç oyuncak verecek.
Will he give us any toys?	Bize hiç oyuncak verecek mi?
Will they repair the car?	Otomobili tamir edecekler mi?
Shall we understand the words?	Sözcükleri anlayacak mıyız?
Will Betty sit at my table?	Betty benim masama oturacak mı?
Shall I live in a better apartment?	Daha iyi bir dairede oturacak mıyım?
Will the boss send me on another job?	Patron beni başka bir işe gönderecek mi?
Will the students bring their books on Friday?	Öğrenciler kitaplarını cuma günü getirecekler mi?
Will Gerald finish the work before May?	Gerald işi mayıstan önce bitirecek mi?
Shall we know the results of the matches before six?	Maçların sonuçlarını saat altıdan önce bilecek miyiz?

soru halinde gelecek zaman cümlesi

will shall	özne	fiil	diğer sözcükler
Will	you	come	with the other boys?
Will	the girl	see	you again?
Shall	I	learn	the truth soon?
Will	his daughter	carry	the baskets to the garden?
Shall	we	see	them if we go there?
Will	they	buy	the car tomorrow?

olumsuz soru

Olumsuz soru yapmak için soru cümlesine **not** ilave edilir.

Will he come again?	Tekrar gelecek mi?
Will he not come again?	Tekrar gelmeyecek mi?

Bu cümlede **will (shall)** ile **not** kaynaştırılabilir.

Won't he come again?	Tekrar gelmeyecek mi?
Won't they build new roads?	Yeni yollar inşa etmeyecekler mi?
Won't your mother cook her favourite meal?	Anneniz en gözde yemeğini yapmayacak mı?
Shan't we understand the tourists when we learn these books?	Bu kitapları öğrendiğimiz zaman turistleri anlamayacak mıyız?
Won't the man bring the suitcase to our house?	Adam bavulu bizim evimize getirmeyecek mi?
Won't Christine teach us English?	Christine bize İngilizce öğretmeyecek mi?
Won't the pilots wait in Frankfurt?	Pilotlar Frankfurt'ta beklemeyecekler mi?
Won't the new machines be better than the old ones?	Yeni makineler eskilerinden daha iyi olmayacaklar mı?
Shan't I live in London with my family?	Ailemle Londra'da oturmayacak mıyım?

olumsuz soru halinde gelecek zaman cümlesi

won't shan't	özne	fiil	diğer sözcükler
Won't	the boys	catch	the birds any more?
Won't	he	read	the book in his room?
Won't	my son	use	their instruments?
Shan't	we	like	his new song?
Won't	Anita	finish	her work by six o'clock?
Won't	they	sell	us their best shoes?
Shan't	I	remember	those happy days?

shall ve will'in özel kullanılışları

shall I (we)?

Shall yardımcı fiili I ve we ile yapılan sorularda bir teklif belirtmek amacıyla da kullanılır.

Shall I bring another plate?   Başka bir tabak getireyim mi?

Örnekte görüldüğü gibi bu durumda "Getirecek miyim?" şeklinde bir gelecek zaman anlamı değil, "Getireyim mi?" gibi bir teklif sorusu anlamı vermektedir.

Shall we go for a walk?	Bir yürüyüş yapalım mı?
Shall I give you some cakes?	Sana biraz pasta vereyim mi?
Shall I change your plate?	Tabağınızı değiştireyim mi?
Shall we take a taxi?	Taksiye binelim mi?
Shall I call you at eight o'clock?	Sana saat sekizde telefon edeyim mi?
Shall we send for a doctor?	Doktor çağırtalım mı?
Shall I open the window?	Pencereyi açayım mı?

Bir vaatte bulunma veya söz vermeyi anlatırken bütün şahıslarla **shall** kullanılır.

We shall succeed without fail.	Şüphesiz başarılı olacağız.
You shall get a lot of money.	Çok para alacaksın.
He shall have his share.	Payını alacak.
I shall help you. It is a promise.	Sana yardım edeceğim. Bu bir söz.
They shall win.	Kazanacaklar.

will you?

Will yardımcı fiili you zamiri ile bir soru olarak kullanıldığı zaman bir rica veya isteği kibar bir şekilde belirtmiş olur.

Will you open the door?   Kapıyı açar mısın?

Kibar bir istek şekli olan bu söze "lütfen" anlamında **please** sözcüğü eklenebilir. Cümlenin "Açacak mısınız?" şeklinde gelecek zaman halinde bir anlamı değil, "Açar mısınız?" şeklinde bir istek anlamı verdiğine dikkat ediniz.

Will you please write your name?   Lütfen adınızı yazar mısınız?
Will you please give me the   Lütfen paketi bana verir misiniz?
packet?
Will you repeat the name?   İsmi tekrarlar mısınız?
Will you close the door?   Kapıyı kapar mısınız?

Bu tip cümlelerde **will you** yerine **won't you** kullanılabilir. O da nazik bir emir veya istek gösterir.

Won't you please come in?   Lütfen içeri gelmez misiniz?
                                     (Lütfen içeri geliniz.)
Won't you drink some more   Biraz daha kahve içmez misiniz?
coffee?

Won't you correct my mistakes?   Hatalarımı düzeltmez misiniz?
Please read these sentences,   Lütfen bu cümleleri okuyunuz,
won't you?   olur mu?

GELECEK ZAMANIN KULLANILDIĞI YERLER

1. Sözü söyleyen kişinin gelecekte olacağını düşündüğü eylemleri anlatmak için kullanılır. Bu cümlelerde çoğu kez çeşitli zaman zarfları ve tahmin, kuşku, fikir belirten fiiller yer alır.

I think they'll come soon.   Zannederim yakında gelecekler.
We hope she'll understand her   Ümit ederiz hatasını anlayacak.
mistake.
Probably he'll be a good lawyer. Muhtemelen iyi bir avukat olacak.
The theatre will open this week. Tiyatro bu hafta açılacak.

2. Yapılması veya olması alışkanlık haline gelmiş eylemler için kullanılır.

The snow will cover the roads in February.	Şubatta kar yolları kaplayacak. (kaplar)
Storks will come to their old nests.	Leylekler eski yuvalarına gelecekler. (gelirler)
The exhibition will close on the first of September.	Sergi eylülün birinde kapanacak. (kapanır)

3. Şart cümlelerinde **if** sözcüğünün bulunmadığı yan cümlecikte kullanılır.

If you run, you'll get tired.	Koşarsan yorulacaksın. (yorulursun)
She'll see you easily if you sit here.	Burada oturursan seni kolayca görecek. (görür)
If I open the door, the dog will run out.	Kapıyı açarsam köpek dışarı kaçacak. (kaçar)

4. Resmi haberlerde, yapılacak işler veya olaylar gelecek zaman kipiyle anlatılır.

| The prime minister will visit England next week. | Başbakan gelecek hafta İngiltereyi ziyaret edecek. |
| The governor will open the hospital tomorrow. | Vali yarın hastaneyi açacak. |

5. Esas olarak **if** ile başlayan cümlede **will** kullanılmaz. Fakat cümlenin anlamını değiştirmeden hafif bir istek ve nezaket ifade etmesi için burada **will** kullanılabilir.

I'll be very glad if you'll give me that parcel.	Bana şu paketi verirseniz çok memnun olacağım.
If you'll open the door, we'll be grateful.	Kapıyı açarsanız müteşekkir olacağız.
If you'll wait here, I'll bring the book.	Burada beklerseniz kitabı getireceğim.
They'll see better if you'll put it higher.	Onu daha yukarı koyarsanız daha iyi görecekler.

6. **Will** ile **not** birlikte aşağıdaki gibi bir olumsuzluk ifadesi meydana getirirler.

This key won't open my door.	Bu anahtar kapımı açmaz. (açmıyor.)
Your help won't solve the problem.	Senin yardımın problemi çözmez.
His son won't understand poverty.	Onun oğlu yoksulluğu anlamaz.
The window won't open.	Pencere açılmaz. (açılmıyor)
The secretary won't answer the letters.	Sekreter mektuplara cevap vermez.
She won't accept our invitation.	Davetimizi kabul etmez.

Cümlelerin Türkçe karşılıklarında görüldüğü gibi bu durumda bir gelecek zaman anlamı değil geniş zaman anlamı vardır. "açmayacak" değil "açmaz", "çözmeyecek" değil "çözmez" denmektedir.

the future tense - gelecek zaman çekim tablosu

affirmative - olumlu

I shall drink.	İçeceğim.
You will drink.	İçeceksin.
He will drink.	İçecek.
She will drink.	İçecek.
It will drink.	İçecek.
We shall drink.	İçeceğiz.
You will drink.	İçeceksiniz.
They will drink.	İçecekler.

negative - olumsuz

I shall not drink.	İçmeyeceğim.
You will not drink.	İçmeyeceksin.
He will not drink.	İçmeyecek.
She will not drink.	İçmeyecek.
It will not drink.	İçmeyecek.
We shall not drink.	İçmeyeceğiz.
You will not drink.	İçmeyeceksiniz.
They will not drink.	içmeyecekler.

interrogative - soru

Shall I drink?	İçecek miyim?
Will you drink?	İçecek misin?
Will he drink?	İçecek mi?
Will she drink?	İçecek mi?
Will it drink?	İçecek mi?
Shall we drink?	İçecek miyiz?
Will you drink?	İçecek misiniz?
Will they drink?	İçecekler mi?

negative interrogative - olumsuz soru

Shall I not drink?	İçmeyecek miyim?
Will you not drink?	İçmeyecek misin?
Will he not drink?	İçmeyecek mi?
Will she not drink?	İçmeyecek mi?
Will it not drink?	İçmeyecek mi?
Shall we not drink?	İçmeyecek miyiz?
Will you not drink?	İçmeyecek misiniz?
Will they not drink?	İçmeyecekler mi?

THE FUTURE CONTINUOUS TENSE - SÜREKLİ GELECEK ZAMAN

Gelecekte belli bir noktada bir eylemin sürekli olarak yapılıyor olması süˉrekli gelecek zaman kipiyle anlatılır. Bu zaman **will (shall)** ile **be** fiilinˉden sonra **ing** eki almış fiilin kullanılmasıyla oluşur.

She will sing a song.	Bir şarkı söyleyecek.
She will be singing a song.	Bir şarkı söylüyor olacak.
Tomorrow they'll be going in a big ship.	Yarın büyük bir gemi içinde gidiyor olacaklar.
We'll be learning their language.	Onların dilini öğreniyor olacağız.
She'll be playing in the garden.	Bahçede oynuyor olacak.
They'll be studying their lessons at six o'clock.	Saat altıda derslerini çalıˉşıyor olacaklar.
I'll be reading your letters in my office then.	O zaman büromda senin mektupˉlarını okuyor olacağım.
The girl will be sweeping the floor.	Kız yeri süpürüyor olacak.

Bu cümlelerde bir eylemin gelecekteki bir zaman sürekli olarak yapılıyor olacağı belirtilmektedir.

Sürekli gelecek zaman kipi, ardında bir niyet veya plan olmayan bir geleˉcek zaman eylemini anlatmak için de kullanılır. Bu durumda o eylem olayların akışı içinde meydana gelmesi olağan bir eylemi gösterir.

I'll be seeing them tomorrow.	Onları yarın göreceğim.
She'll be writing to her father next week.	Gelecek hafta babasına yazacak.

Bu örneklerde Türkçe karşılığın "görüyor olacak" yerine "görecek", "yazıˉyor olacak" yerine "yazacak" şeklinde olduğu görülmektedir.

He'll be flying over the Channel tomorrow at this time.	Yarın bu vakit Manş denizi üzerinde uçuyor olacak.

The old woman will be cooking food for her son in the kitchen.	Yaşlı kadın oğlu için mutfakta yiyecek pişiriyor olacak.
I'll be giving them the documents.	Onlara belgeleri veriyor olacağım.
They'll be performing the old play.	Eski piyesi oynayacaklar.
He'll be bringing his friends.	Arkadaşlarını getirecek.
She'll be working all day long tomorrow.	Yarın bütün gün boyu çalışıyor olacak.

olumlu sürekli gelecek zaman cümlesi

özne	will shall	be	ing almış fiil	diğer sözcükler
i	shall	be	waiting	at the bus stop by five o'clock.
He	will	be	reading	the papers.
Tom	will	be	playing	the piano.
My son	will	be	running	in the forest.
The cat	will	be	drinking	the milk in the plate.
She	will	be	writing	the letters all day long.

olumsuz

Olumsuz yapmak için **will (shall)** den sonra **not** getirilir. Bu sözcükler kaynaştırılarak **won't, shan't** şekline girerler.

She will be mending socks for her children.	Çocukları için çorap yamıyor olacak.
She won't be mending socks for her children.	Çocukları için çorap yamıyor olmayacak.

We shan't be seeing the boss.				Patronu görmeyeceğiz.
They won't be smoking cigars.				Puro içmeyecekler.
He won't be walking to the station.				İstasyona yürümeyecek.
The gardener won't be working on Sunday at this time.				Bahçıvan pazar günü bu vakitte çalışıyor olmayacak.
Hilda won't be coming to the meeting.				Hilda toplantıya gelmeyecek.

olumsuz sürekli gelecek zaman cümlesi

özne	won't shan't	be	ing almış fiil	diğer sözcükler
She	won't	be	swimming	with her friends.
They	won't	be	waiting	for the others.
I	shan't	be	speaking	at the meeting.
Mary	won't	be	cleaning	the room.
He	won't	be	sleeping	at eight o'clock tomorrow.
You	won't	be	standing	in a queue.

soru

Soru haline getirmek için olumlu cümledeki **will (shall)** cümlenin başına alınır.

They will be reading their books.	Kitaplarını okuyor olacaklar.
Will they be reading their books?	Kitaplarını okuyor olacaklar mı?

Will she be going with Fred?	Fred'le mi gidiyor olacak?
Will the girl be doing her homework?	Kız ev ödevini yapıyor olacak mı?
Shall I be helping them in the kitchen?	Onlara mutfakta yardım ediyor mu olacağım?
Will Mary be talking on the telephone?	Mary telefonda konuşuyor mu olacak?
Shall we be learning the new methods?	Yeni metodları öğreniyor olacak mıyız?

soru halinde sürekli gelecek zaman cümlesi

will shall	özne	be	ing almış fiil	diğer sözcükler
Will	you	be	winning	the game?
Will	they	be	carrying	the wood to the kitchen?
Shall	I	be	learning	a lot of things?
Will	Ingrid	be	taking	my toys?
Will	the boys	be	playing	in the parlour?
Will	your aunt	be	sending	you some money?

olumsuz soru

Olumsuz soru hali için soru halindeki cümlede **be** önüne **not** getirilir.

Will he be teaching English?	İngilizce öğretiyor olacak mı?
Will he not be teaching English?	İngilizce öğretiyor olmayacak mı?

Burada bir kaynaştırma yapılırsa **will (shall)** ile **not** birleşir ve cümlenin başına gelir.

Won't he be teaching English?	İngilizce öğretiyor olmayacak mı?
Won't she be writing to her mother?	Annesine yazıyor olmayacak mı?
Won't they be repairing the car?	Otomobili tamir ediyor olmayacaklar mı?
Won't Audrey be driving to Paris at this time tomorrow?	Audrey yarın bu vakitte Paris'e arabayla gidiyor olmayacak mı?
Shan't we be taking our exams next Friday?	Gelecek cuma sınavlarımıza giriyor olmayacak mıyız?
Shan't I be doing my homework?	Ev ödevimi yapıyor olmayacak mıyım?
Won't the soldiers be cleaning their guns?	Askerler silahlarını temizliyor olmayacaklar mı?

olumsuz soru halinde sürekli gelecek zaman cümlesi

shan't won't	özne	be	ing almış fiil	diğer sözcükler
Won't	you	be	painting	the walls?
Won't	she	be	cooking	food by this time?
Won't	they	be	searching	for the escapees?
Shan't	I	be	learning	French next year?
Won't	the child	be	playing	on the bed?
Won't	your son	be	sleeping	late again?

SÜREKLİ GELECEK ZAMANIN KULLANILDIĞI YERLER

1. Gelecek bir zamanda bir eylemin yapılmaya devam ediliyor olacağını gösterir.

She will be sitting with her friends at this time tomorrow.	Yarın bu vakitte arkadaşlarıyla oturuyor olacak.
We shall be answering the questions at the examination tomorrow at this hour.	Yarın bu saatte sınavda soruları cevaplandırıyor olacağız.
They will be watching television by this time tomorrow.	Yarın bu vakitte televizyon seyrediyor olacaklar.

2. Önceden planlanmayıp, yapılması olağan bir gelecek zaman eylemini anlatır.

I'll be meeting them at the station.	Onları istasyonda karşılayacağım.
She'll be going to church.	Kiliseye gidecek.
He'll be coming to tea.	Çaya gelecek.
They'll be going to Paris next week.	Gelecek hafta Paris'e gidecekler.

3. Gelecek zaman kipinde bir niyet ve planlama vardır. Sürekli gelecek zamanda ise olağan bir durumun söylenişi vardır.

I will teach them grammar.	Onlara gramer öğreteceğim.

Bu cümlede sözü söyleyen gramer öğretmek niyetinde olduğunu, buna kararlı bulunduğunu ifade etmektedir.

I will be teaching them grammar.	Onlara gramer öğreteceğim.

Bu cümlede ise sözü söyleyenin bir kararlılığı yoktur. Bu eylem normal olarak yapılacak bir şeydir.

4. Bir eylemin bir süre sonra devamlı olarak yapılabilir duruma gelişini anlatmak için kullanılır.

After two months I'll be driving my own car.	İki ay sonra kendi otomobilimi kullanıyor olacağım.
Within a year we'll be speaking English.	Bir yıl içinde İngilizce konuşuyor olacağız.
When you come here the child will be walking.	Buraya geldiğinde çocuk yürüyor olacak.

the future continuous tense - sürekli gelecek zaman çekim tablosu

affirmative - olumlu

I shall be waiting.	Bekliyor olacağım.
You will be waiting.	Bekliyor olacaksın.
He will be waiting.	Bekliyor olacak.
She will be waiting.	Bekliyor olacak.
It will be waiting.	Bekliyor olacak.
We shall be waiting.	Bekliyor olacağız.
You will be waiting.	Bekliyor olacaksınız.
They will be waiting.	Bekliyor olacaklar.

negative - olumsuz

I shall not be waiting.	Bekliyor olmayacağım.
You will not be waiting.	Bekliyor olmayacaksın.
He will not be waiting.	Bekliyor olmayacak.
She will not be waiting.	Bekliyor olmayacak.
It will not be waiting.	Bekliyor olmayacak.
We shall not be waiting.	Bekliyor olmayacağız.
You will not be waiting.	Bekliyor olmayacaksınız.
They will not be waiting.	Bekliyor olmayacaklar.

interrogative - soru

Shall I be waiting?	Bekliyor olacak mıyım?
Will you be waiting?	Bekliyor olacak mısın?
Will he be waiting?	Bekliyor olacak mı?
Will she be waiting?	Bekliyor olacak mı?
Will it be waiting?	Bekliyor olacak mı?
Shall we be waiting?	Bekliyor olacak mıyız?
Will you be waiting?	Bekliyor olacak mısınız?
Will they be waiting?	Bekliyor olacaklar mı?

negative interrogative - olumsuz soru

Shall I not be waiting?	Bekliyor olmayacak mıyım?
Will you not be waiting?	Bekliyor olmayacak mısın?
Will he not be waiting?	Bekliyor olmayacak mı?
Will she not be waiting?	Bekliyor olmayacak mı?
Will it not be waiting?	Bekliyor olmayacak mı?
Shall we not be waiting?	Bekliyor olmayacak mıyız?
Will you not be waiting?	Bekliyor olmayacak mısınız?
Will they not be waiting?	Bekliyor olmayacaklar mı?

BE GOING TO FORM - (BE GOING TO) ŞEKLİ

Going to sözcükleri önüne özneye uygun **to be** fiili konulmak suretiyle gelecek zaman kipinin bir şekli meydana getirilir. Verdiği anlam **will (shall)** ile yapılan gelecek zamana benzerse de ondan farklıdır.

Bu yapıda **to be** fiili olarak, özne tekilse **is**, çoğulsa **are, I** ise **am** kullanılır.

> **I am going to** ....
> **He is going to** ....
> **She is going to** ....
> **You are going to** ....
> **We are going to** ....
> **They are going to** ....

Bilindiği gibi **to be** fiili öznelerle birleşerek bir kaynaşma yapılabilir.

I am	_____	**I'm**
he is	_____	**he's**
we are	_____	**we're**

Going to ile yapılan gelecek zaman ifadesinde bir niyet ve kararlılık anlamı vardır. Yapılacak eylem için önceden plan ve hazırlık yapıldığı, bu konuda kararlı olunduğu anlatılmış olur.

I'm going to climb the tree.	Ağaca tırmanacağım.
He's going to repair the pressure cooker.	Düdüklü tencereyi tamir edecek.
We're going to visit them next week.	Onları gelecek hafta ziyaret edeceğiz.
They're going to sell their flat.	Dairelerini satacaklar.

Bu cümlelerde sözü söyleyen, öznenin o eylemi yapmakta niyetli, kararlı ve hazırlıklı olduğunu anlatmış olmaktadır.

My mother is going to buy a refrigerator.	Annem bir buzdolabı alacak.
We're going to stay at this hotel.	Bu otelde kalacağız.
She is going to eat your meal.	Senin yemeğini yiyecek.
The old man is going to ask you some questions.	Yaşlı adam sana birkaç soru soracak
He is going to leave Turkey.	Türkiye'den ayrılacak.
Anita is going to write four letter today.	Anita bugün dört mektup yazacak.
The woman is going to wait for her friends there.	Kadın arkadaşlarını orada bekleyecek.
We're going to sing you a song.	Size bir şarkı söyleyeceğiz.
I'm going to drink a glass of whisky.	Bir bardak viski içeceğim.
The soldiers are going to build a new bridge.	Askerler yeni bir köprü inşa edecekler.
The students are going to work harder.	Öğrenciler daha çok çalışacaklar.
She is going to learn French.	Fransızca öğrenecek.
I'm going to give you a present.	Sana bir hediye vereceğim.

olumlu **be going to** cümlesi

özne	to be	going to	fiil	diğer sözcükler
We	are	going to	learn	English in one year.
They	are	going to	paint	the room next week.
He	is	going to	give	him some medicines.
I	am	going to	grow	tomatoes in my garden.
She	is	going to	choose	a velvet shirt.
We	are	going to	marry	in July.
His son	is	going to	buy	some cakes.

olumsuz

Be going to ile yapılmış gelecek zaman cümlelerini olumsuz hale sokmak için **to be** fiilinden sonra **not** getirilir. **Not** sözcüğü **to be** ile kaynaşır.

She is going to play the piano.	Piyano çalacak.
She isn't going to play the piano.	Piyano çalmayacak.
We aren't going to ask you boring questions.	Size sıkıcı sorular sormayacağız.
They aren't going to walk home in such bad weather.	Böyle kötü bir havada eve yürümeyecekler.
He isn't going to spend any money on clothes.	Giysiler için hiç para harcamayacak.
I'm not going to cut the grass.	Çimleri biçmeyeceğim.
Bernard isn't going to marry you.	Bernard seninle evlenmeyecek.
I'm not going to lend you any money.	Sana hiç ödünç para vermeyeceğim.
She isn't going to sew on my buttons.	Düğmelerimi dikmeyecek.
His friends aren't going to help him.	Arkadaşları ona yardım etmeyecekler.
It isn't going to rain. The sky is quite clear.	Yağmur yağmayacak. Gökyüzü çok açık.

olumsuz **be going to** cümlesi

özne	isn't aren't	going to	fiil	diğer sözcükler
He	isn't	going to	spend	any money on toys.
We	aren't	going to	stay	at this dirty motel.
I'm	not	going to	tell	you their names.
It	isn't	going to	snow	tomorrow.
Tom	isn't	going to	lend	you his car.
The people	aren't	going to	leave	without paying.
Your uncle	isn't	going to	sell	the old car.

Be going to cümlesini soru haline sokmak için to be fiili cümlenin başına alınır.

He is going to read a story book.	Bir hikâye kitabı okuyacak.
Is he going to read a story book?	Bir hikâye kitabı mı okuyacak?
Are they going to leave us in this place?	Bizi burada mı bırakacaklar?
Is she going to sell her old clothes?	Eski giysilerini satacak mı?
Are we going to help them?	Onlara yardım edecek miyiz?
Are the girls going to sing us songs?	Kızlar bize şarkılar söyleyecekler mi?
Is the teacher going to explain the subject again?	Öğretmen konuyu tekrar açıklayacak mı?
Is she going to wash the shirts?	O gömlekleri yıkayacak mı?
Are the farmers going to sell their fields?	Çiftçiler tarlalarını satacaklar mı?
Am I going to learn everything?	Her şeyi öğrenecek miyim?
Is the patient going to die?	Hasta ölecek mi?
Is it going to rain? I see black clouds.	Yağmur yağacak mı? Kara bulutlar görüyorum.

soru halinde be going to cümlesi

to be	özne	going to	fiil	diğer sözcükler
Is	she	going to	change	her dress?
Are	they	going to	grow	potatoes in their fields?
Are	the men	going to	pull	the car to the roadside?
Is	Andrew	going to	buy	a new suit for his son?
Are	the boys	going to	play	in the school garden?
Is	he	going to	open	his shop on Saturdays?
Is	Betty	going to	marry	John in the spring?

Be going to cümlesini olumsuz soru haline sokmak için soru halinde bulunan cümlede **going to** önüne **not** getirilir. Ancak bu **not** sözcüğü cümlenin başındaki **to be** fiili ile kaynaşarak cümle başına gelebilir.

Is he going to buy a hat?	Bir şapka alacak mı?
Isn't he going to buy a hat?	Bir şapka almayacak mı?

Sadece **I** öznesi ile durum değişik olur. Burada **am** ile **not** kaynaşmaz.

Am I going to eat all these?	Bütün bunları yiyecek miyim?
Am I not going to eat all these?	Bütün bunları yemeyecek miyim?

Isn't he going to learn these words?	Bu sözcükleri öğrenmeyecek mi?
Isn't she going to change the plates?	Tabakları değiştirmeyecek mi?
Aren't they going to pay their debt?	Borçlarını ödemeyecekler mi?
Aren't the mechanics going to repair the machine now?	Teknisyenler makinayı şimdi tamir etmeyecekler mi?
Isn't the girl going to clean our table?	Kız bizim masamızı temizlemeyecek mi?
Aren't these men going to help us?	Bu adamlar bize yardım etmeyecekler mi?

olumsuz soru halinde **be going to** cümlesi

isn't aren't	özne	going to	fiil	diğer sözcükler
Isn't	Dora	going to	keep	her promise?
Isn't	he	going to	clean	his shoes?
Aren't	they	going to	read	these best-sellers?
Isn't	she	going to	eat	an apple after meals?
Aren't	the drivers	going to	rest	in our restaurants?
Aren't	you	going to	pay	the bill now?
Isn't	Allan	going to	do	any business with us?

BE GOING TO ŞEKLİNİN KULLANILDIĞI YERLER

1. Gelecekte yapmak için niyet edilmiş, kararlaştırılmış eylemleri anlatmak için kullanılır.

I'm going to sell these old chairs.	Bu eski sandalyeleri satacağım.
She is going to visit her uncle.	Amcasını ziyaret edecek.
We're going to write to them soon.	Onlara yakında yazacağız.
They're going to put the washing machine in the kitchen.	Çamaşır makinasını mutfağa koyacalar.
He's going to be a doctor.	Doktor olacak.

2. Pek yakın bir gelecekte yapılacak eylemleri anlatmak için kullanılır.

I'm going to see them at school this afternoon.	Bu öğleden sonra onları okulda göreceğim.
She's going to read the children a story.	Çocuklara bir hikâye okuyacak.
We're going to give you a present now.	Size şimdi bir hediye vereceğiz.
He's going to help me in the garden.	Bana bahçede yardım edecek.

3. Bir olayın mutlaka olacağını düşündüren belirtiler varsa bu da **be going to** ile anlatılır.

It is going to rain. The weather has changed.	Yağmur yağacak. Hava değişti.
He is going to be sick. He has worked for hours in the rain.	Hastalanacak. Yağmurda saatlerce çalıştı.
She is going to die because she can't get enough food.	Ölecek çünkü yeterli gıda alamıyor.
Look out! The man is going to hit you.	Dikkat! Adam sana çarpacak.

4. **Come** ve **go** fiilleri ile **be going to** şekli pek kullanılmaz. **I'm going to go** denmez. Bunun yerine sadece **I'm going** denir.

be going to form - be going to şekli çekim tablosu

affirmative - olumlu

I am going to break.	Kıracağım.
You are going to break.	Kıracaksın.
He is going to break.	Kıracak.
She is going to break.	Kıracak.
It is going to break.	Kıracak.
We are going to break.	Kıracağız.
You are going to break.	Kıracaksınız.
They are going to break.	Kıracaklar.

negative - olumsuz

I am not going to break.	Kırmayacağım.
You are not going to break.	Kırmayacaksın.
He is not going to break.	Kırmayacak.
She is not going to break.	Kırmayacak.
It is not going to break.	Kırmayacak.
We are not going to break.	Kırmayacağız.
You are not going to break.	Kırmayacaksınız.
They are not going to break.	Kırmayacaklar.

interrogative - soru

Am I going to break?	Kıracak mıyım?
Are you going to break?	Kıracak mısın?
Is he going to break?	Kıracak mı?
Is she going to break?	Kıracak mı?
Is it going to break?	Kıracak mı?
Are we going to break?	Kıracak mıyız?
Are you going to break?	Kıracak mısınız?
Are they going to break?	Kıracaklar mı?

negative interrogative - olumsuz soru

Am I not going to break?	Kırmayacak mıyım?
Are you not going to break?	Kırmayacak mısın?
Is he not going to break?	Kırmayacak mı?
Is she not going to break?	Kırmayacak mı?
Is it not going to break?	Kırmayacak mı?
Are we not going to break?	Kırmayacak mıyız?
Are you not going to break?	Kırmayacak mısınız?
Are they not going to break?	Kırmayacaklar mı?

OTHER FORMS FOR THE FUTURE -
DİĞER GELECEK ZAMAN ŞEKİLLERİ

Gelecek zaman eylemlerini anlatan **(the future tense** - gelecek zaman), **(the future continuous tense** - sürekli gelecek zaman) ve **(be going to form - be going to** şekli) dışında, bildiğimiz şu şekil ve zamanlar da gelecek zaman anlamı vermekte kullanılırlar.

1. **the simple present tense** - geniş zaman
2. **the present continuous tense** şimdiki zaman
3. **be to**

Bunları sırayla ele alalım :

GELECEK ZAMAN İÇİN (THE SIMPLE PRESENT TENSE - GENİŞ ZAMAN) KULLANILMASI

Çoğu kez seyahat planları, gelecek için yapılmış hareket düzenlemeleri geniş zamanla ifade edilir. Bunu daha çok seyahat acenteleri seyahat programlarını verirken kullanırlar.

The group leaves at nine o'clock. Grup saat dokuzda hareket edecek.
We leave Paris at seven and Paris'ten yedide ayrılacağız ve
arrive in Köln at four in the Köln'e akşam üstü dörtte varacağız.
afternoon.

GELECEK ZAMAN İÇİN (THE PRESENT CONTINUOUS TENSE - ŞİMDİKİ ZAMAN) KULLANILMASI

Gelecek zamanı belirten bir zaman sözcüğü ile birlikte kullanılan şimdiki zaman cümleleri gelecek zaman anlamı verir. Bu durumda kesin bir karar belirtilmiş olur.

She is eating the dessert after Tatlıyı akşam yemeğinden sonra
dinner. yiyecek.

We are selling our car next week.	Arabamızı gelecek hafta satacağız.
They are changing the sheets tonight.	Çarşafları bu gece değiştirecekler.
I'm getting up at five o'clock.	Saat beşte kalkacağım.
I'm finishing the book soon.	Kitabı yakında bitireceğim.

Hareket bildiren **go, come, leave, start, drive, travel** gibi fiillerle çok sık kullanılır. Bunlarla kullanıldığında kesin bir ayarlama olmaksızın verilmiş bir kararı gösterir.

She is going to the mountain tomorrow.	Yarın dağa gidiyor.
We are leaving the village at six o'clock.	Köyden saat altıda ayrılacağız.
They are arriving before lunch.	Öğle yemeğinden önce gelecekler.
He is starting early in the morning.	Sabahleyin erken hareket edecek.
The tourists are coming at dinner time.	Turistler akşam yemeği vakti gelecekler.
I'm flying to London tomorrow.	Yarın Londra'ya uçacağım.

Bu tür gelecek zaman anlatımı **ing** almayan fiillerle yapılmaz. Bu fiillerle **will (shall)** kullanılır.

I'll know everything tomorrow.	Her şeyi yarın öğreneceğim.
We'll think about it later.	Bunu daha sonra düşüneceğiz.

GELECEK ZAMAN İÇİN **BE TO** KULLANILMASI

Gelecek zaman için kullanılabilen **be to** yapısı, mecburiyet, emir, talimat veya bir plan gösterir.

We are to leave the country at once.	Ülkeyi derhal terkedeceğiz.
She is to obey the rules.	Kurallara uyacak.
You are to clean your tables.	Masalarınızı temizleyeceksiniz.

I'm to finish picking the flowers within two hours.	Çiçekleri toplamayı iki saat içinde bitireceğim.
He is to make a speech next week.	Gelecek hafta bir konuşma yapacak.
Mary is to finish school this year.	Mary okulu bu yıl bitirecek.
We are to meet at the bus stop.	Otobüs durağında buluşacağız.
You are to go to school.	Okula gideceksiniz.
The girls are to use the other room.	Kızlar diğer odayı kullanacaklar.

Be to yapısı içinde about kullanılırsa bir şeyin pek yakında olmak üzere bulunduğu belirtilmiş olur.

She is about to come here.	Buraya gelmek üzeredir.
We are about to arrive in the city.	Şehre varmak üzereyiz.
They are about to finish the work.	İşi bitirmek üzereler.
The bus is about to start.	Otobüs hareket etmek üzere.

SEQUENCE OF TENSES - ZAMANLARIN UYUMU

Bir cümlenin ana fiili ile o cümleye bağlı yan cümlelerdeki fiiller arasında zaman bakımından bir uyum olması gereklidir. Buna göre, ana fiil geniş zaman halindeyse yan cümlelerin fiilleri gelecek zaman, şimdiki bitmiş zaman, geniş zaman, şimdiki zaman olabilir.

´ana cümle (geniş zaman)	´yan cümle
We know	that they will come (gelecek zaman)
He realizes	that they have cheated him şimdiki bitmiş zaman)
They think	that they are always right (geniş zaman)
She finds out	that her friends are hiding a secret from her (şimdiki zaman)

Ana cümlenin fiili geçmiş zaman halindeyse yan cümleler, şart cümlesi **(should, would)**, geçmişte bitmiş zaman, geçmiş zaman, sürekli geçmiş zaman halinde olabilirler.

ana cümle (geçmiş zaman)	yan cümle
The woman knew	**that it would break** (şart cümlesi)
We felt	**that he had lied to us** (geçmişte bitmiş zaman)
She ran so fast	**that she caught the boy** (geçmiş zaman)
My son said	**that he was going to be a dentist** (sürekli geçmiş zaman)

Ana cümle fiili şimdiki bitmiş zaman halindeyse yan cümle geniş zaman halinde olur.

I have learnt all the poems	**that are in our book.** (geniş zaman)

Ana cümle fiili geçmişte bitmiş zaman halindeyse yan cümle geçmiş zaman halinde olur.

He had read everything	**that her husband wrote.** (geçmiş zaman)

Yukarıda ayrı bölümler halinde verdiğimiz cümleleri tam olarak ve Türkçe anlamlariyle birlikte aşağıda verelim:

We know that they will come late.	Geç geleceklerini biliyoruz.
He realizes that they have cheated him.	Onu aldattıklarını farkediyor.
They think that they are always right.	Daima haklı olduklarını zannederler.
She finds out that her friends are hiding a secret from her.	Arkadaşlarının ondan bir sır sakladıklarını keşfeder.
The woman knew that it would break.	Kadın onun kırılacağını biliyordu.

We felt that he had lied to us.	Bize yalan söylemiş olduğunu hissettik.
She ran so fast that she caught the boy.	O kadar hızlı koştu ki çocuğu yakaladı.
My son said that he was going to be a dentist.	Oğlum bir dişçi olacağını söyledi.
I have learnt all the poems that are in our book.	Kitabımızdaki bütün şiirleri öğrenmiş durumdayım.
She had read everything that her husband wrote.	Kocasının yazdığı her şeyi okumuştu.

MOOD - KİP

Bir fiilin çeşitli anlamları vermek için aldığı şekillere göre gruplanması ile üç fiil grubu meydana gelir. Kip adı verilen bu gruplar,

INDICATIVE MOOD	BİLDİRME KİPİ
IMPERATIVE MOOD	EMİR KİPİ
SUBJUNCTIVE MOOD	DİLEK KİPİ

adını alırlar. Bunlardan "bildirme kipi" grubunda olanlar zamanlar konusunda şimdiye kadar gördüğümüz bütün fiillerdir. Bu kipte bulunan fiiller her türlü eylemi bildirir, soru ve olumsuz hallerde olurlar. Burada emir ve dilek kiplerini ele alacağız.

IMPERATIVE MOOD - EMİR KİPİ

İngilizcede mastar halinde bulunan fiilden mastar eki **to** kaldırılırsa geriye kalan fiil kökü bir emir sözcüğüdür.

to stop	durmak
stop	dur
to write	yazmak
write	yaz

412

drink	iç
wait	bekle
open	aç

Emir sözcüğünü olumsuz yapmak için önüne **do not (don't)** yardımcı fiili getirilir.

eat	ye
don't eat	yeme
come	gel
don't come	gelme

Write your name.	Adını yaz.
Don't write your name.	Adını yazma.

Repeat these words.	Bu sözcükleri tekrarla.
Don't repeat these words.	Bu sözcükleri tekrarlama.

Go to the window.	Pencereye git.
Don't go to the window.	Pencereye gitme.

Emir cümlelerinde kendisine emir verilen kişi de belirtilmek istenirse bu, emrin sonuna konulur.

Drink your milk, Betty.	Betty, sütünü iç.
Don't make a noise, girls.	Kızlar, gürültü etmeyin.

Kendisine emir verilen kişi "**you**-sen" ise bunun cümleye konulması doğru olmaz. Kaba bir hitapta bulunulmuş olur.

Bir emrin sözü söyleyen kişi tarafından yine kendilerine söylenmesi, yani kişinin kendilerine emir vermesi ise **let's** sözcüğü kullanılarak yapılır.

Let's go.	Gidelim.
Let's find another hotel.	Başka bir otel bulalım.
Let's take a taxi.	Bir taksiye binelim.

Emrin **let** kullanılarak diğer şahıslara yapılması da şöyle olur:

Let him sweep the floor.	Yeri süpürsün.
Let her go to the kitchen.	Mutfağa gitsin.
Let them write the exercise twice.	Alıştırmayı iki kere yazsınlar.

Fakat bu şekil şimdi İngilizcede pek kullanılmamakta onun yerini **had better** sözcükleri almaktadır.

They had better write the exercise twice.	Alıştırmayı iki kere yazsınlar.
She had better go to the kitchen.	Mutfağa gitsin.

THB SUBJUNCTIVE MOOD - DİLEK KİPİ

Yapılmasını, olmasını arzu ettiğimiz eylemleri göstermek için fiillerin dilek kipi hallerini kullanırız. Türkçede "olsun, olayım, olsunlar, yapsın, versin, görsün" şeklinde söylenen dilek kipi İngilizcede kök halindeki fiille söylenir.

Fiil zamanı olarak dilek kipleri, 1. geniş zaman dilek kipi 2. geçmiş zaman dilek kipi 3. geçmişte bitmiş zaman dilek kipi olarak üç şekilde bulunurlar.

1. geniş zaman halinde dilek kipi

En çok herkesçe bilinen birkaç deyimde görülür. Bu zamanda bulunan dilek kipinin en büyük özelliği fiilin üçüncü tekil şahısla kullanıldığında **(s)** eki almamasıdır.

Heaven help them.	Tanrı onlara yardım etsin.
God forgive you.	Tanrı seni affetsin.
Long live the Queen.	Kraliçe çok yaşasın.

Bu örneklerde özneler tekil olduğu halde fiile **(s)** ilave edilmediğini görüyoruz.

2. geçmiş zaman halinde dilek kipi

Bu zaman içinde bulunan dilek kipi **if, if only, as if, wish** gibi sözcükleri izleyerek meydana getirilir.

I wish I had seen them earlier.	Keşke onları daha önce görseydim. (Görmediğim için üzgünüm.)
I wish I had some money.	Keşke biraz param olsaydı.
I wish they understood us.	Keşke bizi anlasalardı.
I wish she visited me often.	Keşke beni sık sık ziyaret etseydi.
He wished he knew that game.	Keşke o oyunu bilseydi. (O oyunu bilmeyi isterdi.)
I wish I were taller.	Keşke daha uzun boylu olsaydım.
I wish I were a doctor.	Keşke bir doktor olsaydım.
If only we knew their address.	Keşke onların adresini bilseydik.
If only you came earlier.	Keşke daha erken gelseydiniz.
If you were older you could understand me.	Daha büyük olsaydın beni anlayabilirdin.
If he were here, he would repair the lamp.	Burada olsaydı lambayı tamir ederdi.
If she were a teacher, she would teach better than you.	Bir öğretmen olsaydı senden daha iyi öğretirdi.

If ile kullanılan dilek kipi ihtimal olmayışını belirtir.

If we drove for ten hours.	On saat araba kullansaydık.
If he had a small new car.	Küçük yeni bir arabası olsaydı.
If she brought her accordion.	Akordeonunu getirseydi.
He talked as if he knew everything.	Her şeyi biliyormuş gibi konuştu.
She asked me questions as if she were my teacher.	Benim öğretmenimmiş gibi bana sorular sordu.

It is time sözcükleri ile geçmiş zaman dilek kipi kullanılabilir.

It is time we went to bed.	Yatma vaktimiz geldi.
It is time I turned off the radio.	Radyoyu kapatma vakti geldi.
It is time he closed the doors.	Kapıları kapatması vakti geldi.

Would rather da geçmiş zaman dilek kipiyle kullanılabilir.

I would rather she stayed with us.	Bizimle kalmasını tercih ederim.
I would rather they cleaned the windows first.	Önce pencereleri temizlemelerini tercih ederim.
I would rather he studied his lessons.	Derslerine çalışmasını tercih ederim.
I would rather Mary came alone.	Mary'nin yalnız gelmesini tercih ederim.

3. geçmişte bitmiş zaman dilek kipi

Gördüğümüz geçmiş zaman halindeki dilek kipi de genel olarak şimdiki zamanla ilgilidir. Geçmiş zamana ait dilek için geçmişte bitmiş zaman dilek kipi kullanılır.

It is a heavy box. I wish Tom were here.	O ağır bir kutu. Keşke Tom burada olsaydı.
It was a heavy box. I wished Tom had been here.	O ağır bir kutuydu. Tom'un burada olmuş olmasını isterdim. (arzu ettim - diledim)

She wished she had brought her shawl.	Şalını getirmiş olmasını istedi.
I wished they had changed their plan.	Planlarını değiştirmiş olmalarını dim.
He wished he had taken an earlier bus.	Daha erken bir otobüse binmiş yı istedi.

VOICE - ÇATI

Bir cümlede öznenin nesne üzerinde etki mi yapıyor, yoksa kendisi mi etkileniyor olduğunu gösteren fiil şekline **voice** - çatı denir.

Şayet özne etki yapar durumdaysa fiil (**active voice** - etken çatı) halinde, özne üzerinde etki yapıldığı anlatılıyorsa fiil (**passive voice** - edilgen çatı) halindedir.

Şimdiye kadar gördüğümüz bütün cümlelerde fiiller (**active voice** - etken çatı) halindeydiler. Burada (**passive voice** - edilgen çatı)yı ele alarak inceleyelim.

PASSIVE VOICE - EDİLGEN ÇATI

Bir fiilin edilgen çatı, hali esas olarak cümleye **to be** fiilini sokmak ve ana fiilin (**past participle** - geçmiş zaman ortacı) yani 3. şeklini bunun yanında kullanılarak meydana getirilir.

Edilgen çatıda kullanılacak fiilin 3. şeklini birkaç örnekle hatırlatalım:

fiil	edilgen çatıda kullanılacak geçmiş zaman ortacı (3. şekli)
give	given
break	broken
clean	cleaned
sweep	swept
tell	told
speak	spoken
use	used

Edilgen çatının yapılışında kullanılacak **to be** fiili tekil, çoğul olma durumuna ve fiilin zamanına göre seçilir. Bilindiği gibi **to be** fiilinin çeşitli biçimleri şunlardır:

be

am, is, are

was, were

been, being

Aşağıda çeştli zamanlarda bulunan cümlelerde önce etken sonra bu cümlenin edilgen şeklini göreceğiz. Genel bir fikir edinmek için verdiğimiz miz bu örneklerden sonra edilgen çatının kullanılış amacını açıklayacak ve çeşitli zamanlarda **to be** fiilinin edilgen çatı içinde hangi şekliyle yer aldığını bir liste halinde verdikten sonra daha fazla örnekler üzerinde duracağız.

active voice - etken çatı	**passive voice** - edilgen çatı
They sweep the streets every morning. Sokakları her sabah süpürürler.	**The streets are swept every morning.** Sokaklar her sabah süpürülür.
You are washing the plates. Tabakları yıkıyorsun.	**The plates are being washed.** Tabaklar yıkanıyor.
They stole the diamond. Elması çaldılar.	**The diamond was stolen.** Elmas çalındı.
People were picking the flowers. İnsanlar çiçekleri topluyorlardı.	**The flowers were being picked.** Çiçekler toplanıyordu.
We have kept the bread in the bread bin. Ekmeği ekmeklikte muhafaza ettik.	**The bread has been kept in the bread bin.** Ekmek, ekmeklikte muhafaza edildi.
She had cooked the pie in the oven. Böreği fırında pişirmişti.	**The pie had been cooked in the oven.** Börek fırında pişirilmişti.
We'll clean the table. Masayı temizleyeceğiz.	**The table will be cleaned.** Masa temizlenecek.
They would change the plates. Tabakları değiştireceklerdi.	**The plates would be changed.** Tabaklar değiştirilecekti.
She would have opened the door. Kapıyı açmış olacaktı.	**The door would have been opened.** Kapı açılmış olacaktı.

t⁄ see	to be seen
görmek	görülmek
to have told	to have been told
söylemiş olmak	söylenmiş olmak
writing	being written
yazma	yazılmakta olma

Çeşitli zamanlarda etken çatıdan edilgen çatıya geçişte ne gibi değişmeler yapıldığını yukarıda gördük. Örneklerde de görüldüğü gibi edilgen çatıda etken çatıdaki özneler kullanılmamıştır. Bu konuya dikkat edilmelidir. İngilizcede edilgen çatı, bir eylemi yapan kişi veya kişiler önemli olmayıp yapılan fiil ve bunun sonucu önemli olduğu zaman kullanılır. Yani bir işi yapan değil, yapılan iş önemli olduğu zaman edilgen çatı kullanılmalıdır.

They sweep the streets every morning.	Sokakları her sabah süpürürler.

cümlesinde önemli olan sokakların her sabah süpürülme işidir. Bu işi yapan "onlar - **they**" öznesi önemli değildir. Bu bakımdan,

The streets are swept every morning.	Sokaklar her sabah süpürülür.

edilgen çatısı çok daha uygun bir ifadedir.

Bir etken çatı cümlesi özneyi muhafaza etmek şartıyla da edilgen çatı haline sokulabilir.

They paint the walls.	Duvarları boyarlar.
The walls are painted by them.	Duvarlar onlar tarafından boyanır.

İkinci cümlede **by** sözcüğü ile belirtilen öznenin mevcudiyeti cümleyi iyi ve normal bir İngilizce olmaktan çıkarmaktadır. Etken çatı halinde bulunan bir cümle edilgen çatı haline bu şekilde getirilmemelidir. **By** ile öznenin edilgen çatıda gösterilmesi sadece pek özel durumlar için uygun olur. Örneğin, o işi yapanı da belirtmek çok önemli olduğu zaman.

This painting was made by Rembrand.	Bu tablo Rembrand tarafından yapıl-mıştır.	
These books were written by Hemingway.	Bu kitaplar Hemingway tarafından yazılmıştır.	

Fiillerin çeşitli zamanlarda etken ve edilgen şekillerini bir liste halinde görelim:

fiil zamanı	etken çatı	edilgen çatı
geniş zaman	breaks	is broken
şimdiki zaman	is breaking	is being broken
geçmiş zaman	broke	was broken
sürekli geçmiş zaman	was breaking	was being broken
şimdiki bitmiş zaman	was broken	has been broken
geçmişte bitmiş zaman	had broken	had been broken
gelecek zaman	will break	will be broken
şart	would break	would be broken
mastar	to break	to be broken
mişli mastar	to have broken	to have been broken
şimdiki zaman ortacı	breaking	being broken
mişli ortaç	having broken	having been broken

Aşağıdaki örnek cümleler listedeki zaman sırasına göre verilmiştir.

The cake is cooked in the oven.	Pasta fırında pişirilir.
She is always admired.	O daima takdir edilir.
English is spoken in all the shops.	İngilizce bütün dükkânlarda konu-şulur.
The books are sold at a reduced price.	Kitaplar indirimli fiyatla satılır.
The carpets are being cleaned now.	Halılar şimdi temizleniyor.

The list is being prepared.	Liste hazırlanıyor.
Our house is being whitewashed.	Evimiz badana ediliyor.
The windows are being cleaned.	Pencereler temizleniyor.
His toys were broken in the garden.	Oyuncakları bahçede kırıldı.
The letters were written twenty years ago.	Mektuplar yirmi yıl önce yazıldı.
The man was killed in an accident.	Adam bir kazada öldü.
The cars were taken to the police station.	Arabalar karakola götürüldü.
The old rulers were being thrown away.	Eski cetveller atılıyordu.
Our radio was being tested.	Radyomuz deneniyordu.
The enemy barracks were being destroyed.	Düşman kışlaları tahrip ediliyordu.
The walls were being painted.	Duvarlar boyanıyordu.
The plates have been washed.	Tabaklar yıkandı.
Your son's toy has been repaired.	Oğlunun oyuncağı tamir edildi.
The bus has been stopped.	Otobüs durduruldu.
The bank has been robbed.	Banka soyuldu.
The tyres had been changed.	Lastikler değiştirilmişti.
The sick horses had been shot.	Hasta atlar vurulmuştu.
They had been given some valuable presents.	Onlara birkaç değerli hediye verilmişti.
The money had been shared among them.	Para aralarında paylaşılmıştı.
The news will be heard soon.	Haber yakında duyulacak.
This poem will be remembered for years.	Bu şiir yıllarca hatırlanacak.
Her name will be written in the list.	Onun adı listeye yazılacak.
The book will be finished next month.	Kitap gelecek ay bitirilecek.

His neck would be broken.   Boynu kırılacaktı.
The money would be stolen.   Para çalınacaktı.
Our effort would be in vain.   Gayretimiz boşuna olacaktı.
The prisoner would be caught.   Tutuklu yakalanacaktı.

Aşağıda aynı fiilin bütün zamanlarda hem etken hem de edilgen olarak kullanılışını veriyoruz.

etken çatı	edilgen çatı
They clean the tables. Masaları temizlerler.	**The tables are cleaned.** Masalar temizlenir.
They are cleaning the tables. Masaları temizliyorlar.	**The tables are being cleaned.** Masalar temizleniyor.
They cleaned the tables. Masaları temizlediler.	**The tables were cleaned.** Masalar temizlendi.
They were cleaning the tables. Masaları temizliyorlardı.	**The tables were being cleaned.** Masalar temizleniyordu.
They have cleaned the tables. Masaları temizlediler. (temiz durumda)	**The tables have been cleaned.** Masalar temizlendi. (temizlenmiş durumda)
They had cleaned the tables. Masaları temizlemişlerdi.	**The tables had been cleaned.** Masalar temizlenmişti.
They will clean the tables. Masaları temizleyecekler.	**The tables will be cleaned.** Masalar temizlenecek.
They would clean the tables. Masaları temizleyeceklerdi.	**The tables would be cleaned.** Masalar temizlenecekti.

Yukarıdaki gibi bir örneği de Türkçe karşılıklarını vermeden görelim:

They write the letters.	**The letters are written.**
They are writing the letters.	**The letters are being written.**

They wrote the letters.	The letters were written.
They were writing the letters.	The letters were being written.
They have written the letters.	The letters have been written.
They had written the letters.	The letters had been written.
They will write the letters.	The letters will be written.
They would write the letters.	The letters would be written.

Must, should, ought to gibi yardımcı fiillerin bulunduğu cümleler yine **be** ve fiilin 3. şekli ile edilgen çatı haline getirilirler.

They must count the forks.	Çatalları saymalılar.
The forks must be counted.	Çatallar sayılmalı.

We must finish the work soon.	İşi hemen bitirmeliyiz.
The work must be finished soon.	İş hemen bitirilmeli.

They should have opened the window.	Pencereyi açmalıydılar.
The window should have been opened.	Pencere açılmalıydı.

We ought to warn him.	Onu ikaz etmemiz gerekir.
He ought to be warned.	Onun ikaz edilmesi gerekir.

They ought to change the plan.	Planı değiştirmeleri gerekir.
The plan ought to be changed.	Planın değiştirilmesi gerekir.

iki nesneli cümlelerin edilgen çatı yapılması

İçinde iki nesne olan bir cümlenin iki şekilde edilgen çatı hali yapılabilir. Bu nesnelerden her biri ayrı ayrı cümle başına getirilerek iki tür cümle elde edilir.

They gave the boy an apple.	Çocuğa bir elma verdiler.

cümlesinde **the boy** ve **an apple** nesneleri iki ayrı şekilde kullanılabilir.

The boy was given an apple.	Çocuğa bir elma verildi.
An apple was given to the boy.	Bir elma çocuğa verildi.

Böyle bir durumda daha uygun olan şekil şahıs gösteren sözcüğün edilgen çatıda özne olarak kullanılmasıdır. Yani birinci şekil **(The boy was given an apple.)** İngilizcede daha olağandır.

edilgen çatıda edatlar

Fiilden sonra bir edatı izleyen nesnelerin bulunduğu etken çatı, edilgen çatı haline sokulduğunda edat bu yapı içinde de yerini korur.

They must look after the old people well.	Yaşlı insanlara iyi bakmalılar.
The old people must be well looked after.	Yaşlı insanlara iyi bakılmalı.
They laughed at the girl.	Kıza güldüler.
The girl was laughed at.	Kıza gülündü.
They will explain to him.	Ona açıklayacaklar.
He will be explained to.	Ona açıklanacak.
They are looking for a new house.	Yeni bir ev arıyorlar.
A new house is being looked for.	Yeni bir ev aranıyor.
We'll write to Gloria.	Gloria'ya yazacağız.
Gloria will be written to.	Gloria'ya yazılacak.
They pointed to the two famous statues.	İki ünlü heykeli işaret ettiler.
Two famous statues were pointed at.	İki ünlü heykel işaret edildi.

edilgen çatıda hal zarflarının yeri

Hal zarfları edilgen çatıda ana fiilin önünde yer alır.

He was well served at the cafe.	Kafe'de ona iyi servis yapıldı.

424

The office was neatly cleaned.	Büro düzenli bir şekilde temizlendi.
The cake is being slowly cooked.	Pasta yavaş yavaş pişiriliyor.
She will be properly trained.	Uygun bir şekilde eğitilecek.

(suppose) ile edilgen çatı

Normal anlamı "tahmin etmek, zannetmek, farzetmek" olan **suppose** fiili edilgen çatıda değişik şekilde kullanılır. Bu durumda bir görev, gereklilik anlamı verir.

You are supposed to start work at nine o'clock.	İşe saat dokuzda başlamanız gerekir. (Başlaman görevindir. Başlaman bir gerekliliktir.)
He is supposed to finish the cooking before lunch.	Pişirmeyi öğle yemeğinden önce bitirmesi gerekir.
We are supposed to help the others.	Diğerlerine yardım etmemiz gerekir.
She is supposed to know how to look after children.	Çocuklara nasıl bakılacağını bilmesi gerekir.

Olumsuz halde, yani **not supposed** şeklinde kullanılınca yasak bildirir.

You're not supposed to touch the glasses.	Bardaklara dokunmamanız gerekir. (Dokunmanız yasak.)
They are not supposed to stay at the pub so late.	Birahanede bu kadar geç vakte kadar kalmamaları gerekir.
She is not supposed to be in our class.	Onun bizim sınıfımızda olmaması gerekir.

Suppose olumlu cümlede bir görev ve gereklilik anlamı dışında "tahmin" anlamı da verebilir.

She is supposed to be in London.	Londra'da olduğu sanılıyor. (veya Londra'da olması gerekir.)
Philip was supposed to come to the party.	Philip'in ziyafete geleceği sanılıyordu. (veya, Philip'in ziyafete gelmesi gerekirdi.)

CONDITIONAL SENTENCES - ŞART CÜMLELERİ

Bir şeyin olmasının diğer bir şeyin olmasına bağlı olduğunu bildiren, yani bir şart ileri süren sözlere **conditional sentences** - şart cümleleri denir. Şart cümleleri iki bölümlüdür: **if** cümleciği ve ana cümlecik. **If** cümleciğinde şart olarak belirtilen eylem, ana cümlecikte de bu şartın gerçekleşmesi halinde meydana gelecek durum anlatılır.

if they come	gelirlerse .....
if she reads	okursa .....
if Mary accepts	Mary kabul ederse .....
if you call	çağırırsan .....

If they come, they will talk to you.	Gelirlerse sizinle konuşacaklar. (konuşurlar)
If she reads that letter, she will learn everything.	O mektubu okursa her şeyi öğrenecek. (öğrenir)
I'll give her a present if Mary accepts it.	Mary onu kabul ederse ona bir hediye vereceğim. (veririm)
He will come if you call him.	Ona telefon edersen gelecek. (gelir)

Şart cümlelerinde gelecek zaman halinde bulunan bölüm Türkçeye duruma göre geniş zaman veya gelecek zaman halinde çevrilir.

If they want, I'll put the chair here.	İsterlerse sandalyeyi buraya koyacağım. (veya, koyarım)

Yukarıda kısaca değindiğimiz ve biri **if** ile başlayan iki bölümden oluştuğunu gördüğümüz şart cümleleri üç tiptir. Her bir tipin içinde farklı fiil zamanları yer alır. Bunları sırayla görelim:

birinci tip şart cümleleri

Bu tip şart cümlelerinde bir olasılık anlatılır. Bir şartın yerine gelmesi halinde diğer bir eylemin yapılacağı belirtilir.

Bu tip cümlenin yapılış şekli konunun başında kısaca gördüğümüz, **if** ile başlayan geniş zaman cümleciği ile, gelecek zaman halinde ana cümlecik birleşimidir. Bu yapıda iki cümlecikten hangisinin önce söyleneceği önemli değildir. Sadece, **if**'li kısım önce yazılırsa bitimine virgül konulur.

If he comes late, they'll watch television at home.	Geç gelirse evde televizyon seyredecekler.
They'll watch television at home if he comes late.	Geç gelirse evde televizyon seyredecekler.
If you work here, you'll catch cold.	Burada çalışırsan üşüteceksin.
If I come, I'll take you to the cinema.	Gelirsem seni sinemaya götüreceğim.
If Doris gets up early, she'll take a walk.	Doris erken kalkarsa bir yürüyüş pacak.
If he is a good boy, he'll help his father.	İyi bir çocuksa babasına yardım edecek.
They'll play in the house if it rains.	Yağmur yağarsa evde oynayacaklar.
She'll go for a swim if it doesn't rain.	Yağmur yağmazsa yüzmeye gidecek.
My son will be ill if he works too much.	Çok fazla çalışırsa oğlum hasta olacak.
He'll pass his examination if he works hard.	Çok çalışırsa sınavını geçecek.
If you leave now, you'll catch the bus.	Şimdi hareket ederseniz otobüse yetişeceksiniz.

ana cümlecikte **can, may, must** kullanılması

Ana cümlede gelecek zaman yerine **can, may, must** ile fiiller kullanılabilir.

If you go now, you'll see the accident.	Şimdi gidersen kazayı göreceksin.
If you go now, you can see the accident.	Şimdi gidersen kazayı görebilirsin.
If you go now, you may see the accident.	Şimdi gidersen kazayı görebilirsin. (görmen ihtimali var)
If the weather changes, we can walk there.	Hava değişirse oraya yürüyebiliriz.
If she wants to be a doctor, she must work harder.	Bir doktor olmak isterse daha çok çalışmalı.
If they lose this card, they must get another one.	Bu kartı kaybederlerse başka bir tane almalılar.

ana cümlecikte geniş zaman halinde fiil kullanma

If they see you, they change their plan.	Sizi görürlerse planlarını değiştirirler.
If we get up late, they also get up late.	Biz geç kalkarsak onlar da geç kalkarlar.
They don't sell you anything if you don't pay your debt.	Borcunuzu ödemezseniz size hiçbir şey satmazlar.

if cümleciğinde şimdiki zaman, bitmiş şimdiki zaman

If you work hard, you'll get tired soon.	Çok çalışırsan hemen yorulacaksın.
If you are working, I'll bring you a cup of tea.	Çalışıyorsan sana bir fincan çay getireceğim.
If they are waiting for Helen, I'll send her down.	Helen'i bekliyorlarsa onu aşağı göndereceğim.
If she is trying to change the wheel, we'll help her.	Lastiği değiştirmeye çalışıyorsa ona yardım edeceğiz.
If you have cooked the meal, I'll set the table.	Yemeği pişirdiysen masayı hazırlayacağım.
If she has washed the dishes, we'll put them in the cupboard.	Bulaşığı yıkadıysa onları dolaba koyacağız.

Birinci tip şart cümlelerini gördükten sonra bunların iki bölümden oluşan yapısını bir daha ve şematik olarak tekrar gözden geçirmeniz için ayırımlı olarak veriyoruz.

if cümleciği	ana cümlecik
If you climb the tree, Ağaca tırmanırsan	**you'll see the nest.** yuvayı göreceksin. (görürsün)
If they run quickly, Hızlı koşarlarsa	**they'll catch the boy.** çocuğu yakalayacaklar. (yakalarlar)
If Dick comes with you, Dick seninle gelirse	**we'll play faotball.** futbol oynayacağız. (oynarız)
If she wants, İsterse	**she can take my umbrella.** şemsiyemi alabilir.
If you come late, Geç gelirsen	**you must wait here.** burada beklemelisin.
If it rains, Yağmur yağarsa	**I take a bus.** otobüse binerim.
If he is washing his socks, Çoraplarını yıkıyorsa	**he'll need hot water.** sıcak suya ihtiyacı olacak.
If you have finished your work, İşini bitirdiysen	**we'll go shopping.** alışverişe gideceğiz.

ikinci tip şart cümleleri

Bu tip şart cümlelerinde **if**'li cümlecik geçmiş zaman halinde, ana cümlecikteki fiil geçmiş şart yapısında, yani **would** ile kullanılmış durumdadır.

Bu tip şart cümleleri gerçekleşmesi mümkün görülmeyen, sadece olması bir an için hayal edilen bir durumu gösterirler. Bu tipte fiil zamanı geçmiş zaman olduğu halde geçmişle ilgili değildir. Şimdiki durumu belirtir.

429

If I saw them, I would help them.	Onları görsem yardım ederdim.
If she had a pencil, she would give it to you.	Bir kalemi olsa onu sana verir.
If they gave me some money, I would share it with you.	Bana biraz para verseler seninle paylaşırım.
He would tell you if he knew the answer.	Cevabı bilse sana söyler.
If I were you, I would buy that car.	Senin yerinde olsam o arabayı alırım.
If he were rich, he would support us.	Zengin olsa bizi destekler.
We would learn English easily if we went to England.	İngiltere'ye gitsek İngilizceyi kolayca öğreniriz.
She would buy a bicycle if she earned enough money.	Yeterli para kazansa bir bisiklet alır.

would yerine **might, could**

Bu tip cümlelerde **would** yerine **might, could** kullanılarak biraz değişik anlamlar elde edilir.

If he knew the answer, he would write it.	Cevabı bilse yazar.
If he knew the answer, he might write it.	Cevabı bilse yazabilir.
If he knew the answer, he could write it.	Cevabı bilse yazabilir.
If it rained, we would stay at home.	Yağmur yağarsa evde otururuz.
If it rained, we might stay at home.	Yağmur yağarsa evde oturabiliriz.
If it rained, we could stay at home.	Yağmur yağarsa evde oturabiliriz.

İkinci tip şart cümlelerinin yapısını da aşağıda bir daha ve ayrı şekilde görelim:

if cümleciği	ana cümlecik

If you climbed the tree,
Ağaca tırmanırsan

you would see the nest.
yuvayı görürsün.

If I were a bird,
Bir kuş olsam

I would fly to my country.
ülkeme uçarım.

If she were a good girl,
İyi bir kız olsa

she would help her mother.
annesine yardım eder.

If you invited him,
Onu davet edersen

he would come.
gelir.

If Mary waited outside,
Mary dışarıda beklerse

she would see the visitors.
ziyaretçileri görür.

If you wrote to me,
Bana yazarsan

I would answer you.
sana cevap veririm.

If we listened to the radio,
Radyoyu dinlersek

we could learn the news.
haberleri öğrenebiliriz.

If the bridge broke,
Köprü yıkılsa

many people might die.
birçok insan ölebilir.

üçüncü tip şart cümleleri

Bu tip şart cümlelerinde **if**'li kısım **past perfect** - geçmişte bitmiş zaman, ana cümlecik ise mişli şart yapısındadır.

If you had invited Gerald, he would have come.

Gerald'ı davet etmiş olsaydın, gelmiş olurdu. (Gerald'ı davet etseydin gelirdi.)

Bu tip cümlede eylemlerin gerçekleşmiş olması mümkün değildir. Bu sözlerle sadece onlar yapılmış olsaydı ne olurdu gibi bir tahmin veya hayal ifade edilmektedir. Yukarıdaki örnekte ne **Gerald** davet edilmiş, ne de o gelmiştir. Sadece böyle bir davet yapılmış olsa onun gelmiş olacağı düsünülmektedir.

If she had written the letter, I would have posted it.	Mektubu yazsaydı onu postalardım.
If you had started earlier, you would have arrived in Rome at four.	Daha erken hareket etseydiniz Roma'ya dörtte varırdınız.
If he had not caught the cup, it would have broken.	Fincanı yakalamasaydı o kırılırdı.
He would have died if the hunters had not found him.	Avcılar onu bulmasa ölürdü.
If we had read the letter, we would have learnt the truth.	Mektubu okusaydık gerçeği öğrenirdik.

would yerine **could, might**

If I had known, I would have gone.	Bilsem giderdim.
If she had known, she might have called you.	Bilse sana telefon ederdi.
If we had seen them, we could have talked to them.	Onları görsek onlarla konuşurduk.

Üçüncü tip şart cümlelerinin yapısını da aşağıdaki örneklerde bir daha görelim:

if cümleciği	**ana** cümlecik
If you had finished your work, İşini bitirmiş olsan	**we would have gone out.** dışarı çıkmış olurduk. (çıkardık)
If Mary had told me, Mary bana söyleseydi	**I would have come earlier.** daha erken gelirdim.
If he had sold his old car, Eski arabasını satsaydı	**he would have bought a new one.** yenisini alırdı.
If we had not come in time, Zamanında gelmeseydik	**the house would have caught fire.** ev tutuşmuş olurdu.

If the tourists had stayed at the new hotel, Turistler yeni otelde kalsaydı	they would have stayed longer. daha uzun kalırlardı.
If she had washed the dishes, Bulaşıkları yıkasaydı	she would have come with you. sizinle gelirdi.

if cümleciğinde **will - would** kullanılması

Genel olarak **if** cümlesinde **will, would** kullanılmaz. Fakat bazı hallerde cümleciğe ayrı bir anlam katarak kullanılırlar.

Kibar bir soru sormak için **will, would** sözcükleri **if** cümleciğinde yer alabilirler. **Would** ile yapılan şekil daha kibar bir talep gösterir.

If you will give me your pen, I'll write my name.	Lütfen bana kaleminizi verirseniz adımı yazacağım.
If you will wait a little, Mary will come at once.	Lütfen biraz beklerseniz Mary derhal gelecek.
If you would tell me your name, I'll write it in the list.	Lütfen bana adınızı söylerseniz onu listeye yazacağım.
If he will fill the form, we'll give him the necessary information.	Lütfen formu doldurursa ona gerekli bilgiyi vereceğiz.
If she would accept our offer, we'll be very glad.	Bizim teklifimizi lütfen kabul ederse çok memnun olacağız.
If you'll show me the way, I'll be most thankful.	Lütfen bana yolu gösterirseniz çok müteşekkir olacağım.
If you would take your bag, I'll set the table.	Lütfen çantanızı alırsanız masayı hazırlayacağım.

Bu cümlelerde **won't** kullanılırsa "kabul etmemek" anlamı verilmiş olur.

If he won't accept the offer, we'll find another buyer.	Teklifi kabul etmezse başka bir alıcı buluruz.
If they won't come with us, we'll go alone.	Bizimle gelmezlerse yalnız gideriz.

If'li cümlecikte **would like** kullanılabilir. Kibar bir soru seklidir.

If you would like another cake, I'll bring it at once.	Başka bir pasta isterseniz onu derhal getiririm.
If you would like to see them, I can take you there.	Onları görmek isterseniz sizi oraya götürebilirim.

If cümleciği, dilek kipinde olduğu gibi **were** ile kullanılır.

If I were a King, I would be very happy.	Bir kral olsam mutlu olurdum.
If Mary were here, she would sing for us.	Mary burada olsa bize şarkı · söyler.
If I were you, I would sell your car.	Yerinde olsam otomobilini satarım.
If I were you, I would arrange the furniture differently.	Yerinde olsam mobilyayı değişik biçimde yerleştiririm.
If she were given some money, she would buy new dresses.	Ona biraz para verilse yeni elbiseler alır.

if not yerine **unless**

Birçok durumda **unless** sözcüğü **if not** yerine kullanılabilir.

If you don't come, they'll leave early.	Siz gelmezseniz erken gidecekler.
Unless you come, they'll leave early.	Siz gelmezseniz erken gidecekler.
If she doesn't like it, I'll give her another one.	Onu sevmezse başka bir tane vereceğim.
Unless she likes it, I'll give her another one.	Onu sevmezse başka bir tane vereceğim.
Unless you change your mind, we'll stay at home.	Fikrini değiştirmezsen evde kalacağız.

if yerine **had** ve **were** kullanılması

Şart cümlelerinin üçüncü şeklinde gördüğümüz cümlelerde **had** sözcüğü if yerine geçebilir. Fakat bu çok kullanılan bir şekil değildir. Sadece kitaplarda rastlanabilir.

If they had sold their house, they would have gone to France.	Evlerini satsalardı Fransa'ya giderlerdi.
Had they sold their house, they would have gone to France.	Evlerini satsalardı Fransa'ya giderlerdi.
If she had learnt the truth, she would have told her friends.	Gerçeği öğrenseydi arkadaşlarına söylerdi.
Had she learnt the truth, she would have told her friends.	Gerçeği öğrenseydi arkadaşlarına söylerdi.
If I were a rich man, I would help you.	Zengin bir adam olsam sana yardım ederim.
Were I a rich man, I would help you.	Zengin bir adam olsam sana yardım ederim.
Were I in your place, I would wear a blue hat.	Yerinde olsam mavi bir şapka giyerim.

if only

Only sözcüğü şart cümlelerinde **if** yanında kullanılarak fiilin zamanına göre istek, ümit, esef, üzüntü ifade eder.

Geniş zaman halinde istek, ümit gösterir.

If only we learn these words quickly, we'll be very happy.	Bu sözcükleri çabucak öğreniversek çok mutlu olacağız. (umarız öğreniriz)
If only he studies his lessons, he'll be successful.	Derslerine çalışsa başarılı olur. (umarız başarılı olur)

Geçmiş zaman halinde üzüntü ifade eder

If only he didn't come so late.	O kadar geç gelmese. (geç gelmesi üzücü)
If only I knew the answer, I would explain it to you.	Cevabı bilsem açıklarım. (maalesef bilmiyorum)
If only I had known the answer, I would have explained it to you.	Cevabı bilsem sana açıklardım. (maalesef bilmiyordum)

THE INFINITIVE - MASTAR

Fiilin bir zaman belirtmeyen kök haline "**the infinitive** - mastar" denir. Mastar yalın halde veya önünde **to** ile birlikte bulunur. Türkçede mastar eki "-mek, -mak" mastar halinde bulunan fiilin yanında ona bitişik yazılır. Bunun İngilizce karşılığı olan **to** ise mastar halinde bulunan fiilin önünde yer alır.

go	git
to go	gitmek
to sell	satmak
to see	görmek

İngilizcede mastarlar belirli fiillerin arkasında ve çeşitli yapıların içinde bazan **to** eki almış olarak bazan **to** almaksızın değişik anlamlar vermek üzere kullanılırlar.

Önce, çoğu zaman kendilerini **to** almış mastarlar izleyen fiil gruplarını ele alarak inceleyelim.

Şu fiiller genellikle kendilerinden hemen sonra bir mastar alırlar:

plan "planlamak"
offer "teklif etmek"
manage "başarmak, idare etmek"
learn "öğrenmek"
hope "ummak"
hesitate "tereddüt etmek"
forget "unutmak"
seem "görünmek"
try "yapmaya çalışmak"
neglect "ihmal etmek"

fail "başaramamak"
agree "razı olmak"
appear "görünmek"
arrange "tertip etmek"
attempt "teşebbüs etmek"
promise "söz vermek"
refuse "reddetmek"
care "istekli olmak"
decide "karar vermek"

We plan to visit them tomorrow.   Onları yarın ziyaret etmeyi planlıyoruz.

They offered to take us to the lake.   Bizi göle götürmeyi teklif ettiler.

She managed to put the box on the shelf.	Kutuyu rafa koymayı başardı.
We learnt to play the piano.	Piyano çalmayı öğrendik.
I am learning to write with my left hand.	Sol elimle yazmayı öğreniyorum.
He hopes to finish school this year.	Bu yıl okulu bitirmeyi ümit ediyor.
The man hesitates to touch the dog.	Adam köpeğe dokunmaya tereddüt ediyor.
My son forgot to post the letter.	Oğlum mektubu postalamayı unuttu.
The girl failed to pass the test.	Kız testten geçmeyi başaramadı.
The farmer agrees to sell us some vegetables.	Çiftçi bize biraz sebze satmaya razı oluyor.
She appears to know everything about us.	Bizim hakkımızda her şeyi bilir görünüyor.
The teacher arranged to visit some museums.	Öğretmen birkaç müze ziyaret etmeyi düzenledi.
The driver attempted to push the car up the hill.	Şoför otomobili yokuş yukarı itmeye teşebbüs etti.
She promised to come early.	Erken gelmeye söz verdi.
We'll refuse to follow their plan.	Onların planını izlemeyi reddedeceğiz.
The woman seems to know nothing about cooking.	Kadın yemek pişirme hakkında hiçbir şey bilmez görünüyor.
She'll try to paint the walls.	Duvarları boyamaya çalışacak.
I decided to sell my car.	Arabamı satmaya karar verdim.
We don't care to play football now.	Şimdi futbol oynamak istemiyoruz.
You mustn't neglect to take your medicine regularly.	İlacını düzenli olarak almayı ihmal etmemelisiniz.

Bu grup ve bu gruba ilave edilebilecek fiillerden bazıları her zaman bir mastar tarafından izlenmezler. Bazan başka bir yapı içinde de kullanılabilirler. Örneğin, **that** ve **that .... should** ile yapılan yan cümleler de mastar yerine kullanılabilir.

She decides to come early.	Erken gelmeye karar verir.
She decides that she will come early.	Erken gelmeye karar verir.

I forgot to tell you the news.	Size haberi söylemeyi unuttum.
I forgot that I didn't tell you the news.	Size haberi söylemediğimi unuttum.
We agreed to go there.	Oraya gitmek için anlaştık.
We agreed that we should go there.	Oraya gitmek için anlaştık.
They demanded to know the truth.	Gerçeği bilmek istediler.
They demanded that they should know the truth.	Gerçeği bilmek istediler.

Bazı fiiller **how, which, what, when, where** gibi soru sözcüklerini izleyen bir isim ve onun ardından bir mastar alırlar. Bunların başlıcaları şunlardır:

understand "anlamak"	**discover** "keşfetmek"
think "düşünmek"	**forget** "unutmak"
show "göstermek"	**know** "bilmek"
ask "sormak"	**learn** "öğrenmek"
remember "hatırlamak"	**see** "görmek"
decide "karar vermek"	

We know where to find them.	Onların nerede bulunacağını biliyoruz.
They asked when to come.	Ne zaman gelineceğini sordular.
She knows how to make a cake.	Nasıl pasta yapılacağını bilir.
The man decided what to drink.	Adam ne içeceğine karar verdi.
Mary forgot what to say to her mother.	Mary annesine ne söyleyeceğini unuttu.
The tourists learnt how to say "good morning".	Turistler nasıl "günaydın" denileceğini öğrendiler.
My daughter asked how to answer the questions on the questionnaire.	Kızım anketteki sorulara nasıl cevap verileceğini sordu.
I remember how to play this game.	Bu oyunun nasıl oynanacağını hatırlıyorum.
I can't decide which to take first.	Hangisinin önce alınacağına karar veremiyorum.
We are thinking where to park the car.	Arabayı nerede park edeceğimizi düşünüyoruz.

Show me how to open the box, please.	Lütfen bana kutunun nasıl açılacağını göster.
She discovered where to find cheap dresses.	Ucuz giysilerin nerede bulunacağını keşfetti.
I know what to say when I see them again.	Onları tekrar gördüğümde ne söyleyeceğimi biliyorum.

Mastar veya bir nesne ile mastar tarafından izlenen fiiller şunlardır:

ask "sormak"	**hate** "nefret etmek"
expect "ummak"	**help** "yardım etmek"
intend "niyetinde olmak"	**like** "hoşlanmak"
want "istemek"	**prefer** "tercih etmek"
wish "dilemek"	

They want to learn English.	İngilizce öğrenmek istiyorlar.
They want their daughter to learn English.	Kızlarının İngilizce öğrenmesini istiyorlar.
She expects to finish the work soon.	İşi yakında bitireceğini umuyor.
She expects the maid to finish the work soon.	Hizmetçinin işi yakında bitireceğini umuyor.
He asked to have a look at the picture.	Resme bir bakmak istedi.
He asked his son to have a look at the picture.	Oğlunun resme bir bakmasını istedi.
They help to build a church.	Bir kilise inşa etmeye yardım ederler.
They help the villagers to build a church.	Köylülerin bir kilise inşa etmesine yardım ederler.
We wish to see the football match.	Futbol maçını görmeyi arzu ederiz.
We wish you to see the football match.	Futbol maçını görmenizi arzu ederiz.
The students prefer to play in the garden.	Öğrenciler bahçede oynamayı tercih ederler.
The students prefer their friends to play in the garden.	Öğrenciler arkadaşlarının bahçede oynamalarını tercih ederler.

My son likes to swim in the swimming pool.	Oğlum yüzme havuzunda yüzmeyi sever.
My son likes us to swim in the swimming pool.	Oğlum bizim yüzme havuzunda yüzmemizi sever.
Helen intends to buy a colour television.	Helen renkli televizyon almaya niyetlidir.
Helen intends her son to buy a colour television.	Helen oğlunun renkli televizyon almasını planıyor.
She hates to drink her tea in the bedroom.	Çayını yatak odasında içmekten nefret eder.
She hates them to drink tea in the bedroom.	Yatak odasında çay içmelerinden nefret eder.

nesne ve mastar tarafından izlenen fiiller

Bu grupta olan fiillerin başlıcaları şunlardır:

advise "tavsiye etmek"
ask "istemek, rica etmek"
command "emretmek"
force "zorlamak"
invite "davet etmek"
persuade "ikna etmek"
show "göstermek"
tell "anlatmak"

allow "izin vermek"
encourage "cesaret vermek"
forbid "yasaklamak"
instruct "bilgi vermek"
order "emretmek"
remind "hatırlatmak"
teach "öğretmek"
urge "zorlamak"

Listelerde görüldüğü gibi bazı fiiller birkaç listede yer almaktadır. Bunlar çeşitli şekillerde kullanılabildikleri için ayrı listelere girmişlerdir.

They advised us to take another subject.	Başka bir konu almamızı tavsiye ettiler.
She asked me to bring her an umbrella.	Ona bir şemsiye getirmemi istedi.
He commands the soldiers to cross the river.	Askerlere nehri geçmelerini emreder.

The woman will encourage the girls to learn Turkish.	Kadın, kızların Türkçe öğrenmeleri için cesaret verecek.
They'll forbid them to visit the patients on Saturdays.	Hastaları cumartesi günleri ziyaret etmelerini yasaklayacaklar.
He forces his son to study his lessons at weekends.	Oğlunu derslerini hafta sonlarında çalışmaya zorlar.
The mechanic instructed me to press the small button.	Teknisyen bana küçük düğmeye basmam talimatını verdi.
The young lady asked us to help the poor children.	Genç hanım bizi yoksul çocuklara yardım etmeye davet etti.
We'll order them to leave our land at once.	Arazimizi derhal terketmelerini emredeceğiz.
Can she persuade the teacher to postpone the exam?	Öğretmeni sınavı ertelemeye ikna edebilir mi?
He reminded us to turn off the lights.	Işıkları söndürmemizi hatırlattı.
She'll request them to turn on the television.	Televizyonu açmalarını talep edecek. (isteyecek)
He showed me how to change the wheel.	Bana tekerleğin nasıl değiştirileceğini gösterdi.
I'll teach you how to make apple pie.	Sana elmalı turtanın nasıl yapılacağını öğreteceğim.
I'll teach you how to play basketball.	Sana basketbolun nasıl oynanacağını öğreteceğim.
He told me how to hold the ball.	Bana topun nasıl tutulacağını anlattı.
He told me to bring the chair.	Bana sandalyeyi getirmemi söyledi.

Son iki örnekte **tell** fiilinin **how** ile kullanılma halinde anlamının değiştiğini görüyoruz. **Teach** fiilinde ise **how** ile veya onsuz olarak yapılan sözlerde bir fark olmadığı görülüyor.

(to) suz mastar alan fiiler

Make ve **let** fiilleri **to**'suz mastar alırlar.

She made the men work in her garden.	Adamları bahçesinde çalıştırdı.

I'll make her change her hat.	Ona şapkasını değiştireceğim.
They made me write the sentences twice.	Bana cümleleri iki kere yazdırdılar.
The policeman made the man wait for hours.	Polis adamı saatlerce bekletti.
The girl let us use her books.	Kız onun kitaplarını kullanmamıza izin verdi. (kullandırttı)
We'll let them stay here.	Burada kalmalarına izin vereceğiz.
He didn't let me open the window.	Bana pencereyi açtırmadı.

Duyu fiili olan,

feel "hissetmek"　　　　　　　　　　**hear** "işitmek"
see "görmek"　　　　　　　　　　　**watch** "seyretmek"

fiilleri de **to**'suz mastar alırlar.

I feel the noises come nearer.	Gürültülerin yaklaştığını hissediyorum.
You see the lions run after the deer.	Aslanların geyiğin ardından koştuğunu görüyorsunuz.
We heard the teacher open the door.	Öğretmenin kapıyı açtığını işittik.
The boys watched the planes fly over the aircraft carrier.	Çocuklar uçakların uçak gemisi üzerinde uçuşunu seyrettiler.

Will, shall, can, may, do, must yardımcı fiilinden sonra mastar **to**'suz olarak kullanılır.

Need ve **dare** yardımcı fiilleri ise **do** ve **will** ile birlikte kullanıldıkları zaman **to**'lu mastar alırlar.

They will come soon.	Yakında gelecekler.
We shall learn their methods.	Onların yöntemlerini öğreneceğiz.
He cannot follow the others.	Diğerlerini izleyemez.
She doesn't know your name.	Sizin adınızı bilmiyor.
We may come in the afternoon.	Öğleden sonra gelebiliriz.
The girl must read this book.	Kız bu kitabı okumalı.

You needn't go now.	Şimdi gitmek zorunda değilsiniz.
You don't need to go now.	Şimdi gitmek zorunda değilsiniz.

We dared not ask her to join us.	Bize katılmasını teklif etmeye cesaret edemedik.
We didn't dare to ask her to join us.	Bize katılmasını teklif etmeye cesaret edemedik.

Would rather ve had better ile yine to'suz mastar kullanılır.

She would rather wait here.	Burada beklemeyi tercih eder.
We would rather play football.	Futbol oynamayı tercih ederiz.
They would rather take a taxi.	Taksiye binmeyi tercih ederler.
He had better take an umbrella.	Bir şemsiye almalı. (Şemsiye alması iyi olur.)
I had better do my homework now.	Ev ödevimi şimdi yapmalıyım.

Birkaç fiil, nesneden sonra mastar halinde to be fiilini alırlar.

consider "...olarak düşünmek"	know "bilmek"
believe "inanmak"	suppose "farzetmek"
think "düşünmek"	understand "anlamak"

He is believed to be a brave man.	Onun cesur bir adam olduğuna inanılır.
She is thought to be the first nurse in the world.	Onun dünyada ilk hemşire alduğu düşünülür. (Böyle bir kanı vardır.)
They are known to be expert fishermen.	Onlar uzman balıkçılar olarak bilinirler.
These questions are supposed to be very easy for them.	Bu sorular onlar için çok kolay farzediliyor.
He is supposed to be at school.	Okulda olduğu farzediliyor.

(come) ve (go) fiillerinden sonra mastarlarla amaç bildirme

Bu durumda mastar "...mek için, ...mek amacıyla" anlamını verir.

She came here to learn English.	Buraya İngilizce öğrenmek için (İngilizce öğrenmeye) geldi.
The workman went to stop the machine.	İşçi makineyi durdurmaya gitti.

I'll go upstairs to change the lamps.	Lambaları değiştirmek için üst kata gideceğim.
He came to Berlin to improve his German.	Almancasını ilerletmek için Berlin'e geldi.
The inspector came to check the documents.	Müfettiş evrakları kontrol etmek için geldi.
His daughter went to buy some food.	Kızı biraz yiyecek almak için gitti.
I came to talk to her.	Onunla konuşmak için geldim.
The villagers went to rescue the ship.	Köylüler gemiyi kurtarmak için gittiler.

Mastar, isim ve zamirlerle kullanılarak onlar üzerinde nasıl bir eylem yapılacağını göstermek için kullanılabilir.

She has a lot of work to do.	Yapacak çok işi var.
I have two more letters to read.	Okuyacak iki mektubum daha var.
They bought a bottle of wine to drink at dinner.	Akşam yemeğinde içmek için bir şişe şarap aldılar.
There are some shirts to wash.	Yıkanacak birkaç gömlek var.
Wa have nothing to talk about.	Konuşacak hiçbir şeyimiz yok.
Bring me a table to write on.	Bana üzerinde yazacak bir masa getir.

It is, it was ile başlayıp bir sıfat ile devam eden ve önünde of olan bir şahıs zamiri ile biten yapıda da mastar kullanılır.

It is good of you to give me your seat.	Bana yerinizi vermeniz bir iyiliğiniz. (Bana yerinizi vermekle iyilik ediyorsunuz)
It is wise of him to carry an umbrella in London.	Londra'da bir şemsiye taşımakla akıllılık ediyor.
It is nice of you to help your friends.	Arkadaşlarınıza yardım etmekle iyilik ediyorsunuz.
It is silly of him to fight with older boys.	Daha büyük çocuklarla kavga etmesi onun aptallığı.
It was kind of him to ask me very easy questions.	Bana çok kolay sorular sormakla nezaket gösterdi.
It was honest of her to bring me my wallet full of money.	Para dolu çantamı bana getirmekle dürüstlük gösterdi.

444

Bu cümlelerin tipinde olan, fakat içinde **of** ile şahıs zamiri bulunmayan cümlelerde de mastarlar sıfatları izleyerek kullanılırlar.

It is strange to find old friends here.	Eski arkadaşları burada bulmak tuhaf.
It is lovely to swim in such a warm water.	Böyle ılık bir suda yüzmek hoş.
It is easy to learn English in London.	İngilizceyi Londra'da öğrenmek kolay.
It is astonishing to have such fine weather in February.	Şubatta böyle güzel bir hava olması hayret.
It is ridiculous to keep your marriage a secret.	Evliliğinizi sır olarak saklamanız gülünç.
It was crazy to climb that tree.	O ağaca tırmanmak çılgınlıktı.
It was extraordinary to find a wine so old.	Bu kadar eski bir şarap bulmak olağanüstüydü.
It was difficult to understand her.	Onu anlamak güçtü.
It is impossible to please them.	Onları memnun etmek imkânsızdır.

Sıfatlarla mastarlar yukarıdaki yapıdan değişik olarak da kullanılırlar. Bu sıfatlardan his ve heyecan gösterenler şunlardır.

astonished "hayret etmiş"
glad "memnun"
disappointed "hayal kırıklığına uğramış"

happy "mutlu"
surprised "hayret etmiş"
sad "üzgün"

I am glad to know you.	Sizi tanıdığıma (tanıştığımıza) memnunum.
She is happy to give you the good news.	Size iyi haberi vermekle mutludur.
We are disappointed to find you in such a place.	Sizi böyle bir yerde bulduğumuz için hayal kırıklığına uğradık. (şaşırdık)
They'll be surprised to find us at the door.	Bizi kapıda bulunca şaşıracaklar.

Bunlar dışında, mastarla kullanılan şu sıfatlar da sık rastlanan sıfatlardandır.

anxious "merakta, meraklı"
inclined "eğilimli"

due "vakti gelmiş"
ready "hazır"

reluctant "isteksiz"
willing "istekli"
prepared "hazırlıklı"

unwilling "isteksiz"
bound "giden"

He is prepared to hear the bad news.	Kötü haberi işitmeye hazırlıklıdır.
We are anxious to know your friends.	Arkadaşlarınızı tanımayı merak ediyoruz.
The train is due to leave now.	Trenin şimdi hareket etme vakti.
The children are inclined to go to bed late.	Çocuklar geç yatma eğilimindedir.
My son is reluctant to work on Sunday.	Oğlum pazar günü çalışmaya isteksizdir.
The girls are ready to help their mother.	Kızlar annelerine yardım etmeye hazırdırlar.
These buses are bound for Paris.	Bu otobüsler Paris'e gidiyor.
The old woman is anxious to get information about her husband.	Yaşlı kadın kocası hakkında bilgi almak için meraktadır.
Some young men are willing to read serious books.	Bazı delikanlılar ciddi kitaplar okumaya isteklidirler.

(too, enough) sözcüklerinden sonra mastar

Too sözcüğünü izleyen bir sıfat ve sonra mastar gelen cümleler:

She is too young to carry these chairs.	Bu sandalyeleri taşıyamayacak kadar küçüktür.
We are too tired to walk to the office.	Büroya yürüyemeyecek kadar yorgunuz.
They are too proud to beg for help.	Yardım için dilenemeyecek kadar gururludurlar.
The man is too fat to sit on one seat.	Adam bir tek yere oturamayacak kadar şişmandır.
Your mother is too old to wear such dresses.	Anneniz böyle elbiseler giyemeyecek kadar yaşlıdır.
The bag is too heavy to carry.	Çanta taşınamayacak kadar ağırdır.
The tea was too hot to drink.	Çay içilemeyecek kadar sıcaktı.

| The hat was too wet to put on. | Şapka giyilemeyecek kadar ıslaktı. |
| The chairs were too expensive to buy. | Sandalyeler satın alınamayacak kadar pahalıydı. |

Bu tip cümlede sıfat yerine zamir de konulabilir.

| She speaks too quickly to be understood. | Anlaşılamayacak kadar hızlı konuşur. |
| They came too late to go to the cinema. | Sinemaya gidilemeyecek kadar geç geldiler. |

(enough) sözcüğü önünde bir sıfat, arkasında mastar

The boy is clever enough to understand you.	Çocuk seni anlayacak kadar akıllıdır.
We are old enough to go there by ourselves.	Oraya kendi kendimize gidecek kadar yaşlıyız. (büyüğüz)
Harold is tall enough to reach the upper shelf.	Harold üst rafa erişecek kadar uzundur.
The book is easy enough to give to small children.	Kitap küçük çocuklara verilecek kadar kolaydır.
The beer is cold enough to drink.	Bira içilecek kadar soğuktur.
She is young enough to wear such dresses.	Böyle giysileri giyebilecek kadar gençtir.
The table is strong enough to stand on.	Masa, üzerinde durulacak kadar sağlamdır.
Our car is big enough to hold all the families.	Otomobilimiz bütün aileleri alacak kadar büyüktür.

Enough sözcüğünü bir isim de izleyebilir.

She hasn't enough flour to make a cake.	Pasta yapmak için yeterli unu yok.
We didn't know enough English to speak to them.	Onlarla konuşmaya yeterli İngilizce bilmiyorduk.
Have we enough time to drink some more wine?	Biraz daha şarap içmek için yeterli vaktimiz var mı?
They bought enough potatoes to eat during winter.	Kış boyunca yemek için yeterli patates satın aldılar.

mastarın özne olarak kullanılması

To help the poor is our duty.	Yoksullara yardım etmek görevimizdir.
To learn a language is a necessity.	Bir dil öğrenmek zorunluluktur.
To write stories is a hobby for Ingrid.	Hikâyeler yazmak Ingrid için bir hobidir.
To watch television seems helpful for the learners.	Televizyon seyretmek öğrenenler için yararlı görünüyor.

Fakat bu cümleleri it ile başlayan cümlelerle ifade etmek çoğu zaman daha uygun olur.

It is useful to walk for half an hour every morning.	Her sabah yarım saat yürümek yararlıdır.
It is difficult to drive in the fog.	Siste araba kullanmak zordur.

bazı deyim ve cümleciklerde mastarlar

I haven't a word to say.	Söyleyecek tek sözüm yok.
I haven't a rag to wear.	Giyecek bir pırtım yok.
There is not a bite to eat.	Bir lokma yiyecek yok.
There is not a drop to drink.	Bir damla içecek yok.
There is not a moment to lose.	Kaybedecek bir an yok.
There is not a seat to be had.	Oturacak bir yer yok.
There is not a sound to be heard.	Hiç ses seda yok.
There is not a soul to be seen.	Görünürde canlı (bir kul) yok.

mişli mastar

Have ve fiilin 3. şeklinden meydana gelir.

to have broken	kırılmış olmak
to have seen	görmüş olmak

to have looked	bakmış olmak
to have wanted	istemiş olmak

Mişli mastar şart cümlelerinde üçüncü tip içinde kullanılır.

If we had started earlier, we would have met them.	Daha önce yola çıksaydık onlara rastlardık.

Should, would ile yerine gelmemiş bir isteği gösterir.

I should like to have bought it.	Onu satın almış olmak isterdim.
I should have liked to buy it.	Onu satın almış olmak isterdim.
I should have liked to have bought it.	Onu satın almış olmak isterdim.

They would have caught the bus.	Otobüse yetişmiş olacaklardı.
She could have swum to the other side.	Diğer tarafa yüzebilmiş olacaktı.

THE GERUND-İSİM FİİL

İsim fiil, fiilin köküne **ing** eklenerek elde edilmiş ve bir fiil olduğu kadar isim görevini de yapan bir sözcüktür.

walking	yürüme, yürüyüş
reading	okuma, okuyuş
speaking	konuşma, konuşuş
writing	yazma, yazış
sleeping	uyuma, uyuyuş

Swimming is a good sport.	Yüzme iyi bir spordur.
Walking makes one healthy.	Yürüyüş insanı sağlıklı yapar.

Reading a page every day will improve your English.	Her gün bir sayfa okuma İngilizceni ilerletecek.
Smoking is not allowed here.	Burada sigara içmeye müsaade edilmez.
Beating a child will do harm.	Çocuğu dövme zarar getirir.

İsim fiiller aşağıda başlıcalarını gördüğümüz fiillerle kullanılarak cümlede onları izlerler.

admit "kabul etmek"	**appreciate** "takdir etmek"
avoid "kaçınmak"	**consider** "planlamak, düşünmek
delay "geciktirmek"	**deny** "inkâr etmek"
dislike "hoşlanmamak"	**enjoy** "hoşlanmak"
escape "kaçmak"	**excuse** "bağışlamak"
finish "bitirmek"	**forgive** "bağışlamak"
imagine "tahayyül etmek"	**keep** "devam etmek, korumak"
mind "itirazı olmak, mahzur görmek"	**postpone** "ertelemek"
	prevent "önlemek"
remember "hatırlamak"	**propose** "teklif etmek"
risk "tehlikeyi göze almak"	**resist** "direnmek"
suggest "önermek"	**stop** "durdurmak, kesmek"
give up "vazgeçmek"	**understand** "anlamak"

I admit breaking the glass.	Bardağı kırdığımı kabul ediyorum.
We must avoid drinking when we drive.	Araba kullanırken içmekten kaçınmalıyız.
They delayed visiting the minister.	Bakanı ziyaret etmeyi ertelediler.
She dislikes eating at home on Saturday evenings.	Cumartesi akşamları evde yemekten hoşlanmaz.
You can't escape helping your wife in the kitchen.	Karına mutfakta yardım etmekten kaçınamazsın.
He appreciates our working so carefully.	Bu kadar dikkatle çalışmamızı takdir eder.
They consider going to Italy next year.	Gelecek yıl İtalya'ya gitmeyi planlıyorlar.
Can you deny taking my pen?	Kalemimi aldığını inkâr edebilir misin?
I enjoy swimming in a warm swimming pool.	Ilık bir yüzme havuzunda yüzmekten hoşlanırım.
Please excuse my coming late.	Lütfen geç gelişimi mazur görün.

We finished writing the letters.	Mektupları yazmayı bitirdik.
You must forgive their breaking your window.	Pencerenizi kırmalarını affetmelisiniz.
I can't imagine their stealing your money.	Sizin paranızı çalmalarını tahayyül edemiyorum.
She keeps shouting at the boys.	Çocuklara bağırmaya devam eder.
Do you mind opening the window?	Pencerenin açılmasında mahzur görür müsünüz?
Can we postpone going shopping?	Alışverişe gitmeyi erteleyebilir miyiz?
They tried to prevent bleeding.	Kanamayı durdurmaya çalıştılar.
She proposed going to another place. I remember seeing you at a wedding party.	Başka bir yere gitmeyi teklif etti. Sizi bir düğünde gördüğümü hatırlıyorum.
Can you resist your mother's insisting?	Annenin ısrar etmesine karşı koyabilir misin?
We risk losing everything.	Her şeyi kaybetmeyi göze alıyoruz.
He stopped smoking.	Sigara içmeyi bıraktı.
Do you suggest changing our plan?	Planımızı değiştirmemizi mi öneriyorsun?
I don't understand his marrying that girl.	O kızla evlenmesini anlamıyorum.

Bu cümlelerde isim fiil önünde şahıs zamirinin mülkiyet hali de, -i, -e hali de kullanılabilir. Her ikisi de doğrudur. Mülkiyet hali yazı dilinde kullanılır. -i, -e halindeki zamirler ise daha çok konuşma dilinde tercih edilir.

Do you mind his joining us?	Bize katılmasında sakınca görür müsünüz?
Do you mind him joining us?	Bize katılmasında sakınca görür müsünüz?
They remember my running in the garden.	Bahçede koşmamı hatırlıyorlar.
They remember me running in the garden.	Bahçede koşmamı hatırlıyorlar.
I don't understand his smoking so much.	Bu kadar çok sigara içmesini anlamıyorum.
I don't understand him smoking so much.	Bu kadar çok sigara içmesini anlamıyorum.

They'll object to their talking in parliament.	Parlamentoda konuşmalarına itiraz edecekler.
They'll object them talking in the parliament.	Parlamentoda konuşmalarına itiraz edecekler.
We can't imagine your refusing to pay the debt.	Borcu ödemeye itiraz edeceğinizi tahayyül edemiyoruz.
We can't imagine you refusing to pay the debt.	Borcu ödemeye itiraz edeceğinizi tahayyül edemiyoruz.

Zamirler yerinde başka isim de bulunabilir. Bunlar da yalın veya mülkiyet halinde olabilirler.

I don't like Edward's coming so late.	Edward'ın bu kadar geç gelişini beğenmiyorum.
I don't like Edward coming so late.	Edward'ın bu kadar geç gelişini beğenmiyorum.
They forgave the girl's telling lies.	Kızın yalan söyleyişini affettiler.
They forgave the girl telling lies.	Kızın yalan söyleyişini affettiler.
We'll prevent Tom's helping his bad friends.	Tom'un kötü arkadaşlarına yardım edişini önleyeceğiz.
We'll prevent Tom helping his bad friends.	Tom'un kötü arkadaşlarına yardım edişini önleyeceğiz.
I don't object to the man's leaving early.	Adamın erken ayrılışına itiraz etmem.
I don't object to the man leaving early.	Adamın erken ayrılışına itiraz etmem.

edatlardan sonra isim fiil

Bir edatı izleyen fiil, isim fiil şekline girer.

I object to waiting here.	Burada beklemeye itiraz ediyorum.
Why do you insist on giving the child this medicine?	Çocuğa bu ilacı vermekte niçin ısrar ediyorsunuz?

I'm afraid of making mistakes.	Hatalar yapmaktan korkuyorum.
They'll give up going to the mountain.	Dağa gitmekten vazgeçecekler.
I'm looking forward to seeing my daughter.	Kızımı görmeyi dört gözle bekliyorum.
We are looking forward to moving to our new apartment.	Yeni dairemize taşınmayı dört gözle bekliyoruz.
She is looking forward to shopping in Selfridges.	Selfridges'te alışveriş yapmayı dört gözle bekliyor.
They kept on watering the plant for a long time.	Bitkiyi uzun süre sulamaya devam ettiler.
He doesn't care for living in a small village.	Küçük bir köyde yaşamaya aldırış etmez.
You must test it before walking on the ice.	Buz üzerinde yürümeden önce onu denemelisiniz.
She takes the glasses to the kitchen without breaking them.	Onları kırmadan bardakları mutfağa götürür.
He is not good at swimming.	Yüzmede iyi değildir.
My son is used to waiting in queues for football matches.	Oğlum futbol maçları için kuyruklarda beklemeye alışıktır.
I prefer sitting here to walking in the forest.	Burada oturmayı ormanda yürümeye tercih ederim.
Hilda is thinking of visiting her friends.	Hilda arkadaşlarını ziyaret etmeyi düşünüyor.
Are you interested in playing chess?	Satranç oynamayla ilgilenir misiniz?

It's no use ve worth ile de isim fiil çok kullanılır.

The film was worth watching.	Film seyretmeye değerdi.
The books are worth reading.	Kitaplar okumağa değer.
It's no use waiting here.	Burada beklemenin yararı yok.
It's no use trying to cheat them.	Onları kandırmağa çalışmanın yararı yok.

(mind) fiili ile isim fiil

Mind fiili soru ve olumsuz cümlelerde isim fiille kullanılır. Mastarla hiç kullanılmaz. Soru halinde kullanıldığında kibar bir soru oluşturur. Would ile birlikte olursa daha kibar bir soru yapılmış olur.

Do you mind waiting for a moment?	Biraz bekler misiniz? (Biraz beklemenizde sakınca var mı?)
Do you mind taking your suitcase?	Bavulunuzu alır mısınız?
Do you mind not smoking here?	Burada sigara içmemenizde sakınca var mı?

I don't mind staying at home on Sundays.	Pazar günleri evde kalmaya aldırış etmem.
We don't mind working in the fields.	Tarlalarda çalışmaya aldırış etmeyiz.
She didn't mind getting up early.	Erken kalkmaya aldırış etmedi.

Do you mind his sitting here?	Bizimle oturmasında sakınca var mı?
Do you mind him sitting with us?	Bizimle oturmasında sakınca var mı?

I don't mind Norman's taking my bicycle.	Norman'ın bisikletimi almasına aldırış etmem.
I don't mind Norman taking my bicycle.	Norman'ın bisikletimi almasına aldırış etmem.
Would you mind opening the window?	Lütfen pencereyi açar mısınız? (Sakınca yoksa lütfen pencereyi açar mısınız?)
Would you mind giving me your pen?	Lütfen kaleminizi bana verir misiniz?

edilgen anlamlı isim fiiler

deserve "haketmek"
want "istemek, gerekmek"

need "ihtiyacı olmak"

Bu fiillerle kullanılan isim fiillerin edilgen bir anlamları olur.

Your hair needs cutting.	Saçının kesilmeye ihtiyacı var.
His shoes want mending.	Ayakkabıları tamir istiyor. (Tamir edilmesi gerekiyor.)
This man deserves living in better conditions.	Bu adam daha iyi şartlarda yaşamayı hak ediyor.

454

mastar ile isim fiil farkı

Anlam bakımından yakın da görünseler aynı fiilin mastar haliyle isim fiil hali arasında fark vardır. Bu farkı tam ve kesin olarak genel bir kuralla açıklamak mümkün değildir. Ancak, şöyle bir şey denilebilir; isim fiil daha genel anlamda, mastar ise daha özel bir olay ve durum anlamındadır.

Riding is better than driving. Atla gitme (ata binme) otomobille gitme (oto sürme)den daha iyidir.

Burada ata binme ve oto sürme genel anlamda söylenmektedir. Yani her zaman için geçerli bir kanı belirtilmektedir. Bu yüzden isim fiil olarak kullanılmışlardır.

We'll have to drive fast. Hızlı sürmemiz gerekecek.

Buradaki "sürmek" eylemi belli bir durum ve zaman için söylenmiştir. Sadece o an için böyle bir eylemin gerekliliği anlatılmıştır.

We prefer staying at home. Evde kalmayı tercih ederiz. (Her zaman için tercihimiz budur.)

We prefer to stay at home night. Bu akşam evde kalmayı tercih ederiz. (Sadece bu akşam için.)

I like reading detective stories. Dedektif hikâyeleri okumayı severim.(her zaman)

I would like to read a detective story in the library. Kütüphanede bir dedektif hikâyesi okumak istiyorum. (şimdi)

I hate going to bed late. Geç yatmaktan hoşlanmam. (her zaman)

I would hate to go to bed so late as that. Bu kadar geç yatmaktan hoşlanmam. (şimdi)

Her fiilin mastar ve isim fiil olarak kullanılışını örneklerle ele alıp açıklamak gerekir. Önce hem mastar, hem de isim fiil olarak kullanılabilen fiillerin önemli olanlarının bir listesini verelim:

advice "tavsiye etmek"
agree "kabul etmek"

love "sevmek, aşık olmak"
mean "kastetmek, niyetinde olmak"

allow "müsaade etmek"	**permit** "izin vermek"
attempt "teşebbüs etmek"	**prefer** "tercih etmek"
be afraid "korkmak"	**regret** "esef etmek"
begin "başlamak"	**propose** "teklif etmek"
continue "devam etmek"	**remember** "hatırlamak, unutmamak"
forget "unutmak"	**start** "başlamak"
hate "nefret etmek"	**stop** "durmak"
intend "niyet etmek"	**try** "çalışmak, denemek"
leave "terketmek"	**like** "sevmek, hoşlanmak"

Hem mastarlar hem de isim fiiller bir cümlenin öznesi olarak kullanılabilirler.

Climbing trees is not a good exercise for me.	Ağaçlara tırmanma benim için iyi bir egzersiz değildir.
To climb trees is not a good exercise for me.	Ağaçlara tırmanma benim için iyi bir egzersiz değildir.
Learning a foreign language takes time.	Bir dil öğrenme zaman alır.
To learn a language takes time.	Bir dil öğrenme zaman alır.
Living in a monastery must be boring.	Bir manastırda yaşama sıkıcı olmalı.
To live in a monastery must be boring.	Bir manastırda yaşama sıkıcı olmalı.

Listedeki fiillerin önemli olanlarını ele alarak bunların mastar ve isim fiil alarak kullanıldıklarında anlam farklarını görelim.

Like fiili isim fiille kullanıldığı zaman "hoşlanmak, zevk almak, her zaman için sevmek" anlamını verir.

I like playing tennis.	Tenis oynamayı severim. (Tenis oynamaktan hoşlanırım.)
I like writing poems.	Şiir yazmayı severim.
I like walking by the sea.	Deniz kenarında yürümeyi severim.
We like watching films about space.	Uzay hakkında filimler seyretmeyi severiz.
I don't like waiting at the bus stop.	Otobüs durağında beklemeyi sevmem.

Like fiili mastarla kullanıldığı zaman "tercih etmek, istemek, uygun bulmak" anlamlarını verir.

I like to play table tennis instead of tennis.	Tenis yerine masa tenisi oynamayı tercih ederim.
I like Dora to learn chess.	Dora'nın satranç öğrenmesini isterim. (uygun bulurum)
He likes to get up early.	Erken kalkmayı tercih eder.
I wouldn't like to go with them.	Onlarla birlikte gitmek istemem.
Would you like to read the paper?	Gazeteyi okumak ister misin?

Remember ve **forget** fiilleri mastarla kullanılınca başka, isim fiille kullanılınca başka anlam verirler.

I'll remember to bring the bag.	Çantayı getirmeyi unutmayacağım.
I don't remember bringing the bag. She must remember to call her aunt.	Çantayı getirdiğimi hatırlamıyorum. Halasına telefon etmeyi unutmamalı.
She can't remember calling her aunt.	Halasına telefon ettiğini hatırlayamıyor.
He forgot to meet Emma at the station.	Emma'yı istasyonda karşılamayı unuttu.
He'll never forget meeting Emma at the station.	Emma'yı istasyonda karşılayışını hiç unutmayacak.
I forget to invite some friends.	Bazı arkadaşları davet etmeyi unuturum.
I'll never forget inviting some friends.	Bazı arkadaşları davet edişimi hiç unutmayacağım.

Be afraid of isim fiille, **be afraid to** mastarla kullanılır. Mastarla kullanıldığında "korkmak, cesaret etmemek", isim fiille kullanıldığında "yapmayı uygun bulmamak, istememek, çekinmek" anlamlarını verir.

I'm afraid to ask the teacher.	Öğretmene sormaktan korkuyorum. (cesaret edemiyorum)
I'm afraid of making a mistake.	Hata yapmaktan çekiniyorum.

We're afraid to go there alone.	Oraya yalnız gitmekten korkuyoruz.
We're afraid of disturbing the guests.	Misafirleri rahatsız etmekten çekiniyoruz.

Allow, permit, advise, recommend cümlede şahıs gösteren bir sözcük olduğunda mastarla, yoksa isim fiille kullanılırlar.

She allows us to play in her garden.	Bahçesinde oynamamıza müsaade eder.
She allows playing in her garden.	Bahçesinde oynamaya müsaade eder.
They advised us to take the other road.	Diğer yolu izlememizi önerdiler.
They advised taking the other road.	Diğer yolu izlemeyi önerdiler.
I recommend them to eat fish here.	Burada balık yemelerini tavsiye ederim.
I recommend eating fish here.	Burada balık yemeyi tavsiye ederim.

Try fiili mastarla "gayret etmek, uğraşmak, çalışmak" anlamını verir. İsim fiille "denemek" anlamını verir.

They tried to climb the tree.	Ağaca tırmanmaya çalıştılar.
I'll try to explain it in English.	Onu İngilizce olarak açıklamaya çalışacağım.
He tried teaching by cassettes.	Kasetlerle öğretmeyi denedi.
We can try cooking it in our electric oven.	Onu elektrikli fırınımızda pişirmeyi deneyebiliriz.

Regret mastarla şimdiki zaman halinde kullanılır.

I regret to inform you that we can't employ you.	Size haber vermekten üzüntü duyuyorum ki sizi işe alamıyoruz.

İsim fiille kullanıldığında geçmiş bir eylem için üzüntüyü bildirir.

I regret fighting for nothing.	Sebepsiz yere savaştığıma esef ediyorum. (pişmanım)
I don't regret telling them the truth.	Onlara gerçeği söylediğime pişman değilim.

Begin, start, continue, attempt, intend fiillerinin mastar ve isim fiiller tarafından izlenmesinde pek anlam farkı olmaz.

They began to dig a hole.	Bir çukur kazmaya başladılar.
They began digging a hole.	Bir çukur kazmaya başladılar.
We started to pick roses.	Gül toplamaya başladık.
We started picking roses.	Gül toplamaya başladık.
The drivers continue to follow the same route.	Sürücüler aynı rotayı izlemeye devam ederler.
The drivers continue following the same route.	Sürücüler aynı rotayı izlemeye devam ederler.
They'll attempt to build a floating bridge.	Bir yüzen köprü yapmaya teşebbüs edecekler.
They'll attempt building a floating bridge.	Bir yüzen köprü yapmaya teşebbüs edecekler.
We intend to plant onions this year.	Bu yıl soğan ekmeye niyet ediyoruz.
We intend planting onions this year.	Bu yıl soğan ekmeye niyet ediyoruz.

Stop fiili isim fiille "durdurmak, sona erdirmek, bırakmak" anlamını verir.

She stopped washing the dishes.	Bulaşıkları yıkamayı bıraktı. (yıkamayı kesti)
We stopped talking when the teacher came.	Öğretmen geldiği zaman konuşmayı kestik.
They'll stop helping us.	Bize yardım etmeyi durduracaklar.
You must stop smoking.	Sigara içmeyi bırakmalısın.

Mastarla kullanıldığında "durmak" anlamını verir.

She stopped to look in her purse.	Para çantasına bakmak için durdu.
I stopped to watch the ships.	Gemileri seyretmek için durdum.
We'll stop to have a cup of tea.	Bir fincan çay içmek için duracağız.

THE PARTICIPLES - ORTAÇLAR

THE PRESENT PARTICIPLE - ŞİMDİKİ ZAMAN ORTACI

Fiile **ing** eklenmek suretiyle yapılırlar.

write	**writing**
walk	**walking**
learn	**learning**
eat	**eating**

Şeklen isim fiile benzeyen şimdiki zaman ortaçları anlam bakımından farklıdırlar. Çeşitli kullanılışları şunlardır:

    1. sürekli zamanların yapımında

    2. bir sıfat alarak

    3. duyu fiilleri ardından

    4. **catch, find, spend** gibi fiillerle

1. Sürekli zamanların yapımında.

He is learning French.	Fransızca öğreniyor.
We are eating biscuits.	Bisküvi yiyoruz.
I am reading a letter.	Bir mektup okuyorum.
They were sleeping.	Uyuyorlardı.
She was working in the bedroom.	Yatak odasında çalışıyordu.

2. Sıfat olarak.

exciting story	heyecanlı hikâye

interesting lesson	ilginç ders
boring tale	sıkıcı masal
running water	akar su
charming lady	cazibeli hanım
crying baby	ağlayan bebek

3. **See, hear, feel, watch, notice, listen, smell** gibi duyu fiilleri ile.

We saw a lorry carrying vegetables.	Sebze taşıyan bir kamyon gördük.
Did you hear me shouting at my children?	Çocuklarıma bağırışımı işittin mi?
I feel the girl trembling.	Kızın titrediğini hissediyorum.
We noticed the table moving.	Masanın hareket ettiğini farkettik.
He watched the children playing on the sand.	Kumun üzerinde oynayan çocukları seyretti.
The man listened to the birds singing in the trees.	Adam ağaçlarda öten kuşları dinledi.
We smell something burning.	Yanan bir şey kokusu duyuyoruz.

4. **Catch, find, spend, waste, be busy** ile.

The policeman caught the thieves stealing the diamonds.	Polis elmasları çalan hırsızları yakaladı.
We'll find them at the pub drinking beer.	Onları birahanede bira içerken bulacağız.
I spend a lot of money buying new furniture.	Yeni mobilya alarak çok para harcarım.
You waste your time waiting for her.	Onu bekleyerek vaktini boşa harcıyorsun.
My mother is busy mending my sock.	Annem çorabımı tamir etmekle meşgul.
I heard him playing the piano.	Onun piyano çalışını duydum.
Do you smell fish cooking?	Balık pişme kokusu duyuyor musun?

bir cümle yerine şimdiki zaman ortacı

Bir kişinin ardarda yaptığı iki eylemden biri şimdiki zaman ortacı ile gösterilebilir.

She went to the kitchen. She opened the windows.

Mutfağa gitti. Pencereleri açtı.

Going to the kitchen she opened the windows.

Mutfağa giderek pencereleri açtı.

She washed the dishes. She sang as she washed.

Bulaşıkları yıkadı. Yıkarken şarkı söyledi.

She washed the dishes singing.

Bulaşıkları şarkı söyleyerek yıkadı.

He opened the window and shouted to his son.

Pencereyi açtı ve oğluna seslendi.

Opening the window he shouted to his son.

Pencereyi açarak oğluna seslendi.

We clean the plates and put them on the shelves.

Tabakları temizleriz ve onları raflara koyarız.

Cleaning the plates we put them on the shelves.

Tabakları temizleyerek onları raflara koyarız.

I dig a hole and put the plant into it.

Bir çukur kazarım ve bitkiyi içine koyarım.

Digging a hole he put the plant into it.

Bir çukur kazarak bitkiyi onun içine koydu.

İlgi cümlecikleri yerine de şimdiki zaman ortacı kullanılabilir.

Girls who need new towels must see Mrs Smith.

Yeni havlulara ihtiyacı olan kızlar Bayan Smith'i görmeli.

Girls needing new towels must see Mrs Smith.

Yeni havlulara ihtiyacı olan kızlar Bayan Smith'i görmeli.

People who wish to come with us must be ready at four.

Bizimle gelmek isteyen kişiler dörtte hazır olmalı.

People wishing to come with us must be ready at four.

Bizimle gelmek isteyen kişiler dörtte hazır olmalı.

THE PAST PARTICIPLE - GEÇMİŞ ZAMAN ORTACI

Fiillerin 3. şekli geçmiş zaman ortacıdır. Buna göre düzenli fiillerin geçmiş zaman ortaçları fiilin **ed** eki almış halidir. **(walked, talked, looked, wanted, loved)** Düzensiz fiillerin geçmiş zaman ortaçları ise 3. şekilleridir. **(seen, eaten, broken, told, written)**

Geçmiş zaman ortacı şu amaçlarla kullanılır:

1. Bitmiş zamanların yapımında ve edilgen çatının kuruluşunda.

I have seen them.	Onları gördüm. (görmüş durumdayım)
She has eaten all the food.	Bütün yiyeceği yedi.
We have walked for a long time.	Uzun süre yürüdük.
They had broken the tiles.	Kiremitleri kırmışlardı.
He had written two letters.	İki mektup yazmıştı.
All the books were given to the students.	Bütün kitaplar öğrencilere verildi.
They were sent to another hotel.	Başka bir otele gönderildiler.
The letters were written in English.	Mektuplar İngilizce olarak yazılmışlardı.
Some plates are made of wood.	Bazı tabaklar ağaçtan yapılmıştır.
They were told to pay the bill.	Hesabı ödemeleri söylendi.
Our cakes were eaten.	Pastalarımız yenildi.

2. Bir sıfat olarak.

Broken chairs are in this room.	Kırık sandalyeler bu odadadır.
You must give me a written report.	Bana yazılı bir rapor vermelisin.
Did they find the stolen money?	Çalınan parayı buldular mı?
He suffered untold trouble.	Anlatılmamış dert çekti.
We want to learn spoken English.	Biz konuşulan İngilizceyi öğrenmek istiyoruz.
His father is a retired captain.	Babası emekli bir kaptandır.
Tired soldiers were resting under the trees.	Yorgun askerler ağaçların altında dinleniyorlardı.

3. Geçmiş zaman ortacı, şimdiki zaman ortacında olduğu gibi, iki cümlecikten birinin yerini tutabilir.

The man died. He is shot on the head.	Adam öldü. Başından vurulmuştur.
Shot on the head the man died.	Başından vurulup adam öldü.
We were informed about the accident. We took another road.	Bize kazadan haber verildi. Başka bir yolu izledik.
Informed about the accident we took another road.	Kazadan haberdar edilip başka bir yol izledik.

perfect participle - mişli ortaç

Mişli ortaç, **having** ile fiilin 3. şeklinden meydana gelir. **(having finished, having eaten, having written)**

Birbirini izleyen iki cümlecikten biri yerine şimdiki zaman ortacının kullanılabildiğini gördük. Mişli ortaç aynı şekilde kullanılabilir.

She brought a bucket. She wiped the floor.	Bir kova getirdi. Yeri sildi.
Having brought a bucket she wiped the floor.	Bir kova getirerek yeri sildi.
He saw the bus. He ran to the bus stop.	Otobüsü gördü. Otobüs durağına koştu.
Having seen the bus he ran to the bus stop.	Otobüsü görüp otobüs durağına koştu.

Mişli ortacın edilgen şekli **having been** ile geçmiş zaman ortacından oluşur. **(having been seen, having been broken, having been watched)**

Bu şekil, ortacın gösterdiği eylemin cümledeki öbür eylemden daha önce yapıldığı vurgulanmak istendiğinde kullanılır.

Having been punished before, he slowed down at the crossroads.	Daha önce cezalandırıldığından kavşakta yavaşladı.
Having been told several times, he didn't forget to bring it.	Birkaç kere söylendiğinden onu getirmeyi unutmadı.

ADVERBS - ZARFLAR

Zarflar, bulundukları cümlenin içindeki fiilin, sıfatın, zarfın anlamına bir ek yapan, o cümle için sorulacak "nasıl?, ne zaman? nerede?" sorularına cevap olabilen sözcüklerdir.

Zarflar yedi türlüdür :

1. **adverbs of manner** - hal zarfları **(slowly, suddenly, easily, fast)**

2.   "   " **place**   - yer   " **(here, there, near, behind)**

3.   "   " **time**   - zaman   " **(today, tomorrow, then, now)**

4.   "   " **frequency** - sıklık " **(often, always, once, never)**

5.   "   " **degree** - derece   " **(very, too, fairly, rather)**

6. **interrogative adverbs** - soru   " **(how, when, where, why)**

7. **relative**   "   -ilgi   " **(when, where, why)**

zarfların fiilleri, sıfatları ve diğer zarfları nitelemesi

Zarflar fiilleri niteleyerek onların yapılış şekli, zamanı, yeri gibi konularda ek bilgi verirler.

He walked quickly.   Hızlı yürüdü.

cümlesinde **quickly** "hızlı, hızlı bir şekilde, hızlı hızlı" anlamında bir zarftır ve yürüme eyleminin özelliğini belirtmektedir.

They fought bravely.   Cesurca dövüştüler. (cesur bir şekilde)

She can't write well.   O iyi yazamaz. (iyi bir biçimde)

Zarflar sıfatları niteleyerek anlamlarında küçük değişiklikler yaparlar.

Your overcoat is very good.   Senin palton pek iyidir.

cümlesinde "pek" anlamındaki derece zarfı **very**, "iyi" anlamındaki **good** sıfatını pekiştirmekte, onu kuvvetlendirmektedir.

She is extremely beautiful.   O pek çok güzeldir.
Is this question rather diffi-   Bu soru oldukça zor mudur?
cult?

Zarflar bir cümledeki diğer zarfları da nitelerler.

My son drives too fast.   Oğlum çok hızlı sürer.

cümlesinde "çok; aşırı" anlamındaki derece zarfı **too**, "hızlı" anlamındaki **fast** zarfını niteleyerek hızlılığın aşırılığını belirtmektedir.

They are learning fairly well.   Oldukça iyi öğreniyorlar.
The new player played rather   Yeni oyuncu oldukça kötü oynadı.
badly.

zarfların oluşması

Hal zarflarının çoğu sıfatlara **ly** ilavesiyle yapılır.

sıfat	zarf
slow "yavaş"	**slowly** "yavaş yavaş, yavaş olarak"
quick "çabuk"	**quickly** "çabuk bir şekilde, hızla"
brave "cesur"	**bravely** "cesur bir şekilde"
nice "hoş"	**nicely** "hoş bir şekilde"

Sonu **y** ile biten sıfatlara **ly** eklendiğinde bu harf **i** şekline döner.

gay	**gaily**
easy	**easily**

Sonu **e** ile biten sıfatlarda bir değişme olmaz, fakat istisna olarak **whole, true** sözcükleri değişir.

immediate	immediately
extreme	extremely
rare	rarely
brave	bravely
true	truly
whole	wholly

Son harfi **l** olan sıfatlarda ondan önce sesli bir harf varsa **ly** eklenir.

final	finally
beautiful	beautifully
general	generally
occasional	occasionally

kural dışı zarflar

Good sıfatının zarfı **well** sözcüğüdür.

good "iyi"	**well** "iyi bir şekilde"

Bazı sıfatlar şeklen hiç değişmeden zarf anlamı da verirler.

high "yuksek"	**high** "yüksekten, yükseğe"
little "az"	**little** "az, az miktarda"
much "çok"	**much** "çok miktarda"
late "geç"	**late** "geç olarak"
early "erken"	**early** "erkenden"
hard "zor"	**hard** "sıkı şekilde"
fast "hızlı"	**fast** "hızlı şekilde, hızlıca"

far "uzak"	far "uzağa"
near "yakın"	near "yakına"
deep "derin"	deep "derinden"
low "alçak"	low "alçaktan"
direct "doğru"	direct "doğrudan"
pretty "güzel"	pretty "oldukça, epey"
straight "doğru"	straight "doğrudan"

We flew over high mountains.	Yüksek dağların üzerinden uçtuk.
The birds flew high.	Kuşlar yükseğe uçtu.
There isn't much water in the bucket.	Kovada çok su yok.
I can't drink much.	Çok (miktarda) içemem.
There is a fast train at ten.	On'da hızlı bir tren var.
The car doesn't go fast.	Otomobil hızlı gitmez.
They lived in far countries.	Uzak ülkelerde yaşadılar.
They can't go far in the forest.	Ormanda uzağa gidemezler.
The roof was very low.	Dam çok alçaktı.
The plane flew so low that it almost touched the chimney.	Uçak o kadar alçaktan uçtu ki hemen hemen bacaya dokundu.
Draw a straight line between the two points.	İki nokta arasında düz bir hat çiz.
Go straight to your home.	Doğruca evine git.
She is a pretty woman.	Güzel bir kadındır.
She plays the piano pretty well.	Piyanoyu oldukça iyi çalar.

adverbs of manner - hal zarfları

Hal zarfları fiillerin yapılış şeklini, yani onların nasıl yapıldıklarını belirtirler. (slowly "yavaş yavaş", badly "fena bir şekilde", suddenly "aniden")

The man behaved rudely.	Adam kaba bir şekilde davrandı.
Our soldiers fought bravely.	Askerlerimiz cesurca savaştı.
The singer sang the song beautifully.	Şarkıcı şarkıyı güzel bir şekilde söyledi.
He drove the car fast.	Otomobili hızlı sürdü.
I answered them calmly.	Onlara sakin bir şekilde cevap verdim.
She changed quickly.	Çabucak değişti.
She changed the sheets quickly.	Çarşafları çabucak değiştirdi.
You can't read well.	İyi okuyamazsın.
You can't read the words well.	Sözcükleri iyi okuyamazsın.
The tourists visited the mosque silently.	Turistler camiyi sessizce ziyaret ettiler.
Her father gave me the car gladly.	Babası bana otomobili memnuniyetle verdi.
She went to see her friend secretly.	Arkadaşını görmeye gizlice gitti.

Çoğunlukla sıfatlara **ly** eklenerek yapılan hal zarflarının yer aldığı cümleleri yukarıda gördükten sonra aşağıda bu tür zarflardan birkaç örnek daha verelim.

> **calmly** "sakin bir şekilde, sakince"
> **easily** "kolayca, kolay bir şekilde"
> **quickly** "hızlı, hızlı bir şekilde"
> **equally** "eşit olarak, eşit şekilde"
> **happily** "mutlu olarak"
> **slowly** "yavaş yavaş, yavaş bir şekilde"
> **fast** "hızla, hızlı bir şekilde"
> **hard** "sıkı bir şekilde, gayretle"

adverbs of place - yer zarfları

Bir eylemin yapıldığı yeri belirten zarflara yer zarfları denir. (**here** "burada, buraya", **there** "orada, oraya", **somewhere** "bir yerde, bir yere", **near** "yakınında, yakınına")

Bu tür zarflar da hal zarfları gibi fiili izlerler. Cümlede fiilden sonra nesne varsa bunun arkasında yer alırlar.

We'll wait here.	Burada bekleyeceğiz.
They walk there every morning.	Oraya her sabah yürürler.
We'll wait for Betty here.	Betty'yi burada bekleyeceğiz.

Cümlede bir hal zarfı da bulunuyorsa yer zarfı hal zarfından sonra gelir.

He studied French regularly there.	Orada düzenli olarak Fransızca çalıştı.
I saw this man somewhere.	Bu adamı bir yerde gördüm.
Did you see this man anywhere?	Bu adamı bir yerde gördün mü?
The children hid behind.	Çocuklar arkada saklandılar.
The bus came nearer.	Otobüs daha yakına geldi. (yaklaştı)
Put the parcels down please.	Lütfen paketleri aşağıya koyunuz.

Aşağıda yer zarflarından birkaç örnek görelim.

> **away** "uzağa, uzakta"
> **back** "geriye, geri"
> **down** "aşağıya, aşağıda"
> **here** "buraya, burada"
> **there** "oraya, orada"
> **under** "altında, altına"
> **upstairs** "üst katta, üst kata"
> **around** "çevresinde"

adverbs of time - zaman zarfları

Bir eylemin yapılma zamanını belirtirler. (**then** "o zaman", **now** "şimdi", **today** "bugün", **late** "geç", **soon** "yakında", **yet** "henüz")

Zaman zarfları genel olarak cümlenin sonunda veya başında yer alırlar.

The boy went home then.	Çocuk o zaman evine gitti.
Then the boy went home.	Çocuk o zaman evine gitti.

We'll see them tomorrow.	Onları yarın göreceğiz.
Tomorrow we'll see them.	Onları yarın göreceğiz.

The tourists came early.	Turistler erken geldiler.
Can't you come immediately?	Derhal gelemez misin?
My wife isn't ready yet.	Karım henüz hazır değil.

Late zarfı cümle başında yer alamaz. Sadece cümle sonunda bulunabilir.

I think your friends will come late.	Galiba arkadaşlarınız geç gelecek.

Still genel olarak fiilin önünde bulunur.

She still wants to change her dress.	Hâlâ elbisesini değiştirmek istiyor.
We still find her beautiful.	Biz hâlâ onu güzel buluyoruz.
They still don't give us our rights.	Bizim haklarımızı hâlâ vermiyorlar.

Still zarfı, içinde **to be** fiili olan cümlede bu fiili izler.

She is still in the kitchen.	Hâlâ mutfaktadır.
We are still eating the pie.	Pastayı hâlâ yiyoruz.

Just bitmiş zamanlarda yardımcı fiille esas fiil arasına girer.

We have just finished reading the book.	Kitabı okumayı henüz (tam şimdi) bitirdik.
They have just opened the door.	Kapıyı tam şimdi açtılar.
She had just eaten the apple when her brother came.	Kardeşi geldiğinde elmayı henüz yemişti.

Zaman zarflarından birkaç örneği aşağıda görelim·

> **after** "sonra, ...dan sonra"
> **once** "bir kez"
> **soon** "yakında, neredeyse, hemen"
> **today** "bugün"
> **lately** "son zamanlarda"
> **already** "halihazırda"
> **yesterday** "dün"

cümle içinde hal, yer, zaman zarfı sıralanışı

Bir cümlede bu üç tür birden bulunuyorsa sıralanmaları şöyle olur:

1. hal zarfı 2. yer zarfı 3. zaman zarfı

She cleans her shoes carefully at the door every morning.

Her sabah ayakkabılarını kapıda dikkatli bir şekilde temizler.

Bu cümlede zarfların 1. hal (**carefully** - dikkatli bir şekilde) 2. yer (**at the door** - kapıda) 3. zaman (**every morning** - her sabah) şeklinde sıralandığını görüyoruz.

Mary opened the box easily in the kitchen yesterday.

Mary dün mutfakta kutuyu kolayca açtı.

We'll catch the dog quietly in the street now.

Şimdi köpeği sokakta sessizce yakalayacağız.

He drinks his coffee slowly at home in the evening.

Kahvesini akşamleyin evde yavaş yavaş içer.

He saw you walk quickly to the station yesterday.

Dün senin istasyona hızlı hızlı yürüdüğünü gördü.

They stayed quietly here all day.

Bütün gün burada sessizce kaldılar.

Bir cümlede üç zarfın arka arkaya bulunması bir anlatım karışıklığı yapması halinde zaman zarfları cümlenin başına alınarak bir düzenleme yapılabilir. Zira bilindiği gibi zaman zarfları cümlenin başında yer alabilirler.

Yesterday he saw you walk quickly to the station.

Dün senin istasyona hızlı hızlı yürüdüğünü gördü.

Every morning the milkman puts the bottles quickly in front of each door.

Her sabah sütçü şişeleri süratle her bir kapının önüne koyar.

Soon the students will begin to play happily here.

Birazdan öğrenciler burada mutlu bir şekilde oynamaya başlayacak.

This morning she answered the questions correctly at school.

Bu sabah okulda sorulara doğru olarak cevap verdi.

Bir cümlede birden fazla zaman zarfı bulunuyorsa bunlarda sıralama daha küçük zaman biriminden daha büyük olana doğru olur.

He went to school at ten o'clock this morning.	Bu sabah okula saat onda gitti.
My grandchild was born at nine o'clock on February 15th in the year 1982.	Torunum 1982 yılı şubatın 15'inde dokuzda doğdu.
I'll meet him at his office at ten o'clock this morning.	Onunla bu sabah saat onda bürosunda buluşacağım.

adverbs of frequency - sıklık zarfları

Eylemlerin ne sıklıkta, ne kadar zamanda bir yapıldığını açıklayan zarflardır. (**always** "daima", **often** "sık sık", **sometimes** "bazen", **never** "hiçbir zaman", **rarely** "nadiren")

Bu tip zarflar cümlede fiilin önünde yer alırlar.

They usually come early.	Onlar genellikle erken gelirler.
We sometimes play chess with our friends.	Bazan arkadaşlarımızla satranç oynarız.
She often makes mistakes when she speaks quickly.	Hızlı konuştuğu zaman sık sık hata yapar.
He never understands me.	Beni hiç anlamaz.
The old woman regularly visits her aunt.	Yaşlı kadın düzenli şekilde halasını ziyaret eder.
Deborah continually disturbed her sister.	Deborah mütemadiyen kız kardeşini rahatsız etti.
She rarely writes to us.	Bize nadiren yazar.
We seldom see them in the library.	Onları nadiren kitaplıkta görürüz.
Do you ever see Allan?	Allan'ı hiç görür müsünüz?

Cümledeki fiil tek başına olmayıp bir yardımcı fiille bulunuyorsa sıklık zarfı yardımcı fiille esas fiil arasına girer.

She can always answer them.	Onlara daima cevap verebilir.

They have never visited their friends.	Arkadaşlarını hiçbir zaman ziyaret etmediler.
He has always made mistakes.	Daima hatalar yaptı.
We'll rarely see them in the sports fields.	Spor alanlarında onları nadiren göreceğiz.
She could often walk to the market and buy some fruit.	Sık sık pazara yürüyüp meyve alabiliyordu.
You have frequently been punished for driving fast.	Hızlı sürmekten sık sık cezalandırıldın.
I have never seen your sister.	Kız kardeşini hiç görmedim.

Cümlede **to be** fiili varsa sıklık zarfı bundan sonra yer alır.

She is always late.	O daima geçtir. (geç kalır)
We are sometimes too tired to watch television.	Bazan televizyon seyredemeyecek kadar yorgunuzdur.
They are usually angry after failures.	Başarısızlıklardan sonra genellikle öfkelidirler.

Sıklık zarflarının çoğu bu kurallar dışında, cümlenin başında veya sonunda da yer alabilirler.

They frequently change their plans.	Onlar sık sık planlarını değiştirirler.
Frequently they change their plans.	Onlar sık sık planlarını değiştirirler.
They change their plans frequently.	Onlar sık sık planlarını değiştirirler.
She usually comes with her friends.	O genellikle arkadaşlarıyla gelir.
Usually she comes with her friends.	O genellikle arkadaşlarıyla gelir.
She comes with her friends usually.	O genellikle arkadaşlarıyla gelir.

Sıklık zarflarından bazılarını aşağıda görelim.

> **always** "her zaman, daima"
> **often** "sık sık"

generally "ekseriya, genellikle"
occasionally "ara sıra, arada bir"
frequently "sık sık, çok kez"
continually "sürekli, durmadan"
rarely "nadiren, seyrek"
regularly "düzenli olarak"

adverbs of degree - derece zarfları

Derece zarfları bir sıfatı veya diğer bir zarfı nitelerler. (**almost** "hemen hemen", **just** "tam", **too** "fazla, çok", **nearly** "hemen hemen, neredeyse", **entirely** "tamamiyle")

Derece zarfları niteledikleri sözcüklerin önünde bulunurlar.

This soup is very bad.	Bu çorba pek kötü.
You make it very badly.	Onu çok kötü bir şekilde yapıyorsun.
This bag is too big for a child.	Bu torba bir çocuk için çok büyük.
You are entirely exhausted.	Tamamen bitkinsiniz.
You repaired the toy very well.	Oyuncağı çok iyi tamir ettiniz.
She came here quite often.	Buraya pek sık geldi.
The teacher was completely right.	Öğretmen tamamen haklıydı.
This book is really interesting.	Bu kitap gerçekten ilginçtir.
Why do you drive so slowly?	Niçin bu kadar yavaş sürüyorsun?
Why do you drive very slowly?	Niçin pek yavaş sürüyorsun?
It is too cold. I must put on my overcoat.	Hava çok soğuk. Paltomu giymeliyim.

Almost, quite, scarcely, hardly, just zarfları fiilleri nitelemek için de kullanılırlar. Bu durumda fiillerin önünde yer alırlar.

She nearly broke the dish.	Tabağı hemen hemen kırıyordu.
We hardly understand them.	Onları zor anlarız. (anlamamız zordur, anlayamayız)
They really took pleasure in joining your group.	Sizin grubunuza katılmaktan gerçekten zevk aldılar.

Enough ve **too** zarflarına dikkat edilmelidir. İstenmeyen bir fazlalık derecesi gösteren **too** bir nevi olumsuzluk anlamı taşır. Olumlu bir çokluk için **very** kullanılmalıdır.

She is too young to marry.	Evlenmek için çok genç (küçük). (Evlenemeyecek kadar küçük)
The soup is too hot. You must wait a little.	Çorba çok sıcaktır. Biraz beklemelisiniz.
He is too thin. He can't be a boxer.	Çok zayıftır. Boksör olamaz.
He is too thin to be a boxer.	Boksör olmak için çok zayıftır. Boksör olamayacak kadar zayıf)
We are too tired to walk to the theatre.	Tiyatroya yürümek için çok yorgunuz.(yürüyemeyecek kadar yorgun]
You walk too quickly.	Çok hızlı yürürsün. (gerektiğinden fazla)
You walk very quickly.	Pek hızlı yürürsün. (gerektiğinden fazla olduğu anlamı yok)
She writes too badly. I can't read her letters.	Çok kötü yazar. Onun mektuplarını okuyamam.
She writes very badly, but I can read her letters.	Pek kötü yazar, fakat onun mektuplarını okuyabilirim.
The bag is too big.	Çanta çok büyük. (istenmeyen büyüklükte)
The bag is very big.	Çanta çok büyük. (istenmeyen büyüklükte değil)

Enough zarfı nitelediği sıfat veya zarfı izler.

The chair is big enough for the fat lady.	Sandalye şişman hanım için yeterli büyüklüktedir.
He isn't clever enough to understand the trick.	Hileyi anlayacak kadar zeki değil.
You didn't write quickly enough.	Yeteri kadar hızlı yazmadın.
They should have come early enough.	Yeteri kadar (gerektiği kadar) erken gelmeliydiler.
I'm not sure enough about the departure time.	Hareket zamanından gerektiği kadar emin değilim.
We waited long enough.	Yeteri kadar uzun bekledik.

Only nitelediği sözcüğün önünde veya arkasında yer alır. Verdiği anlam buna göredir.

476

I ate only the sweet.	Sadece tatlıyı yedim.
I only heard them. I didn't see them.	Onları sadece işittim. Onları görmedim.
I saw the little girl only.	Sadece küçük kızı gördüm.
I understand only some of them.	Onların sadece birazını anlarım.
She drinks only beer.	Sadece bira içer.
She only drank beer.	Birayı sadece içti.
She drank the beer only.	Sadece birayı içti.
She drank only some of it.	Onun sadece birazını içti.
Only she drank beer.	Sadece o bira içti.
Only tourists are allowed.	Sadece turistlere müsaade edilir.

Derece zarflarından birkaç örneği aşağıda verelim.

completely "tamamen"
equally "eşit olarak"
exactly "kesin olarak, tam olarak"
extremely "son derece"
just "tam, henüz"
very "pek, çok"
almost "hemen hemen, neredeyse"
rather "oldukça"

interrogative adverbs - soru zarfları

When, where, why, how soru sözcükleri birer soru zarfıdırlar. Eylemlerin yapılışı ile ilgili soruları oluştururlar.

When did you see them?	Onları ne zaman gördün?
Where will they go next summer?	Gelecek yaz nereye gidecekler?
Why did she bring her boy friend?	Erkek arkadaşını niçin getirdi?
How do you say this in English?	Bunu İngilizcede nasıl söylersiniz?

How sorusu sıfatlar ve zarflarla da kullanılabilir.

How far is your village?	Köyünüz ne uzaklıktadır?
How old is your son?	Oğlunuz kaç yaşındadır?

How long is this rope?	Bu ip ne uzunluktadır?
How fast is this train?	Bu tren ne kadar hızlıdır?
How often do you go to the cinema?	Sinemaya ne kadar sık gidersiniz?
How fat is your mother-in-law?	Kayınvalideniz ne kadar şişmandır?
How early shall I come?	Ne kadar erken geleyim?
How quickly do they clean the rooms?	Odaları ne kadar çabuk temizlerler?

How sorusu much ve many ile de birleşerek birer soru şekli oluşturur.

How much?	Kaç para?
How much did they want?	Kaç para istediler?
How much did you pay for the carpet?	Halı için kaç para ödedin?

How many pencils do you want?	Kaç kalem istersin?
How many apples did she eat?	Kaç elma yedi?
How many cars did you see?	Kaç otomobil gördünüz?

How bir şahsın sağlık durumunu sormak anlamında "nasıl" olarak kullanılır.

How is your father?	Baban nasıl? (sağlık durumu nasıl)
He is very well.	Çok iyidir. (sağlık durumu iyi)

How are the children?	Çocuklar nasıl?
They are not well. They are sick.	Onlar iyi değil. Hastalar.

Bir kişinin nasıl, yani ne biçimde olduğunu sormak için **what like** yapısı kullanılır.

What is he like?	O nasıl biridir? (şekli, görünüşü nasıl)
He is short and fat.	

What is your teacher like?	Öğretmeniniz nasıl biridir?
She is young and pretty.	O genç ve güzeldir.

What is her husband like?	Onun kocası nasıl biridir?
He is a very good looking man, but he is a little short.	Çok yakışıklı bir adamdır, fakat biraz kısa boyludur.

relative adverbs - ilgi zamirleri

When, where, why sözcükleri birer ilgi zarfı olarak da kullanılırlar. Bu durumda when "... zaman, ne zaman ki, ...diği zaman", where " ...yerde" why "...diği için, ...nedeniyle" anlamını verir.

I was here when the Queen came.　Kraliçe geldiğinde ben buradaydım.
They closed the windows when it started to rain.　Yağmur yağmaya başladığı zaman pencereleri kapadılar.
Do you know the place where they shot the captain?　Yüzbaşıyı vurdukları yeri biliyor musun?
I'll take you to the park where a lot of people talk.　Seni birçok insanların konuştuğu parka götüreceğim.
We don't know why she left.　Niçin ayrıldığını bilmiyoruz.
Did he tell you why he preferred going alone?　Niçin yalnız gitmeyi tercih ettiğini sana söyledi mi?

the comparison of adverbs - zarfların karşılaştırılması

Zarflar da aynen sıfatlar gibi karşılaştırma şekillerine sahiptirler. Onlar gibi **comparative degree** "üstünlük derecesi" ve **superlative degree** "en üstünlük derecesi" halleri vardır.

İki ve daha fazla heceli zarfların üstünlük derecesi **more** ile, en üstünlük derecesi **most** ile yapılır.

positive degree yalın derece	comparative degree üstünlük derecesi	superlative degree en üstünlük derecesi
quickly hızlı	more quickly daha hızlı	most quickly en hızlı
beautifully güzel şekilde	more beautifully daha güzel şekilde	most beautifully en güzel şekilde

perfectly	more perfectly	most perfectly
mükemmelen	daha mükemmelen	en mükemmelen

carefully	more carefully	most carefully
dikkatle	daha dikkatle	en dikkatle

carelessly	more carelessly	most carefully
dikkatsizce	daha dikkatsizce	en dikkatsizce

Kısa zarflar sonlarına **er** alarak üstünlük derecesi, **est** alarak en üstünlük derecesi gösterirler.

high	higher	highest
yüksek	daha yüksek	en yüksek

slow	slower	slowest
yavaş	daha yavaş	en yavaş

fast	faster	fastest
hızlı	daha hızlı	en hızlı

early	earlier	earliest
erken	daha erken	en erken

late	later	latest
geç	daha geç	en geç

soon	sooner	soonest
yakında, hemen	daha yakında	en yakında

Bazı zarfların üstünlük dereceleri yukarıdaki kurallara göre olmaz. Onların üstünlük ve en üstünlük için ayrı şekilleri vardır.

well	better	best
iyi	daha iyi	en iyi

badly	worse	worst
fena, fena şekilde	daha fena	en fena

little	less	least
az	daha az	en az

much	more	most
çok	daha çok	en çok

far	farther	farthest
uzak	daha uzak	en uzak

Far sözcüğünün **farther** ve **farthest** şekilleri sadece mesafe anlamında kullanılır. "daha uzak, en uzak"

Yine aynı sözcüğün şekilleri olan **further** ve **furthest** "daha, daha üstün bir derecede, daha ileri gibi genel bir anlam taşır ve İngilizcede daha çok kullanılır.

We'll try further tomorrow.	Yarın daha fazla uğraşacağız.
I can't walk any further. (farther)	Daha uzağa yürüyemem.
He can run further than eighteen kilometres.	On sekiz kilometreden daha fazla (daha uzağa) koşabilir.
I'll give you ten pounds, but I can't give you any further.	Sana on paund vereceğim, fakat daha hiç veremem.

bazı zarflar üzerinde açıklamalar

much

Olumlu cümlede **much** kullanılmaz. Sadece önüne **very** geldiği takdirde kullanılabilir.

I like these sweets very much.	Bu tatlıları çok severim.
She enjoyed the party very much.	Partiden çok hoşlandı.

Fakat olumsuz ve soru cümlelerinde kullanılır.

I don't eat potatoes much.	Patates çok yemem.
How much do you like me?	Beni ne kadar çok seversin?

Derece zarfı olarak diğer zarfları niteler.

You work much better than your friends.	Arkadaşlarından çok daha iyi çalışırsın.
My son drives much faster than you.	Oğlum senden daha hızlı sürer.

quite

İki anlamı vardır. Bu anlamlar birbirlerinden çok farklıdır. Birincisi, "tamamiyle, tamamen"dir.

The bottle is quite full.	Şişe tamamen doludur.
She is quite right.	Çok haklıdır.
I'm quite certain that I saw them in the car.	Onları otomobilde gördüğümden tamamen eminim.
We are quite ready to start.	Hareket etmek için tamamen hazırız.
Your English is quite good.	İngilizceniz çok iyidir.
His story was quite extraordinary.	Hikâyesi pek olağanüstüydü.
Your son is quite wrong.	Oğlunuz tamamen haksızdır.

Yukarıda görülen **ready, full, determined, empty, certain, finished, sure, wrong, right, perfect, extraordinary** gibi tamlık belirten sözcüklerle kullanıldığında **quite** bu anlamları kuvvetlendirmektedir.

Bunun dışında bazı zarf ve sıfatlarla kullanıldığında ise bunun tam aksi olmakta, onları zayıflatıcı bir etki yapmaktadır. **Good** sözcüğü en çok rastlanılandır.

quite good	oldukça iyi, iyiye yakın, iyice
Your English is quite good. It will be better soon.	İngilizceniz iyiye yakın. Yakında daha iyi olacak.
This bungalow is quite good.	Bu bungalov iyicedir.
The weather is quite good for winter.	Hava kış için iyiye yakındır.
The play was quite good, though it wasn't so good as the others.	Piyes iyiceydi, her ne kadar diğerleri kadar iyi değilse de.

already, yet

Already "şu anda, umulandan da önce, ...bile" anlamını taşır.

We have already taken some pictures.	Şu anda birkaç fotoğraf çekmiş durumdayız. (Birkaç fotoğraf çektik bile.)
She has already slept.	Uyudu bile.
The man is already here.	Adam şu anda burada. (gelmiş bile)
Have you finished your work already?	İşini şimdiden bitirdin mi? (bitti bile mi?)

Yet sadece soru ve olumsuz cümlelerde kullanılır. "şimdi, henüz" anlamını verir. Genellikle cümle sonunda yer alır.

I haven't finished yet.	Henüz bitirmedim.
She hasn't heard the news yet.	Haberi henüz duymadı.
Have they come yet? Not yet.	Halen geldiler mi? Henüz değil.
Is your friend back yet?	Arkadaşın halen geldi mi?

hardly, barely, scarcely

Birbirine çok yakın anlamdadırlar. Olumsuz bir anlamları vardır.

hardly any	pek az, hemen hemen hiç
hardly ever	pek seyrek, hemen hemen hiçbir zaman.
They have hardly any food.	Hemen hemen hiç yiyecekleri yok.
We know hardly anything about them.	Onlar hakkında hemen hemen hiçbir şey bilmiyoruz.

Hardly ayrıca tek başına "zorlukla, zar zor" anlamını verir.

We can hardly carry these boxes.	Bu kutuları zorlukla (zar zor) taşıyabiliriz.
I hardly noticed the sign.	İşareti zor gördüm. (Neredeyse görmüyordum)

Hard sözcüğünün anlamı ile **hardly** karıştırılmamalıdır. Bilindiği gibi **hard** "çok, sıkı bir şekilde, gayretle" anlamındadır.

He worked hard and got the diploma.	Çok (sıkı bir şekilde) çalıştı ve diplomayı aldı.
He hardly worked and so he didn't succeed.	Hemen hemen hiç çalışmadı ve bu yüzden başaramadı.

Barely "ancak, zar zor, ...yok bile" anlamındadır.

She can barely carry the bucket.	Kovayı zar zor (zorlukla) taşıyabilir.
We have barely enough food.	Zar zor yetecek yiyeceğimiz var. Yiyeceğimiz yeterli değil.)

scarcely "ancak, ...den daha az" anlamındadır.

There were scarcely one hundred people in the building.	Binada ancak yüz kişi vardı.
She spoke scarcely a word of French.	Fransızcayı bir kelime bile bilmiyordu.

never, ever

Never "hiçbir zaman" anlamındadır. Olumlu cümle içinde olumsuz bir anlam verir.

We never go there.	Oraya asla gitmeyiz. (hiç gitmeyiz)
She never saw me again.	Beni bir daha hiç görmedi.
They never drink wine.	Asla şarap içmezler.
I'll never help you.	Sana asla yardım etmeyeceğim.
You can never understand these books.	Bu kitapları asla anlayamazsınız.

Ever "herhangi bir zamanda" anlamındadır ve daima soru halindeki cümlelerde kullanılır.

Have you ever seen them?	Onları herhangi bir zaman (hiç) gördün mü?
Do you ever go to football matches?	Hiç futbol maçlarına gider misiniz?
Have you ever been to Canada?	Kanada'da hiç bulundunuz mu?
Did you ever taste this drink?	Bu içkiyi hiç tattınız mı?

fairly, rather

Her ikisi de "oldukça, epey" anlamındadır. **Fairly** arzulanan türden zarf ve sıfatlarla kullanılarak olumlu bir görüş bildirir, yeterlilik anlatır. **Rather** ise aksi anlamdadır. Arzu edilmeyen türden zarf ve sıfatlarla kullanılarak olumsuz bir görüşü ve yeter bulmama halini anlatır.

Your writing is fairly good.	Yazın oldukça iyi. (iyiliği yeterli derecede)
My son is fairly hard working.	Oğlum oldukça çalışkandır, (çalışkanlığı yeterli derecede)
The weather is fairly warm.	Hava oldukça ılık. (ılıklığı uygun derecede)
Our neighbour is fairly rich.	Komşumuz oldukça zengin.
She swims fairly well.	Oldukça iyi yüzer.
The woman is reading a fairly interesting book.	Kadın oldukça ilginç bir kitap okuyor.
The soup is fairly hot.	Çorba oldukça sıcak.
The tree is fairly big.	Ağaç oldukça büyük.
She is rather ugly.	Oldukça çirkindir. (çirkinliği hoşa gitmeyecek derecede)
The soup is rather hot.	Çorba oldukça sıcak. (sıcaklığı istenmeyen derecede)
She swims rather badly.	Oldukça kötü yüzer. (yüzüşü iyi değil)
The tree is rather big.	Ağaç oldukça büyüktür. (büyüklüğü uygun değil)

Arzu edilen türden şeyleri gösteren zarf ve sıfatlarla **rather** kullanılması halinde anlam değişir. Bu durumda rather sözcüğü **fairly**'den çok daha kuvvetli bir niteleme yapar ve olumsuz hal değişir.

This play is rather good.	Bu piyes epey iyi.
She is rather intelligent.	O oldukça (çok) zekidir.
They are rather brave soldiers.	Onlar epey cesur askerlerdir.

Fairly, quite, rather, pretty, very sözcükleri anlam bakımından birbirine çok yakındırlar. Bunları kuvvetlilikleri bakımından sıralamak istersek yukarıda yazmış olduğumuz sıra elde edilir. Tabii bu aralarındaki küçük anlam farkları ve kullanılma yerlerindeki değişiklikler göz önüne alınmadan yapılmış genel bir düzenlemedir.

The weather is not hot.	Hava sıcak değildir.
The weather is fairly hot.	Hava oldukça sıcaktır.
The weather is quite hot.	Hava epey sıcaktır.
The weather is rather hot.	Hava epey sıcaktır.
The weather is pretty hot.	Hava epey (çok) sıcaktır.
The weather is very hot.	Hava çok sıcaktır.

Burada gördüğümüz **pretty** daha ziyade konuşma dilinde kullanılan bir zarftır.

PREPOSITIONS - EDATLAR

Edatlar genellikle ilgili oldukları isim ve zamirlerin önünde bulunan, onların cümledeki diğer sözcüklerle ilişkisini gösteren sözcüklerdir.

Edatların başlıca görevi zaman, yer, durum, yön göstermeleridir.

Başlıca edatlar şunlardır:

in	içinde, ...de, ...da	**for**	için, ...süresince
on	üstünde, ...de, ...da	**from**	...den, ...dan
under	altında	**into**	içine
at	...de, ...da	**off**	...den
by	vasıtasiyle, ile	**about**	hakkında
to	...ye, ...ya	**after**	arkasından, sonra
with	ile, ...le	**along**	boyunca
up	yukarı	**among**	arasında
of	...nın, ...ın	**before**	önce
behind	arkasında	**between**	(iki şey) arasında
beneath	altında	**down**	aşağı
like	gibi, benzer	**in front of**	önünde
next to	bitişik	**near**	yakınında
over	üzerinde, üzerinden	**out of**	den dışarı
past	sonrası, geçe	**round**	etrafında
through	içinden	**since**	...den beri
towards	...ye doğru	**till**	...ye kadar

without	...sız, olmaksızın	**until**	...ye kadar
across	karşıdan karşıya	**above**	üstünde, üst düzeyde
below	altında	**against**	karşı
beyond	ötesinde	**beside**	yanında
except	hariç	**despite**	rağmen
outside	dışında	**in spite of** rağmen	
inside	içinde, iç kısmında	**opposite**	karşısında, zıt

Gördüğümüz edatları çeşitli amaçlarla kullanılmaları bakımından kesin gruplara ayırmak mümkün değildir. Birçok edat çeşitli yerlerde çeşitli anlamlarda kullanılırlar, Örneğin, zaman göstermede kullanılan **in** sözcüğü yer göstermede de kullanılır. **On, at, by** edatları için de durum aynıdır. Bu bakımdan edatları ayrı ayrı ve kullanılış şekilleriyle öğrenmelidir.

zaman göstermede kullanılan edatlar

at, on, by, in, from, since, for, during, until, after, before

At tam bir zaman noktası göstermek için kullanılır.

at nine	dokuzda
at five o'clock	saat beşte
at midnight	gece yarısında (tam ortası)
at noon	öğleyin (tam öğlen noktası)
at night	geceleyin (bütün gece boyunca)
at Christmas	Noelde (bütün Noel süresince)

We get up at seven o'clock.	Saat yedide kalkarız.
At night we stay at home.	Geceleyin evde kalırız.

At night ve **at Christmas** örneklerinde **at**, kurala aykırı olarak belli bir noktayı değil, uzun bir süreyi kapsamaktadır.

Bir kimsenin yaşı ile de **at** kullanılır.

at seven	yedisinde
at the age of fourteen	on dört yaşında

In zamanın daha uzun bir parçasını gösterir.

in the morning	sabahleyin
in the afternoon	öğleden sonra
in winter	kışın
in September	eylülde
in 1995	1995'te

We get up at seven in the morning.	Sabahleyin yedide kalkarız.
The trees blossom in April.	Ağaçlar nisanda çiçek açar.

On günlerle kullanılır.

on friday	cuma günü, (cuma gününde)
on May l5th	15 mayıs günü

On Saturdays schools are closed. Cumartesi günleri okullar kapalıdır.

By "sırasında, o zamana kadar" anlamındadır.

by two o'clock	saat ikiye kadar (saat ikiyi geçmeden)
by midnight	gece yarısına kadar
by March	marta kadar

By noon time all the farmers will be in the pub.	Öğle vaktine kadar bütün çiftçiler birahanede olacaklar.

From belli bir zaman başlangıç noktasını belirtirken söylenen "...den" karşılığı olarak kullanılır. Çoğu zaman aynı cümlede "...ye, ...ye kadar" anlamında **to** veya **until (till)** edatı da bulunur.

from morning till evening	sabahtan akşama kadar
from nine to eleven	dokuzdan on bire

They wait in queues from seven to twelve.	Yediden on ikiye kadar kuyruklarda beklerler.

Until (till) edatının yukarıda **from** ile kullanıldığını gördük ve aynı cümlede **until** yerine **to** da kullanılabileceğini belirttik. Bir cümlede **from** olmadan da **until** kullanılabilir. Bu durumda onun yerini **to** alamaz.

The boys played football from nine to eleven.	Çocuklar dokuzdan on bire kadar futbol oynadılar.
The boys played football from nine till eleven.	Çocuklar dokuzdan on bire kadar futbol oynadılar.
We'll wait here until seven o'clock.	Saat yediye kadar burada bekleyeceğiz.
We heard noises in the streets till midnight.	Sokaklarda gece yarısına kadar gürültüler işittik.

Since "...den beri" anlamıyla belli bir zaman noktasından o zamana kadar geçen süreyi belirtir.

since five o'clock	saat beşten beri
since Tuesday	salıdan beri
since the opening day	açılış gününden beri
We haven't seen each other since Easter.	Birbirimizi Paskalyadan beri görmedik.
She has lived in London since 1994.	1994'den beri Londra'da yaşadı.

For "...sürece, için" anlamında kullanılır.

for five days	beş gün süreyle, beş gündür
for one hour	bir saat süreyle
for months	aylarca
You must keep them for three hours.	Onları iki saat (iki saat süreyle) tutmalısınız.
We played in the garden for two hours.	Bahçede iki saat (iki saat süreyle) oynadık.
She has lived in London for two years.	Londra'da iki yıl oturdu. (iki yıl süreyle)

During "esnasında, iken" anlamındadır. Belli bir zaman dilimini bildiren sözcüklerle kullanılır.

during the war	savaş esnasında
during winter	kışın, kış esnasında
during the lesson	ders esnasında, derste
during the meal	yemek esnasında, yemekte

I don't drink water during meals.	Yemeklerde (yemek sırasında) su içmem.
We didn't see Gerald during summer.	Gerald'ı yazın görmedik.

After "...den sonra, sonra" anlamındadır. Belli bir zaman noktasından sonrasını göstermek için kullanılır.

after eight	sekizden sonra
after the lesson	dersten sonra
after meals	yemeklerden sonra

I have a cup of coffee after meals.	Yemeklerden sonra bir fincan kahve içerim.
She'll see the teacher after school.	Okuldan sonra öğretmeni görecek.

Before "...den önce, önce" anlamındadır. Belli bir zaman noktasından öncesini gösterir.

before six	altıdan önce
before Monday	pazartesiden önce
before the holiday	tatilden önce

They'll finish the repair before nine o'clock.	Tamiri saat dokuzdan önce bitirecekler.
Could we meet before next week?	Gelecek haftadan önce buluşabilir miyiz?

To edatının zamanla ilgili olarak **from** ile kullanıldığını biraz önce gördük.

from lunch time to five	öğle yemeği vaktinden beşe
from midnight to dawn	geceyarısından şafağa

The mountaineers climbed the hill from seven to eleven.	Dağcılar tepeye yediden on bire kadar tırmandılar.

hareket veya yön göstermede kullanılan edatlar

From, to, at, by, on, in, onto, into, off, out, out of, along

From "...den. ...dan" anlamıyla bir hareketin başlangıç noktasını belirtir.

from the table	masadan
from the door	kapıdan
from home	evden
from London	Londra'dan

The bus went from Paris to Bonn.	Otobüs Paris'ten Bonn'a gitti.
The students are walking from home to school.	Öğrenciler evden okula yürüyorlar.
They are coming from the airport.	Havalimanından geliyorlar.

To "... ye, ... ya" anlamındadır. Eylemlerin varış noktasını işaret eder.

to the street	sokağa
to the station	istasyona
to a park	bir parka

The woman walked from the shop to the station.	Kadın dükkândan istasyona yürüdü.
They'll come to Turkey.	Türkiye'ye gelecekler.
She sent a present to her mother.	Annesine bir armağan gönderdi.

At edatı bir eylemin yapıldığı yer veya yönü işaret ederken "...e, ...a" gibi anlamlar verir. Bu anlamda **at** belirli fiillerle kullanılır.

arrive at	...e varmak (küçük bir yere)
arrive at the airport	havalimanına varmak
arrive at a village	bir köye varmak
arrive at a hotel	bir otele varmak

The car arrived at the bridge.	Otomobil köprüye vardı.
We arrived at his house.	Onun evine vardık.

Varılan yer büyük bir yerse **arrive** ile **in** kullanılır.

arrive in London	Londra'ya varmak
arrive in Germany	Almanya'ya varmak
The plane arrived in Paris at five o'clock.	Uçak Paris'e saat beşte vardı.

In kapalı veya sınırları belli bir şeyin içinde oluşu anlatmak için kullanılır.

in the room	odada (odanın içinde)
in the box	kutuda
in the station	istasyonda
in Turkey	Türkiye'de
in the river	nehirde
She is sitting in the bedroom.	Yatak odasında oturuyor.
They waited in the station.	İstasyonda beklediler.
We'll swim in the sea.	Denizde yüzeceğiz.
Helen and Robert live in Turkey.	Helen ve Robert Türkiye'de otururlar.

By bir nakil vasıtasıyla gidiş anlatılırken kullanılan "... ile, ...le" anlamındadır.

by car	otomobille
by bus	otobüsle
by air	hava yoluyla (uçağa binerek)
We go to school by train.	Okula trenle gideriz.

By ayrıca "... yoluyla, ... üzerinden" anlamını da verir.

The plane come by Ankara.	Uçak Ankara yoluyla (Ankara üzerinden) geldi.

On bir durumu veya bir hareketin bir şeyin üstüne yapıldığını belirtir.

on the chair	sandalyenin üstünde
on my bed	yatağımın üstünde

on the roof	damda

He put the books on the table.	Kitapları masanın üstüne koydu.
The girl sat on the bench.	Kız bankın üstüne oturdu.

Bazı hareket ve gidiş şekilleri **on** edatıyla anlatılır.

on foot	yürüyerek, yaya
on horseback	atla, at sırtında

Off "... den uzakta, ...den uzağa, ...den, ...dan" anlamındadır.

off the tree	ağaçtan
off the shore	kıyıdan
off the grass	çimenden

Keep off the grass.	Çimenden uzak durunuz.
We'll get off the bus here.	Otobüsten burada ineceğiz.
The ship is ten miles off the shore.	Gemi kıyıdan on mil uzaklıktadır.
The cat jumped off the tree.	Kedi ağaçtan atladı.
I'll cut off the buttons.	Düğmeleri kesip çıkaracağım.
Take the apple off the branch.	Elmayı daldan koparıp al.

Out of bir yerden dışarı çıkış anlatılırken kullanılır. "...den dışarı" anlamını verir. **Out** tek başına zarf olarak "dışarı" anlamında kullanılır.

out of the garden	bahçeden dışarı
out of the kitchen	mutfaktan dışarı
out of the room	odadan dışarı
out of the bus	otobüsten dışarı

The girl walked out of the park.	Kız parktan dışarı yürüdü.
They ran out of the shop.	Dükkândan dışarı koştular.
You must get out of the train at the next station.	Gelecek istasyonda trenden inmelisiniz.

Along "boyunca, uzunluğunca" anlamındadır.

along the street	sokak boyunca

494

along the river	nehir boyunca
along the wall	duvar boyunca

She ran along the street.	Sokak boyunca koştu.
We raced along the river.	Nehir boyunca yarıştık.
They had put fences along the fields.	Tarlalar boyunca çitler koymuşlardı.

(at) ve (in) yer belirtmede farkları

At genel olarak küçük bir yerde bulunuş, belli bir noktada oluş söylenirken kullanılır.

at home	evde
at the office	büroda
at an address	bir adreste
at work	işte
at school	okulda
at the door	kapıda
at the table	masada (sandalyeye oturmuş olarak)
at the bus stop	otobüs durağında

Bunlar arasında **home, work, school** ile **the** kullanılmadığına dikkat edilmelidir.

My father is at work now.	Babam şimdi iştedir.
I must be at the office early in the morning.	Sabahleyin erkenden büroda olmalıyım.
The children are sitting at the table.	Çocuklar masada oturuyorlar.
The tourists are at the bridge.	Turistler köprüdedirler.

In daha büyük yerlerde oluşu anlatırken kullanılır.

in England	İngiltere'de
in Rome	Roma'da
in the forest	ormanda
in the field	tarlada

In kapalı veya belli sınırlar içinde olan bir yerde bulunuşu anlatır.

in the room	odada
in the square	meydanda (alanda)
in the church	kilisede

They live in England.	İngiltere'de yaşarlar.
The hunters were in the forest.	Avcılar ormandaydılar.
How many carpets are there in the room?	Odada kaç halı var?

Aynı anlam için **at** ve **in** kullanılabilmesi halinde **at** o yerin herhangi bir noktasında oluşu, **in** ise o yerin içinde, o yerin sınırları içinde bulunuşu anlatır.

He is at the restaurant.	O lokantadadır. (lokanta alanının herhangi bir yerinde)
He is in the restaurant.	O lokantanın içindedir. (tam içinde)

in ve **into**

In bir yerde oluş veya bulunuşu gösterir. **Into** bir şeyin içine hareket ediş ve girişi anlatır.

The pencil is in the box.	Kalem kutunun içindedir. (Kalem kutudadır.)
I'll put the pencil into the box.	Kalemi kutunun içine koyacağım.
She put her hand into my pocket.	Elini cebime koydu. (soktu)
Put the apples into the basket.	Elmaları sepete koy.

on ve **onto**

On bir durumu veya bir şeyin üzerine doğru bir hareketi belirtir.

The key is on the table.	Anahtar masanın üstündedir.
Put the key on the table.	Anahtarı masanın üstüne koy.

Bir şahıs veya canlının yüksek bir yerin üzerine konulması veya çıkması anlatılırken **onto** kullanılır.

Put the boy onto the branch.	Çocuğu dalın üstüne koy.
She jumped onto the table.	Masanın üstüne sıçradı.
I lifted the girl onto the horse.	Kızı atın üstüne kaldırdım.

Across "bir tarafından karşı tarafına, çaprazlamasına" anlamında bir edattır.

across the river	nehirin bir kıyısından karşı kıyısına
across the street	caddenin bir tarafından karşısına
across the cotton field	pamuk tarlasının bir tarafından karşı tarafına
The boys swam across the river.	Çocuklar nehrin bir kıyısından karşı kıyısına yüzdüler.
The policeman stopped the cars and we walked across the street.	Polis otomobilleri durdurdu ve biz yolun bir tarafından karşı tarafına yürüdük.
The boat went across the lake.	Kayık gölün bir tarafından karşı tarafına gitti.

down "aşağı doğru" anlamındadır.

down the road	yoldan aşağı doğru
down the hill	tepeden aşağı doğru
down her face	yüzünden aşağı doğru
Tears went down her cheeks.	Yaşlar yanaklarından aşağı doğru süzüldü.
The boats go faster down the river.	Kayıklar nehirde aşağı doğru daha hızlı giderler.
They rolled the boulders down the hill.	Kayaları tepeden aşağı doğru yuvarladılar.

round "etrafında, çevresinde" anlamını verir.

round the world	dünyanın etrafında
round the table	masanın etrafında
round my neck	boynumda

The earth rotates round the sun.	Dünya güneşin etrafında döner.
The children are running round the big tree.	Çocuklar büyük ağacın etrafında koşuyorlar.
She wore a blue belt round her waist.	Beline mavi bir kemer taktı.

through bir şeyin içinden geçişi anlatırken kullanılan "içinden, arasından" anlamındadır.

through the chimney	bacanın içinden
through the forest	ormanın içinden
through the city	şehrin içinden

The river flows through Paris.	Nehir Paris'in içinden akar.
He came in through the window.	Pencereden girdi.
Can you see through this curtain?	Bu perdenin arasından görebilir misin?

up "yukarı doğru" anlamındadır.

up the tree	ağacın yukarısına doğru
up the stairs	merdivenlerden yukarı
up the hill	tepenin yukarısına

We climbed up the mountain.	Dağın yukarısına tırmandık.
The swimmers swam up the stream.	Yüzücüler nehrin yukarısına doğru yüzdüler.
The workmen climbed up the ladder.	İşçiler merdivenin yukarısına doğru tırmandılar.

against "karşı" anlamında bir edattır.

against the wind	rüzgâra karşı
against our wish	isteğimize karşı
against the rules	kurallara karşı

Your driving at this speed is against the rules.	Bu hızda sürmeniz kurallara aykırıdır.
We can't go fast against the current.	Akıntıya karşı hızlı gidemeyiz.
They raced against time.	Zamana karşı yarıştılar.

düzey gösteren edatlar

above, over, under, below, beneath

above "üstünde, daha üst düzeyde" anlamındadır.

The plane is above the clouds.	Uçak bulutların üstündedir.
The birds were flying above the kites.	Kuşlar uçurtmaların üstünde uçuyorlardı.
Our pride is above everything.	Gururumuz her şeyin üzerindedir.

over edatı da above ile aynı anlamdadır. Ayrıca, üstünde bulunduğu şeye dokunur durumda anlamını da verebilir. Above böyle bir anlam vermez.

The plane is over the clouds.	Uçak bulutların üstündedir.
We were flying over the forest.	Ormanın üstünde uçuyorduk.
Put the handkerchief over his face.	Mendili onun yüzüne koy.
I'll put a new table cloth over the table.	Masanın üzerine yeni bir masa örtüsü koyacağım.

Over, ayrıca bir hareketin bir şeyin üzerinden yapıldığını da anlatır.

The cat jumped over the bed.	Kedi yatağın üzerinden atladı. (bir tarafından öbür tarafına)
We jumped over the stream.	Derenin üzerinden atladık.

under "altında" anlamındadır.

under the chair	sandalyenin altında

under the book	kitabın altında
under the carpet	halının altında

There are some cigarettes under the table.	Masanın altında birkaç sigara var.
He is sleeping under the tree.	Ağacın altında uyuyor.

below edatı da **under** gibi "altında" anlamındadır. Ancak, **under** ile anlatılanda temas durumu mümkündür. **Below** ise temas etmeden altında oluşu anlatır.

below the clouds	bulutların altında
below the surface	yüzeyin altında
below the roof	çatının altında

The plane went below the clouds.	Uçak bulutların altından gitti.
She swam below the surface of the water.	Su yüzeyinin altında yüzdü.
Her trousers are below the knee.	Pantalonu diz altındadır.

beneath de "altında" anlamındadır. **Under** ile eş anlamlıdır.

We found the money beneath the blanket.	Parayı battaniyenin altında bulduk.
Parts of Troy are beneath the ground.	Truva'nın bölümleri toprağın altındadır.

bulunma veya duruş yerini gösteren edatlar

beside, behind, in front of, opposite, between, among, near

beside "yanında, bitişiğinde" anlamındadır.

beside the bed	yatağın yanında
beside the cupboard	dolabın yanında
beside the woman	kadının yanında

She is sitting beside her husband.	Kocasının yanında oturuyor.
There is a waste bin beside the cupboard.	Dolabın yanında bir çöp tenekesi var.
Come and sit beside your father.	Gel babanın yanına otur.

behind "arkasında" anlamında bir edattır.

behind the house	evin arkasında
behind the wall	duvarın arkasında
behind our school	okulumuzun arkasında
We parked the car behind the station.	Otomobili istasyonun arkasında park ettik.
They'll wait for us behind the stadium.	Bizi stadyumun arkasında bekleyecekler.
The woman walked behind her husband.	Kadın kocasının arkasında yürüdü.

in front of üç sözcükten oluşan bir edattır. Anlamı "önünde"dir.

in front of the house	evin önünde
in front of your door	kapınızın önünde
in front of everybody	herkesin önünde

There is a blue car in front of your door.	Kapınızın önünde mavi bir otomobil var.
Put the boxes in front of the window.	Kutuları pencerenin önüne koy.
You can't insult her in front of everybody.	Ona herkesin önünde hakaret edemezsin.
Don't stand in front of me.	Önümde durma.

opposite "karşısında, zıddı" anlamındadır.

opposite the church	kilisenin karşısında
opposite our house	evimizin karşısında
opposite of a word	bir sözcüğün zıddı

I am sitting opposite my daughter.	Kızımın karşısında oturuyorum.
Their house is opposite ours.	Onların evi bizimkinin karşısındadır.
What is the opposite of this word?	Bu sözcüğün zıddı (karşıt anlamlısı) nedir?
The opposite of long is short.	Uzunun karşıtı kısadır.

between "iki şey arasında" anlamında bir edattır.

between the table and the door	kapı ve masa arasında
between you and me	sen ve ben arasında (ikimiz arasında)
between the two trees	iki ağaç arasında
There is a big tree between the house and the wall.	Evle duvar arasında büyük bir ağaç var.
Put the books between the vases.	Kitapları vazoların arasına koy.
There is a secret between Doris and her brother.	Dorisle erkek kardeşi arasında bir sır var.

among "arasında, ortasında" anlamındadır. Fakat **between**'den farkı ikiden fazla sayıdaki şeylerin arasında oluşu göstermesidir.

among the flowers	çiçekler arasında
among the four hills	dört tepe arasında
among the students	öğrenciler arasında
We built a hut among the trees.	Ağaçlar arasında bir kulübe inşa ettik.
Put the seeds among the flowers.	Tohumları çiçeklerin arasına koy.
They'll hide the money among the books.	Parayı kitapların arasına saklayacaklar.

near "yakın, yakınında" anlamındadır.

near the house	eve yakın
near our school	okulumuza yakın
near me	bana yakın
Our house is near the station.	Evimiz istasyona yakındır.
We parked the car near the football ground.	Arabayı futbol alanına yakın park ettik.

diğer edatlar

about, with, without, except

about "aşağı yukarı, yaklaşık, civarında, dair" anlamlarındadır.

about the house	evin civarında
about the city	şehrin civarında (şurasında, burasın da)
about here	burada bir yerde
about this book	bu kitap hakkında

The tourists are walking about the town.	Turistler şehrin şurasını burasını dolaşıyorlar.
I lost my key somewhere about here.	Anahtarımı buralarda bir yerde kaybettim.
Tell me everything about her.	Bana onun hakkında her şeyi anlat.
It's about five o'clock.	Saat aşağı yukarı beş.

with "ile, ...li, beraber" anlamlarını veren bir edattır.

with a pencil	kalemle
with a small knife	küçük bir bıçakla

She cut the cake with a big knife.	Pastayı büyük bir bıçakla kesti.
I wrote the letter with this pen.	Mektubu bu kalemle yazdım.
I go to school with my friends.	Okula arkadaşlarımla giderim.

With edatı ayrıca, "...i olan, ..lı" ekleriyle belirtilebilecek, sahiplik gösteren bir anlam da verir.

with red hair	kırmızı saçlı
with one arm	tek kollu
with her coat on her shoulders	paltosu (mantosu) omuzlarında olan

The man with long hair is a famous musician.	Uzun saçlı adam ünlü bir müzisyendir.
The old man with one arm is Frank's father.	Tek kollu yaşlı adam Frank'ın babasıdır.

503

The woman with a fur coat on her shoulders is the owner of this big shop.	Omuzlarında bir kürk manto olan kadın bu büyük dükkânın sahibidir.

without "...sız, olmaksızın" anlamındadır.

without lemon	limonsuz
without any help	hiç yardımsız
without you	sensiz

We cook our food without salt.	Yiyeceğimizi tuzsuz pişiririz.
Can you tell them a story without a book?	Bir kitap olmaksızın onlara hikâye anlatabilir misin?
I can't do without you.	Sensiz yapamam.

except "hariç" anlamındadır.

except this book	bu kitap hariç
except you	sen hariç
except the teacher	öğretmen hariç

I'll give you everything except this ring.	Bu yüzük hariç her şeyi sana vereceğim.
Everybody came except Helen.	Helen hariç herkes geldi.
Nobody can answer it except the teacher.	Öğretmen hariç ona kimse cevap veremez.

(with) ve (by) edatlarının Türkçe karşılık benzerliği

With "beraber, ile" anlamında kullanıldığında nakil vasıtasıyla gidişi gösteren by edatının "ile, vasıtasıyla" anlamıyla karışmaktadır. Burada dikkat edilecek şey with edatının "birlikte, beraber" anlamı taşıyan "ile" anlamında olduğu, by edatının ise "vasıtasiyle" anlamı taşıyan "ile" anlamında olduğudur.

with	ile, beraber, birlikte
by	ile, vasıtasıyla

I go to school with my friends.	Okula arkadaşlarımla giderim.
I go to school by bus.	Okula otobüsle giderim.
She came here with her father.	Buraya babasıyla geldi.
She came here by train.	Buraya trenle geldi.

on time ve in time

On time "vaktinde, tam vaktinde" anlamındadır.

The train came on time.	Tren vaktinde geldi.
The bus will start on time.	Otobüs vaktinde kalkacak.

in time "vakitlice, geç kalmayacak zamanda, vakti geçmeden" anlamını verir.

We must be here in time.	Vaktini geçirmeden (vakitlice) burada olmalıyız.
They arrived in time, so we had time to have a cup of tea.	Vakitlice geldiler, böylece bir fincan çay içmek için vaktimiz oldu.
All the passengers must be here in time.	Bütün yolcular vaktinde burada olmalılar.
We were at the theatre in time.	Vakitlice (geç kalmadan) tiyatrodaydık.

like "gibi" anlamında bir edattır.

like a soldier	bir asker gibi
like this	bunun gibi
like the others	diğerleri gibi

You must behave like your sister.	Kız kardeşin gibi hareket etmelisin.
They made this place like a garden.	Bu yeri bir bahçe gibi yaptılar.
Your house is like a palace.	Sizin eviniz bir saray gibidir.
She was like a teacher to me.	Bana bir öğretmen gibiydi.

Feel like "canı istemek, arzu etmek" anlamında bir deyimdir.

Bunu genellikle bir isim veya isim fiil izler.

Do you feel like a drink?	Bir içki ister misin? (Canın içki içmeyi istiyor mu?)
Do they feel like a swim?	Yüzme isterler mi?
She felt like crying.	Ağlamak istedi. (İçinden ağlamak geldi.)
I feel like having a rest.	Canım istirahat etmek istiyor.
We don't feel like walking to the hill.	Tepeye yürümek istemiyor canımız.

dolaylı tümleç önündeki (to) ve (for) edatlarının kaldırılması

The teacher gave the book to me.	Öğretmen kitabı bana verdi.
Dora will buy a stamp for the old man.	Dora yaşlı adama bir pul alacak.

cümlelerinde dolaylı tümleçler **"me, the old man"** düz tümlecin önüne alınırsa **to** ve **for** edatları atılabilir.

The teacher gave me the book.	Öğretmen kitabı bana verdi.
Dora will buy the old man a stamp.	Dora yaşlı adama bir pul alacak.

Dolaylı tümlecin yerini değiştirmek suretiyle **to** edatının atılması başlıca şu fiillerle olur: **take, tell, sell, send, pay, give, bring**

She told a story to the children.	Çocuklara bir hikâye anlattı.
She told the children a story.	Çocuklara bir hikâye anlattı.
We'll sell our furniture to them.	Mobilyamızı onlara satacağız.
We'll sell them our furniture.	Mobilyamızı onlara satacağız.
I sent the boxes to the company.	Kutuları şirkete gönderdim.
I sent the company the boxes.	Kutuları şirkete gönderdim.
He paid twenty dollars to the baker.	Fırıncıya yirmi dolar ödedi.
He paid the baker twenty dollars.	Fırıncıya yirmi dolar ödedi.

Mary can bring the books to her friends.	Mary kitapları arkadaşlarına getirebilir.
Mary can bring her friends the books.	Mary kitapları arkadaşlarına getirebilir.

Dolaylı tümlecin yerini değiştirmek suretiyle **for** edatının atılması başlıca şu fiillerle olur: **buy, get, keep, leave, make, order, build, cook, find.**

She bought an umbrella for Ann.	Ann için (Ann'a) bir şemsiye aldı.
She bought Ann an umbrella.	Ann'a bir şemsiye aldı.
We'll find a hotel for the tourists.	Turistler için bir otel bulacağız.
We'll find the tourists a hotel.	Turistlere bir otel bulacağız.
The man left some money for his children.	Adam çocukları için biraz para bıraktı.
The man left his children some money.	Adam çocuklarına biraz para bıraktı.
I'll make a small chair for you.	Senin için küçük bir sandalye yapacağım.
I'll make you a small chair.	Sana küçük bir sandalye yapacağım.
They built a simple bridge for the villagers.	Köylüler için basit bir köprü inşa ettiler.
They built the villagers a simple bridge.	Köylülere basit bir köprü inşa ettiler.

read ve **write** ile **to**

Read ve write fiilleri **to** edatı ile kullanılırlar.

I'll write to you when I go there.	Oraya gittiğim zaman sana yazacağım.
She can read to them before they go to bed.	Onlar yatmadan önce onlara okuyabilir.
Why didn't you write to me?	Bana niçin yazmadın?
She promised to write to me but she didn't keep her word.	Bana yazmayı vaat etti fakat sözünü tutmadı.

tell ve show

Tell ve **show** fiilleri **to** almazlar.

I'll tell you everything.	Sana her şeyi anlatacağım.
Show me your hands.	Bana ellerini göster.
They told the teacher about the school.	Öğretmene okulu anlattılar.
Can you show them the new machine?	Onlara yeni makineyi gösterebilir misin?

Bazı fiillerin arkasından gelen edatlar

Fiilleri öğrenirken bunların aldıkları edatları da bellemelidir. Burada örnek olarak çok önemli olanlarını cümlelerde kullanılışlarıyla veriyoruz.

(to) ile kullanılan bazı fiiller

Call, complain, explain, say, speak, talk, whisper, suggest, shout fiilleri ile hitap edilen şahısları gösteren sözcükler önüne **to** getirilir.

What did she say to you?	Sana ne dedi?
He complained to her about the child.	Ona çocuk hakkında şikâyet etti.
We'll explain everything to them.	Onlara her şeyi açıklayacağız.
She talked to her husband.	Kocasıyla konuştu.
Audrey whispered some words to the man.	Audrey adama birkaç söz fısıldadı.
The policeman called to the driver.	Polis şoföre seslendi.
You spoke to an old woman in the street.	Sokakta yaşlı bir kadınla konuştun.
He shouted to the watchman to open the door.	Nöbetçiye kapıyı açmasını bağırdı.

Öfkeyle ve azarlamak amacıyla bağırma belirtilirken **shout** ile **at** edatı kullanılır.

Don't shout at the boys. They are afraid of you.	Çocuklara bağırma. Senden korkuyorlar.
The angry man shouted at his wife.	Kızgın adam karısına bağırdı.

Attend, object, refer, prefer fiilleri de to alanlar arasındadır.

You must attend to the speech.	Konuşmayı dikkatle dinlemelisin.
I don't object to his coming with us.	Bizimle gelmesine itiraz etmem.
The documents were referred to another section.	Belgeler başka bir bölüme havale edildi.
Do you prefer swimming to playing table tennis?	Yüzmeyi masa tenisi oynamaya tercih eder misiniz?

(of) ile kullanılan bazı fiiller

dream, consist, think, get rid, accuse, remind fiillerini of edatı izler.

She always thinks of her son.	Hep oğlunu düşünür.
We must get rid of these old books.	Bu eski kitaplardan kurtulmalıyız. (defetmeliyiz)
He dreams of his happy childhood.	Mutlu çocukluğunu hayal eder.
This building consists of two parts.	Bu bina iki kısımdan meydana gelir.
They accused him of stealing the money.	Onu parayı çalmakla suçladılar.
I reminded you of the danger.	Sana tehlikeyi hatırlattım.

(in) ile kullanılan bazı fiiller

believe, succeed

Do you believe in their ability?	Onların yeteneğine inanıyor musun?
She succeeded in the first exam.	İlk sınavda başarılı oldu.
I'll succeed in getting a better position.	Daha iyi bir mevki elde etmekte başarılı olacağım.

(on) ile kullanılan bazı fiiller

depend, insist, live, rely

They all depend on me.	Hepsi bana bağlılar. (bana muhtaç)
They'll give you the money if you insist on it.	Israr edersen parayı sana verecekler.
The natives live on fruit only.	Yerliler sadece meyveyle yaşarlar.
Don't rely on the good weather.	İyi havaya güvenme.

(for) ile kullanılan bazı fiiller

apologize, ask, beg, apply, hope, wait

They applied for a better job.	Daha iyi bir iş için başvurdular.
He asked for some chocolates.	Biraz çikolata istedi.
We hope for rain.	Yağmur bekliyoruz.
The students are waiting for the school bus.	Öğrenciler okul otobüsünü bekliyorlar.
I apologize for not being here in time.	Vaktinde burada olmadığım için özür dilerim.

(with) ile kullanılan bazı fiiller

quarrel, fight, argue, compare, deal, charge

He quarrels with his neighbours.	Komşularıyla münakaşa (ağız kavgası) eder.
Don't fight with your friends.	Arkadaşlarınla kavga etme.
Did you argue with the teacher again?	Yine öğretmenle tartıştın mı?
I can't compare this dictionary with yours.	Bu sözlüğü sizinkiyle mukayese edemem.
We don't deal with this man any more.	Artık bu adamla alışveriş yapmıyoruz.
How can you deal with a mad man?	Deli bir adama nasıl davranabilirsiniz?
Frank was charged with killing the jeweller.	Frank kuyumcuyu öldürmekle suçlandı.

bazı sıfat ve ortaçlarla kullanılan edatlar

Bazı edatlar belli sıfat ve ortaçları izlerler. Bunların önemli olanları şunlardır:

for edatı **anxious, fit, ready, sorry** ile kullanılır.

She is ready for the examination.	Sınava hazırdır.
The woman is anxious for her money.	Kadın parası için endişededir.
Mary isn't fit for this job.	Mary bu iş için uygun değildir.
I'm sorry for disturbing you.	Sizi rahatsız ettiğim için üzgünüm.

in edatı **interested, succesful, involved** ile kullanılır.

I'm not interested in basketball.	Basketbolle ilgilenmem.
We were successful in getting better jobs.	Daha iyi işler elde etmekte başarılıydık.
I don't want to be involved in this quarrel.	Bu kavgaya karışmak istemiyorum.

to edatı **according, accustomed, due, owing, used** ile kullanılır.

According to the new rules you can't play like this.	Yeni kurallara göre böyle oynayamazsınız.
She isn't accustomed to cold weather.	Soğuk havaya alışık değildir.
Due to bad weather we had to change the programme.	Kötü hava yüzünden programı değiştirmek zorunda kaldık.
Owing to the snow the bus came very late.	Kar nedeniyle (yüzünden) otobüs çok geç geldi.
I'm not used to working in a factory.	Bir fabrikada çalışmaya alışık değilim.

of edatı **afraid, ashamed, aware, capable, fond, suspicious, tired** ile kullanılır.

I'm afraid of walking in dark streets.	Karanlık sokaklarda yürümekten korkarım.

She is ashamed of not writing to you.	Sana yazmadığı için mahçuptur.
He isn't capable of doing such a difficult job.	Böyle zor bir işi yapabilecek güçte değil.
Are you aware of their absence?	Onların yokluğunun farkında mısın?
We are fond of their company.	Onların beraberliğinden hoşlanırız.
He is suspicious of his wife.	Karısından kuşkuludur.
I'm tired of eating the same food.	Aynı yiyeceği yemekten bıktım.

at edatı **good** ve **bad** ile kullanılır.

She is very good at chess.	Satrançta çok iyidir.
Your son isn't good at learning a foreign language.	Oğlunuz yabancı dil öğrenmede iyi değildir.
My son is bad at mathematics. -	Oğlum matematikte kötüdür.
I don't think they're bad at tennis.	Onların teniste kötü olduğunu sanmam.

edatlardan sonra isim fiiller

Cümlede edatlardan sonra gelen fiiller isim fiil halinde bulunurlar.

She is afraid of losing her job.	İşini kaybetmekten korkar.
We are ready for starting the game.	Yarışı başlatmaya hazırız.
He is interested in learning chess.	Satranç öğrenmeye ilgilidir.
I don't want to be involved in changing the system.	Sistemin değiştirilmesine karışmak istemiyorum.
Martin may be successful in finding a hotel.	Martin otel bulmakta başarılı olabilir.
The girl is fond of playing until late hours.	Kız geç saatlere kadar oynamayı sever.
We're suspicious of his taking the bag.	Çantayı onun almasından kuşkuluyuz.
I'm tired of listening to the same music.	Aynı müziği dinlemekten bıktım.

I'm tired of his behaving so rudely.	Onun bu kadar kaba davranmasından usandım.
They took the paper without asking for permission.	Gazeteyi izin istemeden aldılar.
He prefers running to walking.	Koşmayı yürümeye tercih eder.
My son apologized for coming late.	Oğlum geç geliş için özür diledi.
You should have insisted on paying your share.	Payınızı ödemekte ısrar etmeliydiniz.
I have no objection to waiting here.	Burada beklemeye itirazım yok.
I have no objection to his writing at my table.	Benim masamda yazmasına itirazım yok.

edat ve zarf olarak kullanılan sözcükler

Bazı edatlar yerine ve kullanılışına göre zarf anlamıyla da kullanılabilirler.

edat olarak	zarf olarak
The cat came down the tree Kedi ağaçtan aşağıya geldi.	**The cat came down.** Kedi aşağı geldi.
Ingrid came before five o'clock. Ingrid saat beşten önce geldi.	**She didn't come here before.** Buraya daha önce gelmedi.
I'll put the vase on the shelf. Vazoyu rafa koyacağım.	**I'll put my coat on.** Ceketimi giyeceğim.
There are a lot of eggs in the basket. Sepette birçok yumurtalar var.	**The man opened the door and came in.** Adam kapıyı açtı ve girdi. (içeri geldi)
Is the car behind the house? Otomobil evin arkasında mıdır?	**We left all the bags behind.** Bütün çantaları geride bıraktık.

Put the cloth over the table.	**When the meal is finished I'll put**
Örtüyü masanın üstüne koy.	**the table cloth over.**
	Yemek bittiği zaman masa örtüsünü
	üstüne koyacağım.

The girl ran up the hill.	**We all went up in the lift.**
Kız tepenin yukarısına koştu.	Asansörde hepimiz yukarı gittik.

Cut the rose off the bush.	**Take your hat off.**
Gülü çalıdan kesip al.	Şapkanı çıkar.

The sun went below the horizon.	**We looked down the bridge and**
Güneş ufkun altına gitti.	**saw some flowers below.**
	Köprüden aşağıya baktık ve aşağıda
	birkaç çiçek gördük.

Is the school near the hospital?	**There's no hotel near.**
Okul hastanenin yakınında mıdır?	Yakında otel yoktur.

edatın cümle sonuna konulması

Önünde bir edat olan soru sözcükleriyle yapılmış sorularda edat cümle sonuna alınabilir.

To whom did you write?	Kime yazdın?
Who did you write to?	Kime yazdın?

To whom are you calling?	Kime sesleniyorsun?
Who are you calling to?	Kime sesleniyorsun?

In which room do they work?	Hangi odada çalışırlar?
Which room do they work in?	Hangi odada çalışırlar?

In what class are they?	Hangi sınıftadırlar?
What class are they in?	Hangi sınıftadırlar?

On whose table did they play?	Kimin masası üstünde oynadılar?
Whose table did they play on?	Kimin masası üstünde oynadılar?

With what did you make the hole?	Deliği neyle yaptınız?
What did you make the hole with?	Deliği neyle yaptınız?

With who.n did they walk?	Kiminle yürüdüler?
Who did they walk with?	Kiminle yürüdüler?

edatlar ve zarflarla fiil birleşimleri

Edatlar ve zarflar çeşitli fiillerle birleşerek bazan kendi anlamlarını kaybetmeden, bazan da değişik anlamlara girerek birer birleşik fiil meydana getirirler. Örneğin, **go in, walk away, look forward, get away, look out, pay back** birleşimlerinde fiil ve zarflar esas anlamlarından kaybetmeden birleşmişlerdir. **Go on, give in, make out, put out, put up, take off, blow up** birleşimlerinde ise esas anlamları değişerek başka bir anlam vermektedirler.

She walked away.	Uzaklaştı.
Look out! The bus is coming.	Dikkat! Otobüs geliyor.
Why didn't you pay back?	Niçin geri ödemedin?
These tables are made of wood.	Bu masalar ağaçtan yapılmıştır.

One of them must give in.	Onların biri pes etmeli.
Put out the light please.	Lütfen ışığı söndür.
The plane will take off soon.	Uçak yakında kalkacak.
She kept on talking.	Konuşmaya devam etti.

CONJUNCTIONS – BAĞLAÇLAR

Bağlaçlar sözcükleri veya cümlecikleri birbirlerine bağlayan sözcüklerdir.

She opened the door and came in.	Kapıyı açtı ve içeri geldi.
The boys ran fast but they couldn't catch the bus.	Çocuklar hızlı koştular fakat otobüse yetişemediler.
Is this a house or a school?	Bu bir ev midir yoksa bir okul mudur?
It was raining, so we stayed at home.	Yağmur yağıyordu, bu sebepten evde kaldık.

Bu cümlelerde görülen **and, but, or, so** sözcükleri birer bağlaçtır. İki cümleciği birbirlerine bağlamaktadırlar.

İngilizcede iki tür bağlaç vardır.

1. **co-ordinating conjunctions** - düzenleme bağlaçları
2. **subordinating conjunctions** - uyum bağlaçları

Co-ordinating conjunctions - düzenleme bağlaçları

1. **and** grubu
2. **but** "
3. **or** "
4. **so** "

1. **And** ve bu grupta olan diğer bağlaçlar eşit değerde cümlecikleri birleştirerek tek bir cümle halinde toplarlar.

She opened the window and threw the box out.	Pencereyi açtı ve kutuyu dışarı attı.

The man brought a sheet of paper and a ballpoint pen.	Adam bir tabaka kâğıt ve bir tükenmezkalem getirdi.
We ate apples, pears, bananas and grapes.	Elmalar, armutlar, muzlar ve üzümler yedik.
The armchair is new and comfortable.	Koltuk yeni ve rahattır.
The girl and the boy are students at the same school.	Kız ve çocuk aynı okulda öğrencidirler.

And ile bağlanacak sözcükler arka arkaya birkaç tane ise sadece son sözcük önünde **and** kullanılır; diğerlerinin önüne virgül konulur.

On our way to the hotel we saw parks, bridges, monuments and a big church.	Otele giderken parklar, köprüler, anıtlar ve büyük bir kilise gördük.
She is tall, thin and beautiful.	O uzun boylu, ince ve güzeldir.

Emir cümlelerinde aşağıdaki gibi bir anlam verir.

Come and take the plates.	Gel ve tabakları al.
Go and help your friends.	Git ve arkadaşlarına yardım et.
Read the text and explain it to the students.	Parçayı oku ve onu öğrencilere açıkla.

Bu gruptan diğer bağlaçlar şunlardır: **both ...... and, as well as, and also, not only ... also**

They are both big and heavy.	Onlar hem büyük hem ağırdır.
His books are interesting as well as they are educational.	Onun kitapları öğretici olduğu kadar ilginçtirler.
It is rainy and also cold.	Hava yağmurlu ve aynı zamanda soğuk.
She is not only a good mother; she is also a good friend.	Sadece iyi bir anne değil, iyi bir arkadaştır da.

2. **But** karşıtlık gösteren bir bağlaçtır. İlk cümlecikte söylenen şeye ikinci cümlecik uyumsuzluk gösteriyorsa ikisi arasında **but** kullanılır.

She is thin but strong.	Zayıftır ama kuvvetlidir.

We came late but worked hard and finished the work in time.	Geç geldik fakat çok çalıştık ve işi vaktinden önce bitirdik.
He is a good boy but he doesn't study his lessons.	İyi bir çocuktur fakat derslerine çalışmaz.
The suitcase was heavy but I was able to carry it.	Bavul ağırdı ama onu taşıyabildim.

Örneklerde de görüldüğü gibi ikinci cümlecik ilk cümlecikte belirtilen şeye aykırı düşen ve beklenmeyen bir anlam taşımaktadır.

It is an old car but it is very expensive.	Eski bir otomobildir ama çok pahalıdır.

Bu gruptan olan **in spite of, despite, notwithstanding, yet, still, however** bağlaçları da **but** gibi kullanılırlar.

She is very active in spite of her age.	Yaşına rağmen çok aktiftir.
We are all tired, yet we'll be glad to help you.	Hepimiz yorgunuz ama size yardım etmekten memnuniyet duyacağız.
They didn't change the plan despite the bad weather.	Kötü havaya rağmen planı değiştirmediler.
He is ill, still he refuses to go to the doctor.	Hastadır ama hâlâ doktora gitmeyi reddediyor.

3. **Or** bağlacı bir seçme veya tahmin belirtir.

You must wear a sweater or a pullover.	Bir süveter veya kazak giymelisiniz.
He must pay the penalty or go to jail.	Cezayı ödemeli veya hapse girmeli.
We'll buy a carpet or some souvenirs.	Bir halı alacağız veya birkaç hatıra eşyası.
She can choose a book or a postcard.	Bir kitap veya bir kartpostal seçebilir.
They have tea or coffee at breakfast.	Kahvaltıda çay veya kahve içerler.
I can write a letter or send a telegram.	Bir mektup yazabilirim veya bir telgraf gönderebilirim.

Tahmin gösteren **or** cümlelerinde tahmin edilen şeyin birbirine yakın ölçüde olması gerekir. Bu bir gramer kuralı olmaktan çok mantık gereğidir.

It is five or a quarter to five.	Saat beş veya beşe çeyrek var.
She is ten or twelve years old.	O on veya on iki yaşındadır.
We learnt twenty or twenty - two new words every day.	Her gün yirmi veya yirmi iki yeni sözcük öğrendik.
Our village is forty or forty-one kilometres from the town.	Köyümüz kasabadan kırk veya kırk bir kilometredir.

either, neither

Bu gruptaki diğer bağlaçlar **either, neither, nor** sözcükleridir.

She is either a nurse or a teacher.	O ya bir hemşire ya da bir öğretmendir.
They are either at the park or in a restaurant.	Onlar ya parkta ya da bir lokantadadırlar.
We can either wait here or go to his house.	Ya burada bekleyebilir ya da onun evine gidebiliriz.
Will you sell either your car or your apartment?	Ya otomobilini ya da daireni mi satacaksın?
We can use either a knife or a key to open the box.	Kutuyu açmak için ya bir bıçak ya da bir anahtar kullanabiliriz.
I don't like either football or basketball.	Futbolu da basketbolu da sevmem.
Mary can't learn either French or German.	Mary Fransızca da Almanca da öğrenemez.

Either .. ... or ile olumsuz cümle yapmak için fiilin olumsuz şekli kullanılır. **Neither ... nor** ise olumlu haldeki fiil ile olumsuz bir anlam verir.

She is neither clever nor beautiful.	O ne akıllı ne de güzeldir.
They have neither money nor real property.	Ne paraları ne de gayri menkulleri var.
We ate neither bread nor meat.	Ne ekmek ne de et yedik.

Either sözcüğü "her biri" anlamındadır ve tekil bir fiil alır. **Neither** "hiçbiri" anlamıyla yine tekil bir fiille kullanılır.

Either costs the same. Her biri aynı fiyattır.
Neither of the girls is clever. Kızların hiçbiri akıllı değildir.

Söylenen sözlere yapılan ilaveler konusunda görüldüğü gibi **either, neither, nor** ilave söz olarak da kullanılır.

She didn't see me and I didn't see her either. O beni görmedi, ben de onu görmedim.
He didn't come and neither did his girl friend. O gelmedi, kız arkadaşı da gelmedi.
We can't understand it and neither can they. Biz onu anlayamayız, onlar da anlayamazlar.
I can't help you now, nor can the others. Sana şimdi yardım edemem, diğerleri de yardım edemez.

4. **So** bağlacı sonuç gösterir.

It is cold so you must put on your coat. Hava soğuk, bu yüzden ceketini giymelisin.
We are late so we'll wait here. Geç kaldık, bu yüzden burada bekleyeceğiz.
She made a mistake so she had to write another letter. Bir hata yaptı, bu yüzden başka bir mektup yazmak zorunda kaldı.
The vase was broken so we bought a new one. Vazo kırıldı, bu yüzden bir yenisini aldık.
The manager wasn't there so we came back. Müdür orada değildi, bu yüzden geri döndük.
You don't listen to your teacher so you won't learn anything. Öğretmeninizi dinlemezsiniz, bu yüzden hiçbir şey öğrenmeyeceksiniz.
It began to rain so we ran to the cave. Yağmur yağmaya başladı, bu yüzden mağaraya koştuk.

Bu gruptaki diğer bağlaçlar **therefore, thus, consequently, so that** sözcükleridir.

520

It was cold, therefore we put some more wood in the stove.	Hava soğuktu, bu yüzden sobaya biraz daha odun koyduk.
They worked hard, and consequently succeeded.	Çok çalıştılar, sonuç olarak başardılar.
We ate apples, pears, bananas.	Elmalar, armutlar, muzlar ve üzümler yedik.
They closed the door so that nobody saw what happened.	Kapıyı kapadılar, böylece ne olduğunu hiç kimse görmedi.
We walked slowly, thus we missed the bus.	Yavaş yürüdük, bu yüzden otobüsü kaçırdık.

bağlaç gibi sözcük ve sözcük grupları

İngilizcede bazı sözcük ve sözcük grupları cümle veya cümlecikleri bağlaç kadar birleştirici ve tek cümle haline getirici olmayan bir anlamda bağlarlar. Bağlaçların cümleleri tamamen kaynaştırmalarına karşın bunlar hafif bir birleştirme yapıp iki cümle arasında bir ilişki gösterirler. İlk cümle ile aralarında noktalı virgül bulunur.

He is not a good boy; all the same I like him.	İyi bir çocuk değildir; yine de onu severim.
She came late; furthermore she didn't bring her homework.	Geç geldi; üstelik ev ödevini getirmedi.
She is very ugly; in addition she is stupid.	Çok çirkin; üstelik aptal.
He is the headmaster of the school; in the meantime he is a teacher of history.	Okulun müdürüdür; aynı zamanda bir tarih öğretmenidir.
You didn't disturb us; on the contrary we were very pleased.	Bizi rahatsız etmediniz; bilakis çok memnun olduk.
Come and sit here; otherwise you can't see anything.	Gel buraya otur; yoksa hiçbir şey göremezsin.
Everybody helps him; still he isn't pleased.	Ona herkes yardım eder; yine de memnun olduk.
He is rich; moreover he is handsome.	Zengindir; dahası yakışıklıdır.
They came late; nevertheless they didn't miss the train.	Geç geldiler; yine de treni kaçırmadılar.

Bu tip sözcüklerin başlıcaları şunlardır:

accordingly	in the meantime
again	likewise
all the same	meanwhile
anyhow	moreover
anyway	nevertheless
as a matter of fact	on the contrary
at any rate	on the other hand
besides	on top of that
consequently	only
furthermore	otherwise
however	still
in addition	therefore
in any case	thus
indeed	yet

subordinating conjunctions - uyum bağlaçları

Uyum bağlaçları, zarf cümlecikleri ve isim cümleciklerinin meydana getirilmesinde kullanılan ve bu cümlecikleri diğer ana cümleye bağlayan sözcüklerdir.

1. İsim cümlecikleri yapımında en çok kullanılan sözcük **that**'tir. Aşağıdaki örneklerde **that** ile başlayan bölüm bir isim cümleciğidir. Bu cümlecik **that** bağlacı ile önündeki ana cümleye bağlanmaktadır.

We know that you are a good cook.	İyi bir aşçı olduğunuzu biliyoruz.

Bu tip isim cümleciklerini daha iyi anlamak için ana cümleden ayrı olarak görmek istersek,

that he is a teacher	ki o bir öğretmendir (onun bir öğretmen olduğunu)
that the house was burning	evin yandığını
that alcohol is harmful	alkolün zararlı olduğunu

that his father would succeed	babasının başarılı olacağını
that she'll find her friends	arkadaşlarını bulacağını

They say that he is a teacher.	Bir öğretmen olduğunu söylerler.
We saw that the house was burning.	Evin yandığını gördük.
I'm sure that alcohol is harmful.	Alkolün zararlı olduğundan eminim.

Bu cümlelerde **that** bağlacı çoğu zaman kullanılmaz. Bu durumda cümlenin anlamı bozulmaz.

She says that she is a teacher of English.	Bir İngilizce öğretmeni olduğunu söyler.
She says she is a teacher of English.	Bir İngilizce öğretmeni olduğunu söyler.
I think that this house belongs to Edward.	Zannederim bu ev Edward'a aittir.
I think this house belongs to Edward.	Zannederim bu ev Edward'a aittir.
They told me that you were a good carpenter.	Bana senin iyi bir marangoz olduğunu söylediler.
They told me you were a good carpenter.	Bana senin iyi bir marangoz olduğunu söylediler.

That dışında soru zamirleri, soru sıfatları ve zarfları da isim cümleciklerini bağlayan birer bağlaç olarak kullanılabilirler.

They won't tell you who they are.	Size kim olduklarını söylemezler.
Do you know whose pen is this?	Bunun kimin kalemi olduğunu biliyor musun?
I don't understand why he is angry with me.	Bana niçin kızgın olduğunu anlamıyorum.

2. Zarf cümleciklerinin yapımında ve aynı zamanda onları ana cümleye bağlamada kullanılan bağlaçlar şunlardır:

a. zaman cümleciklerinde: **when, whenever, as soon as; immediately, directly, as, while, as long as, until, till, before, after, since**

when the train comes	tren geldiğinde

We must be at the station when the train comes.	Tren geldiğinde istasyonda olmalıyız.
as soon as she saw me	beni görür görmez
She began to run as soon as she saw me.	Beni görür görmez koşmaya başladı.
We'll wait until five o'clock.	Saat beşe kadar bekleyeceğiz.
Can you come before breakfast?	Kahvaltıdan önce gelebilir misiniz?
I've been in London since the war began.	Savaş başladığından beri Londra'dayım.
He smiles whenever he meets Mr Green.	Bay Green'e ne zaman rastlasa gülümser.
She forgets her promise the moment she leaves home.	Evden ayrıldığı an vaadini unutur.

Bağlaçlar iki cümlecik arasında değil başta da yer alabilirler.

As soon as she saw me she turned her head.	Beni görür görmez başını çevirdi.
When the doors opened the spectators ran to the playground.	Kapılar açıldığında seyirciler oyun alanına koştular.
While we were waiting there, a green car came out of the parking place.	Biz orada bekliyorken park yerinden yeşil bir otomobil geldi.
Before you answer you must think about it.	Cevap vermeden önce onu düşünmelisin.
As long as you don't touch it the snake won't bite you.	Ona dokunmadıkça yılan seni ısırmaz.

b. neden cümleciklerinde: **because, since, as, now that**

because you got up late	geç kalktığın için
You couldn't have breakfast because you got up late.	Geç kalktığın için kahvaltı edemedin.
They put on their bathing suits since it was very hot.	Çok sıcak olduğu için mayolarını giydiler.

I asked my friend to help me as the suitcase was too heavy.	Bavul çok ağır olduğundan arkadaşımdan bana yardım etmesini istedim.
We'll change our plan now that you don't keep your word.	Mademki sözünü tutmuyorsun planımızı değiştireceğiz.
Because you are too young they can't give you such an important duty.	Çok genç olduğunuz için size böyle önemli bir görevi veremezler.
As they changed the conditions we gave up working there.	Şartları değiştirdikleri için orada çalışmaktan vazgeçtik.

c. şart cümleciklerinde: **if, unless, provided that, supposing that**

They'll reduce the price if you buy in large quantities.	Büyük miktarlarda satın alırsanız fiyatı indirecekler.
She would give you the book if you wanted.	İstesen kitabı verirdi.
You would have liked it if you had seen the film.	Filmi görseydin beğenecektin.
You can't catch the bus unless you run to the bus stop.	Otobüs durağına koşmazsan otobüse yetişemezsin.
He'll sell his house provided that his wife consents.	Karısı razı olursa evini satacak.
Supposing that they refuse to pay the debt, what will you do?	Eğer borcu ödemeyi reddederlerse ne yapacaksınız?
If the manager wants, she'll type the letter again.	Müdür isterse mektubu tekrar daktilo edecek.
Unless you are trained for this job, don't apply for it.	Bu iş için yetiştirilmiş değilseniz onun için müracaat etmeyiniz.

d. tarz cümlelerinde: **as, as though, as if**

She'll clean the house as you wish.	Evi arzu ettiğiniz şekilde temizleyecek.
Do as I say.	Söylediğim gibi yap.
The man shouted at the children as though he was their father.	Adam çocuklara onların babası imiş gibi bağırdı.

| The woman seems as if she knows everything. | Kadın herşeyi biliyormuş gibi görünüyor. |

e. yer cümleciklerinde: **where, wherever**

This is the house where the writer was born.	Yazarın doğduğu ev budur.
You must go where they go.	Onların gittiği yere gitmelisin.
You must go wherever they go.	Onlar her nereye gitse gitmelisin.
Wherever they live they make friends quickly.	Her nerede otursalar çabucak arkadaş olurlar.

f. maksat cümleciklerinde: **in order that, so, so that, in case, for fear, lest.**

We sat by the window in order that we could watch the beautiful scenery.	Güzel manzarayı seyredebilelim diye pencere kenarına oturduk.
They have a sale so that people buy everything cheaply.	Halk her şeyi ucuzca alsın diye ucuzluk yaparlar.
She sets the table early in case her husband comes before seven.	Kocası yediden önce gelirse diye masayı erken hazırlar.
Take another towel in case the old one gets dirty.	Eskisinin kirlenmesi halinde başka bir havlu al.
We learnt German in case they could send us to Germany.	Bizi Almanya'ya gönderebilirler diye Almanca öğrendik.
They hid in the cave for fear the wolves might see them.	Kurtlar onları görebilirler korkusuyla mağarada saklandılar.
They hid in the cave lest the wolves might see them.	Kurtlar onları görmesinler diye mağarada saklandılar.

g. sonuç cümleciklerinde: **so ...... that, such ...... that**

| She is so old that she can't walk there. | O kadar yaşlıdır ki oraya yürüyemez. |

526

We drove so fast that we arrived in Istanbul at nine o'clock.	O kadar hızlı sürdük ki saat dokuzda İstanbul'a vardık.
She had such an old dress on that they didn't admit her to the restaurant.	O kadar eski bir elbisesi vardı ki onu lokantaya kabul etmediler.

h. kabul ediş cümleciklerinde: **although, even though, though, even if, however, whatever**

He accepted the money although it was too little for his work.	Onun işi için çok az olduğu halde parayı kabul etti.
We didn't put our coats on even though it was chilly.	Hava serin olduğu halde ceketlerimizi giymedik.
However clever they are, they make stupid mistakes.	Her ne kadar akıllıysalar da aptalca hatalar yaparlar.
You must do whatever they say.	Her ne deseler yapmalısınız.
You must help them even if they are your enemies.	Düşmanınız da olsalar onlara yardım etmelisiniz.
He can solve the problems however difficult they are.	Her ne kadar zor da olsalar problemleri çözebilir.

i. karşılaştırma cümleciklerinde: **like, as well as, as ... as, not so ... as, more (-er) ... than, the ... the**

Her husband is like a servant.	Kocası bir uşak gibidir.
Your hat is like a big basket.	Şapkanız büyük bir sepet gibidir.
She speaks English as well as her father.	Babası kadar İngilizce konuşur.
He can drive as fast as the others.	Diğerleri kadar hızlı sürebilir.
Martin isn't so clever as your daughter.	Martin senin kızın kadar akıllı değildir.
The apples are more expensive than the oranges.	Elmalar portakallardan daha pahalıdır.
The more you insist, the less he eats.	Sen daha ısrar ettikçe o daha az yer.

birkaç önemli bağlaç üzerinde açıklamalar

for - because

Anlam bakımından birbirleriyle pek yakındırlar ve çoğu zaman birinin yerine diğeri kullanılabilir. **For** için "zira", **because** için "çünkü" karşılığı uygun olur.

Modern İngilizcede "zira" anlamında bir bağlaç olarak **for** sözcüğünün kullanılışı seyrektir. Genellikle resmi konuşmalarda ve yazı dilinde yer alır.

She was dying, for she had taken too many sleeping pills.	Ölüyordu, zira pek çok uyku hapı almıştı.
The soldiers stopped in front of our house, for the captain had ordered them to stop there.	Askerler evimizin önünde durdular. çünkü yüzbaşı onlara orada durmalarını emretmişti.
I drink this medicine now, for I feel better when I drink it.	Şimdi bu ilacı içiyorum, çünkü onu içtiğim zaman kendimi daha iyi hissediyorum.

For sözcüğü bağ olarak cümlenin başında kullanılamaz. **Because** ise cümle başında yer alabilir.

We get up early, for the school bus comes at eight.	Erken kalkarız, çünkü okul otobüsü sekizde gelir.
She learns quickly because her father is English.	O çabuk öğrenir, çünkü babası İngilizdir.
Because we missed the bus we couldn't see the film.	Otobüsü kaçırdığımız için filmi göremedik.

iike - as

Like sözcüğü bir bağlaç olarak "gibi" anlamındadır. Kullanılış bakımından ona benzer durumda olan **as** de "gibi, olarak" anlamını verir.

Like bağlacından sonra bir isim veya zamir gelir.

She can't sing like Mary.	Mary gibi şarkı söyleyemez.
I didn't see anybody like him.	Onun gibi kimse görmedim.

528

Fakat isim veya zamirden sonra bir fiil geliyorsa, yani iki cümlenin karşılaştırma durumu varsa **like** yerine **as** kullanılır.

We don't cook this meal as they do.	Bu yemeği onların yaptığı gibi pişirmeyiz.
Their daughter also helps in the kitchen as ours does.	Bizimkinin yaptığı gibi onların kızı da mutfakta yardım eder.
You can answer the questions as you wish.	Sorulara istediğin gibi cevap verebilirsin.
Paint the walls as Mr Smith wants.	Duvarları Mr Smith'in istediği gibi boya.

Doğru ve kurala uygun kabul edilmemekle birlikte **as** yerine **like** kullanıldığına sık sık rastlanmaktadır.

As "olarak" anlamında aşağıdaki örneklerde görüldüğü gibi kullanılır.

As a teacher he is very successful.	Bir öğretmen olarak çok başarılıdır.
She was appointed as an assistant.	Bir asistan olarak atandı.
He worked as a mechanical engineer.	Makina mühendisi olarak çalıştı.
They used the house as headquarters.	Evi karargâh olarak kullandılar.

Like ve **as**'in aynı cümlede kullanıldığında anlam farkı aşağıda görülmektedir.

He taught as a teacher.	Bir öğretmen olarak öğretti.
He taught like a teacher.	Bir öğretmen gibi öğretti.

as, when, while

As ve **while** "...iken" anlamında kullanılırlar.

As he worked, he watched television.	Çalışırken televizyon seyretti.
While he worked he watched television.	Çalışırken televizyon seyretti.

She read the novel while she was in hospital.	Romanı hastanedeyken okudu.

As ve **when** "...iken, ...zaman" anlamında birbirine yakın kullanılıştadırlar. Aynı zamanda yapılan veya biri diğerini izleyen iki eylem **when** ile bağlanır.

When they come, they visit their parents.	Geldikleri zaman ana babalarını ziyaret ederler.
When she learnt the truth, she went to the police-station.	Gerçeği öğrendiği zaman karakolagitti.

İkinci eylem ilk eylem tam bitmeden başlıyorsa bunlar **as** ile bağlanır.

As she stood up, her head hit the shelf.	Ayağa kalkarken başı rafa çarptı.
As we climbed the hill we saw rabbits and birds.	Tepeye tırmanırken tavşanlar, kuşlar gördük.
He learnt many tricks as he grew up.	Büyürken birçok hileler öğrendi.

INTERJECTION - ÜNLEM

Ünlemler karşıda bulunan dikkatini çekmek veya hayret, öfke, takdir gibi hisleri belirtmek için kullanılan ses ve haykırış sözcükleridir.

Oh!, Ah!, Gosh!, Hello! gibi seslenişler birer ünlemdir.

Bunlar genellikle bir cümle içinde yer alırlar. O cümlenin bir parçası durumunda değildirler. Sözün başında bir duygunun belirtilmesini sağlarlar.

Duygu belirten cümlelerin birçoğu **how, what** soru sözcükleri ile yapılır. Bunlar hayret, takdir belirten cümleciklerdir.

How nice to see you here!	Sizi burada görmek ne hoş!
How badly he behaves!	Ne kadar kötü hareket ediyor!
How strange the boxers are!	Boksörler ne kadar tuhaf!
How beautiful she looks!	Ne kadar güzel görünüyor!
What a good boy he is!	Ne (ne kadar) iyi bir çocuktur.
What interesting stories they are!	Onlar ne ilginç hikâyeler!
What lovely flowers!	Ne sevimli çiçekler!
What a silly man!	Ne aptal bir adam!

INDIRECT SPEECH - NAKLEDİLEN SÖZ

Bir kimsenin söylemiş olduğu sözü başka bir kimseye aktarmak iki şekilde olur:

Birincisi, **direct speech** - düz nakledilen söz, diğeri **indirect speech** – dolaylı nakledilen söz (veya kısaca nakledilen söz)dür.

direct speech - düz nakledilen söz

Direct speech ile yapılan anlatım şeklinde sözü söyleyenin cümlesi aynen alınarak buna "dedi, diyor" ilavesi yapılır.

We are going to the bus-stop.   Otobüs durağına gidiyoruz.

cümlesi **direct speech** ile başkalarına aktarılırken cümle aynen alınarak tırnak içine konulur. Bunun önüne cümleyi söyleyen şahsı veya şahısları belirten zamir getirilir.

They said, "We are going to the bus-stop."   "Otobüs durağına gidiyoruz." dediler.

Aşağıda, sözlerin **direct speech** olarak başkalarına aktarılışını görüyoruz.

I am writing a letter.
Bir mektup yazıyorum.

She said, "I am writing a letter."
"Bir mektup yazıyorum," dedi.

The weather will be stormy.
Hava fırtınalı olacak.

He said, "The weather will be stormy."
"Hava fırtınalı olacak," dedi.

Our team will be the champion.
Takımımız şampiyon olacak.

They said, "Our team will be the champion."
"Takımımız şampiyon olacak," dediler.

They have seen that film.
O filmi görmüşler.

He said, "They have seen that film."
"O filmi görmüşler," dedi.

indirect speech - nakledilen söz

Söylenilmiş bir sözün başkalarına aktarılması esnasında o söz aktaran kişinin sözcükleriyle birleşerek biraz değişik bir şekil alır. Bu değişme özellikle fiilin zamanında bir değişme şeklinde olur. Bunun dışında şahıs zamirleri ve mülkiyet sıfatları ile yer ve zaman sözcükleri de değişirler. Bu değişimleri maddeler halinde sıraladıktan sonra her birini ayrıntılı olarak ele alalım:

1. Cümlenin fiili zaman bakımından bir basamak geçmişe gider.

fiil	fiilin nakledilen sözde alacağı şekil
simple present - geniş zaman **(he goes)**	**simple past** - geçmiş zaman **(he went)**
present continuous - şimdiki zaman **(he is going)**	**past continuous** - geçmişte sürekli zaman **(he was going)**
simple past - geçmiş zaman **(he went)**	**past perfect** - geçmişte bitmiş zaman **(he had gone)**
past continuous - sürekli geçmiş zaman **(he was going)**	**past perfect continuous** - sürekli geçmişte bitmiş zaman **(he had been going)**
present perfect - şimdiki bitmiş zaman **(he has gone)**	**past perfect** - geçmişte bitmiş zaman **(he had gone)**
present perfect - sürekli şimdiki **continuous** bitmiş zaman **(he has been going)**	**past perfect** - sürekli geçmişte **continuous** bitmiş zaman **(he had been going)**

future - gelecek zaman
(he will go)

conditional - şart
(he would go)

future continuous - sürekli gelecek
zaman
(he will be going)

conditional continuous - şart
sürekli
(he would be going)

2. Yardımcı fiiller nakledilen söz yapısında aşağıdaki şekilleri alır.

may
he may go

might
he might go

can
he can go

could
he could go

Must, ought, should, would, could, had better, might, used to değişmezler.

3. Zaman belirten sözcükler nakledilen söz içinde aşağıdaki gibi değişirler.

zaman sözcüğü	bu zaman sözcüğünün nakledilen sözde alacağı şekil
now	then
today	that day
tomorrow	the following day (the next day)
yesterday	the day before
next week	the following week
last week	the previous week (the week before)
this (day, week etc.)	that (day, week etc.)

Zaman belirten bu sözcükler gibi **here** yer zarfı da nakledilen sözde **there** şeklini alır. Ancak bu, **here** ile kastedilen yerin belirli bir yer olması halinde mümkündür.

4. Bir cümle nakledilen söz olarak ifade edilirken içindeki şahıs zamirleri ve mülkiyet sıfatlarının da değişeceği tabiidir.

şahıs zamiri ve mülkiyet sıfatı	nakledilen sözde alacağı şekil
I	he (she)
my	his (her)
mine	his (hers)
me	him (her)
we	they
our	their
ours	theirs
us	them
you	they (them)
your	their
yours	theirs

Nakledilen sözler genellikle üç şekilde bulunurlar.

1. düz ifadeler

2. soru cümleleri

3. emir ve istek cümleleri

nakledilen söz halinde düz ifedeler

Bir sözün başka biri tarafından diğer kimselere aktarılması şekline nakledilen söz dendiğini ve bu sözde, aktarma yapan kişi tarafından eklenmiş bazı sözcükler bulunduğunu daha önce gördük. Ayrıca cümlenin fiili ve diğer bazı sözcüklerin nakledilen söz cümlelerinde nasıl değiştiğini inceledik. Şimdi bu kuralların uygulanışını örnekler üzerinde açıklamalı şekilde tetkik edelim.

Nakledilen söz (He says that ...) şeklinde başlatılırsa cümlenin fiili, daha önce gördüğümüz, zaman bakımından bir geriye gitme kuralına uymayarak aynen kalabilir. Ancak bu, söz şu anda söylenmekte veya okunmakta ise yapılır.

She says that she is cooking fish for dinner.	Öğlen yemeği için balık pişirdiğini söylüyor.
They say that they are taking the table upstairs.	Masayı üst kata götürdüklerini söylüyorlar.
He says that he'll write to Mary.	Mary'ye yazacağını söylüyor.

Genellikle nakledilen söz geçmişte söylenmiş bir sözü nakleder ve (**He said that . ....**) şeklinde geçmiş zaman halinde fiille başlar. Bu durumda nakledilen söz haline sokulduğunda bir zaman geriye gider. Örneğin **go** şeklinden **went** haline, **is going** şeklinden **was going** haline, **went** şeklinden **had gone** haline döner.

Aşağıdaki birinci sütunda bir sözü, bunun karşısında ikinci sütunda da o sözün başka biri tarafından diğer kişilere aktarılışını gösteren nakledilen söz biçimini görmektesiniz.

düz söz	nakledilen söz şekli
They go to school. Okula giderler.	**He said that they went to school.** Onların okula gittiğini söyledi.
She likes dance music. Dans müziği sever.	**He said that she liked dance music.** Onun dans müziğini sevdiğini söyledi.
I like bananas. Muz severim.	**He said that he liked bananas.** Onun muz sevdiğini söyledi.
It is raining. Yağmur yağıyor.	**He said that it was raining.** Yağmurun yağmakta olduğunu söyledi.
She came early. Erken geldi.	**He said that she had come early.** Onun erken geldiğini söyledi.
We have seen the new plane. Yeni uçağı gördük.	**He said that they had seen the new plane.** Onların yeni uçağı gördüklerini söyledi.
I was digging a hole. Bir çukur kazıyordum.	**He said that he had been digging a hole.** Onun bir çukur kazmakta olduğunu söyledi.

She will drink a bottle of juice.	**He said that she would drink a**
Bir şişe meyva suyu içecek.	**bottle of juice.**
	Bir şişe meyva suyu içeceğini söyledi.

Bu cümlelerde **that** sözcüğü atılabilir. Cümlenin anlamında değişme olmaz.

She is waiting outside.	**He said she was waiting outside.**
O dışarıda bekliyor.	Onun dışarıda beklediğini söyledi.
They are our enemies.	**He said they were their enemies.**
Onlar düşmanlarımızdır.	Onların düşmanları olduğunu söyledi.
I can swim.	**He said he could swim.**
Yüzebilirim.	Yüzebildiğini söyledi.
She may come with the others.	**He said she might come with the**
Diğerleriyle gelebilir.	**others.**
	Diğerleriyle gelebileceğini söyledi.
We shall send them postcards.	**He said they would send them**
Onlara kartpostal göndereceğiz.	**postcards.**
	Onlara kartpostal göndereceklerini söyledi.

Must, might, used to, could, ought to, should, had better sözcüklerinin nakledilen söze çevrilme durumunda değişmediğini söylemiştik.

She must work harder.	**He said she must work harder.**
Daha çok çalışmalı.	Daha fazla çalışmasını söyledi.
The girl ought to help us.	**He said the girl ought to help them.**
Kız bize yardım etmeli.	Kızın onlara yardım etmesini söyledi.
They used to play in our garden.	**He said they used to play in their garden.**
Bahçemizde oynarlardı.	Bahçelerinde oynadıklarını söyledi.
Helen had better put on a yellow hat.	**He said Helen had better put on a yellow hat.**
Helen sarı bir şapka giymeli.	Helen'in sarı bir şapka giymesini söyledi.
The boy might break the glass.	**He said the boy might break the the glass.**
Çocuk bardağı kırabilir.	Çocuğun bardağı kırabileceğini söyledi.

Nakledilen sözün hep **say** fiili ile başlatılması şart değildir. Sözün aktarılışına uygun düşecek başka fiiller de kullanılabilir. Örneğin, **tell, explain, think, inform** gibi.

I like milk.	**He explained that he liked milk.**
Ben süt severim.	Süt sevdiğini açıkladı.
The clothes are expensive.	**He told me that clothes were**
Giysiler pahalıdır.	**expensive.**
	Bana giysilerin pahalı olduğunu
	söyledi.

Tell fiili ile **say** nakledilen söz konusunda aşağı yukarı aynı anlamdadırlar. Ancak aralarında şöyle bir ayırım vardır: **Tell** fiili ile anlatımda cümlede sözün söylendiği kişi de verilmelidir.

He said that the weather was cold. Havanın soğuk olduğunu söyledi.
He told me that the weather was Bana havanın soğuk olduğunu
cold. söyledi.

Örneklerde görüldüğü gibi, **tell** fiilinden sonra, sözün söylendiği kişi, yani **me** nesnesi yer almıştır. **Say** fiili için böyle bir gereklilik yoktur. Onunla yapılan cümlede sözün söylendiği kişinin belirtilmesi şart değildir. Şayet belirtilmek istenirse **say** fiili ile bu sözcük arasına **to** edatı gelir.

He said to me that the weather Bana havanın soğuk olduğunu
was cold. söyledi.

Aşağıdaki örneklerde çeşitli fiillerle yapılmış ve içinde zaman ve yer sözcüklerinin değişme durumları görülen nakledilen sözleri inceleyiniz.

We'll go now.	**He said they would go then.**
Şimdi gideceğiz.	O zaman gideceklerini söyledi.
Boil it for two hours.	**He explained to me to boil it**
Onu iki saat kaynat.	**for two hours.**
	Onu iki saat kaynatmamı bana
	açıkladı.
You can take the other road.	**He informed us that we could take**
Diğer yolu izleyebilirsiniz.	**the other road.**
	Diğer yolu izleyebileceğimizi
	bildirdi.

The tourists are coming tomorrow.
Turistler yarın geliyorlar.

He said the tourists were coming the following day.
Turistlerin ertesi gün geleceğini söyledi.

She likes bright colours.
Parlak renkleri sever.

He told me that she liked bright colours.
Bana onun parlak renkleri sevdiğini söyledi.

The children are having breakfast now.
Çocuklar şimdi kahvaltı ediyorlar.

He told us that the children were having breakfast then.
Bize çocukların o zaman kahvaltı ettiklerini söyledi.

We use the axe as a weapon.
Baltayı bir silah olarak kullanırız.

They explained that they used the axe as a weapon.
Baltayı bir silah olarak kullandıklarını açıkladılar.

The snakes are poisonous.
Yılanlar zehirlidir.

They informed us that the snakes were poisonous.
Bize yılanların zehirli olduklarını bildirdiler.

I'm leaving Turkey tomorrow.
Yarın Türkiye'den ayrılıyorum.

She told me that she was leaving Turkey the next day.
Bana Türkiye'den ertesi gün ayrılıyor olacağını söyledi.

We saw them yesterday.
Onları dün gördük.

They told me that they had seen them the day before.
Bana onları evvelsi gün gördüklerini söylediler.

Bu cümlelerdeki **that** sözcükleri de anlama bir zarar vermeden çıkarılabilir.

The waiter brought two plates.
Garson iki tabak getirdi.

He told me the waiter had brought two plates.
Bana garsonun iki tabak getirdiğini söyledi.

this - that

This sözcüğü bir zamanı işaret ettiğinde nakledilen sözde that şekline girer.

My father is coming this week Babam bu hafta geliyor.	**He said his father was coming that week.** Babasının o hafta geleceğini söyledi.
You'll succeed this time. Bu sefer başaracaksın.	**He told me I would succeed that time.** Bana o sefer başaracağımı söyledi.

here - there

Belli bir yer belirtilerek kullanılan here sözcüğü nakledilen sözde there şekline girer.

The children will wait here. Çocuklar burada bekleyecekler.	**He said the children would wait there.** Çocukların orada bekleyeceğini söyledi.
The woman waited here by the window. Kadın burada bekledi, pencerenin yanında.	**He said the woman had waited there by the window.** Kadının orada, pencerenin yanında beklediğini söyledi.

değişmeyen fiil zamanları

Bazı hallerde cümledeki fiil, o cümle nakledilen söz haline getirildiğinde de aynen kalabilir. Bu özellikle sözün söylendiği anda da o durum geçerli ve doğru ise yapılabilir.

I'm twenty years old. Yirmi yaşındayım.	**She told me that she is twenty years old.** Bana yirmi yaşında olduğunu söyledi.

The shops are closed on Saturday.	He informed us that the shops are closed on Saturday.
Dükkânlar cumartesi günü kapalıdır.	Dükkânların cumartesi günü kapalı olduğunu bildirdi

Ancak bu cümlelerde nakledilen söz halindeki fiili geçmiş zaman halinde kullanmak da mümkündür.

I'm twenty years old.	She told me that she was twenty years old.
Yirmi yaşındayım.	Bana yirmi yaşında olduğunu söyledi.

soru halinde nakledilen söz

Soru halinde bulunan bir cümle nakledilen söz şekline sokulduğunda daha önce gördüğümüz düz ifadelerdeki fiil zamanı, şahıs gösteren sözcükler, zaman sözcükleri değişme durumu aynen uygulanır. Bunun dışında,

a. Soru halindeki cümle soru halinde nakledilen söz şekline girerken fiil soru şeklinden çıkar olumlu şekle girer. Sorunun başında **do (did)** varsa kalkar. Cümleye soru işareti konulmaz.

b. Soru halinde nakledilen sözde **say** yerine **ask** veya bu anlama yakın filler **(inquired, wanted to know)** kullanılır.

c. Sorunun başında **when, where, who, why, how** gibi bir soru sözcüğü varsa bu soru nakledilen söz haline sokulduğunda aynı soru sözcüğü kullanılır. Böyle bir soru sözcüğü yoksa **if** veya **whether** kullanılır.

soru cümlesi	sorunun nakledilen söz şekli
Is she a teacher?	**He asked if she was a teacher.**
O bir öğretmen midir?	Onun bir öğretmen olup olmadığını sordu.
Have they a car?	**He asked if they had a car.**
Bir arabaları var mı?	Onların bir arabaları olup olmadığını sordu.

Are the boys playing in the room?	**He asked if the boys were playing in the room.**
Çocuklar odada oynuyorlar mı?	Çocukların odada oynayıp oynamadıklarını sordu.
Can she answer the questions?	**He asked if she could answer the questions.**
Sorulara cevap verebilir mi?	Onun sorulara cevap verip veremeceğini sordu.

Nakledilen sözde kullanılan **ask** fiilinden sonra sorunun yöneltildiği kişiyi belirten bir isim veya zamir de yer alabilir. Bu sadece **ask** için mümkündür. Diğer fiillerde aynı durum olmaz.

Will Mary come?	**He asked me if Mary would come.**
Mary gelecek mi?	Bana Mary'nin gelip gelmeyeceğini sordu.
Is she sleeping now?	**He wanted to know if she was sleeping then.**
Şimdi uyuyor mu?	Onun o zaman uyuyup uyumadığını bilmek istedi.
Can the soldiers carry the weapons?	**He asked if the soldiers could carry the weapons.**
Askerler silahları taşıyabilirler mi?	Askerlerin silahları taşıyıp taşıyamayacaklarını sordu.
Will she help them?	**He asked if she would help them.**
Onlara yardım edecek mi?	Onlara yardım edip edemeyeceğini sordu.

Bir cümlede **if** yerine **whether** kullanılırsa daha ziyade bir seçenek hali ifade edilmiş olur.

Are they bitter or sweet?	**He asked whether they were bitter or sweet.**
Onlar acı mı yoksa tatlı mı?	Onların acı mı yoksa tatlı mı olduğunu sordu.
Is she tired or sleepy?	**He asked whether she was tired of sleepy.**
Yorgun mu yoksa uykulu mu?	Onun yorgun mu yoksa uykulu mu olduğunu sordu.

Bu durum dışında **if** sözcüğü **whether**'den çok daha yaygın olarak kullanılmaktadır.

Yukarıdaki örneklerde **is, have, can, will** yardımcı fiilleriyle yapılmış soruları gördük. Aşağıda **do (did)** ile yapılmış soruları inceleyelim.

Do they speak English?	**He asked if they spoke English.**
İngilizce konuşurlar mı?	Onların İngilizce konuşup konuşmadıklarını sordu.
Does she know Edward?	**He asked if she knew Edward.**
Edward'ı tanıyor mu?	Edward'ı tanıyıp tanımadığını sordu.
Do you like playing chess?	**He asked if I liked playing chess.**
Satranç oynamayı sever misin?	Satranç oynamayı sevip sevmediğimi sordu.
Does Helen go by train?	**He asked if Helen went by train.**
Helen trenle mi gider?	Helen'in trenle gidip gitmediğini sordu.
Did she see the policeman?	**He asked if she had seen the policeman.**
Polisi gördü mü?	Onun polisi görüp görmediğini sordu.
Did they change the sheets?	**He asked whether they had changed the sheets.**
Çarşafları değiştirdiler mi?	Çarşafları değiştirip değiştirmediklerini sordu.

Başında **what, where, how, when, why** gibi bir soru sözcüğü olan soru cümlelerinin nakledilen söz şekline çevrilişini de şu örneklerde görelim.

What is her name?	**He asked what her name was.**
Onun adı nedir?	Onun adının ne olduğunu sordu.
Where is the hotel?	**He asked where the hotel was.**
Otel nerededir?	Otelin nerede olduğunu sordu.
What are they eating?	**He asked what they were eating.**
Onlar ne yiyorlar?	Onların ne yediğini sordu.
When will she come?	**He asked when she would come.**
Ne zaman gelecek?	Ne zaman geleceğini sordu.

Where are the girls running? Kızlar nereye koşuyorlar?	**He asked where the girls were running.** Kızların nereye koştuğunu sordu.
What is it? O nedir?	**He inquired what it was.** Onun ne olduğunu sordu.
What did you see? Ne gördün?	**He wanted to know what I had seen.** Ne gördüğümü bilmek istedi.
Where did she hide the ring? Yüzüğü nerede sakladı?	**He asked where she had hidden the ring.** Onun yüzüğü nerede sakladığını sordu.
Why did Frank take my book? Frank kitabımı niçin aldı?	**He asked why Frank had taken his book.** Frank'ın onun kitabını niçin aldığını sordu.
How did you clean the floor? Yeri nasıl temizledin?	**He wanted to know how I had cleaned the floor.** Yeri nasıl temizlediğimi bilmek istedi.
When did she come here? Buraya ne zaman geldi?	**He asked when she had come here.** Buraya ne zaman geldiğini sordu.

emir, istek belirten nakledilen söz

Emir ve istek cümleleri nakledilen söz haline çevrilirken **order, tell, command, ask** gibi emir bildiren fiiller kullanılır. Bunlar arasında verdiğimiz **ask** fiilinin soru halinde de kullanıldığını görmüştük. **Ask** hem "sormak" hem de "istemek, talep etmek" anlamlarını verdiği için iki durumda da kullanılmaktadır.

emir veya istek cümlesi	emrin nakledilen söz şekli
Go to the door. Kapıya git.	**He ordered us to go to the door.** Kapıya gitmemizi emretti.

Drink some water.	**He told me to drink some water.**
Biraz su iç.	Bana biraz su içmemi söyledi.
Open the window.	**He told me to open the window.**
Pencereyi aç.	Pencereyi açmamı söyledi.
Come here, Norman.	**He ordered Norman to come there.**
Buraya gel, Norman.	Norman'a oraya gelmesini emretti.
Take off your hats, boys.	**He told the boys to take off their hats.**
Şapkalarınızı çıkarın, çocuklar.	Çocuklara şapkalarını çıkarmalarını söyledi.
Show me your hands.	**He ordered me to show him my hands.**
Bana ellerini göster.	Ona ellerimi göstermemi emretti.
Take the letters to the post office.	**He told me to take the letters to the post office.**
Mektupları postaneye götür.	Mektupları postaneye götürmemi söyledi.
Sit down.	**He asked me to sit down.**
Otur.	Oturmamı istedi.
Be careful when you cross the road.	**He told us to be careful when we crossed the road.**
Yolun karşısına geçerken dikkatli olun.	Yolun karşısına geçerken dikkatli olmamızı söyledi.

Olumsuz emirler nakledilen söz haline getirilirken fiilin önüne **not** konulur.

Don't touch the flowers.	**He told us not to touch the flowers.**
Çiçeklere dokunma.	Çiçeklere dokunmamamızı söyledi.
Don't open the door.	**He ordered me not to open the door.**
Kapıyı açma.	Kapıyı açmamamı emretti.
Don't stand here.	**He told us not to stand there.**
Burada durmayın.	Orada durmamamızı söyledi.
Don't worry.	**He told me not to worry.**
Üzülme.	Üzülmememi söyledi.

SUBORDINATE CLAUSES - YAN CÜMLECİKLER

Bazı cümlelerde birden fazla cümlecik birbirlerine çeşitli sözcüklerle bağlanmış durumda bulunurlar. Bu grup içinde tek başlarına tam bir anlam vermeyen, fakat bağlı olduğu ana cümleciğin anlamını tamamlayan bu cümleciklere yan cümlecikler denir.

Aynı cümle içinde birlikte olduğu ana cümleciğe daha geniş bir anlam kazandıran bu yan cümleler yaptıkları göreve göre dilbilgisi açısından üç türdedir.

1. **adjective** - sıfat yan cümlecikieri

2. **noun clauses** - isim yan cümlecikleri

3. **adverb clauses** - zarf yan cümlecikleri

Bunları sırayla ele alıp inceleyelim.

ADJECTIVE CLAUSES - SIFAT CÜMLECİKLERİ

(**Relative pronouns** - ilgi zamirleri) konusunu incelerken sıfat görevi yapan yan cümleciklerl ayrıntılı bir şekilde ele almıştık. Burada tüm yan cümleleri ele alırken aynı konuyu bir daha ve kısaca veriyoruz.

Sıfat yan cümlecikleri, bağlı oldukları ana cümledeki isimleri niteler, onların durumunu açıklayan bir sıfat görevi yaparlar. Ana cümleye **which, who, that** ilgi zamirleriyle bağlanan bu cümlecikler iki çeşittir.

1. **non-defining clauses** - tanımlamayan cümlecikler

2. **defining clauses** - tanımlayan cümlecikler

546

non-defining clauses - tanımlamayan cümlecikler

Bu cümlecikler bir cümlenin esas anlamı için şart olmayan yan cümleciklerdir. Ana cümlecikteki isim için yaptıkları açıklama çok önemli değildir. Cümleden çıkarıldıkları takdirde ana cümlenin anlamı bozulmaz. Ana cümle için fazladan bir açıklama, adeta söz arasında bir parantez açarak verilen ek bilgi gibidirler.

My father, who lived longer than my mother, died last year.	Babam, ki o annemden daha uzun yaşadı, geçen yıl öldü. (Annemden daha uzun yaşayan babam geçen yıl öldü.)
Eleanor, who danced at the party last night, is a friend of mine.	Dün akşam ziyafette dans eden Eleanor benim bir arkadaşımdır.
Mr Green, whom you met in London, wrote me a letter.	Londra'da rastladığın Mr Green bana bir mektup yazdı.
His son, who studies medicine in Vienna, has disappeared.	Viyana'da tıp tahsil eden oğlu gözden kayboldu.
The bus, which should arrive at five, has not yet arrived.	Beşte gelmesi gerekli otobüs henüz gelmedi.
London, which is the biggest city in Europe, has a population over eight millions.	Avrupa'da en büyük şehir olan Londra'nın sekiz milyonun üzerinde nüfusu var.
The painter, who sold very few paintings during his life time, became famous after his death.	Yaşamı esnasında pek az tablo satan ressam ölümünden sonra ünlü oldu.

Yukarıdaki örneklerde gördüğümüz ve iki virgül arasında bulunan yan cümlecikler o cümlelerden alınacak olsalar kalan kısımlar tam bir anlam verirler.

Bu tip sıfat yan cümlecikleri sadece resmi ve kitabi İngilizcede bulunmakta günlük konuşmalarda pek kullanılmamaktadır.

defining clauses - tanımlayan cümlecikler

Yukarıda gördüğümüz tanımlamayan cümleciklerin aksine bunlar bağlı oldukları ana cümlenin önemli bir parçasıdırlar. Onlar olmadan cümlenin anlamı eksik kalır.

The boy who broke the window is Dora's son.	Çocuk, ki o camı kırdı. Dora'nın oğludur. (Camı kıran çocuk Dora'nın oğludur.)
This is the house which was burnt by the enemy.	Düşman tarafından yakılan ev budur.
Where are the flowers which I brought this morning?	Bu sabah getirdiğim çiçekler nerede?
The eggs which you bought were bad.	Satın aldığın yumurtalar bozuktu.
They built a house which had ten rooms.	On odası olan bir ev inşa ettiler.
I know a woman who sells spices in front of a department store.	Bir büyük mağazanın önünde baharat satan bir kadın tanıyorum.

Tanımlayan cümleciklerde **who** ve **which** gibi **that** de kullanılabilir.

Anyone that can understand English can join the group.	İngilizce anlayabilen herhangi biri gruba katılabilir.
Is this the house that has a Turkish bath in it?	İçinde bir Türk hamamı olan ev bu mudur?

contact clause - kısaltılmış cümlecik

Bu cümleciklerde **which, who, that** ile nitelenen isim özne durumunda ise yani fiili yapan durumunda bulunuyorsa tanımlayan cümleciğin başındaki **which, who, that** sözcükleri yerlerinde bulunurlar. Şayet nesne durumunda iseler, yani onlar üzerinde bir eylem yapılıyorsa bu durumda **who, which, that** atılarak cümlecik **contact clause** haline getirilir. Bunların çıkmasıyla anlamda bir eksiklik olmaz.

This is the girl who sent you a book.	Sana bir kitap gönderen kız budur.
This is the girl they saw in the park.	Parkta gördükleri kız budur.
The key you brought was broken.	Getirdiğin anahtar kırıktı.

The key which opened the lock belonged to the porter.	Kilidi açan anahtar kapıcıya aitti.
The car that took us to the airport was Mr Miller's.	Bizi havalimanına götüren otomobil Bay Miller'indi.
The car I bought last month was out ot order again.	Geçen ay aldığım otomobil yine bozuldu.
The letter that explained everything was written by the lawyer.	Her şeyi açıklayan mektup avukat tarafından yazılmıştı.
The letter I received is in my bag.	Aldığım mektup çantamdadır.

NOUN CLAUSES - İSİM CÜMLECİKLERİ

İsim cümleciği bir ismin yerini tutan, yani bir isim görevi yapan cümleciktir. İsim cümlecikleri çoğunlukla **that** sözcüğü ile başlar. Ancak **where, when, what, who, which** gibi sözcükler de isim cümleciklerinin başında yer alabilirler.

1. İsim cümleciği kullanılışı bakımından birkaç şekil ve durumda olabilir. Aşağıdaki örneklerde **that** ile başlayan bölümler baştaki fiilin nesnesi durumundadırlar ve tümüyle bir isim anlamı veren isim cümlecikleridirler.

I know that you are a teacher.	Biliyorum ki bir öğretmensin. (Bir öğretmen olduğunu biliyorum.)
She said that it was five o'clock.	Dedi ki saat beşti. (Saatin beş olduğunu söyledi.)

Bu cümlelerde **that you are a teacher** (bir öğretmen olduğunu), **that it was five o'clock** (saatin beş olduğunu) isim cümlecikleri "bilmek" ve "söylemek" fiillerinin nesnesi durumundadırlar. Yani bu fiiller o cümledeki isim cümlecikleri üzerinde etki yapmaktadırlar.

Aşağıdaki örneklerde nesne durumunda bulunan isim cümleciklerini daha kolay izlemeniz için önce tek başlarına sonra ana cümlecikle birleşmiş olarak veriyoruz.

that they were your friends	sizin arkadaşlarınız olduklarını
that she was a nurse	bir hemşire olduğunu
that he liked folk music	halk müziğini sevdiğini
that the work was completed	işin tamamlandığını
that they had closed the shop	dükkânı kapadıklarını
that she had made a mistake	bir hata yaptığını

They told us that they were your friends.	Bize sizin arkadaşlarınız olduklarını söylediler.
She said that she was a nurse.	Bir hemşire olduğunu söyledi.
I learnt that he liked folk music.	Halk müziğini sevdiğini öğrendim.
The man informed them that the work was completed.	Adam onlara işin tamamlandığını bildirdi.
She saw that they had closed the shop.	Dükkânı kapadıklarını gördü.
She confessed that she had made a mistake.	Bir hata yaptığını itiraf etti.

İsim cümleciği yine fiilin nesnesi durumunda bir soru şeklinde de olabilir. Bunları da önce ayrı sonra ana cümlecikle birleşmiş olarak görelim.

what I wanted	ne ki istedim (ne istediğimi)
what they sell	na sattıklarını
where she lives	nerede oturduğunu
where they went	nereye gittiklerini
why she is so late	niçin bu kadar geç kaldığını
how to make cakes	nasıl pasta yapılacağını
when the train departs	trenin ne zaman hareket ettiğini

She asked me what I wanted.	Bana ne istediğimi sordu.
Do you know what they sell?	Ne sattıklarını biliyor musun?
I want to know where she lives.	Nerede oturduğunu bilmek istiyorum.
I don't remember where they went.	Nereye gittiklerini hatırlamıyorum.
Tell me why she is so late.	Bana onun niçin bu kadar geç kaldığını söyle.
Do you know how to make cakes?	Nasıl pasta yapılacağını biliyor musun?
We'll find out when the train departs.	Trenin ne zaman hareket ettiğini öğreneceğiz.

Yukarıdaki cümlelerde görüldüğü gibi sorular iki şekilde olabilmektedir. Birincisi normal soru halinde bulunan ana cümleye soru isim cümlesi eklendiğinde cümle tam bir soru olmakta ve sonuna soru işareti almaktadır.

Can he explain why he was among the protestors? Niçin protestocular arasında olduğunu açıklayabilir mi?

Will you tell them who stole the ring? Yüzüğü kimin çaldığını onlara söyleyecek misin?

Does she know where the museum is? Müzenin nerede olduğunu biliyor mu?

İkincisi, nakledilen söz halinde bulunan sorulardır. Bunlarda ana cümlecik soru halinde değil, isim cümleciği soru halindedir. Bunların sonunda soru işareti bulunmamaktadır.

I know what you like most. En çok ne sevdiğini biliyorum.

She doesn't tell us where the other boys play. Bize diğer çocukların nerede oynadığını söylemez.

They asked me when I would come. Bana ne zaman geleceğimi sordular.

2. İsim cümleciği özne olarak da kullanılabilir. Bu durumda cümlenin başında bulunur.

What you say isn't correct. Söylediğin doğru değildir.

That she'll be here in time is impossible. Vaktinde burada olması imkânsızdır.

How the money was stolen nobody learnt. Paranın nasıl çalındığını hiç kimse öğrenemedi.

Where they worked was not known. Nerede çalıştıkları bilinmedi.

That ile başlayan isim cümleciğinin özne olarak kullanılışı pek az görülür. Bu durumda **it is** sözcükleri ile **certain, pity, possible, unfortunate** gibi sıfatlardan oluşan bir yapı kullanılır.

It is a pity that you missed the show. Şovu kaçırmanız yazık.

It is possible that they misunderstand you. Sizi yanlış anlamaları mümkündür.

| It is certain that the prices will go up. | Muhakkak ki fiyatlar yükselecek. |
| It is impossible that he would neglect his duty. | Görevini ihmal etmesi imkânsızdır. |

3. **Certain, glad, sure, afraid, sorry** gibi sıfatlarla da isim cümleciğinin kullanılışına çok rastlanır.

I'm sure that you will succeed.	Başaracağına eminim.
He's sorry that he didn't remember you.	Sizi hatırlamadığına üzgün.
We're certain that they'll change their opinions.	Fikirlerini değiştireceklerinden eminiz.
I'm glad that she liked our country.	Onun ülkemizi beğendiğine memnunum.
We're sorry that we couldn't help you.	Size yardım edemediğimize üzgünüz.

İsim sözcüğü önündeki **that** sözcüğü çoğunlukla atılabilir.

She is sure that her son will visit her.	Oğlunun onu ziyaret edeceğinden emindir.
She is sure her son will visit her.	Oğlunun onu ziyaret edeceğinden emindir.
I told them that they were mistaken.	Onlara yanıldıklarını söyledim.
I told them they were mistaken.	Onlara yanıldıklarını söyledim.
He said that he would write soon.	Yakında yazacağını söyledi.
He said he would write soon.	Yakında yazacağını söyledi.
We're afraid that they won't accept your offer.	Korkarız teklifinizi kabul etmeyecekler.
We're afraid they won't accept your offer.	Korkarız teklifinizi kabul etmeyecekler.

ADVERB CLAUSES - ZARF CÜMLECİKLERİ

Zarf cümlecikleri zarf görevi yaparlar. Bunların başlıcaları şunlardır:

1. **clauses of purpose** - amaç cümlecikleri
2. **clauses of comparison** - karşılaştırma cümlecikleri
3. **clauses of reason** - sebep cümlecikleri
4. **clauses of time** - zaman cümlecikleri
5. **clauses of result** - sonuç cümlecikleri
6. **clauses of concession** - kabul ediş cümlecikleri

Bunları teker teker ele alarak inceleyelim:

clauses of purpose - amaç cümlecikleri

Amaç cümlecikleri **so that, in order that** sözcükleriyle başlar ve özne olan kişinin eyleminin ana cümledeki fiil ile olan ilişkisini ve amacını gösterir. Bu cümleciklerde kullanılacak yardımcı fiiler **will (would), can (could), may (might)**tır.

Ana cümleciğin fiili şimdiki zaman ise amaç cümleciğinin fiili de şimdiki zaman, geçmiş zaman ise o da geçmiş zaman halinde bulunur.

so that

He comes early so that he can finish the work soon.	İşi çabuk bitirebilsin diye erken gelir.
Edward worked hard so that he could succeed.	Başarılı olabilsin diye Edward çok çalıştı.
I climbed the tree so that I could see their garden.	Onların bahçesini görebileyim diye ağaca tırmandım.

They will cook the food so that it will be ready when the guests arrive.	Konuklar geldiğinde hazır olsun diye yiyeceği pişirecekler.
She will get up early so that she will see the sunrise.	Gün doğuşunu görsün diye erken kalkacak.
He is learning English so that his father will send him to England.	Babası onu İngiltere'ye göndersin diye o İngilizce öğreniyor.

in order that

In order that ile başlatılan amaç cümleciklerinde yardımcı fiil olarak **may (might), shall (should)** kullanılır. Ana cümleciğin fiili şimdiki zamansa amaç cümleciğinde **may, shall**, geçmiş zamansa **might, should** yer alır.

We shouted loudly in order that they might hear us.	Bizi duyabilsinler diye yüksek sesle bağırdık.
He learns French in order that they may send him to France.	Onu Fransa'ya gönderebilirler diye Fransızca öğreniyor.

Amaç cümleciklerinde en çok kullanılan şekil **so that** ile başlayandır. **In order that** daha az kullanılır.

clauses of comparison - karşılaştırma cümlecikleri

Karşılaştırma cümlecikleri **as .. ... as** ve **than** ile yapılır. Cümlenin olumsuz olması halinde ilk **as** yerine **so** kullanılabilir.

She can't walk so fast as the others.	Diğerleri kadar hızlı yürüyemez.
They'll answer the questions as quickly as a computer.	Sorulara bir bilgisayar kadar çabuk cevap verecekler.
The nurse cleaned the wound as carefully as the doctor.	Hemşire yarayı doktor kadar dikkatli temizledi.

We didn't get up so early as the other students.	Diğer öğrenciler kadar erken kalkmadık.

As ... as yapısında zarf (veya sıfat) yalın halde bulunur. **Than** ile yapılan karşılaştırmada ise bunların karşılaştırma şekilleri (kısa sözcüklerde **-er** almış şekilleri, uzunlarda önüne **more** getirilmiş şekilleri) kullanılır.

He understands better than his friends.	Arkadaşlarından daha iyi anlar.
Some students make mistakes more frequently than the other students.	Bazı öğrenciler diğer öğrencilerden daha sık hatalar yaparlar.

As .. as ile karşılaştırma cümleciklerinde ana cümlecikteki yardımcı fiil, şayet yardımcı fiil yoksa **do** kullanılır.

They can fight as bravely as we can.	Bizim kadar cesurca savaşabilirler.
He works as slowly as the others do.	Diğerleri kadar yavaş çalışır.

Than ile yapılmış karşılaştırma cümlelerinde yardımcı fiil veya **do** tekrarlanmayabilir.

She speaks more slowly than her friend does.	Arkadaşından daha yavaş konuşur.
She speaks more slowly than her friend.	Arkadaşından daha yavaş konuşur.
They helped more generously than the other firms did.	Diğer firmalardan daha cömertçe yardım ettiler.
They helped more generously than the other firms.	Diğer firmalardan daha cömertçe yardım ettiler.
The girl washed the dishes more carefully than I did.	Kız bulaşıkları benden daha dikkatli yıkadı.
The girl washed the dishes more carefully than me.	Kız bulaşıkları benden daha dikkatli yıkadı.

Son örnekte görüldüğü gibi zamir kullanma halinde fiil tekrarlanıyorsa zamirin özne hali **(I, he, we)** fiil kullanılmıyorsa zamirin nesne hali **(me,**

him, us) kullanılmaktadır. Bu ikinci şekil konuşma dilinde en çok rastlanılan şekildir.

Mary works harder than we do.	Mary bizden daha çok çalışır.
Mary works harder than us.	Mary bizden daha çok çalışır.
He can't climb the tree so easily as they can.	Ağaca onlar kadar kolay tırmanamaz.
He can't climb the tree so easily as them.	Ağaca onlar kadar kolay tırmanamaz.

the more ... the more ...

Bu yapı aşağıdaki örneklerde görüldüğü gibi kullanılır.

The more you read, the more you learn.	Çok okudukça çok öğrenirsin. (Ne kadar çok okursan o kadar çok öğrenirsin.)
The more they get, the more they want.	Ne kadar çok elde ederlerse o kadar çok isterler.

clauses of reason - sebep cümlecikleri

Bu cümlecikler **because, since, as** sözcükleriyle başlar.

She took her umbrella because it had begun to rain.	Yağmur yağmaya başladığı için şemsiyesini aldı.
We came late because there was an accident on the road.	Yolda bir kaza olduğu için geç geldik.
Our neighbour sold his car because it was too small for his family.	Komşumuz arabasını ailesine çok küçük geldiği için sattı.

As, since ile yapılan sebep cümlecikleri ana cümlecikten önce gelir.

As you don't want to study your lessons, you must help your mother in the kitchen.	Mademki derslerine çalışmak istemiyorsun, mutfakta annene yardım etmelisin.
Since she refused to marry me, I'll marry her best friend.	Mademki benimle evlenmeyi reddetti, onun en iyi arkadaşınla evleneceğim.
As we have a lot of time before the match, we can go to a restaurant.	Mademki maçtan önce çok vaktimiz var bir lokantaya gidebiliriz.
Since your father isn't at home tonight, I'll bring you the computer games.	Mademki baban bu akşam evde değil sana bilgisayar oyunlarını getireceğim.
Since you like playing chess, why don't you join us?	Mademki satranç oynamayı seviyorsun niçin bize katılmıyorsun?

clauses of time - zaman cümlecikleri

Zaman cümlecikleri **when, while, as, until, after, as soon as, since, whenever** gibi zaman bağlaçlarıyla başlar.

Zaman cümleciklerinin fiil zamanı ile ana cümlecikteki fiil zamanı aynı olmalıdır. Biri şimdiki diğeri geçmiş zaman olamaz. Bunun dışında zaman cümleciğindeki fiil gelecek zaman halinde olamaz.

I'll wait here until they come.	Onlar gelinceye kadar burada bekleyeceğim.
She goes to the door when she hears a sound.	Bir ses işittiği zaman kapıya gider.
She went to the door when she heard a sound.	Bir ses işittiği zaman kapıya gitti.
I repaired the chair while I listened to the radio.	Radyoyu dinlerken sandalyeyi tamir ettim.
They sing songs when they work in the fields.	Tarlalarda çalışırken şarkılar söylerler.
They sang songs when they worked in the fields.	Tarlalarda çalışırken şarkılar söylediler.
As Anita left the house she gave the maid some money.	Anita evden ayrılırken hizmetçiye biraz para verdi.

I'll tell you my opinion after I think about the matter.

Meseleyi düşündükten sonra sana fikrimi söyleyeceğim.

Zaman cümleciği cümlenin başında da sonunda da yer alabilir.

When she comes, she'll give you the key.	Geldiği zaman sana anahtarı verecek.
She'll give you the key when she comes.	Geldiği zaman sana anahtarı verecek.
When she came, she gave you the key.	Geldiği zaman sana anahtarı verdi.
She gave you the key when she came.	Geldiği zaman sana anahtarı verdi.

He runs away as soon as he sees the dog.	Köpeği görür görmez kaçar.
He ran away as soon as he saw the dog.	Köpeği görür görmez kaçtı.
He'll run away as soon as he sees the dog.	Köpeği görür görmez kaçacak.

Zaman cümleciğinin hangi fiil zamanlarında olabileceğini aşağıda ayrı olarak görüyoruz.

when he goes	gidince
when he went	gidince (gittiğinde)
when he was going	gidiyorken
when he has gone	gittiğinde

I'll telephone you when he goes.	Gidince sana telefon edeceğim.
He left the bag when he went.	Gittiğinde çantayı bıraktı.
When he was going he closed the windows.	Gidiyorken pencereleri kapattı.
The house will be quiet when he has gone.	O gittiğinde ev sakin olacak.

We see them whenever we pass their house.	Her ne zaman evlerinden geçsek onları görürüz.
The doctor lives in our village since he finished his school.	Doktor okulunu bitirdiğinden beri köyümüzde oturuyor.

After the game the spectators jumped on the playground.	Oyundan sonra seyirciler oyun alanına atladılar.
The moment she saw the snake, she fainted.	Yılanı gördüğü an bayıldı.

clauses of result - sonuç cümlecikleri

Sonuç cümlecikleri **so that** ile başlar.

I learnt everything, so that I can tell you everything.	Her şeyi öğrendim. Onun için sana her şeyi anlatabilirim.
We came early, so that we can discuss the matter before the meeting.	Meseleyi toplantıdan önce müzakere edebilelim diye erken geldik.

Bu cümleciklerde, amaç cümleciklerinde yapıldığı gibi **may, might, should** kullanılamaz.

Derece gösteren sonuç cümlecikleri **so ... that ve such ... that** şeklinde yapılır.

She came so late that the shops were closed.	O kadar geç geldi ki dükkânlar kapalıydı.
He ran so fast that the dog couldn't catch him.	O kadar hızlı koştu ki köpek onu yakalayamadı.
I open the bottle so carefully that it isn't broken.	Şişeyi o kadar dikkatli açarım ki kırılmaz.
Christine bought such a big table that it occupied half of the room.	Christine o kadar büyük bir masa aldı ki odanın yarısını kapladı.
She said such bad things about you that nobody believed her.	Senin hakkında o kadar kötü şeyler söyledi ki ona kimse inanmadı.

clauses of concession - kabul ediş cümlecikleri

Bu cümlecikler **though, although, even though, even if, no matter, however, whatever** gibi sözcüklerle başlar.

Though it is cold, the children can play in the garden.

Her ne kadar soğuksa da çocuklar bahçede oynayabilirler.

Though he did his best, he was not successful.

Her ne kadar elinden geleni yaptıysa da başarılı olamadı.

However carefully she washes the dishes, she breaks one or two plates every week.

Bulaşıkları her ne kadar dikkatli yıkasa da her hafta bir veya iki tabak kırar.

Although she gets up early, she comes to school late.

Her ne kadar erken kalksa da okula geç gelir.

Whatever they think, I'm not guilty.

Onlar ne düşünürlerse düşünsünler ben suçlu değilim.

Though your English isn't enough to understand the conversations, you must watch the film.

İngilizcen konuşulanları anlamaya yeterli değilse de filmi seyretmelisin.

They must visit their parents even if they have no time.

Hiç vakitleri olmasa da anne babalarını ziyaret etmeliler.

She'll forgive you, no matter what you do and what you say.

Ne yapsan ne desen seni affeder.